CATHERINE BARDON

Catherine Bardon est une amoureuse de la République dominicaine. Elle est l'auteur de guides de voyage et d'un livre de photographies sur ce pays, où elle a passé de nombreuses années.
Auteur de la saga *Les Déracinés* publiée aux Éditions Les Escales, elle a déjà conquis plus de 300 000 lecteurs. Son dernier ouvrage *Et la vie reprit son cours*, troisième volume de la saga, paraît en 2020 chez le même éditeur.

LES DÉRACINÉS

1921-1961

DU MÊME AUTEUR
CHEZ POCKET

LES DÉRACINÉS

L'AMÉRICAINE

CATHERINE BARDON

LES DÉRACINÉS

1921-1961

LES ESCALES

Ceci est une œuvre de fiction. À l'exception des événements historiques et de personnages publics dont les noms ont été gardés, les personnages sont le fruit de l'imagination de l'auteur.

Pocket, une marque d'Univers Poche,
est un éditeur qui s'engage pour la préservation
de l'environnement et qui utilise du papier fabriqué
à partir de bois provenant de forêts gérées
de manière responsable.

ISBN : 978-2-266-28730-2
Dépôt légal : mars 2019

À Kurt Luis Hess, décédé en 2010
à l'âge de cent un ans, qui, un soir de décembre 1991,
m'a ouvert la porte de sa maison du Batey
pour me raconter la singulière histoire de Sosúa.

1re Partie

LES CORBEAUX NOIRS

« Vienne va vivre une époque terrifiante. […] L'air devient lourd ces temps-ci […] j'ai souvent le sombre pressentiment que tout cela n'est que le combat d'un avant-poste d'une guerre mille fois plus terrible. »

Stefan Zweig, Salzbourg, 1934

« Cette ville prétendument si frivole possède une énergie merveilleuse ; jamais Vienne ne manifesta de façon aussi éclatante son identité culturelle, jamais elle ne remporta une telle sympathie auprès du monde entier qu'en cette heure qui précéda l'offensive déclenchée contre son indépendance. Notre vrai pays c'était notre culture, notre art. »

Stefan Zweig, *La Vienne d'hier*

1

Myriam

1921

— Les vraies ballerines peuvent enchaîner vingt pirouettes !

J'ai quinze ans et l'imbécillité désinvolte des adolescents. Vautré dans un fauteuil du salon, je joue les maîtres de ballet. Vêtue de son tutu rose, ses boucles brunes tirées en un chignon maladroit, Myriam se dresse sur la pointe de ses chaussons et se met à tourner sur elle-même. Soudain elle s'écroule, vaincue, au bord des larmes.

— Combien ?

— Neuf !

— Oh Wil, je n'y arriverai jamais !

— C'est parce que tu regardes tes pieds, une vraie ballerine ne regarde jamais ses pieds, elle regarde droit devant elle.

Un petit sourire valeureux creuse des fossettes dans les joues rebondies de ma sœur. Myriam reprend sa posture, droite sur ses pointes, adopte un port de reine et recommence à tourbillonner.

— Une vraie ballerine sourit sans montrer ses dents.

Elle pince ses lèvres et virevolte de plus belle, puis s'arrête soudain, envahie par un doute :

— Et d'abord, comment tu sais tout ça ?

— C'est parce que je m'intéresse à la danse et que, plus tard, je serai critique de ballets.

Myriam acquiesce en silence. Elle me croit. Elle croit tout ce que je dis.

À huit ans, Myriam rêvait d'être une étoile. La danse, elle n'avait que ça en tête. Depuis ses cinq ans, elle suivait des cours de ballet classique à l'école de Tatiana Gabrilov, une ex-ballerine du Kirov, qui avait ouvert une académie très cotée au cœur de Leopoldstadt. Nos parents l'avaient encouragée sans réserve.

— C'est une bonne discipline, rigueur et grâce, disait mon père qui cédait au moindre caprice de sa fille.

— J'aurais tellement aimé prendre des leçons de danse quand j'étais petite, soupirait ma mère qui adorait la valse.

Myriam suivait ses cours de danse avec une assiduité et une constance dont elle était loin de faire preuve à l'école, au grand dam de notre père. Elle travaillait sans relâche ses arabesques et ses entrechats et finit par se révéler une ballerine très convenable. À la maison, le vieux piano avait repris du service, ma mère jouait, Myriam dansait. D'abord très fiers des prouesses de leur fille, mes parents n'avaient plus vu d'un aussi bon œil cette passion quand Myriam avait commencé à devenir véritablement obsédée. Un jour, un peu trop ronde à son goût et pour les critères sévères de la Gabrilov, elle avait décidé d'observer un régime draconien pour ne pas prendre un gramme, contrariant l'âme cuisinière de ma mère.

— Ressers-toi, ma fille, tu ne manges rien. Tu vas ressembler à un moineau déplumé !

— À un chaton passé sous la pluie, renchérissait mon père.

— À… une asperge, ajoutais-je pour ne pas être en reste.

— Ça suffit, rugissait Myriam. Je veux avoir l'air d'une ballerine, un point c'est tout. Comment pourrais-je enchaîner sauts et jetés si je pèse une tonne ?

Des heures durant, enfermée dans sa chambre, elle travaillait ses étirements et corrigeait ses postures devant la glace de son armoire. Durant plusieurs semaines d'affilée, elle ne s'était déplacée dans l'appartement que sur ses pointes, vêtue de son tutu et de ses collants, en pirouettant de temps à autre. Elle se plaignait de sa crinière de boucles brunes qu'elle ne parvenait pas à discipliner. Pendant un temps, elle affecta de ne saisir les objets qu'entre le majeur et le pouce, les trois autres doigts dépliés en l'air telles les plumes d'un oiseau. De temps en temps, je surprenais un échange de regards mi-accablés mi-amusés entre mes parents qui prétendaient ne rien remarquer.

Ma sœur était de tous les spectacles de son école et figurait régulièrement en tête de distribution. Nous avions dû assister à maints ballets où des fillettes interprétaient avec une grâce de petits canetons des extraits d'opéras russes. Quand, à seize ans, Myriam annonça qu'elle voulait faire de la danse son métier, le front du refus parental fut unanime. Une fillette qui suit des cours de danse très bien, de là à avoir une danseuse dans la famille... Il n'y avait pas loin de l'opéra au cabaret !

— Il vaut mieux envisager des études sérieuses qui te serviront plus tard, du droit peut-être, ou du commerce ? suggérait mon père.

— De la littérature ou des langues ? Tu es douée pour les langues, n'est-ce pas Myriam ? insistait ma mère.

— Je veux être ballerine, s'obstinait ma sœur qui cherchait du regard un soutien de mon côté.

— Pourquoi pas les deux en même temps ? Tu choisis des études qui te plaisent et tu continues la danse, comme ça si tu échoues d'un côté, tu te rattrapes de l'autre.

J'excellais dans l'art de ménager la chèvre et le chou. Champions de l'entre-deux, mes parents transigèrent : l'université contre la poursuite des cours de danse. Myriam capitula et se résigna. Je la soupçonnais de douter tout au fond d'elle-même de sa réelle capacité à devenir une étoile.

— Dans ce cas, je vais suivre une formation d'institutrice et des cours d'anglais. Comme ça, si je ne deviens pas ballerine, ça pourra toujours me servir quand je serai professeur de danse.

Qui eût cru, à ce moment-là, que le destin de ma sœur était déjà scellé ?

2

L'imprimerie

1931

— Wil reprendra le flambeau, il sera la troisième génération d'imprimeurs, clamait fièrement Jacob Rosenheck à qui voulait l'entendre.

Mon grand-père, Josef Rosenheck, avait créé cette entreprise florissante en 1850. Né à Kisvárda, une petite ville à la frontière de l'Ukraine, il avait fui la misère de sa Hongrie natale avec, pour tout viatique, l'enthousiasme de ses vingt ans, sa formation d'apprenti imprimeur et son physique d'athlète. Mon père avait transformé le modeste atelier en une entreprise moderne et prospère qui était sa fierté, l'accomplissement d'une vie. Ma destinée était écrite.

J'avais été initié au métier dès mon plus jeune âge. Tout petit, j'étais la mascotte de l'atelier. À peine sorti de l'école, je m'y faufilais et je passais de longs moments à observer avec convoitise les grosses rotatives sous l'œil bienveillant des ouvriers. J'étais fasciné par la puissance des énormes machines et la concentration de ces hommes durs au labeur. Je restais planté à les regarder, en attendant patiemment que, de guerre lasse, l'un d'entre eux cède à ma prière silencieuse. Il y en avait toujours un pour me prendre dans ses bras et me faire actionner avec lui le levier de la presse ou m'aider à positionner des caractères typographiques dans le composteur. Je n'étais jamais aussi heureux que lorsque je traversais la rue pour rentrer à la maison, maculé de noir, brandissant fièrement une feuille à l'encre encore fraîche. Adolescent, j'avais pris l'habitude de donner un coup de main à l'atelier contre une modeste rétribution. En cas de grosse commande, mon père faisait appel à moi. C'était sa façon de m'apprendre la valeur du travail et de l'argent. Quand j'eus vingt ans, l'imprimerie n'avait plus aucun secret pour moi.

Mon père n'avait d'autre choix que de compter sur moi pour prendre la relève, car l'avenir de Myriam, de cinq ans ma cadette, était déjà sur des rails : de brèves études pour parfaire sa culture générale, puis un mariage avec un honnête bourgeois, un avocat ou mieux un médecin, et l'éducation de leurs enfants. Un avenir bien conventionnel car dans la famille Rosenheck, on n'avait pas une vision très moderne de la position de la femme au sein de la société.

Mon enfance s'était déroulée pendant les dernières heures de l'Empire austro-hongrois dont la dislocation avait été un choc profond pour l'Europe. Nous vivions dans une aisance enviable grâce à l'imprimerie. Dans l'Autriche démocratique, la religion n'était ni un problème ni un tabou. Malgré nos origines hongroises et notre ascendance juive, ou peut-être à cause d'elles, mes parents s'étaient donné pour défi de réussir l'intégration de notre famille dans la Vienne de ce début de siècle. Ni orthodoxes ni érudits, ils connaissaient cependant bien les traditions et la culture juives. Notre mère, Esther, tenait à ce que nous n'oubliions pas nos racines. Notre père était partisan d'une instruction laïque. Notre éducation fut un entre-deux : ni Myriam ni moi ne parlions yiddish, une langue que nos parents utilisaient entre eux quand ils ne voulaient pas être compris de nous, et si nous fréquentions la synagogue, ce n'était qu'à l'occasion de grands événements.

J'avais presque terminé mes études d'histoire de la littérature, de philologie et d'histoire de l'art, quand je me suis ouvert de mes ambitions auprès de ma mère qui me soutenait inconditionnellement, quoique trop discrètement à mon goût. Bien sûr, elle s'était abstenue d'en toucher mot à mon père dont elle craignait le caractère entier. Discrète et réservée, Esther était une femme d'un autre siècle, qui n'allait jamais à l'encontre des décisions de son mari. Elle s'était contentée de préparer sournoisement le terrain de ma rébellion par de vagues allusions. Lâchement, j'avais différé jusqu'à l'ultime limite le moment d'apprendre à mon père que l'avenir de l'« Imprimerie Rosenheck et fils, tous types de travaux d'impression à façon » ne passerait pas par moi. L'odeur de l'encre imprégnée dans les vêtements, les doigts maculés, la rumeur permanente des presses, les revendications des ouvriers, très peu pour moi. Je ne reprendrais pas les rênes de l'imprimerie. Je ferais tout pour échapper à ce destin. J'étais prêt à affronter ses foudres, sa déception, voire son mépris. Et, le cas échant, à partir vivre ma vie loin du toit familial. Mes diplômes en vue, je n'avais plus d'autre choix que de l'informer de ma décision.

J'avais longuement mûri ma stratégie pour affronter mon père. Une chose était sûre : ça n'allait pas être facile. Je connaissais son caractère despotique, sa détermination et surtout les espoirs qu'il fondait sur moi. L'imprimerie, c'était toute sa vie. Il ne pouvait même pas imaginer que je puisse avoir une autre ambition. Ce soir-là, après le dîner, je l'avais invité dans un café, pour une discussion d'homme à homme. Il s'était plié de bonne grâce à ma proposition. À coup sûr, il croyait que j'allais lui annoncer un projet de fiançailles ou quelque chose de cet ordre-là. Tout guilleret, il m'emmena dans un petit café du quartier où il avait ses habitudes. C'était un endroit bien moins raffiné que les cafés littéraires du centre que je fréquentais, mais on s'y sentait un peu comme chez soi. Nous eûmes du mal à nous frayer un chemin dans la salle enfumée et bruyante bourrée de joueurs de tarot et d'échecs. Des signes de tête ici et là saluaient notre progression. Mon père était un notable respecté dans le quartier. Nous investîmes une table qui se libérait au fond de la salle. Mon père commanda d'autorité deux schnaps.

— Alors Wilhelm, de quoi voulais-tu me parler ?

Wilhelm ! D'habitude c'était Wil. Mon père ne m'appelait Wilhelm que dans les circonstances solennelles. Je le regardai en biais, gêné. Les coudes sur la table, les poings fermés sous le menton, il penchait légèrement vers moi son visage bourru, prêt à recevoir mes confidences. Deux rides s'étaient creusées sur son front. Son regard bicolore me déstabilisait. Je me sentis rougir d'embarras. J'avalai une bonne rasade d'alcool. Une boule de feu dans mon estomac. Je me raclai la gorge. Mon père n'était pas accoutumé à ce qu'on remette en cause son autorité. Quand je pris la parole ma voix chevrotait légèrement. C'était mon avenir qui se jouait.

— Père, autant vous le dire tout de suite, vous n'allez pas aimer ce que vous allez entendre !

— Quel sombre méfait vas-tu m'avouer, mon garçon ?

Il m'observait d'un œil curieux, presque amusé, se préparant probablement à un récit épique ou grivois. Il était bien loin du compte et il allait déchanter. Prenant une grande inspiration, je me jetai à l'eau comme un plongeur en apnée :

— Je ne suis pas fait pour le métier d'imprimeur, je veux être journaliste !

Voilà, j'avais lâché ma bombe et je baissai la tête en attendant qu'elle m'explosât au visage. Mais l'explosion se fit attendre et n'eut pas lieu. Un silence de mauvais augure s'installa entre nous. Je relevai le nez de mon verre. Pensif, mon père me considéra attentivement, lissant son épaisse moustache d'un geste répétitif de l'index. Le regard énigmatique de ses yeux vairons fouilla jusqu'au tréfonds de mon âme. Quand il prit la parole, ce fut d'une voix posée.

— J'imagine que tu as bien réfléchi, mon fils. Tu sais que l'imprimerie est notre héritage, l'œuvre de ton grand-père. Elle est prospère et ne demande qu'à se développer encore. Nous avons de plus en plus de clients et de lourdes responsabilités car de nombreuses familles dépendent de l'ouvrage que nous leur donnons.

— Père, j'ai un immense respect pour votre métier et votre réussite, mais je dois être honnête, ce n'est pas pour moi. Je veux être journaliste. Je veux travailler dans la presse. Je ne me vois pas ailleurs, martelai-je comme un enfant têtu, en détachant chaque syllabe pour donner le plus de poids possible à ma déclaration.

— Je présume que tu sais que c'est un métier ingrat et fort mal payé ?

Je haussai les épaules, soulagé qu'il ne l'ait pas qualifié de métier de tire-au-flanc.

— Je suis prêt à endurer tous les sacrifices pour exercer la profession que j'aime ! Je ne suis pas attaché au confort matériel.

— C'est facile à dire quand on n'a jamais connu qu'une vie dorée ! As-tu songé aux conséquences d'une telle décision sur l'avenir de l'imprimerie ?

— Vous avez encore de belles années devant vous et vous trouverez aisément un successeur le moment venu…

Je savais que ces paroles étaient un poignard que je lui enfonçais dans le cœur. Mon père marqua une longue pause en me fixant. Ses yeux tentaient de mettre mon âme à nu. J'avais l'impression qu'il me décortiquait tel un insecte sous la lame d'un entomologiste. Dans son regard passa l'ombre de la déception, vite chassée par une onde de bienveillance. Au bout d'une pause qui me parut durer une éternité, il se pencha vers moi et me dit d'une voix solennelle :

— Wilhelm, si c'est ce que tu veux, si tu es intimement convaincu que telle est ta voie, quoi qu'il m'en coûte, je ne m'y opposerai pas. Je ne te demande qu'une seule chose : mets toute ton âme, toute ta détermination, toute ton intelligence au service de ta vocation. Ne la trahis pas, donne le meilleur de toi-même, ne baisse jamais les bras, et réussis. Ce n'est qu'en échange de cet engagement que tu auras ma bénédiction.

Je ne pus retenir un soupir de soulagement : finalement il n'y avait eu ni affrontement ni querelle. Je lus dans les encouragements de mon père une grande ouverture d'esprit et une tolérance que je ne soupçonnais pas. Ses yeux perçants souriaient et je sentis une puissante vague d'amour déferler et m'envelopper tout entier. Je savais quel renoncement et quels regrets c'était pour lui. J'étais fier de mon père. Il m'aimait. Je ne le décevrais pas.

Je ne devais découvrir que bien plus tard que mon père avait depuis toujours des accointances avec des journalistes des milieux libéraux, et que, à diverses reprises, son imprimerie avait tourné la nuit au service des opposants au régime, tout comme elle le fit dans les premières années de résistance au nazisme. Pour l'heure, je me contentai de lui sourire en lançant avec tout l'enthousiasme et l'inconscience de mes vingt ans :

— Je réussirai, Père, et vous serez fier de moi, je vous le promets.

Mon père se redressa. Sous la lumière jaune, ses cheveux me semblèrent tout d'un coup plus gris, ses rides plus profondes. Il venait de perdre son rêve. D'un geste du bras, il demanda une nouvelle tournée d'alcool, puis il leva son verre et choqua le mien.

D'une lampée, nous les vidâmes comme deux hommes qui venaient de sceller un bon accord. Puis il se leva.

— Debout Wilhelm, allons annoncer cette bonne nouvelle à ta mère.

Ce fut ainsi que moi, Wilhelm Rosenheck, l'héritier de l'imprimerie Rosenheck et fils, je reçus la bénédiction de mon père pour m'engager dans le journalisme.

3

Un feuilleton à trois couronnes

1931-1932

Nous habitions un vaste appartement d'un immeuble cossu de la très bourgeoise Wasagasse à Alsergrund, dans le IXe arrondissement de Vienne. C'était, avec l'imprimerie, l'héritage laissé par Josef Rosenheck, le solide témoignage de sa réussite et de son assimilation à la bonne société viennoise.

Mes parents, peu portés à l'ostentation malgré une certaine aisance, possédaient en outre une chambre et un minuscule deux pièces sous les combles, au-dessus de l'appartement familial. Jutta, notre bonne, débarquée une quinzaine d'années auparavant d'un shtetl[1] de Galicie, une province perdue aux confins du défunt empire, occupait la chambre. Depuis mon entrée à

1. Village juif en Europe de l'Est avant la Seconde Guerre mondiale, vivant en quasi-autarcie, avec un mode de production proche de celui des kibboutzim d'après guerre. La langue parlée dans les shtetl était le yiddish.

l'université, je vivais dans le deux pièces sous les toits. « Comme un pacha » selon Myriam, qui enviait mon indépendance. Je l'avais aménagé en une garçonnière meublée de bric et de broc. J'étais très fier de mon intérieur bohème. Au salon, il y avait une paire de fauteuils fatigués en cuir brun, une table basse et un tapis oriental dont la trame apparente par endroits trahissait l'âge ; dans la chambre, un grand lit avec des piles de livres en guise de chevets et contre un mur une bibliothèque aux rayons surchargés d'ouvrages de mes auteurs préférés, Raimund, Grillparzer, Bahr, Rilke, Lenau, Schnitzler, Roth, et bien sûr mon cher Zweig… Je disposais d'une salle de douche lilliputienne avec, détail important, ses propres toilettes, et d'une petite cuisine que je n'utilisais jamais. C'était mon antre. Ce n'était pas le grand luxe, pas une décoration de rêve non plus, mais j'y étais chez moi et je pouvais y recevoir des amis en toute liberté. J'y accueillais également, aussi discrètement que possible, mes conquêtes féminines dont je ne faisais ni étalage ni mystère, sans avoir à supporter le regard chargé d'opprobre dont ma mère n'aurait pas manqué de me gratifier, si elle avait dû croiser mes amies dans son appartement.

Certains soirs, on grattait impérieusement à ma porte.

— Ouvre-moi Wil, s'il te plaît. J'ai du chocolat.

Myriam choisissait des soirs où elle me savait seul. Car elle me surveillait jalousement. Elle se laissait tomber dans un fauteuil défoncé avec un soupir de contentement. « Du jazz, pas du classique ! » demandait-elle. Je posais un disque sur le gramophone, elle battait la mesure de son pied et nous partagions ses barres de chocolat ou la part de strudel qu'elle avait apportée tandis qu'elle me questionnait sur l'état du monde et les soubresauts de la politique allemande, des sujets que nous évitions pudiquement à la table familiale. Ses préoccupations si justes, ses questions précises, ses remarques fines étaient celles d'une adulte parfaitement consciente de ce qui se jouait. Je regardais avec tendresse son visage juvénile, ses grands yeux fiévreux hérités de mon père, ses boucles brunes qui volaient quand elle secouait la tête en signe d'exaspération, son cou qui rougissait, la ride soucieuse qui se faufilait sur son front lisse quand elle était perplexe. Je m'étonnais d'une telle maturité chez une adolescente mais, quand je m'efforçais d'adoucir mon discours, elle me rappelait à l'ordre.

— Inutile de me dorer la pilule, Wil. Je ne suis plus une enfant et je sens bien ce qui se trame. De toute façon, je vais partir. J'étouffe ici, j'irai en Amérique, les femmes sont libres là-bas.

— Je te signale que tu n'es pas encore une femme !

Elle se redressait avec un petit sourire satisfait et bombait la poitrine, tout en suçotant son chocolat :

— Oh Wil, ce que tu peux être naïf ! Bien sûr que j'en suis une. Enfin presque ! corrigeait-elle avec un air entendu. Il n'y a qu'à voir comment me regardent les hommes quand nous sortons ensemble.

Je considérais ma sœur, ce petit bout que j'adorais, et je me rendais compte qu'elle disait vrai. Elle avait quitté les rivages de l'enfance et paraissait pressée d'en découdre avec la vie. Je me promettais de redoubler de vigilance la prochaine fois que je l'emmènerais à un vernissage. Je me promettais aussi de l'aider à réaliser ses rêves.

— Sur ce, je me retire, annonçait-elle grande dame en exécutant une petite révérence. Tu me prêtes un livre ?

Je choisissais avec soin un roman dont je savais qu'elle le dévorerait et que nous en discuterions quelques jours plus tard. J'entendais ses pas galoper dans l'escalier et je savourais avec tendresse le léger parfum d'eau de rose qu'elle avait laissé dans son sillage.

Deux à trois fois par semaine, je dînais dehors, puis je m'éternisais dans un café où nous refaisions le monde entre amis. Le reste du temps je partageais avec plaisir les repas familiaux. J'étais très conscient d'abuser de l'indulgence bienveillante de mes parents. Je profitais de façon éhontée des avantages de la vie familiale et des talents de cordon-bleu de ma mère, sans en subir aucune des contraintes. Ma seule obligation c'était le sacro-saint déjeuner du dimanche. Il me fallait une très très bonne raison pour y échapper. En toute honnêteté, cette pause dominicale, à laquelle tenaient tant mes parents, était la bienvenue dans le tourbillon de ma vie d'étudiant. C'était un repas intime et gai. Parfois, après le café, Esther jouait une valse au piano et Myriam m'entraînait dans un tourbillon de plus en plus rapide jusqu'à ce que nous nous écroulions en riant sur le sofa, sous l'œil bienveillant de notre père. Puis elle s'inclinait devant lui et l'invitait à danser : « Il faut vous entraîner, Père, pour le jour de mon mariage ! » Il se pliait de bonne grâce à la requête de sa fille. D'autres fois, Myriam nous montrait une figure qu'elle venait d'apprendre, un ballonné, un saut de basque, une cabriole, un piqué ou un saut de biche, et terminait toujours par la révérence qui était devenue sa marque de fabrique.

Mes années d'études avaient été une effervescence de fêtes et de sorties ponctuées de parenthèses studieuses en période d'examens. L'université de Vienne grouillait d'une foule de personnages hauts en couleur et d'esprits brillants, professeurs, philosophes, écrivains, poètes, musiciens, peintres, architectes, mathématiciens… Il était très facile de se laisser griser et de se prendre pour un membre de l'intelligentsia, travers dans lequel je tombai avec complaisance. Pourtant je n'en étais qu'un satellite insignifiant, je me gonflais d'une importance que j'étais bien loin d'avoir, jeune coq dressé sur ses ergots ébouriffant ses plumes pour se faire plus gros qu'il n'est. Je m'employais avec détermination à me forger un carnet d'adresses et à entretenir des relations qui devraient plus tard me servir, aidé en cela par mon caractère naturellement ouvert, avenant et curieux, qui m'ouvrait bien des portes et des amitiés, pour la plupart superficielles.

Mes diplômes en poche, fort de quelques recommandations de poids et fier de mon expérience de rédacteur en chef adjoint du journal universitaire, je postulai dans plusieurs rédactions. Je visais la rubrique culture d'un grand quotidien car je ne me sentais pas prêt pour les rubriques trop sérieuses de la politique ou de l'économie.

C'est par la petite porte que je suis entré dans le journalisme. J'avais commencé par collaborer à la *Kronen Zeitung*, un journal populaire, apprécié pour ses romans-feuilletons faciles à lire et ses jeux de chasse au trésor. Je m'étais lancé avec enthousiasme, comme Zweig en son temps, dans « un feuilleton au rez-de-chaussée ». Sous un nom d'emprunt, je commettais chaque jour un épisode de l'histoire farfelue d'un aventurier, chercheur d'or en Amérique. Mon héros, un lettré autrichien désabusé, que j'avais baptisé Gerfried Falk, découvrait un filon d'or, était capturé par des Apaches, filait le parfait amour avec la fille du chef de la tribu, se faisait adopter par les Indiens, chassait l'ours et se battait à leurs côtés face à l'armée régulière américaine… Contre toute attente, Falk conquit rapidement le lectorat de la *Krone*.

Mon ancien condisciple et meilleur ami Bernd Krauze, de quelques années mon aîné, occupait un poste de rédacteur à la rubrique politique internationale du prestigieux *Neue Freie Presse*, une référence mondiale dans le monde du journalisme. Bernd m'avait chaudement recommandé à son rédacteur en chef, Ernst Benedikt. Digne héritier de son père, l'emblématique Moriz Benedikt, il était accessoirement le propriétaire du journal et l'ami de jeunesse de Zweig, que je vénérais. Quand Benedikt avait consenti à me recevoir, j'avais su que je tenais là la chance de ma vie. J'avais accepté sa proposition et avais lâché la *Krone* sans état d'âme. Mais les amateurs de Falk, dont j'avais bâclé la retraite, ne l'entendaient pas ainsi. Le directeur de la *Krone* m'avait supplié de poursuivre notre collaboration et Falk le chercheur d'or avait repris du service au bas de ses colonnes. Je cumulais ainsi deux emplois, en remerciant le ciel d'avoir eu la clairvoyance de choisir un pseudonyme pour signer mon feuilleton à trois couronnes.

J'étais fier de travailler au *Neue Freie Presse.* Avec ses 90 000 exemplaires quotidiens, ses éditions du matin et du soir et son style d'avant-garde, c'était le principal quotidien d'Autriche. Il recrutait son lectorat au sein de la bourgeoisie libérale. Nul ne contestait son influence politique. Parmi ses éditorialistes et chroniqueurs, on comptait d'immenses plumes, telles que Stefan Zweig, Theodor Herzl, ou Arthur Schnitzler. Plusieurs centaines de journalistes s'activaient dans la ruche bourdonnante de la rédaction. Collaborer à sa section culture était un rêve devenu réalité. J'avais accepté le challenge que représentait mon embauche à la rubrique quotidienne « Nouvelles théâtrales et artistiques » et j'étais bien décidé à y investir toute mon énergie. Cependant, à côté de mes préoccupations culturelles frivoles, je ne pouvais ignorer le reste de la rédaction qui bouillonnait quotidiennement d'indignation face à une situation politique et sociale qui se dégradait de jour en jour. J'avais adopté le costume de la légèreté car je ne me sentais taillé ni pour la lutte politique ni pour le militantisme. Parmi mes confrères, j'avais endossé le rôle du jeune boute-en-train, parfois cynique, toujours optimiste et de bonne humeur, jamais en retard d'une blague ou d'un trait bien senti. Je m'étais lancé à corps perdu dans le travail : j'écrivais le jour et je passais l'essentiel de mes soirées dans les théâtres, les salles de concerts et les galeries d'art.

C'est ainsi que commença ma carrière dans la presse quotidienne viennoise. J'ignorais alors à quel point elle serait courte.

4

Laboratoire pour une apocalypse

1931

Avoir vingt-cinq ans à Vienne était un privilège. C'était une époque formidable pour être jeune et curieux dans cette ville brillante et stimulante, qui était encore un vrai creuset de création et, somme toute, le berceau de la modernité de tout l'Occident. L'effervescence culturelle et l'énergie sauvage qui y bouillonnaient au tout début du siècle étaient toujours perceptibles, la vie intellectuelle et artistique restait intense. C'était une immersion de tous les instants dans les plaisirs. La jeunesse insouciante s'était libérée de l'étau du conservatisme petit-bourgeois des décennies précédentes. La sexualité n'était plus un tabou, une nouvelle liberté des mœurs régnait, à laquelle le docteur Freud n'était pas étranger, très éloignée toutefois de la décadence berlinoise. Il y avait toujours un événement quelque part. À la saison des bals, les soirées ne se terminaient qu'au petit matin, quand les noceurs s'attablaient devant un solide *Katerfrühstück*, le petit déjeuner des lendemains de fête, rollmops et café noir bien fort, un excellent remède contre la gueule de bois.

J'aimais éperdument cette Vienne qui m'avait vu naître. J'étais fier d'appartenir à cette ville de culture, d'art, de musique et d'érudition. J'enviais mes aînés au journal, ils connaissaient tout le monde, tous ceux qui comptaient. Je me jurais de marcher dans leurs pas. Un jour, Vienne serait à moi. C'était facile pour peu que vous veniez d'un certain milieu et possédiez quelques références sociales. Je compensais mon origine modeste par mes études, mes liens toujours vivaces avec les sommités de l'université et mon poste au plus prestigieux journal de la capitale. J'entretenais la bienveillance de mes contacts grâce à un travail sérieux et acharné et m'intégrais peu à peu à l'élite intellectuelle.

Parfois je me sentais envahi par un vague sentiment de regret. Si j'avais eu quinze ou seulement dix ans de plus, si j'avais vécu ma jeunesse dans la Vienne des premières années du siècle, j'aurais fréquenté tous ces génies, qui me considéraient aujourd'hui sans nul doute comme un freluquet, quand il m'arrivait de croiser leur route. Puis je me consolais en me disant que j'étais l'un des héritiers de tous ces brillants esprits. Ma mission était de faire perdurer l'état d'esprit viennois. Pourtant une atmosphère de névrose s'installait insidieusement. Le mirage de la vie viennoise, qui faisait rimer amitiés, insouciance, poésie, littérature, et arts, était en train de s'effriter, menaçant de voler en éclats. L'antisémitisme, qu'on avait voulu croire éradiqué, rampait comme une maladie sournoise. À vrai dire, il n'avait jamais disparu des mentalités, renforcé par l'installation en masse des Juifs d'Europe de l'Est dans les ghettos galiciens au détour des années 1880. La bourgoisie juive de vieille souche, détachée de la tradition religieuse, parfois même convertie au christianisme, assimilée à la culture allemande et parfaitement intégrée, inconsciente de la menace, avait alors découvert une autre identité juive, qui lui était étrangère.

Je ne me sentais pas juif, mais simplement et profondément autrichien. J'étais né dans cette ville, comme mon père et ma mère avant moi. C'était mon univers, dans lequel je me sentais en confiance et en sécurité, et qui devait durer éternellement. L'Autriche était ma patrie, et être juif n'avait pas plus d'importance qu'être né brun ou blond. Bien sûr nous étions juifs, mais notre origine ne se manifestait guère plus d'une fois par an le jour du Grand Pardon, quand mon père s'abstenait de fumer ou de se déplacer, plus pour ne pas blesser les autres dans leurs sentiments que par conviction religieuse. Chez les Rosenheck, on ne parlait pas yiddish, ni Myriam ni moi n'avions appris l'hébreu. Ma famille vivait la tradition de manière laïque. Nous célébrions Hanoukka et Pessah comme Noël. Un grand écart banal dans notre milieu.

Malgré les signaux d'alerte qui ne cessaient de se multiplier, nous nous raisonnions : nous étions si nombreux, quelque 180 000 rien qu'à Vienne[1], et tant de Juifs occupaient des positions clés dans l'économie et la culture. Nous étions héros de guerre, artistes, scientifiques, universitaires, médecins, notre pays ne pouvait se passer de nous.

---

1. Recensement 1934 : 191 481 Juifs en Autriche, dont 176 034 à Vienne.

5

Almah

Avril 1932

Ce fut une évidence. Au moment même où je vis sa nuque gracile finement duvetée de blond, une décharge électrique traversa tout mon corps. D'un doigt fin, elle repoussa derrière son oreille une longue mèche rebelle qui bouclait. Le temps sembla s'arrêter et je sus instantanément, dans toutes les fibres de mon être, que j'étais perdu.

Elle portait un collier de perles fines dont je voyais le fermoir sur l'arrière de son cou, juste sur la petite bosse dessinée par une vertèbre. Ses cheveux dorés étaient noués en un chignon lâche, faussement négligé, piqueté des mêmes perles opalines. Une étole de soie pourpre enveloppait ses épaules, jetée sur une robe rose à taille basse. Elle était naturellement grande, une beauté longiligne à la Klimt, juchée sur de hauts talons qui la rendaient encore plus aérienne. Elle s'appuyait avec nonchalance au bras d'un homme distingué, dont la silhouette imposante faisait ressortir son corps élancé souligné par la mousseline fluide et légère de sa robe, affichant l'assurance et le calme d'une femme habituée aux privilèges et aux honneurs. Je connaissais cet air pour l'avoir observé chez les femmes de la bonne société viennoise, celles qui fréquentaient les spectacles et les expositions que je chroniquais. Elle dut sentir le feu de mon regard sur sa nuque, car elle tourna légèrement la tête, me dévoilant un profil ravissant. Elle me coulait un regard améthyste par-dessus son épaule en esquissant un demi-sourire, quand le maître des lieux, mon ami Otto Reinke, se jeta littéralement sur moi et m'entraîna *manu militari* vers le bar où officiait un serveur en habit. Je tentai de résister une seconde, mais Otto était déterminé. Il était content de me voir dans sa galerie, il allait me présenter le peintre, un jeune talent qu'il avait déniché à Graz, il espérait que je ferais un bon papier sur cette exposition qui comptait beaucoup pour lui…

La fête battait son plein. C'était une soirée mondaine, comme il y en avait encore tant à Vienne en ce temps-là. Une foule compacte se pressait devant les tableaux, chacun y allant de son commentaire. Les fêtes d'Otto étaient très prisées car toujours réussies : tout ce que Vienne comptait d'intellectuels, d'artistes, d'oisifs et de riches mécènes s'y côtoyait. Je tenais là une belle opportunité de nouer d'utiles contacts, mais je n'en avais cure. Je ne pensais qu'à la sylphide blonde aux yeux lavande et ne cessais de balayer d'un regard fébrile l'assemblée bruyante jusqu'à ce que je repère son prétentieux cavalier. Il l'exhibait comme un trophée à son bras. Le goût amer de la jalousie envahit ma gorge. L'homme, qui paraissait très sûr de lui, bavardait avec Karl Reichelberg, une vieille connaissance, un expert des relations publiques. De loin, je lui fis signe et manœuvrai laborieusement dans la foule pour m'approcher. Karl se tourna vers moi, tout sourire.

— Wilhelm, content de te voir, ça fait un bout de temps, me salua-t-il en entourant mes épaules d'un bras protecteur, puis se tournant vers son interlocuteur : Heinrich, je vous présente mon ami Wilhelm Rosenheck, journaliste au *Neue Freie Presse.*

Je me fis la réflexion que l'on devenait facilement l'ami de Karl. Mais ce soir, cela me convenait parfaitement.

— Wilhelm, voici Heinrich Heppner, des magasins Heppner, crut-il bon de sous-titrer, et son amie, Almah Kahn.

Les magasins Heppner, le plus grand magasin de Vienne, rien que ça ! Mes chances se réduisirent instantanément comme peau de chagrin. Nous échangeâmes, le riche héritier et moi, le modeste scribouillard de presse, une poignée de main indifférente. Je me sentais d'un coup emprunté et gauche face à ce couple élégant et si bien assorti.

Almah Kahn me sourit pourtant, plissant son petit nez droit et ses yeux bleus sous l'arc parfait de ses sourcils. Une fossette mutine creusa sa joue gauche. Elle me tendit une main aux longs doigts fins. Ses cheveux faisaient comme une auréole de lumière chaude autour de son visage pâle. Une poupée de porcelaine. Dire qu'elle était belle eût été un euphémisme. Elle était tellement plus. Solaire, incandescente. Sa poignée de main étonnamment ferme contrastait avec sa silhouette fluette. Sa voix était chaude, un peu grave et bien modulée, sans aucune trace de timidité. Son sourire m'atteignit en plein cœur. Touché, coulé. Je lus au fond de ses prunelles claires comme un encouragement. Une onde de chaleur envahit mon ventre, remonta vers ma poitrine, bloqua ma gorge. Je la trouvais émouvante et terriblement attirante. Les yeux dans les siens, je gardai sa main dans la mienne un peu plus longtemps que ce que la bienséance autorisait. Ses yeux me scrutaient avec un certain amusement. L'atmosphère entre nous était électrique, un champ magnétique. Tandis que Karl poursuivait la conversation, évaluant la cote du peintre et l'intérêt d'un investissement, Almah Kahn s'excusa et se détacha du bras d'Heinrich Heppner.

— M'accompagneriez-vous au bar ?

Déjà elle s'éloignait. Incapable de la moindre pensée cohérente, je lui emboîtai le pas tel un automate, enivré par les effluves de son léger parfum. Tandis que nous patientions côte à côte devant le buffet, une bulle cotonneuse nous enveloppa, nous isolant du reste de l'assistance. Puis je levai ma coupe de champagne sans la quitter des yeux.

— Au succès de l'exposition d'Otto ?

Je détestais ma voix qui chevrotait et je me sentais stupide.

— À notre rencontre plutôt ! corrigea Almah Kahn, avec un aplomb charmant, en me regardant au fond des yeux sans le moindre embarras.

Nous trinquâmes et plus rien n'exista que nous. Je ne me souviens pas des banalités que nous échangeâmes. Je m'étais rarement trouvé aussi empoté.

J'essayai de trouver un sujet de conversation pour la garder à mes côtés.

— Que pensez-vous du peintre qui expose ?

— Hum… Subtile équation entre Egon Schiele et Gustav Klimt, entre tourment et romantisme éthéré…

— Il ne s'en sort pas si mal…

J'étais nul. Elle me prit le bras et m'entraîna :

— J'aime bien le portrait de femme en bleu dans le coin là-bas.

Je me rappelle m'être fait la réflexion que son jugement témoignait d'une érudition certaine et d'une grande confiance en elle. Je me souviens surtout que mes yeux et toutes mes attitudes me trahirent ce soir-là. Je n'ai gardé qu'un très vague souvenir du reste de la soirée que j'écourtai pour rentrer chez moi, bouleversé, non sans avoir obtenu la promesse d'un rendez-vous deux jours plus tard.

C'est ainsi que je rencontrai Almah Kahn.

6

Le Prater

Avril 1932

Je revis Almah Kahn le surlendemain. Depuis notre rencontre, son image n'avait cessé de me hanter et j'avais passé deux jours à me torturer. Je l'espérais dans le même état que moi. Nous étions convenus de nous retrouver pour une promenade dans le parc du Prater. Cet ancien terrain de chasse des Habsbourg, transformé en un gigantesque parc public, n'était pas un lieu très original pour un premier rendez-vous, mais je me dédouanai de mon manque de fantaisie en me disant que nous étions au printemps et que je ne connaissais pas encore les goûts d'Almah. Aurais-je été plus audacieux, je lui aurais proposé une virée à Mayerling, un lieu à la lourde charge romantique, ou à Baden, histoire de chatouiller la chance au nouveau casino qui venait d'ouvrir ses portes. Mais je tenais à lui faire une bonne impression, celle d'un homme sérieux. Je m'étais donc rabattu sur un lieu certes galvaudé, mais de bon goût.

Je m'étais préparé avec soin, évaluant dans mon miroir mes atouts pour la séduire. Je n'avais pas la prestance de mon grand-père paternel, qui était le genre d'homme qui plaît aux femmes. Je regrettais de ne pas avoir hérité de son regard bicolore qui avait échu à mon père, un regard singulier et déroutant qui le signalait comme un être d'exception. Le mien était bêtement brun et je m'efforçais de le rendre incisif et pénétrant. J'avais lissé mon abondante chevelure châtaine en arrière pour dégager mes tempes et mettre en valeur mes traits réguliers. J'avais choisi un costume gris flanelle sans gilet, une chemise blanche et une cravate de soie vert profond. J'avais mis une pochette, puis je l'avais enlevée, essayé un chapeau et décidé de venir tête nue. Je tentais vainement de cacher ma nervosité en marchant nonchalamment, bien droit, les épaules rejetées en arrière.

De loin, je la vis se diriger vers moi d'un pas souple et énergique. Elle m'aperçut et leva joyeusement une main gantée. Puis elle fut face à moi, éblouissante, me dévisageant de son regard lumineux. Ne sachant comment nous saluer, nous restâmes quelques secondes empruntés, face à face. Une poignée de main eût été trop formelle, un baiser, même chaste, prématuré. Elle me parut un peu plus petite que dans mon souvenir, sans doute portait-elle des chaussures plus basses que lors du vernissage. Son tailleur cintré bleu, parfaitement accordé à la couleur de ses yeux, soulignait la finesse de sa taille. Sa jupe, légèrement plus courte que la mode ne le recommandait, dévoilait des mollets finement musclés et laissait deviner ses genoux. Un chemisier blanc au col pudique montait haut sur son cou et un chapeau cloche asymétrique cachait l'arrière de sa nuque.

Nous commençâmes à marcher côte à côte en silence. Je me sentais gauche et tendu, ce qui ne me ressemblait pas, moi qui avais la réputation d'être à l'aise en toutes circonstances et avec tout le monde. La peur de débiter des platitudes me remplissait d'appréhension. Du coin de l'œil, je ne voyais d'elle qu'un bout de nez, car son profil était presque entièrement masqué par le large bord de son chapeau. La tension, palpable au début, se relâcha peu à peu. Nous échangeâmes trois banalités puis soudain, sans autre forme de manière, elle s'accrocha résolument à mon bras avec toute la liberté d'une femme moderne. Son corps fin trouva instantanément sa place contre le mien et nos pas s'accordèrent aussitôt. Je sentais sa hanche me frôler au rythme de nos foulées. Elle leva vers moi un regard espiègle qui signifiait clairement : « Puisque vous êtes timide, cher Wilhelm, il faut bien que je prenne les choses en main ! » puis recommença à bavarder le plus naturellement du monde. Je sentis intuitivement qu'il en serait ainsi à l'avenir. En ce qui nous concernait, Almah prendrait ses décisions et agirait avec détermination, sans attention aux conventions et sans jamais revenir en arrière.

C'était un beau dimanche de printemps et de nombreux promeneurs flânaient dans les allées ombragées. Au détour d'un chemin, un homme tournait inlassablement la manivelle de son orgue de Barbarie. De sa boîte sur roulettes s'échappait la *Zigeunerweisen* d'Igor Borganoff. Almah s'arrêta pour l'écouter et fouilla dans son sac à la recherche de quelques schillings qu'elle glissa au musicien. Je me dis que cette mélodie sirupeuse aux accents plaintifs resterait à jamais liée au souvenir de ce premier tête-à-tête. La sérénade tzigane allait devenir notre musique. Quelques mois plus tard, nous irions écouter Dajos Béla l'interpréter dans un théâtre et Almah m'en offrirait l'enregistrement en 78 tours. Bien plus tard, il nous arriverait, certains soirs où la nostalgie de notre jeunesse viennoise nous envahissait, de danser enlacés sur cette musique.

Le ciel était clair, le soleil encore timide mais bien là, l'air chargé des senteurs de la terre et des plantes qui reprenaient vie après le rude hiver autrichien. C'était un jour parfait pour tomber amoureux. Le long de la grande allée, impérialement alignés sur quatre rangées, les marronniers majestueux bourgeonnaient. Leurs peluches dorées voletaient dans l'air tiède, portées par une petite brise venue du Danube. L'une d'elles s'accrocha au revers de la veste d'Almah et je la chassai d'une pichenette de la main. Almah considéra mes doigts sur son col. Un petit sourire flottait sur ses lèvres et je rougis comme un adolescent. Mon geste anodin me parut soudain lesté d'une lourde charge érotique.

Nous marchâmes longtemps, depuis le Praterstern jusqu'à la Lusthaus, un ancien pavillon de chasse impérial. Je me demandais quand Almah demanderait grâce, mais malgré son physique de sylphide, elle était résistante. Nous parcourûmes ainsi plusieurs kilomètres soudés l'un à l'autre. Un peu fébriles, nous parlions sans cesse, craignant de laisser s'installer le silence entre nous. Nous avions tant de choses à nous raconter. Toutes nos vies. Elle me confia que son père l'avait habituée aux longues marches en forêt et en montagne, et qu'elle l'accompagnait lors de ses parties de chasse. Elle me parla de sa famille, des études de dentisterie qu'elle suivait à la faculté de médecine.

Je découvrais que, sous ses manières insouciantes, Almah était très réfléchie et ne faisait rien à la légère.

Les Kahn, médecins de père en fils, vivaient à Vienne depuis cinq générations. Les aïeux de la mère d'Almah avaient émigré de Russie au début du siècle précédent. Ils appartenaient à cette grande bourgeoisie juive qui se croyait à tort assimilée et gardait soigneusement ses distances avec les Juifs récemment émigrés d'Europe de l'Est, parqués dans les banlieues insalubres. Le père d'Almah, Julius Kahn, éminent chirurgien comme son père avant lui, était depuis plus d'une décennie le chef du service de chirurgie de la Polyclinique générale de Vienne. Il avait été médecin sur le front pendant la Grande Guerre, avait reçu la croix de fer de première classe, et des journaux avaient publié sa photographie à plusieurs reprises. Il était de ceux pour qui l'appartenance à une classe sociale et à une profession comptait bien plus que leur judaïté. Almah me confia qu'il était toujours fou amoureux de sa mère, Hannah, après trente-cinq ans de mariage. Hannah était la cadette d'une riche famille de banquiers, les Khitrov. C'était une femme exceptionnellement belle et intelligente, à l'âme d'artiste, une merveilleuse pianiste, selon sa fille. Cependant Hannah était une femme fragile ; elle souffrait de dépression chronique et avait fait plusieurs séjours dans une clinique suisse. Elle cultivait son mal-être, avec ce qui m'apparut, quand je la rencontrai, comme une certaine autocomplaisance. Elle était une patiente de la première heure du docteur Freud qu'elle consulta jusqu'à son départ pour Londres, en juin 1938.

Julius et Hannah Kahn s'étaient résolus à vieillir sans enfant, quand, contre toute attente, Almah s'était annoncée. Hannah n'avait pas la fibre maternelle et Julius avait élevé leur fille comme le fils qu'il n'aurait pas, lui donnant une éducation peu commune pour une fille, l'aguerrissant à de multiples disciplines sportives, lui ouvrant la voie des études scientifiques. Il aurait voulu qu'Almah soit médecin comme lui et comme son propre père, afin de perpétuer l'histoire familiale. Tout en restant dans le domaine médical, elle avait fait un autre choix pour marquer son indépendance : elle serait dentiste, une profession encore peu valorisée, mais pleine d'avenir.

Au cours de cet après-midi, Almah se dévoila sans aucune retenue, avec une innocence et un naturel désarmants. La confiance qu'elle me témoignait en se confiant ainsi me submergeait de plaisir. Elle me questionna sur mon métier de journaliste et je lui racontai mes voyages et mes faits d'armes avec modestie. Sa voix chaude et son rire joyeux me transportaient. Au bout de deux heures de promenade, nous formions un couple. Aussi simplement que cela.

De retour vers les attractions foraines du Wurstelprater[1], Almah m'entraîna entre les manèges et les cabinets de curiosités jusqu'à la grande roue. Elle voulait faire un tour. Devant mon hésitation manifeste, ses lèvres se contractèrent en une moue enfantine. Je lui proposai d'assister plutôt à une représentation dans le petit théâtre de Hanswurst[2], sans réussir à la

1. Le Prater des marionnettes.
2. Le Guignol viennois.

fléchir. Elle adorait la grande roue. Je cédai. Pour rien au monde, je ne lui aurais avoué que je souffrais du vertige. Nous attendîmes un bon moment pour monter dans l'une des trente nacelles. Puis ce fut l'ascension tant redoutée. Tandis qu'Almah, les yeux brillants de plaisir, s'extasiait avec une joie d'enfant sur la vue panoramique en me désignant le ruban du Danube et des monuments ici et là, je réprimais les vagues de nausée qui me submergeaient. Quand nous reprîmes pied sur terre, mon malaise était manifeste.

— Mon pauvre Wilhelm, vous êtes blanc comme un linge ! constata Almah avec un sourire faussement apitoyé. Vous auriez dû me dire que vous souffriez du vertige ! Je vous invite à prendre un chocolat pour vous remettre. Le café Schwarzenberg, ça vous va ?

J'opinai, blême, et me laissai entraîner, ravi d'échapper à cette atmosphère de kermesse. Un tramway nous amena sur la Ringstrasse. J'aimais le Schwarzenberg. Ouvert en 1860, c'était le plus ancien des cafés du Ring. Qu'Almah l'appréciât aussi était encore un signe de notre symbiose. Comme il était un peu tard pour s'installer en terrasse, elle choisit une table, près d'une grande baie vitrée qui donnait sur l'avenue. Nous nous assîmes face à face. Almah tomba dans un abîme de perplexité devant la longue carte des pâtisseries, réfléchit longuement puis commanda un Franziskaner, un café léger recouvert de crème chantilly saupoudré de miettes de chocolat, et un Apfelstrudel. J'optai pour un Kapuziner[1]. La lumière des hauts lustres de cristal tombait sur le visage de ma compagne, projetant l'ombre de ses longs cils sur ses pommettes aux rondeurs

1. Grande tasse de café noir avec un nuage de lait.

encore enfantines. Assise face à moi, elle buvait son café à petites gorgées avides avec des mines de chatte gourmande. Ses yeux clairs étincelaient de bonheur. Quand une pointe de langue rose vint laper un reste d'écume sur sa lèvre supérieure, je reçus un uppercut qui me coupa le souffle et je sus, sans le moindre doute, qu'Almah deviendrait ma femme.

Cet après-midi avait passé comme un enchantement. Je ne quittai Almah que le soir venu, devant la porte de sa maison. Les Kahn possédaient une demeure imposante dans la banlieue bourgeoise de Hietzing où vivaient les riches familles juives. La bienséance eût voulu que nous échangeâmes une poignée de main, voire un chaste baiser sur la joue. Mais au moment de me quitter, Almah se haussa sur la pointe des pieds pour amener son visage à la hauteur du mien.

— J'ai très envie de vous embrasser, me souffla-t-elle au visage.

— J'ai très envie que vous m'embrassiez !

Tendant son cou gracile vers moi, elle déposa sur ma bouche un baiser rapide, léger comme le frôlement des ailes d'un papillon. À peine un doux effleurement de ses lèvres entrouvertes, souples et douces sur les miennes. Sa bouche avait un goût sucré et son haleine exhalait un parfum de chocolat. Fière de son audace, elle se détourna et entra dans la propriété, refermant le portail derrière elle. Incapable de bouger, je la suivis des yeux jusqu'à ce qu'elle entre dans la maison. J'étais foudroyé, fou amoureux. Je rentrai chez moi, des étoiles plein la tête. Je venais de vivre un instant de grâce, juste avant l'amour.

7

Hébétude

Mai 1932

À la sidération du coup de foudre, puis à l'euphorie de mon premier rendez-vous avec Almah, avait succédé une morne hébétude, comme si mon cerveau s'était solidifié et toute mon intelligence évaporée. Au journal, les phases de bouillonnement où je tournais en rond comme un lion en cage, dessinant de vains allers-retours dans le couloir reliant notre salle de rédaction aux salles de réunion, alternaient avec les phases d'apathie où je restais assis à mon bureau dans un état proche de la catatonie. J'encaissais mal l'état amoureux, un tourment que je découvrais avec autant d'angoisse que de bonheur. J'aurais dû me contenter d'amourettes inoffensives dont je gardais le contrôle. Pourquoi avait-il fallu que ma route croise celle d'Almah Kahn ? Mais j'étais fou : je venais de faire la plus belle rencontre de ma vie et je paniquais devant ce que cela impliquait. De surcroît, je découvrais une facette de ma personnalité peu flatteuse. Car la question qui me rongeait était celle de la relation d'Almah avec Heinrich Heppner. Je me découvrais jaloux, d'une femme que je connaissais à peine, et cela ne me plaisait pas. J'essayais de me raisonner et de faire bonne figure mais mon trouble n'échappa pas à la sagacité de Bernd.

Nous avions fait connaissance au tout début de mes études. Bernd Krauze, de trois ans mon aîné, un dandy au physique d'acteur hollywoodien, une intelligence hors norme et un esprit incisif, était l'étudiant modèle. Rédacteur en chef du journal des étudiants, il m'avait pris sous son aile dès mon entrée à l'université. J'avais intégré le journal dont je devins le rédacteur en chef adjoint au cours de ma dernière année d'études. Dès notre rencontre, Bernd était devenu tout à la fois mon meilleur ami, mon frère d'armes, mon mentor et l'exemple à suivre. C'était lui qui avait conforté ma vocation naissante pour le journalisme. Il était issu d'une famille d'intellectuels. Son père était professeur de philosophie et sa mère tenait un cercle littéraire très couru, un salon dont nous étions les invités permanents. Bernd vivait avec Renate, une ancienne étudiante de son père, au mépris du qu'en-dira-t-on. Ils étaient très amoureux mais refusaient « l'asservissement des liens du mariage », selon la formule de Renate. Dans mon for intérieur, je soupçonnais qu'ils s'étaient aussi affranchis des complications d'une union entre deux religions, puisque Renate était catholique.

Bernd, qui me connaissait mieux que personne, avait rapidement remarqué mon trouble. Il était la seule personne à qui je ne faisais pas mystère de mes aventures et auprès de qui je pouvais m'épancher sans retenue. Je ne me confiai à lui qu'après avoir longuement hésité, car je craignais de rabaisser Almah au rang de mes amourettes passées. Il m'entraîna un soir au Central, bien décidé à me tirer les vers du nez. Son diagnostic fut rapide :

— La grande affaire ! Tu es amoureux, voilà tout ! Et sacrément pincé si j'en juge à tes errements au journal.

J'avais baissé le nez sur mon cognac en rougissant jusqu'à la pointe des oreilles, comme un collégien pris en faute. Quand j'évoquai à mots couverts Heppner, Bernd éclata de rire.

— Et jaloux en plus !

Son verdict fut sans appel :

— Un conseil Wil, crève l'abcès avant qu'il n'enfle, sinon tu risques l'infection !

Quelques jours plus tard, j'invitai Almah à dîner dans un petit restaurant de quartier où je ne risquais pas de tomber sur des connaissances. C'était notre deuxième tête-à-tête, et je m'étais conditionné pour crever l'abcès comme me l'avait conseillé Bernd. Je l'attendais dans un café et, quand je la vis, mon cœur chavira. Je me surpris à souhaiter qu'un jour elle cessât de me faire cet effet, c'était trop d'émotions. Almah n'avait pas eu le temps de rentrer chez elle avant notre dîner. Elle portait un tailleur beige tout simple et s'excusa avec coquetterie de sa tenue de ville. Son élégance naturelle, son port de reine, sa beauté qui n'avait besoin d'aucun artifice me subjuguaient. Je devais avoir l'air d'un idiot, inhibé par cet amour qui m'habitait tout entier sans que je puisse rien maîtriser. Mon trouble dut être perceptible tout au long du repas, mais j'attendis le dessert pour aborder le sujet qui me préoccupait.

— À propos, comment va votre ami Heinrich Heppner ?

Almah battit des cils et me jeta un coup d'œil ironique. Mon ton faussement détaché ne l'avait pas trompée et il était clair qu'elle lisait en moi à livre ouvert. Elle se redressa sur sa chaise et, très à l'aise, éteignit en quelques mots le feu de ma jalousie.

— Nos deux familles se connaissent depuis toujours. Nos parents sont très liés. Heinrich a été le grand frère que je n'ai pas eu et mon fidèle compagnon de jeux pendant toute mon enfance.

Un ami d'enfance, cela devait-il me rassurer ? Je me rappelais le regard de propriétaire dont il la couvait le soir du vernissage…

— J'adore Heinrich. Il est intelligent et très attentionné. Il connaît le Tout-Vienne et il est de toutes les fêtes. Il est mon cavalier favori. Ce qui me permet de profiter de la vie nocturne sans chaperon et avec la bénédiction de mes parents. Mais Dieu, quel pensum ! Heinrich n'a pas d'autres sujets de conversation que ses affaires, la Bourse, l'immobilier et encore ses affaires…

Son cavalier favori, un véritable pensum… Almah soufflait habilement le chaud et le froid. Mal à l'aise, je me tortillais sur ma chaise. Almah me regarda droit dans les yeux avant de poursuivre avec une fausse candeur :

— Heinrich est épris de moi, je crois.

Un clou s'enfonça dans mon cœur. Je serrai les dents et dus pâlir. Almah le remarqua. Elle posa sa main sur la mienne et le clou s'envola.

— Pour être franche, j'en suis sûre. Il pense que sa cause est entendue, aucun doute là-dessus. Et bien sûr, nos parents seraient très heureux d'un mariage. J'imagine sans mal ce que serait ma vie avec lui : celle d'une jolie potiche décorative, dont il achèterait la soumission à grands coups de cadeaux hors de prix. Très peu pour moi. De toute façon, je ne suis pas amoureuse de lui, déclara-t-elle catégorique, en secouant ses boucles. Il va falloir que je lui explique très clairement que nous ne serons jamais que des amis car j'aime quelqu'un d'autre, conclut-elle avec un sourire entendu qui me projeta sur un nuage.

C'était le signe que j'attendais pour prendre sa main et la porter à mes lèvres. Le baiser que j'y déposai, une légère pression de mes lèvres contre sa peau où saillaient délicatement les tendons, scella silencieusement notre complicité.

8

Tourbillon

Mai-juin 1932

Jusqu'à ma rencontre avec Almah, je menais une existence facile et insouciante malgré les nuages qui, depuis quelques années déjà, s'amoncelaient. Comme Schnitzler et Zweig, mes maîtres à penser et à vivre, je m'efforçais de cultiver la *Gemütlichkeit*, cet état d'esprit typiquement viennois, étranger à toute forme de tracas. Je fréquentais assidûment les cafés, « ces palais pour fainéants[1]», et mon goût pour les arts se doublait d'une relative indifférence aux affaires de la politique. J'avais choisi de vivre au jour le jour avec une légèreté que je n'estimais pas coupable. Je m'efforçais de survoler la vie comme un esthète désinvolte. Et pendant quelque temps, cela marcha plutôt bien. Les événements allaient se charger de me faire mûrir.

Le vernissage d'Otto changea instantanément le cours de mon existence. Je ne connaissais Almah que

1. Stefan Zweig.

depuis quelques semaines et pourtant j'avais l'impression qu'elle avait toujours fait partie de ma vie. Sa présence à mes côtés m'était devenue indispensable. Auprès d'elle, je me sentais plus fort, plus consistant. Être avec elle, c'était vivre pleinement chaque minute, et un jour sans la voir était un jour vécu en vain. Elle était la pièce manquante du puzzle de ma vie, celle qui lui donnait tout son sens et sans laquelle l'image n'en aurait pas été lisible.

J'étais transi d'amour. À mes yeux, elle était la plus belle des femmes. Je buvais la moindre de ses paroles. J'adorais chacun de ses gestes que je me repassais mentalement en boucle, à peine l'avais-je quittée. Sa façon de tirer une mèche de son chignon et de l'enrouler inlassablement autour de son index, de se mordre la lèvre avec un air faussement ennuyé après avoir lâché une remarque osée, de faire tourner son verre d'alcool sous son nez tel un fin connaisseur, de faire disparaître la trace de chocolat sur sa lèvre supérieure d'un petit coup de langue, de se tamponner délicatement la bouche avec sa serviette au cours d'un repas, son sourire qui creusait une fossette dans sa joue gauche et plissait ses yeux saphir, ses mains aux doigts fins et aux ongles de nacre toujours parfaitement manucurées… Rien qu'à l'idée de ce qui me restait à découvrir, je devenais fou.

À chacune de nos rencontres, ma certitude s'affermissait : je n'étais pas simplement amoureux d'Almah, je l'aimais. Nous vécûmes les semaines qui suivirent notre rencontre dans un tourbillon de sorties et de fêtes ponctué de promenades romantiques, mais nous redoutions de nous retrouver en tête à tête tant la tension sensuelle entre nous était forte. Nous avions rendez-vous presque chaque soir et mes journées n'étaient qu'attente. Son regard pétillant me poursuivait et son rire résonnait à mon oreille, tandis que je piaffais d'impatience au journal qui m'apparaissait désormais comme une cage où les minutes s'étiraient en longueur. À cette époque, ma consommation de moka s'accrut de façon alarmante, car je ne trouvais d'autre exutoire à mes impatiences que le café voisin.

Avec Almah, rien n'était prévisible, elle était fantasque et me réservait toujours des surprises. Un jour, elle me donna rendez-vous « au pied de la peste », et, quand nous nous retrouvâmes devant la colonne du Graben, elle me fit observer un détail de la sculpture : « La foi terrassant le mal, un symbole qui devrait nous inspirer », commenta-t-elle gravement. Une autre fois, au fil de nos déambulations, nous nous retrouvâmes non loin de chez moi dans une large rue en pente. Almah trébucha sur les pavés inégaux et se rattrapa à mon bras en riant.

— Allons voir le 19, je n'y suis jamais allée.

Le 19 Berggasse, l'adresse de Herr Freud. Je compris que, mine de rien, Almah m'avait sciemment guidé jusque-là.

— Ma mère est une fidèle patiente du docteur depuis pas mal d'années déjà. Hannah est d'une sensibilité à fleur de peau. Elle souffre d'une sorte de dépression, un vague à l'âme permanent qui la coupe de la vraie vie. Enfin, quand tu la rencontreras, tu comprendras, conclut-elle, une note de tristesse dans la voix.

Nous arrivâmes devant un massif immeuble bourgeois. La façade austère était égayée de quelques guirlandes de pierre, avec des lions et des bustes sur les étages supérieurs. Après le porche surmonté d'un tympan aux allures grecques, nous découvrîmes un large escalier de pierre avec de superbes vitraux.

— Il vit au premier étage, me souffla Almah comme une conspiratrice. Hannah m'a dit qu'au-dessus du divan du cabinet, il y a une reproduction du temple d'Abou Simbel… Nous visiterons l'Égypte, un jour, n'est-ce pas Wil ?

— Bien sûr, ma chérie, avec toi je visiterais le monde entier…

Je ne croyais pas si bien dire.

Déterminé à éblouir mon amoureuse, je faisais main basse sur toutes les invitations aux avant-premières des théâtres, aux concerts, aux vernissages, qui arrivaient à la rédaction, quitte à me surcharger de travail. Nous prolongions nos soirées dans un restaurant ou dans un café du Ring. Quand nous étions ensemble, nous perdions toute notion du temps et Almah rentrait chez elle de plus en plus tard. Elle me confia un soir que ses parents s'en inquiétaient.

Dans ma famille, ce fut Myriam qui, la première, remarqua le changement. Cela lui fut facile : du jour au lendemain, je ne lui proposais plus de m'accompagner au spectacle. Si elle en conçut de la déception, elle ne me le montra pas, mais n'eut de cesse de connaître l'identité de ma nouvelle conquête, me taquinant sans répit, m'assaillant de sarcasmes, me harcelant de questions. Ma mère, discrètement vigilante, me fit quelques timides remarques sur le soin particulier que j'apportais à ma mise, sur mon air rêveur ou mes accès d'excitation. J'en déduisis qu'elle aussi savait. Quant à mon père, s'il remarqua quelque chose, il n'en laissa rien paraître. Mais il devint bientôt évident à leurs yeux que je menais une cour effrénée auprès d'une femme.

J'étais fier d'afficher Almah à mon bras. Je n'osais la considérer comme un trophée, mais c'était bien ce qu'elle était : ma plus belle conquête. Elle était toujours vêtue avec une grande élégance, à la fois sobre et recherchée, affichant volontiers un style un peu bohème. Il me semblait que sa garde-robe pas plus que son coffre à bijoux ne connaissaient de limites. Elle m'avoua un peu plus tard, quand la retenue des premiers mois se fut dissipée, qu'avant chacun de nos rendez-vous elle passait de longs moments devant sa glace pour choisir ses tenues et se maquiller avec soin. N'importe quel homme eût été flatté de se montrer avec cette femme exceptionnelle, mais c'était moi, le modeste journaliste, qu'elle avait choisi. Je savourais mon bonheur avec délectation et vanité, n'en revenant pas de ma bonne fortune.

Très vite, mon entourage professionnel n'eut plus de doute sur la nature de mon inclination. Bernd ne cessait de me proposer un dîner à quatre avec Renate, curieuse de rencontrer Almah. Mais je la voulais toute à moi et ne cessais de repousser l'invitation. Un soir, pendant l'entracte d'un concert, nous croisâmes Heinrich Heppner au bar. Je me sentis stupidement gêné tandis qu'Almah, parfaitement à l'aise, saluait courtoisement son « cher Heinrich » et me présentait comme son « fiancé ». Je me rengorgeai, tout heureux qu'elle brûlât les étapes.

Nous étions tacitement d'accord. Nous voulions prolonger cette période de grâce avant des fiançailles officielles. Mais au bout de quelques mois, sur l'insistance d'Almah, je ne pus différer la rencontre avec ses parents. J'étais sur le point de quitter ma confortable vie de jeune homme pour m'installer dans ma vie d'homme.

9

Hietzing

Juillet 1932

Vint le jour tant redouté du délicat examen de passage, la présentation officielle. Je fus invité un dimanche à déjeuner chez les parents d'Almah. Soucieux d'impressionner favorablement les Kahn, j'avais soigné ma mise, un costume trois-pièces gris sombre avec une cravate de soie que j'avais choisie, par fétichisme, d'un bleu que je jugeais proche de la nuance des yeux d'Almah. J'étais prêt à me raccrocher au moindre détail qui pouvait me rassurer. Chez Ziegler, le fleuriste le plus cher de Vienne, j'avais longuement hésité avant de choisir un gros bouquet de roses blanches. J'apportais aussi une boîte de chocolats de chez Demel, l'ancien pâtissier de la cour, car aucune Viennoise bien née ne pouvait résister aux chocolats de Demel. J'arrivai fébrile dans le faubourg paisible de Hietzing et longeai la large Jagdschlossgasse et son alignement de maisons élégantes entretenues à grands frais. Je garai la voiture de mon père devant la grille de l'une des demeures les plus cossues de l'artère. Derrière un haut mur en granit, une façade patricienne, trois niveaux de murs ocre, rehaussés de pierres de taille brutes, de grandes fenêtres avec des balcons de fer forgé, un porche à colonnades. Dépassant des toits, le faîte de grands arbres laissait deviner le jardin qui se déployait à l'arrière.

Une domestique avenante et grassouillette, vêtue d'une stricte robe noire et d'un petit tablier blanc raide d'amidon, m'ouvrit la porte. Son visage rond aux pommettes saillantes et ses yeux pâles trahissaient ses origines slaves. J'appris plus tard que Teofila était au service de la famille depuis plusieurs décennies et qu'elle avait quasiment élevé Almah. Elle me délesta de mon bouquet et de mes chocolats et me précéda dans l'entrée. Le faste wilhelmien de la maison des Kahn s'imposa immédiatement. La vaste réception au sol de marbre avec ses tableaux, le majestueux escalier central en acajou qui menait aux étages, la hauteur des plafonds peints, l'épaisseur des tapis, tout, dans cette demeure, était démesuré.

La bonne m'abandonna dans un grand salon au plafond à caissons. Les larges baies vitrées donnaient sur une terrasse dont la partie gauche était convertie en jardin d'hiver. À travers les parois vitrées de la serre, on devinait des palmiers nains, des plantes tropicales et des fleurs rares. Une volée de marches conduisait au parc cerné de hautes haies bien taillées et orné de massifs parfaitement entretenus. Seul dans la pièce qui respirait l'opulence, je me sentais emprunté dans ma tenue de dandy endimanché. Je détaillais le mobilier qui datait du siècle dernier. Dans un angle un

Bösendorfer en acajou sculpté où j'imaginais Almah travaillant ses gammes, une table en marqueterie, un lustre de cristal dont les pampilles scintillaient, des candélabres d'argent, des meubles Biedermeier un peu pesants, de larges fauteuils damassés, un sofa de cuir, de lourdes tentures en brocart vert foncé, une cheminée surmontée d'une grande glace aux moulures dorées à la feuille, des tapis orientaux... J'avais raccompagné Almah à plusieurs reprises jusqu'à la grille de cette belle demeure, elle m'avait laissé entendre qu'elle vivait dans le confort, j'avais remarqué sa garde-robe élégante et ses bijoux, mais j'étais loin d'imaginer un tel luxe. Sa famille était très fortunée. Je ne pus m'empêcher d'éprouver un sentiment que je refusai de considérer comme de l'envie. C'était plutôt un mélange au goût amer fait du désir d'être un jour capable de lui offrir le même luxe et de la quasi-certitude de ne jamais pouvoir y parvenir.

Mon regard s'attarda sur un grand samovar en argent, puis balaya divers bibelots en ivoire et en jade disséminés un peu partout. Dans un coin, je reconnus une petite lithographie d'Otto Böhler dont j'aimais l'humour et les personnages satiriques ; elle était intitulée : *Wagner et Bruckner à Bayreuth* et datait de 1873. J'admirai une huile d'Alois Schönn, un marché sur le canal du Danube, et tordis le nez devant une allégorie de l'Abondance très pompier de Hans Makart. Dans ce décor rassurant, il y avait ici et là quelques concessions à la modernité. Sur le manteau de l'imposante cheminée, une jeune fille à la nudité de bronze à peine voilée s'accoudait langoureusement au cadran d'une pendulette Jugendstil[1]. Deux grands portraits se faisaient face ; j'étais prêt à parier qu'il s'agissait des parents d'Almah. Je m'approchai pour déchiffrer la signature de celui qui représentait l'homme en habit noir assis, un journal à la main, dans un austère fauteuil vert à dos droit. « Kurzweil – 1898 ». Max Kurzweil, un des acteurs majeurs de la Sécession viennoise, disparu une vingtaine d'années auparavant : un choix qui témoignait de goûts progressistes. Mais la pièce maîtresse qui aimantait le regard était un immense tableau représentant une femme splendide au caractère mélancolique, où je reconnus la patte de Klimt. J'étais chez des amateurs d'art et, dès lors, je ne m'étonnais plus d'avoir fait la connaissance d'Almah dans une galerie de peinture.

Je fus interrompu dans mes réflexions par l'arrivée du père d'Almah. C'était bien l'homme du tableau, avec quelques années de plus. Il avait belle allure. La soixantaine passée, de haute stature, il se tenait encore très droit et rayonnait d'une grande autorité naturelle. Il portait un costume anthracite, fort bien coupé et visiblement coûteux, sur une chemise à col rond et une cravate à l'ancienne où était piquée une épingle ornée d'une pierre verte. Sa chevelure drue, entièrement blanche, était soigneusement disciplinée par une raie bien marquée sur le côté droit du crâne. Son grand front intelligent, sa bouche pleine et volontaire, sa moustache et sa barbe impeccablement taillées lui donnaient un faux air de philosophe. Cet aspect un peu sévère était immédiatement démenti par un sourire

---

1. Art nouveau en Allemagne.

franc et chaleureux. Derrière des lunettes rondes à fine monture d'acier, ses yeux bruns exprimaient une bienveillance sans réserve. On y lisait la même intelligence vive et la même malice que dans le regard d'Almah. C'était le genre d'homme qui inspirait instantanément la sympathie. Au fil de nos rencontres, j'apprendrais à apprécier son humanité, sa générosité, sa finesse et son érudition.

Julius Kahn s'avança vers moi la main tendue. Sa poignée était franche et cordiale. D'une voix chaude et bien modulée de baryton, il m'invita à m'asseoir dans une bergère tapissée de velours vert sombre qui ressemblait à celle du tableau. Nous nous assîmes de part et d'autre d'un petit guéridon en marqueterie. Je remarquai ses mains fines et déliées, ses mains de chirurgien, et me fis la réflexion qu'elles ressemblaient à des mains d'artiste.

— Bienvenue, mon cher Wilhelm, nous étions très impatients de faire votre connaissance. Almah ne cesse de parler de vous, commença-t-il gentiment. Aimeriez-vous boire quelque chose ?

— Je vous remercie de cette invitation. Je suis très heureux de vous rencontrer. Je prendrais volontiers un verre d'eau minérale.

Je me sentais gauche et emprunté et je me tortillais, mal à l'aise sur mon siège, en m'ordonnant intérieurement de me détendre. Peine perdue…

— Allons, allons, quelque chose de plus sérieux… Un whisky ? me proposa-t-il bonhomme, tandis que la domestique déposait sur la table basse un vase en cristal contenant mon bouquet et un plateau d'argent où trônait une belle boîte de chocolats reconnaissable entre mille.

Julius Kahn se saisit d'un carafon ciselé dont le bouchon de cristal m'éblouit d'un rai lumineux. Tandis qu'il me servait, mes yeux étaient involontairement revenus sur l'élément le plus saisissant du décor élégant qui nous entourait, le portrait stylisé trônant dans un cadre doré au-dessus du manteau de la cheminée. C'était un portrait magnifique, sans froideur ni modernisme. Il datait probablement de la période florale de la Sécession viennoise et représentait une femme dans une robe mousseuse qui semblait faite de duvet blanc. Assise au bord d'un fauteuil, elle vous regardait dans les yeux et s'apprêtait à se lever pour vous rejoindre. Taille fine, visage délicat de madone rehaussé par une flamboyante chevelure blonde, lèvres pleines, nez mutin, grands yeux limpides ; sous son air mélancolique, on devinait une profonde sensualité à peine maîtrisée. Suivant mon regard, Julius Kahn expliqua :

— Hannah, ma femme, la mère d'Almah, dit-il avec un regard où la fierté s'estompa un bref instant sous un voile fugace de tristesse. Gustav Klimt l'a peinte à ma demande.

— Elle est… Le tableau est magnifique, bafouillai-je, soucieux de ne pas commettre d'impair.

— En effet, elle est très belle et plus que cela, mystérieuse, troublante, ajouta-t-il avec un air presque gourmand. Elle va nous rejoindre.

Je me tournai vers son propre portrait, voulant jouer les connaisseurs :

— Vous aimez la peinture contemporaine…

Je fus interrompu dans mon élan par le martèlement de pas rapides dans l'escalier. Almah franchit le seuil du salon. Un rayon de soleil. Les cheveux tirés en une longue queue de cheval, elle portait un large pantalon blanc et un paletot bleu roi qui moulait son buste menu. Le contraste avec la stature de son père était saisissant et elle en paraissait encore plus jeune. Mon cœur battait la chamade. Elle me sourit et d'un seul coup, je me sentis apaisé.

— Je vois que vous avez fait connaissance, dit-elle en se jetant contre moi.

Elle m'embrassa sans manière sur la joue, un peu trop près de la bouche. Je rougis sous l'œil amusé de son père.

— Hannah me fait dire qu'elle finit de se préparer et nous rejoint dans un instant.

— Nous parlions peinture. Venez, Wilhelm, je vais vous montrer un autre tableau de Kurzweil, qui, j'en suis sûr, va vous plaire.

Faisant fi des convenances, Almah glissa sa main dans la mienne. Son verre en main, Julius nous précéda dans un couloir. Il s'arrêta en chemin et se retourna. Le mur était orné d'une frise de dessins encadrés. Des vignettes satiriques hautes en couleur de la vie viennoise du très irrévérencieux Fritz Schönpflug. Julius attendait ma réaction. Son œil frisait. Il avait envie de rire.

— Une sacrée pochade, m'exclamai-je en m'approchant du mur pour en examiner les détails.

— Ça vous pouvez le dire ! Je les adore, mais Hannah ne les aime pas, elle les trouve inconvenants, voilà pourquoi ils sont relégués dans le couloir. S'il ne tenait qu'à moi…

C'est à cet instant précis que je me dis que j'allais aimer cet homme. Il continua et nous entrâmes dans un petit salon lambrissé de chêne, dont la fenêtre donnait sur le jardin à l'arrière de la maison. Une légère odeur de tabac froid flottait dans l'air. Un seul coup d'œil sur le mobilier sobre, un bureau ancien au centre de la pièce avec un sous-main en cuir, un fauteuil crapaud et une imposante bibliothèque aux rayonnages remplis d'éditions reliées de cuir, me suffit à deviner que c'était son antre. Sur le mur du fond, deux portraits, un homme et une femme d'un autre siècle, trônaient en majesté derrière le bureau. Je reconnus la précision photographique et l'élégance de Ferdinand Georg Waldmüller, un peintre talentueux mais démodé.

— Mes grands-parents, me souffla Almah, effleurant mon oreille de ses lèvres.

Je frissonnai à ce contact. Mais ce n'était pas ses parents que Julius voulait que je voie. Face au bureau, il y avait le portrait d'une fillette. Elle était si belle que je sentis un nœud se former dans ma gorge et des larmes me monter aux yeux. La femme dont j'étais fou amoureux ressemblait encore tellement à cette petite fille. Elle portait une robe de dentelle blanche au col montant dont les manches découvraient ses avant-bras, les mains sagement croisées sur les cuisses. Un ruban brun retenait ses longs cheveux dont les boucles retombaient de côté, au creux de son épaule, le long de son bras. À son regard droit, à son air le plus sérieux du monde, on sentait qu'elle prenait son rôle de modèle très à cœur. Le peintre avait su avec une infinie délicatesse traduire toute la fragilité, l'innocence, l'intelligence et la grâce magique de l'enfant. C'était un portrait d'une tendresse et d'une beauté absolument bouleversantes. Notant mon trouble, Almah me serra la main avec un petit sourire qui semblait s'excuser. Quant à Julius, il m'observait, sûr de l'effet produit.

— C'est un tableau qui m'est très cher. Almah a cinq ans. Mon cher ami Max Kurzweil l'a peint quelques mois avant son suicide. Toute la mélancolie dont il souffrait, qui l'a conduit à son geste fatal, y transparaît.

— C'est un portait saisissant de beauté et d'émotion, balbutiai-je.

— Oui, il produit le même effet sur tout le monde, c'est pourquoi j'ai décidé de ne plus l'exposer et de le garder dans mon bureau. Je ne le montre qu'à des privilégiés, car le voir est pour moi tout à la fois un bonheur et une douleur que je ne souhaite pas partager.

Nous regagnâmes le grand salon en silence. La confidence de Julius pesait sur nous et l'image de la fillette était comme un secret partagé. Almah revint à la frivolité pour détendre l'atmosphère.

— J'ai cru apercevoir une jolie boîte de chez Demel. Peut-être pourrions-nous l'ouvrir et voir ce qu'elle contient en attendant Hannah ?

Quinze minutes plus tard, Hannah Kahn fit son entrée, impériale telle une actrice attendue impatiemment par son public. Julius, pas plus que Klimt, n'avait exagéré : elle était belle à couper le souffle, de cette sorte de beauté rare chez une femme, qui ne se ternit pas, mais au contraire se magnifie avec l'âge. Grande et mince, altière, elle semblait flotter dans sa robe de soie qui découvrait un cou de cygne, soulignait une taille de guêpe et retombait jusqu'à ses fines chevilles. Ses cheveux dorés, ceux-là mêmes qu'elle avait donnés à Almah, étaient remontés en un lourd chignon qui dégageait l'ovale parfait de son visage de muse. La couleur de sa robe jaune paille s'harmonisait avec les tons chauds du bois du mobilier. Elle me tendit une main blanche et si délicate que je n'osai la serrer ; je préférai m'incliner dessus avec raideur. Hannah dégageait un charme singulier qui tenait autant à la finesse de ses traits et à la fluidité de ses mouvements gracieux qu'à une espèce de langueur romantique. Elle m'accueillit d'une voix douce mais qui, à l'inverse de celle de son mari, manquait de véritable chaleur. Son regard bleu délavé semblait me traverser sans me voir. C'était une étrange impression. Je me fis la réflexion qu'Almah était la parfaite synthèse de ses parents : la beauté blonde, le charme solaire et la distinction de sa mère, et la vivacité, la chaleur et la générosité de son père.

— Bienvenue, Wilhelm. Pardonnez-moi de ne pas vous avoir accueilli avec mon mari. C'est vraiment très gentil de vous joindre à nous pour ce déjeuner.

Hannah nous précéda dans un petit salon attenant meublé comme un boudoir, puis dans la salle à manger. Sur la table en acajou nappée de blanc quatre couverts étaient dressés : vaisselle de porcelaine fine, couverts en argent, verres en cristal, serviettes monogrammées. Sans doute l'ordinaire chez les Kahn. Almah et moi étions assis côte à côte, face à ses parents. Hannah agitait de temps en temps une petite clochette et la domestique qui m'avait reçu apparaissait silencieusement, chargée d'un plat. Le déjeuner était délicieux. Il fut rapidement expédié. Je prenais soin de ne pas faire tinter mes couverts contre la porcelaine et j'appréciais les vins que Julius avait soigneusement choisis, à mon intention précisa-t-il, pour accompagner le repas. Celui-ci mena l'essentiel de la conversation, me questionnant sur mon travail, mes projets, s'enquérant de tel ou tel qu'il avait côtoyé, éclatant parfois d'un rire franc et sonore lorsqu'une de mes anecdotes éreintait un prétentieux. De mon côté, je l'interrogeai sur son métier. Tacitement, nous évitâmes soigneusement tous les sujets délicats et polémiques. Pas un mot sur la politique, l'expansionnisme allemand, la montée insidieuse du nazisme, les manifestations d'antisémitisme de plus en plus fréquentes, l'exil de certains intellectuels juifs…

Almah intervenait peu, nous laissant nous apprivoiser. J'aimais sa façon de nous écouter, la tête un peu penchée, la fourchette en suspens, tandis qu'elle m'asticotait sournoisement sous la table, en frottant doucement son pied nu contre ma cheville. Quant à Hannah, quasiment absente, elle picorait dans son assiette avec des gestes d'oiseau et buvait son vin à petites gorgées délicates. À plusieurs reprises, je remarquai son regard perdu dans une rêverie où nul n'avait accès. Son mari, attentif, la ramenait avec nous d'une question, en lui tapotant tendrement la main. Alors, du bout des lèvres, un vague sourire flottant sur son visage parfait, elle formulait à son tour une remarque, ou une question à laquelle elle ne semblait pas attendre de réponse, avant de replonger avec mélancolie dans son jardin secret.

Après le café qui fut servi sur la terrasse, Julius me proposa un digestif et nous regagnâmes le grand salon. Hannah murmura quelques mots à l'oreille d'Almah, et elles s'assirent côte à côte au piano. Elles entamèrent une fantaisie à quatre mains de Czerny. Malgré son application et sa bonne volonté, il devint évident au fil du morceau qu'Almah était loin d'être une aussi bonne pianiste que sa mère. La pièce terminée, Almah s'extirpa du banc avec un soulagement évident, en me jetant le regard réjoui d'une enfant délivrée d'une corvée. Hannah enchaîna aussitôt avec une danse hongroise de Brahms qu'elle exécuta avec une belle virtuosité. Je jetai un regard à Julius qui souriait, comme envoûté par sa femme. Il me semblait vivre une parenthèse hors du temps, loin des contrariétés et des désillusions de la vie quotidienne. Plus tard, alors que nous nous promenions tous les deux dans le parc, Almah m'expliqua :

— Hannah est une femme peu ordinaire. Elle a une âme d'artiste. Sa trop grande sensibilité l'encombre. Mon père entretient artificiellement une illusion d'harmonie, comme s'il élevait des remparts de plus en plus hauts autour d'elle pour la protéger des spectres et des ombres qui envahissent notre pays.

Je me fis la réflexion qu'Almah n'appelait jamais sa mère autrement qu'Hannah, non sans un certain détachement. Maman était un mot qui paraissait lui être étranger. Pour détendre l'atmosphère, je risquai un compliment :

— À propos, bravo pour ton interprétation. Je ne savais pas que tu jouais si bien du piano.

— Wilhelm, je t'interdis une fois pour toutes de me mentir, quel que soit le sujet, ou de me flatter. Jamais. J'exige de toi la sincérité la plus absolue. C'est essentiel pour moi. Je suis une piètre interprète et je le sais, inutile de prétendre le contraire.

— Une interprète, disons… moyenne…

— Si on transigeait sur médiocre ? me coupa-t-elle avec espièglerie.

— D'accord, je me range à ton avis, tu es une pianiste médiocre. En revanche, ta mère…

— Oui, je sais, ma mère est parfaite et ce n'est pas mon père qui te contredira, conclut-elle avec un petit sourire entendu.

Ce soir-là, je regagnai Alsergrund avec des sentiments mêlés. Dès notre premier rendez-vous, j'avais deviné à de multiples indices qu'Almah appartenait à une famille bien plus riche que la mienne. Son aisance, sa liberté d'esprit, son quartier, sa maison, ses vêtements, ses sacs, ses chaussures, ses bijoux, tout hurlait notre différence de milieu. Mais je ne pris toute la mesure du fossé qui séparait nos deux familles que ce jour-là. En m'aimant, Almah se dirigeait tête baissée vers une mésalliance. Je n'avais pour toute séduction que ma bonne éducation, ma passion pour le journalisme, mes ambitions, mes amitiés dans les milieux intellectuels et mon physique d'acteur (selon ma sœur Myriam, peu objective), pas grand-chose en somme et rien de véritablement rassurant. Cela suffirait-il pour que les parents d'Almah acceptent notre union ? Étais-je un parti à la hauteur de leurs espérances pour leur fille unique ? S'opposeraient-ils à notre mariage ? Je décidai que je devais sans tarder et sans détour m'en ouvrir à Almah.

10

D'homme à homme

Juillet 1932

Wilhelm reconnut de loin la haute silhouette d'Heinrich Heppner qui progressait rapidement en direction de la salle de rédaction. Il sut aussitôt que ce n'était pas un hasard. C'était lui qu'Heppner venait voir. Et cela n'annonçait rien de bon. Ses mains se figèrent sur le clavier de sa machine à écrire et il serra les mâchoires. Heinrich se campa devant son bureau sous les regards interrogateurs des autres journalistes. Wilhelm recula sa chaise et carra son regard dans celui de son visiteur.

— Bonjour, monsieur Heppner. Vous me cherchiez ?

— Je vous ai trouvé. Bonjour, monsieur Rosenheck !

Wilhelm affecta une légèreté qu'il était loin de ressentir.

— Je ne me cache pas !

— Pouvons-nous discuter un moment ? Je vous offre un café !

Wilhelm bouillait intérieurement. Heinrich ne manquait pas d'air de venir le déranger en plein travail !

— Je n'ai pas plus de dix minutes à vous accorder, dit Wilhelm en se levant.

Il prit son chapeau sur le perroquet et précéda Heppner dans le couloir sans un mot. Sur le trottoir, il indiqua de la tête le café voisin où il avait ses habitudes. Ils s'attablèrent au fond de la salle, juste derrière la baie vitrée. Au passage, Wilhelm adressa un petit signe de tête au garçon, histoire de signifier à Heinrich qu'il était ici chez lui. Ils commandèrent deux mokas.

— Alors ? demanda Wilhelm en regardant son interlocuteur d'un air provocateur.

— Ce n'est pas une démarche facile, mais je veux avoir une conversation d'homme à homme avec vous…

— D'homme à homme ?

— Cela concerne Almah.

Nous y voilà ! pensa Wilhelm, en tentant de paraître impassible. Un muscle se mit à tressauter dans sa joue. Il espérait qu'Heinrich ne l'avait pas remarqué.

— C'est elle qui vous envoie ?

— Non !

— Je vois…

— Non, je crois que vous ne voyez rien du tout ! Et surtout pas ce dans quoi vous l'embarquez.

— Je vous demande pardon ?

— Vous êtes aveuglé par votre… attirance pour elle. Je vous comprends car c'est une jeune femme exceptionnelle. Mais elle n'est pas pour vous. Elle est… au-dessus de vos moyens.

— Ça, c'est assurément la réflexion la plus vulgaire que j'ai entendue depuis bien longtemps. À quel titre exactement venez-vous m'importuner ? Chaperon autoproclamé ou amoureux éconduit ?

Très maître de lui, Heppner ne broncha pas.

— L'ironie n'est pas de mise, elle ne vous servira pas. Je vous parle le plus sérieusement du monde. Je me suis sans doute mal exprimé. Oubliez Almah. C'est une amourette sans lendemain.

— Cela vous arrangerait, mais vous vous trompez. Nous nous aimons.

— Elle est très jeune, c'est un coup de cœur, ce n'est pas sérieux.

— Désolé de vous décevoir, mais c'est très sérieux.

En prononçant ces paroles, Wilhelm se demanda jusqu'à quel point il s'avançait. Il était sûr d'aimer Almah, mais elle, l'aimait-elle vraiment ?

— Almah ne mesure pas toutes les conséquences d'une mésalliance. Vous n'avez pas le droit de l'entraîner là-dedans.

Wilhelm laissa échapper un petit ricanement sardonique. Il était loin d'être aussi calme qu'il voulait le paraître. Ses doigts martyrisaient sa cigarette qu'il finit par écraser dans le cendrier.

— Le vilain mot est lâché. C'est tellement minable que je suis persuadé que ni Almah ni son père ne sont au courant de votre démarche. Ils sont bien au-dessus de ça. C'est sûr que votre portefeuille est plus garni que le mien, mais votre esprit est tellement étriqué que c'en est risible. Je vous plains.

Heinrich perdit un peu de sa contenance et rougit légèrement sous l'insulte avant de se reprendre.

— Ma démarche a pour seul but le bonheur d'Almah. Elle ne le sait pas encore, mais un mariage ne se bâtit pas que sur des sentiments.

— Je vois, vous êtes un expert du mariage. Mais vous vous trompez si vous croyez qu'elle serait plus heureuse à vos côtés. Ou plutôt à l'abri de votre fortune. Mon cher, elle ne vous aime pas.

Heinrich eut un léger mouvement de recul en encaissant le coup. Wilhelm le remarqua.

— Enfin, pas comme vous voudriez qu'elle vous aime… Quoi qu'il en soit…

— Je vous le répète, vous n'avez pas les moyens d'épouser une femme comme elle. C'est toujours une erreur de se marier au-dessus de sa condition, lâcha Heinrich avec fiel. Vous n'êtes pas de taille et je n'ai pas dit mon dernier mot.

— C'est une menace ?

— C'est une mise en garde !

Heinrich Heppner se leva. Il contenait mal sa fureur. Il jeta une poignée de pièces qui tintèrent sur le marbre de la table, remit son chapeau et quitta le café sans saluer Wilhelm. Celui-ci commanda un autre moka qu'il but lentement, pensif et déstabilisé. Il devait parler à Almah au plus vite.

Deux jours plus tard, Heinrich Heppner débarquait à Hietzing avec un tombereau de fleurs pour Hannah et demandait la main d'Almah à Julius.

11

Mises au point

Juillet 1932

Heinrich n'avait fait que remuer le couteau dans la plaie. Ébranlé par notre échange, j'en venais à douter. Almah était-elle bien consciente de la mésalliance que représentait notre éventuelle union ? Je devais lui parler au plus vite. Je redoutais cette conversation, car elle pouvait mettre un terme à notre relation. Ou l'affermir définitivement. J'étais lucide : notre différence de milieu était bien plus qu'un insignifiant caillou dans ma chaussure. Dans l'enthousiasme de ses vingt ans, Almah avait-elle bien pesé le pour et le contre d'un mariage en dessous de sa condition ? Je m'écœurais moi-même avec des préoccupations aussi conservatrices, mais c'était un fait, la famille d'Almah appartenait à la haute société viennoise, ce qui était loin d'être mon cas. Chaque jour passé ensemble nous engageait davantage et je ne pouvais plus reculer le moment de m'attaquer au malaise qui me taraudait. Quelle était la meilleure façon d'aborder la question ? Quels étaient les mots les plus appropriés pour ne pas blesser Almah ou, pire, la cabrer ? Comment lui faire comprendre que je ne me préoccupais que de son bonheur et de son avenir ?

Il était 18 heures et je l'attendais dans un petit café de la Mazzesinsel, « l'îlot du pain azyme », comme on appelait avec humour Leopoldstadt. Nous devions dîner ensemble. J'étais nerveux et n'arrivais pas à me concentrer sur le journal étalé devant moi. À peine Almah fut-elle arrivée que je l'entraînai dans un beisl[1] du quartier. J'avais pensé que ce genre de table modeste était l'endroit parfait pour ce dont nous devions discuter. Maquillée d'un soupçon de rouge à lèvres rose, les cheveux remontés en un chignon qui avait dû demander des heures de patience, elle avait jeté un fin gilet blanc sur sa robe de lin bleu pâle, largement ceinturée pour souligner sa taille. Comme chaque fois, la regarder m'émouvait profondément, bien que nous n'ayons été séparés que quelques heures. Conscient des regards envieux sur notre passage, je fus envahi par une bouffée de fierté masculine. Quelques instants plus tard, je considérais distraitement le menu, en ressassant mes sombres pensées et en cherchant la façon la plus élégante d'aborder la question, pendant qu'Almah étudiait la carte avec sérieux.

— J'aime bien cet endroit, ça nous change des grands cafés chics, bondés et bruyants.

Almah avait des goûts éclectiques et se montrait toujours ravie de mes initiatives. C'était une des

1. Mot d'origine hébraïque qui désigne un petit restaurant simple et convivial.

qualités que j'appréciais chez elle. Après bien des hésitations, elle se décida :

— Je prendrai un consommé aux champignons et une carpe avec des petits légumes. Pour le dessert, je verrai plus tard, annonça-t-elle en refermant la carte avec un sourire gourmand.

Puis, fronçant les sourcils :

— Tu sembles préoccupé, Wil.

Je passai la commande distraitement sans lui répondre. Le garçon nous apporta un pichet de vin blanc. Je remplis nos verres et nous trinquâmes, les yeux dans les yeux, un rituel instauré entre nous. Je me jetai à l'eau, redoutant les éclaboussures :

— Almah, il faut que nous parlions sérieusement…

Elle redressa la tête et une lueur de joie passa dans son regard bleu, rapidement chassée par l'inquiétude quand elle remarqua mon air sévère.

— Nous nous fréquentons depuis plusieurs mois…

— Trois mois, une semaine et deux jours, depuis le 6 avril, très exactement. S'il te plaît, Wil, sois précis !

— S'il te plaît Almah, sois sérieuse ! Ce que je veux te dire n'est pas facile.

Almah se rembrunit. Je lui pris la main et je la rassurai :

— Rien de grave, rassure-toi. C'est que, voilà, je t'ai connue accrochée au bras d'un riche héritier…

Elle haussa les épaules.

— Tu veux parler d'Heinrich ? C'est un vieil ami de la famille, tu le sais bien !

— Un ami de la famille très épris de toi !

— Heinrich est peut-être amoureux de moi, mais l'inverse n'est pas vrai ! se défendit Almah. Je voulais t'en parler. Figure-toi qu'il a débarqué à la maison pour demander ma main à Papa. Sans me prévenir ! Comme si j'étais à vendre !

Ma pomme d'Adam se mit à valser dangereusement dans ma gorge. Mon rival n'avait pas perdu de temps, sa mise en garde n'était pas un vain mot.

— Je l'ai envoyé promener, et vertement ! reprit Almah, satisfaite de son effet.

— Je suis sûr que… Heinrich Heppner serait un bien meilleur parti que moi aux yeux de tes parents, aux yeux de la terre entière à vrai dire…

— Tu dis ça à cause de sa taille, de sa carrure ou de son immense fortune ? plaisanta Almah, mi-figue, mi-raisin.

Elle voyait très bien où je voulais en venir.

— Je dis ça à cause de la modestie de ma famille. Soyons lucides Almah, nous venons de milieux très différents, ta famille est beaucoup plus aisée que la mienne…

— La riche héritière et le modeste scribouillard ! Alors c'est comme ça que tu nous vois ?

Un brin de tristesse mêlée de dépit pointa dans sa voix. D'un doigt, elle torturait une mèche blonde qu'elle venait d'extirper de son chignon. J'avais déjà remarqué que lorsqu'elle réfléchissait ou se préparait à assener une remarque cinglante, elle enroulait inlassablement une mèche de cheveux autour de son index droit. Au besoin, elle en tirait une de son chignon, pour s'adonner à ce tic. C'était justement ce qu'elle venait de faire.

— Non Almah, ce n'est pas « comme ça » que je nous vois. Mais c'est sans doute « comme ça » que les autres nous voient. Mais ce n'est pas ce qui me préoccupe…

— Je te croyais au-dessus de ce genre de considérations médiocres et tout à fait petites-bourgeoises, Wil.

— Je m'en fiche comme d'une guigne de ta fortune ou de ta position sociale, Almah, tu le sais bien. Mais c'est un fait bien réel. Et je crains que tes parents ne me considèrent pas comme un bon parti pour leur fille unique.

— Le fait bien réel, c'est que je t'aime, un point c'est tout ! Que tu sois riche comme Crésus ou pauvre comme Job, pour moi c'est égal.

Son ton était sans réplique.

— Moi aussi, je t'aime, Almah, plus que tout au monde, dis-je en portant sa main à mes lèvres. Mais ce serait plutôt pauvre comme Job !

Je savais que je forçais le trait et que ce n'était pas rendre justice au labeur de mon père et de mon grand-père que de présenter ma famille ainsi. Une vague de honte m'envahit à l'idée de la réaction de mon père s'il avait pu m'entendre. J'effleurai de mes lèvres la peau douce du poignet d'Almah, juste sur la petite bosse que formaient les tendons, et aussitôt une vague de désir monta en moi. C'était incontrôlable, dès que je la touchais, mon ventre s'embrasait. Elle le sentit et me jeta un regard trouble qui me fit chavirer. Je n'aurais pas imaginé que cette conversation, que je redoutais tant, donnerait lieu à une déclaration d'amour. Ce n'était pas la première, certes, mais cette fois c'était avec une grande fermeté que nous l'exprimions. Je la regardai intensément, droit dans ses beaux yeux clairs. J'insistai une dernière fois, histoire d'épuiser mes arguments :

— Mais ta famille, ta mère…

— Mes parents t'apprécient beaucoup, ils me l'ont dit l'autre jour, après ton départ. Ils ne sont ni idiots ni aveugles, ils savent bien qu'entre nous, ce n'est pas de l'amitié, pas une passade non plus. Et de toute façon, je décide de ma vie seule. Je n'ai besoin ni de leur avis, ni de leur bénédiction. Enfin, sache qu'ils ne me contrarient jamais.

Almah ferma à demi les yeux et me considéra à travers le rideau de ses cils. Une minuscule ride s'était creusée sur son front. Je la sentais en train de mûrir une idée, de prendre une décision. Je me faisais la réflexion que mon amoureuse avait hérité de ses ancêtres russes des sentiments exaltés et un caractère impétueux, encouragé par l'éducation très libre qu'elle avait reçue. J'étais rassuré : Almah m'aimait autant que je l'aimais et la question de notre différence sociale, nous l'affronterions ensemble. Entre-temps, le serveur avait déposé sur notre table des assiettes copieusement servies.

— Eh bien, je crois que tout ce qu'il y avait à dire est dit. Je ne veux plus jamais en entendre parler. Je meurs de faim, conclut Almah en reprenant sa main pour attaquer son assiette.

Elle enfourna une énorme cuillerée, sans égard pour son rouge à lèvres.

— Ma chérie, tes désirs sont des ordres, nous n'en parlerons plus. Je voulais juste que ces choses soient dites, une fois pour toutes.

D'un seul coup, l'appétit m'était revenu et j'attaquai d'un coup de fourchette avide mon escalope panée. Almah s'excusa et quitta la table un instant. Elle alla passer un coup de téléphone à ses parents dont je ne comprendrais la signification que quelques heures plus tard.

*

Quand nous ressortîmes du restaurant, la nuit était tombée. Une nuit d'été tiède et odorante de parfums mêlés de fleurs, d'arbres et d'herbe. Des couples flânaient dans les rues, des enfants jouaient sur une petite place, des vieilles personnes assises sur des bancs échangeaient des confidences. Nous avancions à pas lents. Blottie contre moi, Almah glissa son bras sous le mien. En passant devant une petite vendeuse de rue qui proposait des roses rouges, son panier d'osier autour du cou, je choisis un joli bouton à peine éclos.

— Veux-tu que nous allions prendre un café à une terrasse ?

— Allons plutôt chez toi, me répondit-elle d'une voix rauque en posant sa tête sur mon épaule.

Mon cœur rata un battement. Almah n'était venue chez moi qu'à de très rares occasions, toujours de jour et en coup de vent. Je paniquai, gagné par une excitation mêlée d'angoisse. Mon esprit s'embrouilla. Est-ce que je décodais bien ses intentions ? L'évier devait déborder de vaisselle sale ! Jutta avait-elle fait le ménage ? L'appartement avait-il été aéré ? Je n'avais même pas fait mon lit !

Devant moi, Almah monta les marches lentement mais sans hésitation. L'escalier principal et son tapis rouge avaient cédé la place aux marches étroites de bois brut qui menaient à l'étage de service et desservaient les mansardes. Elle me précéda en s'aidant de la rampe dans ce boyau qui n'avait rien de glorieux. Je la suivis, le regard hypnotisé par ses fesses rondes qui roulaient sous sa robe ajustée. Arrivée devant ma porte, Almah s'effaça pour me laisser ouvrir la porte. Elle me sourit et j'essayai d'appréhender ce qu'il y avait derrière ce sourire. Timidité, défi, angoisse, excitation ? Sans doute un complexe mélange de ces émotions. Je franchis le seuil et j'eus le temps d'entrevoir que Jutta n'était pas passée, mon lit n'était pas fait et le salon était en désordre. Mais cela n'avait aucune importance.

Aussitôt Almah entrée, je refermai la porte d'un coup de pied et je l'enlaçai. Je l'embrassai avec une urgence exacerbée par des mois de désir contenu. Ses lèvres étaient douces et chaudes sous les miennes. Elle répondit à mon baiser avec une fougue qui ne me laissa aucun doute. Son gilet, ma chemise volèrent. Je tâtonnai fébrilement dans son dos et défis un à un les boutons de nacre de sa robe qui glissa dans un chuchotement à ses pieds, dévoilant ses épaules, ses seins haut perchés, son ventre plat, sa culotte blanche. Je m'agenouillai devant elle et fis glisser sur ses hanches étroites ce dernier morceau de coton. Elle leva les jambes l'une après l'autre docilement et pressa ma tête contre les boucles soyeuses de sa toison dorée. Le frottement de ses poils contre mon visage m'électrisa et je couvris son ventre frémissant de baisers. Je sentais sa peau tiède parcourue de frissons et son corps entier qui s'abandonnait tandis qu'elle étouffait un gémissement. Je me reculai pour la regarder. Elle leva les bras et dénoua lentement sa chevelure qui retomba sur ses épaules. Dans la pénombre de la chambre, les fins rideaux animés par la brise filtraient la lumière des réverbères en un clair-obscur qui éclairait son corps comme une œuvre d'art. J'étais sidéré par la beauté et la fragilité de son corps nu que j'avais presque peur de profaner. Mes yeux parcouraient son visage comme s'ils la voyaient pour la première fois. Avec l'impudeur d'une enfant élevée sans tabou, Almah défit la ceinture de mon pantalon et plus rien ne fit obstacle à ma passion. Une tempête rugit, qui nous libéra de notre paralysie. Nos corps s'emboîtaient parfaitement, se moulant l'un dans l'autre.

— Maintenant, je suis ta femme envers et contre tout. Personne ne peut plus rien à ça, chuchota-t-elle à mon oreille avant de s'endormir dans mes bras avec la confiance d'une enfant comblée.

Cette nuit-là, je découvris que j'avais besoin d'Almah pour former un tout parfait et, dans sa façon de m'aimer, je devinai une exigence d'éternité.

*

La lumière du petit matin filtrait à travers les volets. Les bras croisés derrière la tête, je regardais Almah, enroulée dans le drap, debout devant la bibliothèque, les joues roses, un sourire gourmand aux lèvres. Elle faisait courir son index le long des reliures.

— Tu as une bibliothèque drôlement fournie, constata-t-elle en fronçant les sourcils.

— J'ai une fâcheuse tendance à lire tout ce qui me tombe sous la main.

Je m'approchai d'elle, me collai à son dos, la ceinturai dans mes bras et posai mon menton sur son épaule. Elle se tourna à demi vers moi. Elle tenait *La Marche de Radetzky*[1] dans sa main.

— J'ai adoré cette saga dans notre empire décadent !

Almah se retourna vers mes rayons, replaça Roth parmi ses confrères, et poursuivit son exploration. Son doigt filait sur les reliures, elle effleura Rilke, Zweig, Musil, Raimund, Grillparzer, Schnitzler… Je nichai mon visage dans son cou et laissai courir mes lèvres avides sur sa peau.

— Oh ! oh ! s'exclama-t-elle amusée en brandissant un nouveau volume. Mon amoureux serait-il féministe ?

Je lui pris le livre des mains, laissai tomber *Sexe et Culture*[2] sur mon fauteuil avachi et entraînai Almah vers le lit défait.

— Nous parlerons littérature et féminisme un autre jour !

Elle se laissa faire sans résister.

*

Wilhelm,

Je ne vous écris ni en rival ni en ennemi, mais en homme d'honneur. Je vous prie d'excuser et d'oublier la conversation « d'homme à homme » que je vous ai extorquée il y a quelques jours. Je suis bien

---

1. *La Marche de Radetzky*, roman de Joseph Roth publié en 1932, raconte le destin d'une famille sur quatre générations sous la monarchie austro-hongroise finissante.

2. *Sexe et Culture* (1923) est un essai publié par Rosa Mayreder, artiste et féministe viennoise.

conscient de m'être ridiculisé et de ne pas m'être montré sous mon meilleur jour.
J'étais, je suis toujours, aveuglé par mon affection pour Almah. Je vous prie de ne rien lui dire de notre échange.
Parce qu'il est inutile de lui faire de la peine et que je n'en sortirais pas grandi. Encore une fois, acceptez mes excuses. Ma dernière demande sera : veillez sur elle et protégez-la de votre mieux car des temps difficiles s'annoncent.
Mes vœux vous accompagnent.

Heinrich Heppner

Je chiffonnai la lettre d'une main nerveuse. Si Heinrich croyait s'en sortir à si bon compte, il se trompait. Après m'avoir insulté, il avait attendu d'être évincé par Almah pour m'envoyer cette lettre ! Je n'étais pas mécontent de sa capitulation écrite, mais je ne lui pardonnais pas pour autant. Je savourais ma victoire, celle du journaleux de la petite bourgeoisie sur l'homme d'affaires richissime, celle de l'amour partagé sur les conventions. Almah avait choisi selon son cœur. Cela seul comptait. Puis j'éclatai de rire. Avec du recul, ce n'était que la bataille de deux coqs, une passe d'armes entre deux hommes épris de la même femme. J'avais de la chance, quelques décennies plus tôt, Heinrich aurait convoqué un témoin et m'aurait occis dans un duel. Plus tard, en y repensant, je plaignis Heinrich qui devait être sacrément humilié, et malheureux de surcroît. Une chose me tracassait : je me demandais si je serais à la hauteur de sa prière.

Je me fis la promesse de consacrer ma vie à rendre Almah heureuse.

Finalement, je dus reconnaître à mon corps défendant qu'Heinrich ne manquait pas d'élégance. Faire amende honorable avait dû lui coûter et relevait d'un certain panache. Je reconnus aussi sous les mots la marque d'une véritable affection pour Almah et cela me toucha. Je ne serais sans doute jamais l'ami d'Heinrich, je l'éviterais même à l'avenir, mais il avait gagné mon respect. Une singulière fraternité nous liait désormais, celle des amoureux d'Almah. Bien sûr, elle n'en sut jamais rien.

12

Fin de l'innocence

Octobre 1932

Nos fiançailles marquèrent la fin d'une période d'innocence et d'aveuglement volontaire, l'entrée dans des temps plus sombres. Désormais, nous étions engagés dans un avenir commun, un avenir bien incertain compte tenu des nuages qui s'amoncelaient dans le ciel politique autrichien. En mai, Dollfuss, le chef du parti conservateur social-chrétien, avait été nommé chancelier. Il refusait toute coalition avec les sociaux-démocrates et nous conduisait tête baissée vers la dictature. De l'autre côté de la frontière, Hitler avait gagné les élections législatives et son bras droit, Goering, était devenu président du Reichstag. Dans ce contexte, c'était irresponsable de continuer à cultiver l'insouciance sans prêter attention aux multiples signaux qui annonçaient un virage vers l'autoritarisme.

Nous avions choisi une journée de début octobre pour réunir nos deux familles et quelques amis proches. Vienne était magnifique ce jour-là. L'été venait à peine de tirer sa révérence et il faisait encore doux. Nous avions loué un petit salon à l'étage de l'Hôtel Impérial. Almah voulait « quelque chose de simple et d'intime, en petit comité et sans tralala ». J'étais d'accord avec elle. Nous réservions la grande réception pour notre mariage que nous espérions célébrer dans une atmosphère moins délétère.

J'étais heureux d'officialiser enfin notre relation. Je comptais que cela me permettrait de voir Almah en toute liberté et nous dégagerait de cette gangue de culpabilité qui nous oppressait parfois quand nous nous retrouvions chez moi. Je supposais que nos parents se doutaient que nous étions amants car j'avais le sentiment que notre intimité physique se lisait dans le moindre de nos gestes et de nos regards. « Elle sait », m'avait confié Almah en parlant de sa mère, un jour qu'elle était blottie contre moi au creux de mon lit. « Et si elle sait, il sait », avait-elle ajouté, précisant que ses parents n'avaient aucun secret l'un pour l'autre. À la réflexion, cela ne m'étonnait guère ; ils connaissaient la nature impulsive de leur fille qu'ils avaient élevée très librement. Mais sa famille, comme la mienne, avait choisi de feindre l'ignorance, ainsi que la bienséance bourgeoise l'exigeait. Pour ne pas leur mettre sous le nez l'évidence de notre intimité, nous ne nous étions jamais éloignés de Vienne plus d'une journée et Almah n'avait jamais totalement découché, même si je la raccompagnais parfois chez elle au petit matin. Des fiançailles officielles nous autoriseraient de nouvelles libertés, même si, aux yeux de certains, il eût mieux valu attendre le mariage pour afficher notre liaison.

Nos parents avaient fait connaissance. Si Hannah et ma mère n'avaient rien en commun, Julius et mon père trouvèrent rapidement une certaine connivence, notamment à travers leurs souvenirs de la guerre. D'un regard, ils avaient pris la mesure l'un de l'autre et je fus content de constater leur complicité.

Myriam et Almah avaient fait connaissance quelques semaines plus tôt et, à ma grande joie, elles s'étaient plu d'emblée. Elles n'avaient pas eu besoin de s'apprivoiser et étaient ravies de se considérer comme des « presque sœurs ». Elles avaient d'ailleurs ourdi un plan que Myriam me confia avec une excitation de collégienne quelques jours avant le repas des fiançailles : Almah allait lui mettre dans les pattes un certain Heinrich, un très beau parti, bel homme de surcroît, un cœur à prendre. Ma sœur, qui n'avait pas encore vingt ans, était très couvée par nos parents. Elle était tout émoustillée à l'idée de cette rencontre masculine. Elle avait passé des heures à peaufiner sa tenue et se retrouva donc placée à côté d'Heinrich Heppner au déjeuner. J'avais revu mon opinion à son égard depuis qu'il avait admis qu'Almah ne serait pas sa femme. J'avais du respect pour lui, une certaine admiration pour son succès dans les affaires et j'étais convaincu de sa loyauté à toute épreuve envers Almah et les Kahn. Je crois que, de son côté, il ne me prenait pas très au sérieux et continuait à me considérer comme un caprice d'Almah. Au cours du repas, je jetais de temps en temps un coup d'œil à ma sœur qui me répondait par de sibyllines grimaces. Le lendemain, je lui demandai si elle avait fait mouche auprès de son cavalier et si elle comptait le revoir.

— Certainement pas, il est d'un ennuyeux ! Il m'a bassinée avec l'expansion de ses magasins et ses chiens de chasse. Ça n'avait rien d'exaltant, je t'assure. Et quand je lui ai parlé ballet, j'ai eu l'impression qu'il me prenait pour une folle. Ce n'est pas grave, ajouta-t-elle en haussant les épaules, je ne suis pas pressée, Vienne est pleine de beaux garçons bien plus intéressants. Il suffit d'être patiente !

Myriam ne croyait pas si bien dire. Deux ans plus tard, à l'occasion du mariage d'un de nos cousins, elle rencontra Aaron Ginsberg, de quelques années son aîné, architecte, adepte inconditionnel du travail de Wagner et de Loos, qui deviendrait l'homme de sa vie.

Le mot d'ordre du jour était simple : éviter tout sujet politique. Nous avions déjeuné et sablé joyeusement le champagne. Il y eut des toasts, des petits discours, des anecdotes d'enfance, des rires… Puis j'avais offert avec émotion à Almah un modeste saphir monté sur un simple anneau d'or. Je m'étais fait la réflexion en l'achetant qu'Heinrich Heppner lui aurait offert quelque chose de bien plus spectaculaire. J'avais refusé la magnifique émeraude sertie de diamants que Julius conservait pour cette occasion. Il avait compris ma réticence et cédé de bonne grâce, même si je savais que lui et surtout Hannah jugeaient ce magnifique bijou de famille plus approprié.

Plus tard, nous avions pris congé les uns des autres, tandis qu'Almah et moi regagnions mon appartement pour laisser enfin libre cours à notre désir réprimé tout au long de la journée. Comme une gamine, Almah ne cessait au cours de la soirée d'agiter sa main sous mon nez et de faire scintiller son saphir en me disant qu'il attendait impatiemment sa petite sœur. Il ne restait plus qu'à planifier notre mariage. Almah n'y avait mis qu'une condition : attendre la fin de ses études.

13

Un sentiment de catastrophe

1933-1934

L'année 1933 confirma un sentiment de catastrophe imminente. De caprice politique passager, les nazis étaient devenus une réalité incontournable. En Allemagne, rien n'arrêtait l'ascension d'Hitler qui n'avait plus rien d'un personnage de farce. Il avait atteint son but : en janvier, il devint chancelier. Dès lors, les droits civiques des Juifs furent peu à peu grignotés. En février, au lendemain de l'incendie du Reichstag, eurent lieu les premiers bûchers de livres. Les ouvrages d'auteurs jugés impurs, Stephan Zweig et Max Brod, si chers au cœur de Wilhelm, Joseph Roth, Robert Musil, Thomas Mann, Bertolt Brecht, Arthur Schnitzler, Sigmund Freud, Franz Werfel et bien d'autres furent éliminés des bibliothèques publiques et des scènes théâtrales. « Nous devons partir, afin que dans les brasiers on ne jette que des livres », écrivit Joseph Roth qui devait s'installer en France en 1934.

En Autriche aussi le climat politique se dégradait rapidement et avec lui la situation des Juifs. En mars 1933, Dollfuss avait dissous le Parlement. Puis il censura la presse, interdit les partis communiste et nazi, supprima le droit de grève et de réunion, rétablit la peine de mort, créa des camps pour les opposants politiques et mit les syndicats sous contrôle. Sur les armes de l'Autriche, on ajouta une auréole en référence à la religion catholique. Le pays prenait le virage d'une dictature autoritaire et corporatiste dont le catholicisme était une composante essentielle. Pourtant, dans les cafés, on persistait à considérer que le national-socialisme ne pouvait pas toucher l'Autriche et on se rassurait : la France et l'Angleterre ne laisseraient pas tomber l'Autriche, la SDN protégeait le pays et Mussolini garantissait son indépendance.

En octobre 1933, Dollfuss échappa à un attentat perpétré par les nazis. L'appel des socialistes, le dernier parti légal d'opposition, à une grève générale et pacifique, le 19 janvier 1934, se solda par l'arrestation de plus de 200 sociaux-démocrates. Début février, une insurrection opposa les socialistes aux conservateurs fascistes. Des affrontements eurent lieu dans toutes les villes. L'armée intervint et attaqua les quartiers ouvriers du nord de Vienne. Les ouvriers livrèrent des combats acharnés mais succombèrent à la supériorité de l'adversaire. Dans les faubourgs, les cadavres se comptaient par centaines, tandis que dans les quartiers bourgeois, on n'avait que de lointains échos du drame. Les Juifs assimilés se désolidarisaient des Juifs de l'Est fidèles à la tradition hassidique. La guerre civile autrichienne se solda le 16 février par un bilan de plusieurs milliers de morts et de blessés, plus de 1 500 arrestations et l'exil des principaux leaders socialistes. Dollfuss instaura le Front patriotique, un parti unique d'extrême droite, enterrant la démocratie et ouvrant la voie à la nazification du pays. En juillet 1934, les nazis autrichiens ratèrent un coup d'État mais assassinèrent Dollfuss. Von Schuschnigg lui succéda.

Les rangs des intellectuels s'éclaircissaient inexorablement. Wilhelm s'alarmait de leur désertion. Un grand découragement l'accablait chaque fois qu'il apprenait un nouveau départ. Celui de Zweig en février 1934 le mortifia. La position apolitique que Wilhelm avait adoptée jusque-là était devenue insoutenable. Pour autant, il lui était impossible d'agir sans se mettre en danger dans un pays muselé où la suspicion était élevée au rang de vertu. Que pouvait-il, petit journaliste insignifiant que son statut ne protégeait plus ?

Dans ce climat de totale confusion, Almah obtint son diplôme de dentiste en juin 1934. Elle devint l'assistante de Bernhard Ackerman, un ami de son père, et commença à pratiquer son métier avec enthousiasme.

14

Mazel Tov

Juin 1935

— Vas-y Wil, un coup sec ! m'encouragea Almah dans un chuchotement.

Je brisai le verre d'un coup de talon enthousiaste. Sous la houppa, elle était aussi émue que moi. Almah était devenue ma femme pour le meilleur et pour le pire. À partir de là, c'était nous deux contre le reste du monde, une certitude réconfortante dans la période troublée que nous vivions.

Malgré les circonstances peu propices pour célébrer joyeusement des noces, Hannah avait voulu faire les choses en grand. Après tout, c'était le mariage de sa fille unique. Mais on pouvait être rassuré quant à son bon goût pour ne pas donner dans une démesure indécente par les temps qui couraient. La cérémonie avait été célébrée à la Grande Synagogue devant une assemblée bien plus réduite que ne le laissaient espérer la position des Kahn et les nombreuses relations de mon père. Mais nombre des membres de nos deux familles et de nos amis juifs vivaient désormais à l'étranger. Et, pour les autres, il ne faisait pas bon s'exhiber avec des Juifs. Les quelques amis précieux qui avaient, malgré les difficultés, fait le voyage depuis d'autres *Länder* étaient logés à l'Hôtel Impérial.

Conformément à son souhait, je n'avais découvert la robe d'Almah qu'à son entrée dans la synagogue. Une simple robe blanche près du corps en satin et gaze, qui soulignait la finesse de sa silhouette. Longue à l'arrière, elle dévoilait ses jambes devant. L'encolure ronde dégageait son cou et ses clavicules saillantes sous la peau laiteuse. Les manches couvraient les deux tiers de ses bras et elle portait de longs gants blancs en dentelle et un petit sac en perles de verre nacrées. Un voile vaporeux était retenu par des fleurs blanches piquées dans sa chevelure tressée en un chignon complexe, comme seules les femmes sont capables d'en inventer. Elle portait une longue gerbe de fleurs sauvages blanches et bleues. Ma femme était ravissante et, face à sa grâce aérienne, je me sentais gauche dans mon habit gris orné d'un œillet blanc. Pourtant j'étais élégant. C'était Myriam qui m'avait aidé à choisir ma tenue. C'était elle aussi qui, au dernier moment, avait noué ma cravate, quand mes mains, trop nerveuses, refusaient de m'obéir.

Au sortir de la cérémonie, nous partîmes pour Hietzing. Par souci de discrétion, la réception se tenait dans la demeure des Kahn, assez vaste pour accueillir tout le monde. Pour l'occasion, le grand et le petit salon, la salle à manger et le jardin avaient été réaménagés selon les directives attentives d'Hannah. Les pièces, vidées du mobilier superflu, avaient été remplies de fauteuils confortables, de chaises et de guéridons. Le grand piano avait gardé sa place de choix, Hannah y interpréterait peut-être quelques morceaux. Dans le jardin, une escouade de serviteurs s'agitait entre les invités autour du chapiteau de toile orné de petites guirlandes de fleurs blanches qui abritait les tables du déjeuner.

Certaines femmes portaient des robes longues et la plupart des hommes étaient en habit. Sanglé dans son uniforme, un héros de la dernière guerre, un ami de Julius, promenait un poitrail couvert de décorations militaires. Myriam et son fiancé Aaron ressemblaient à une gravure de mode, un couple moderne et décomplexé. Ma mère portait une confortable robe de soie printanière gris perle avec un grand chapeau assorti ; mon père avait choisi un strict habit noir. Julius arborait un haut-de-forme à bord étroit un peu démodé et un habit tout droit sorti de chez Goldman et Salatsch ; dans sa longue robe diaphane en mousseline de soie bleu clair qui soulignait sa fragilité, Hannah était éblouissante, d'un romantisme à couper le souffle, plus évanescente que jamais.

Avant de passer à table, Julius battit le rappel des troupes éparpillées entre salons et jardin en faisant tinter un couteau contre le pied de son verre en cristal pour demander le silence. On porta un toast en notre honneur. Tous les regards étaient braqués sur nous, les yeux d'Almah brillaient de bonheur. Le champagne était millésimé de son année de naissance, 1911, un cru qui avait dû traverser une guerre et une crise majeure et attendait sagement ce jour dans la cave. Du coin de l'œil, Julius surveillait Hannah, qui, une coupe à la main, virevoltait d'un convive à l'autre, sans s'arrêter vraiment sur aucun.

Raffiné et arrosé d'excellents vins, le repas mêlait habilement les plats autrichiens et les spécialités slaves et se déroula dans une ambiance bon enfant. À la fin du déjeuner, Myriam, qui se tortillait nerveusement sur sa chaise depuis un bon moment, donna le signal des discours d'usage. Légèrement éméchée, ma sœur se leva et sortit un papier de sa poche, attendant patiemment que le silence se fît. Aaron posa sa main sur son bras, un geste d'une grande douceur, et l'encouragea d'un regard complice.

— Hum, hum !

Myriam se racla la gorge en se dandinant d'un pied sur l'autre, tandis que les regards se tournaient peu à peu vers elle.

— Je sais qu'il n'est pas coutumier que la sœur du marié prenne la parole la première, mais je me lance ! Aujourd'hui est un jour solennel, nous sommes réunis pour célébrer l'union de mon frère Wilhelm avec Almah, ma ravissante belle-sœur que j'aimerais accueillir chaleureusement dans mon cœur, en fait ça c'est déjà fait, gloussa-t-elle, et dans notre famille. Je voudrais adresser une pensée particulière à mon frère, qui est depuis toujours mon meilleur ami.

Myriam se tourna vers moi, les joues en feu. Son émotion était visible. J'étais touché car je savais ce que lui coûtait cet effort, elle si réservée d'ordinaire.

— Wilhelm, toi qui as été mon ange gardien quand j'étais enfant, puis mon cavalier plus tard, je tiens à te remercier tout spécialement pour tes encouragements lors de mes premiers entrechats !

Myriam sourit, contente d'elle. Moi aussi. Les autres nous regardaient médusés, seuls elle et moi savions les fous rires qui se cachaient derrière ces mots.

Elle reprit son sérieux et, en me regardant droit dans les yeux, elle ajouta :

— Et je te remercie par-dessus tout de m'avoir présenté Aaron qui est aujourd'hui mon fiancé.

Myriam posa un regard amoureux sur Aaron qui souriait béatement. Déconcentrée, elle jeta un regard au papier qu'elle tenait à la main et poursuivit :

— Souviens-toi, Wil, tu pourras toujours compter sur moi pour vous soutenir et vous accompagner. J'aimerais aussi remercier les parents d'Almah et mes parents pour cette merveilleuse journée. Je lève mon verre à Wilhelm et à Almah, à nos familles, à nos proches et à nos amis. Je sais que vous possédez tous deux assez d'amour et de magie pour vaincre tous les tourments. Je vous souhaite beaucoup de bonheur et une vie joyeuse. Vive les mariés ! *Mazel Tov !*

Myriam se rassit soulagée et vida avidement une nouvelle coupe de champagne sous les applaudissements nourris. Puis Julius prit la parole. Face à nous, il nous regarda avec une grande tendresse. Almah avait étroitement enlacé ses doigts aux miens. À son annulaire brillait un simple anneau d'or.

— Ma chérie, mon cher gendre…

Je tressaillis sous la pression des doigts de ma femme et lui rendis son sourire.

— … le bonheur d'une fille pour ses parents est essentiel, surtout quand elle est leur fille unique. Hannah et moi avons toujours rêvé de voir un jour Almah heureuse et épanouie par l'amour, comme elle l'est aujourd'hui. C'est avec une immense émotion que nous accueillons aujourd'hui Wilhelm dans notre famille…

Le pied déchaussé d'Almah se faufila sournoisement sous mon pantalon, et remonta contre ma jambe. Je ratai quelques mots du discours de mon beau-père.

— … notre oisillon s'envole définitivement du nid aujourd'hui. Mais nous sommes rassurés car nous savons que Wilhelm saura aimer notre Almah, la protéger et la soutenir pour qu'elle surmonte avec confiance les épreuves de la vie…

Les orteils d'Almah exécutaient de savantes arabesques sur mon mollet et des frissons remontaient jusqu'à mon ventre. J'avais définitivement perdu le fil du discours de Julius mais je tâchai de n'en rien laisser paraître tandis qu'elle insistait.

— Portons un toast aux mariés, pour leur souhaiter autant de bonheur qu'ils nous en ont apporté depuis qu'ils sont nés ! Aux mariés ! termina Julius en brandissant sa coupe de champagne.

Si Almah continuait son petit jeu, je ne répondais de rien. Quand mon père se rassit après avoir conclu le rituel, Hannah, qui était assise à côté de moi, nous tendit un petit coffret en ivoire entouré d'une faveur de satin blanc. Almah rougit, dénoua fébrilement le ruban et souleva le couvercle de la boîte. À l'intérieur, une clé et un carton qu'elle déchiffra les sourcils froncés. Puis elle me regarda les yeux embués de larmes en me tendant la carte que j'examinai à mon tour. C'était une photographie d'un édifice surchargée d'une adresse manuscrite : « Linke Wienzeile 40 ». En la regardant, je reconnus sans peine la si controversée Majolika Haus. Considérée comme l'un des édifices Jugendstil les plus réussis de Vienne, elle se trouvait tout près, entre le centre et Schönbrunn, juste à l'extérieur du Ring. C'était un immeuble de six étages, résolument moderne, à la façade couverte de motifs floraux de couleurs vives en céramique émaillée. À l'intérieur les appartements étaient très bien conçus et équipés du tout dernier confort. Je le savais, car sa construction avait fait couler beaucoup d'encre au journal qui avait publié une interview où Otto Wagner expliquait ses partis pris. J'avais peur de comprendre. Julius leva le doute :

— C'est la clé de votre chez-vous, à mi-chemin entre vos deux familles ! Un appartement de cinq pièces avec trois chambres, vous aurez assez de place pour nos petits-enfants. Le loyer est payé pour trois ans, ajouta-t-il à mi-voix en se penchant à mon oreille.

Ma mère nous tendit alors une autre petite boîte que nous ouvrîmes tout aussi fébrilement. Là aussi des photographies : une magnifique salle à manger Ruhlmann en loupe d'orme, une chambre complète et un sofa en cuir avec ses deux fauteuils jumeaux. Le cadeau de mes parents…

Almah et moi étions éberlués. Ces cadeaux somptueux étaient une merveilleuse surprise. Nous avions prévu de nous installer dans ma petite garçonnière en attendant de trouver un logement plus vaste et nous allions emménager dans un décor dont nous n'aurions pas osé rêver. Évidemment, nos familles étaient de connivence. Almah en balbutia d'émotion et moi j'étais gêné d'une telle générosité. C'était un peu comme clamer à la face du monde que je n'étais pas capable de loger dignement ma femme. Mais je mis mon orgueil dans ma poche car je savais que telle n'était pas l'intention.

Nous reçûmes bien d'autres cadeaux : un service de porcelaine de la manufacture royale de Meissen, très moderne, hexagonal avec une fine dorure à l'or fin, des verres en cristal de Bohême pour l'eau, le vin, le champagne, un service de couverts en argent, un magnifique vase boule japonais… Ma sœur avait choisi pour Almah un nécessaire de toilette en ivoire gravé à ses initiales. Je me levai pour remercier. Mon père m'étreignit et Julius me donna une accolade en me glissant discrètement :

— Ne me remerciez pas et profitez-en, nul ne sait de quoi demain sera fait.

Un voile de tristesse mêlée d'inquiétude passa dans son regard, qu'il chassa d'une invite sonore :

— Et maintenant, dansons !

Il prit la main de sa fille et la guida vers l'estrade de bois montée dans le jardin, tandis qu'un trio de musiciens entamait l'une de ces valses légères qui avaient fait la renommée de Vienne. Julius se révéla un danseur d'une grande souplesse malgré son âge. Aux anges, Almah flottait dans ses bras, et, en la regardant, je me dis que cette image du bonheur resterait à jamais gravée dans ma mémoire. Ce fut ensuite à mon tour de danser avec Hannah, puis avec ma femme, puis avec ma mère, puis avec Myriam…

J'avais invité quelques amis du journal. Bernd et Renate, bien sûr, et Klemens Reicht, un caricaturiste dont j'admirais le talent, qui avait souvent illustré mes articles de ses images décalées. Il nous avait proposé de croquer les invités. Almah avait trouvé l'idée amusante. Quant à moi, connaissant son esprit mordant, je lui avais enjoint de ne pas trop forcer le trait satirique. Pour l'heure, il était assis dans un coin du jardin face à mon père qui posait le plus sérieusement du monde. Ma femme l'observait du coin de l'œil tandis qu'il signait son dessin de ses initiales. Puis elle me tira par le bras.

— Un joli portrait de la mariée et de son mari tout neuf, glousssa-t-elle.

— Joli portrait… Connaissant Klemens, je ne suis pas sûr que tu seras si fière de le montrer à nos enfants !

— Tu n'as rien à craindre de son coup de crayon, mon amour, tu es *par-fait*, me susurra-t-elle à l'oreille.

Je considérai d'un œil attendri cette femme solaire et émouvante, belle et fragile dans sa robe blanche, cette femme qui était désormais la mienne.

— Si moi, je suis parfait, toi tu es… au-delà de la perfection, mon ange !

Almah m'entraîna en riant sur la pelouse et nous posâmes devant le chevalet de Klemens dont la mine de plomb dénatura à grands traits fougueux la beauté de ma femme.

Plus tard dans l'après-midi, Hannah nous offrit un intermède musical, en jouant au piano quelques pièces gaies. Entre deux civilités, Almah me lançait des regards lourds de sous-entendus et je savais à quoi elle pensait. Moi aussi j'avais hâte que l'après-midi se termine pour l'enlever pour les trois jours de lune de miel que j'avais organisés.

Ce fut ainsi que ce jour-là Almah Kahn devint Almah Rosenheck.

15

Le lac de Neusiedl

Juin 1935

Nous roulions dans la Delahaye prêtée par le père d'Almah. Après avoir quitté la propriété des Kahn sous les vivats, nous avions laissé les faubourgs de Vienne derrière nous. Le soleil rasant de fin de journée jouait comme un projecteur sur le vert des prairies. Par moments Almah tendait sa main gauche devant elle, faisant scintiller son alliance sur laquelle elle avait glissé le saphir de nos fiançailles, et un sourire triomphant étirait ses lèvres. Avant de partir, elle avait troqué sa robe de mariée contre une robe de coton légère. Une fois habillée, elle m'avait tendu son poing fermé et avait déposé un schilling dans ma paume. Je l'avais regardée, interloqué.

— Nous allons être très heureux. Forcément, car j'ai gardé cette pièce dans ma chaussure toute la journée !

— Vous n'avez pas fait ça, madame Rosenheck ?

— Bien sûr que si ! ça porte bonheur, figure-toi ! J'ai tout fait comme il faut ! ajouta-t-elle en souriant jusqu'aux oreilles. J'avais quelque chose de neuf – elle souleva sa robe d'un geste vif, me dévoilant l'espace d'une fraction de seconde un bout de culotte en soie blanche dont la vue me fit vaciller –, quelque chose de vieux – elle agita un gant de dentelle sous mon nez –, ce sont les gants de mariage d'Hannah, quelque chose de bleu – elle brandit sa jarretière –, et quelque chose d'emprunté – fouillant dans son sac, elle exhiba un mouchoir brodé d'un M appartenant à ma sœur.

— J'ai épousé une gamine superstitieuse !

— En ce moment, il faut faire feu de tout bois pour mettre toutes les chances de notre côté, tu ne crois pas ? me répondit-elle d'un air pince-sans-rire.

J'avais clos ses lèvres d'un baiser, agrafé les derniers boutons au dos de sa robe et j'avais fini de me changer, abandonnant mon habit de cérémonie au profit d'un pantalon et d'un polo. À l'arrière de la voiture, nous avions jeté deux petites mallettes contenant le nécessaire pour notre escapade, nos maillots de bain et des chaussures confortables.

— Où m'emmènes-tu ? me demanda Almah.

— C'est une surprise ! Loin du monde, dans un endroit où tu ne seras qu'à moi.

— J'ai déjà ma petite idée, rétorqua-t-elle avec un air perspicace. Sud – sud-est…

Je ne répondis pas. Nous faisions effectivement route en direction de la frontière hongroise.

— Faisons un pacte, proposa Almah avec un regard espiègle. Répète après moi : je m'engage…

— Je m'engage…

— … à n'évoquer sous aucun prétexte les événements ou la politique…

— … à n'évoquer sous aucun prétexte les événements ou la politique, répétai-je docilement.

— … les nazis ou la question juive…

— … les nazis ou la question juive…

— … pendant toute notre lune de miel.

— … pendant toute notre lune de miel. Voilà, êtes-vous satisfaite, madame Rosenheck ?

— Presque, il ne reste qu'une formalité à remplir pour que je le sois tout à fait, ajouta-t-elle en gonflant ses lèvres d'un air exagérément torride et en relevant sa robe sur ses cuisses d'un geste lascif.

Une bouffée de désir enflamma tout mon corps. Je glissai ma main droite entre ses jambes et la remontai jusqu'à effleurer du bout des doigts la soie blanche de ses dessous neufs.

Almah avait raison. L'ambiance délétère qui régnait en Autriche n'était pas des plus appropriées pour la lune de miel d'un jeune couple juif. Nous avions un temps envisagé Venise, ses vaporettos et ses gondoles – Mussolini restait notre allié face à l'Allemagne –, nous avions finalement jugé plus sage de rester en Autriche. J'avais donc organisé ce voyage de noces surprise, pour échapper à l'atmosphère oppressante qui régnait en ville. À mesure que s'éloignaient les banlieues et que se déployaient les paysages bucoliques sagement domestiqués de la campagne autrichienne, j'avais l'impression de respirer plus librement. La chape de plomb des contraintes familiales, des responsabilités professionnelles et des interdits sociaux desserrait lentement son étau. La prairie céda peu à peu la place à un paysage de steppe. Les contreforts du massif de la Leitha se dessinèrent au loin. Bientôt le lac de Neusiedl apparut sous nos yeux.

— Ah ! Ah ! la mer des Viennois ! Voilà qui explique les maillots de bain ! s'exclama Almah, toute joyeuse.

Nous touchions au terme du voyage. J'avais réservé une chambre dans une petite auberge de Rust. Le soleil était déjà couché quand nous arrivâmes sur la place du village. Elle était déserte. Le clocher de l'église se découpait dans le ciel bleu sombre qui virait au noir. Une brise légère aux senteurs de boue et de marécage montait du lac tout proche. J'arrêtai la voiture devant l'auberge. Une femme d'un âge incertain, quelque part entre la quarantaine et la soixantaine, vêtue du costume traditionnel, corset lacé sur blouse blanche et jupe longue, nous accueillit avec moins de bienveillance que je ne l'espérais. Un regard soupçonneux, où je crus lire de l'envie mêlée à de la méfiance. Cette froideur me troubla au plus profond de moi. Était-ce l'effet de notre belle voiture ou celui de notre nom ? Quelques mois plus tôt je ne me serais pas posé une telle question. Cette judaïté que je ne revendiquais ni ne ressentais n'était que l'effet de l'air du temps, c'était une question très intime et pas une étiquette que l'on pouvait coller au jugé sur le premier venu. Et comme j'avais fait une promesse à Almah moins d'une heure plus tôt, je fis mine de n'avoir rien remarqué, mais je savais qu'avec sa sensibilité à fleur de peau, elle avait perçu le malaise.

L'aubergiste nous accompagna à notre chambre sans quitter son air revêche. J'avais précisé lors de ma réservation qu'il s'agissait de notre lune de miel, et, conformément à mon souhait, une bouteille de champagne et un bouquet de roses blanches trônaient sur un petit guéridon. J'eus à peine le temps de refermer la porte qu'Almah se jeta sur moi, ses yeux brillaient d'excitation.

Le lendemain, après notre première nuit d'époux et une grasse matinée paresseuse, nous nous étions promenés main dans la main dans le village, nous émerveillant des façades Renaissance aux détails baroques et des cours intérieures à arcades cachées derrière les imposantes portes sculptées. Plus tard, sous une tonnelle ombragée, nous avions dévoré un pavé de sandre fraîchement pêché accompagné d'un délicieux vin blanc. Un chemin au milieu des roseaux conduisait à la plage du lac. Étendus sur un ponton de bois, nous avions pris le soleil. Le lendemain, nous avions loué une barque et je ramais avec plus d'enthousiasme que d'efficacité, tandis qu'Almah prenait des pauses d'odalisque alanguie dans sa robe bleu pâle. Il y avait beaucoup d'oiseaux, des foulques, des aigrettes, des barges, des perdrix, des poules d'eau, des traquets que nous tentions de reconnaître à l'aide d'un livre emprunté à l'auberge. Chaque fois que nous tenions un oiseau d'une nouvelle espèce, Almah battait des mains comme une enfant. L'oiseau s'envolait et elle le consignait dans un petit carnet. Nous avions exploré Mörbisch, sa place cernée de maisons à colonnades où des épis de maïs étaient suspendus pour mieux sécher et ses ruelles pittoresques. Nous avions visité des chais, dégusté des vins et acheté un bon nombre de bouteilles, englouti des festins de paysan. Almah débordait d'énergie, elle était intarissable. Elle me soumettait des idées pour l'aménagement de notre nouvel appartement, me suggérait des prénoms pour nos futurs enfants, me parlait du cabinet dentaire qu'elle ouvrirait dès qu'elle se sentirait prête. À aucun moment elle ne se parjura et ne fit allusion à la situation alarmante de notre pays ou à la nôtre. Et c'était comme si cela n'existait pas.

Durant ces trois jours, mis à part notre aubergiste revêche, nous rencontrâmes toutes sortes de gens adorables, des vignerons, des agriculteurs, des commerçants, ce qui nous mit du baume au cœur. Nous rentrâmes à Vienne avec une collection de pellicules photographiques à faire développer, un joli hâle et des souvenirs à la pelle.

Ce fut ainsi que se déroula la parenthèse enchantée de notre lune de miel, avec en guise de Lido les berges du lac de Neusiedl et de gondole un canoë.

16

« Faire des choses »

Septembre 1935

La joie de vivre d'Almah, son énergie et sa détermination en toute chose m'émerveillaient. Elle savait ce qu'elle voulait et comment l'obtenir, encouragée par un père fou d'elle, qui lui avait passé bien des caprices. Non seulement elle avait été gâtée, ce qui n'était guère surprenant pour l'enfant unique de parents âgés, mais Julius lui avait transmis son opiniâtreté et son assurance. Une fois sa décision prise, rien ne l'en détournait. Le contraste de sa volonté farouche avec son physique gracile me troublait chaque fois que j'étais face à une de ses exigences.

Almah avait une farouche résolution : le bonheur immédiat et absolu. Concrètement, elle n'avait de cesse de nous faire « faire des choses ». Une véritable frénésie s'était emparée d'elle, tandis que les perspectives de notre vie s'assombrissaient. Elle s'évertuait à imaginer une foule de petits plaisirs quotidiens à moissonner d'urgence pour emmagasiner des souvenirs heureux, comme un écureuil qui stocke ses noisettes en prévision d'un rude hiver. Je comprenais pourquoi elle avait tant besoin de faire des choses. En changeant de décor, en s'évadant dans un spectacle, en s'immergeant dans un paysage, elle créait une parenthèse de légèreté dans le quotidien. C'était très artificiel et, si j'admirais sa capacité à s'extraire de la réalité, j'avais de plus en plus de mal à la suivre.

« Faire des choses », pour Almah, cela signifiait s'étourdir dans une fièvre de sorties culturelles, de dîners, d'escapades romantiques, d'activités sportives. Alors nous « faisions des choses » que nous immortalisions avec mon Leica. Nous étions à la tête d'une impressionnante collection de clichés qui la réjouissait. Ses yeux pétillaient de plaisir quand je lui montrais les tirages de nos photographies.

— C'est du bon ouvrage pour plus tard ! appréciait-elle. Nous aurons de quoi nous occuper à classer tout ça, quand nous serons vieux !

Nous dérogions parfois au rituel du déjeuner dominical, en alternance chez les Kahn et chez les Rosenheck, pour nous échapper le temps d'une escapade. Les environs de Vienne n'avaient plus aucun secret pour nous. Nous étions allés déjeuner au casino Zögernitz de Döbling. Dans le jardin surpeuplé de l'auberge, nous avions écouté des Gstanzl[1], dont les

---

1. Tradition de la fin du XIXe siècle, chant de duettistes populaire improvisé aux couplets drôles ou larmoyants de quatre vers suivis d'un refrain tyrolien.

couplets pleins d'humour avaient fait rire Almah aux larmes.

Nous avions passé un après-midi à Klosterneuburg. C'était une bonne idée, nous étions tout près de la ville et déjà ailleurs. Almah s'était pâmée devant la jolie église romane, appréciant des détails baroques. Elle avait tenu à réciter une prière devant le retable de Nicolas de Verdun :

— Juste au cas où le Dieu des chrétiens serait plus à l'écoute que le nôtre ! Ça ne coûte rien d'essayer.

— Tu peux aussi invoquer tous les dieux de l'Olympe pendant que tu y es. Dommage qu'il n'y ait pas de mosquée ni de temple bouddhiste dans le coin, je t'y aurais volontiers traînée.

Nous avions terminé notre balade par un arrêt dans une Heuriger, une petite taverne de bois avec une jolie terrasse abritée d'une treille de feuilles rousses. Almah avait commandé une carafe de vin nouveau.

— Sais-tu que le vin nouveau n'est nouveau que jusqu'à la Saint-Martin ? Après le 11 novembre, il ne s'appellera plus Heuriger, affirma-t-elle d'un air docte.

Avec un regard gourmand, elle faisait tourner le ruban d'ambre liquide dans son verre. Elle avala une lampée de vin, prit une pause, puis vida son verre et l'agita sous mon nez.

— Hum, il est gouleyant à souhait. Si tu m'en resservais un autre !

À côté de nous, un couple d'âge mûr venait de s'installer, de bons bourgeois pétris de tradition et d'autosatisfaction à en juger par leur mise et leurs mines. Je pâlis quand je saisis malgré moi des bribes de leur conversation. « … religieux en papillotes… vêtus de noir… encombrent les rues de Leopoldstadt… ceux de Galicie… entassés dans les quartiers insalubres… de la graine de rouge… rester dans leurs ghettos de Galicie… monopolisent les banques et les industries… leur fortune les a rendus arrogants… culturellement arriérés et physiquement dégénérés… »

Un dégoût sans nom s'empara de moi. J'empoignai le bras d'Almah et quittai la taverne, furieux et triste à la fois. Nous cristallisions désormais l'hostilité de nos compatriotes, un rejet presque unanime que rien ne justifiait. À cause de nos racines, ils nous amalgamaient en une masse qui gommait nos individualités et anéantissait nos existences.

17

Une lecture de Kraus

22 novembre 1935

Ce fut un jour à marquer d'une pierre noire, un pas de plus dans notre lente descente aux enfers. L'ancienne Vienne, la ville tolérante et ouverte de mes jeunes années, la capitale cosmopolite de Zweig, n'était plus. La liberté d'expression n'y serait bientôt plus qu'un lointain souvenir. L'antisémitisme, chaque jour plus violent, se radicalisait. À croire qu'il était viscéralement ancré dans la mémoire collective de nos compatriotes.

Bien que mon ancien patron, Ernst Benedikt, que je respectais et admirais infiniment, ait été, comme son père avant lui, une des cibles de prédilection du redouté Karl Kraus, j'avais toujours apprécié cet homme de lettres, « le maître de la raillerie empoisonnée, le Thersite de la littérature viennoise[1]», dont

1. Mot de Stefan Zweig.

l'œuvre était colossale, pour ses analyses fines et polémiques, ses satires cinglantes et ses indéniables talents d'orateur. Sa critique permanente de la presse, aussi bien la nationaliste que la libérale ou la juive, qu'il considérait comme décadente, et la dénonciation de sa responsabilité dans la corruption en Autriche et la distorsion de la langue n'étaient pas sans fondement. Par sa seule prestation physique et la magie de son verbe, cet orateur hors pair, avec son sens aigu de la dramaturgie, était capable de transporter une assistance, d'ébranler ses convictions les plus intimes, de la retourner et de la faire adhérer à ses thèses.

J'avais croisé Kraus à maintes reprises sous les arcades du Central et assisté à plusieurs de ses lectures publiques, et je dois avouer que l'effet du tribun sur le public était toujours saisissant. À chaque fois, j'étais transporté par sa puissance oratoire bien que je ne partageasse pas toutes ses idées, loin de là. Cet homme était un personnage hors norme et j'avais voulu partager cette expérience avec Almah.

La lecture publique se tenait dans la grande salle de la Wiener Konzerthaus. Le programme prévoyait la lecture de quelques-uns de ses poèmes, d'extraits de Shakespeare traduits par ses soins, d'aphorismes, et de morceaux choisis de *Schmock ou le Triomphe du journalisme*.

Cette dernière partie m'intéressait tout particulièrement et j'étais curieux de ce que l'illustre pamphlétaire, qui revendiquait haut et fort son inimitié envers les journalistes, avait choisi de dire sur ma profession. Nous avions croisé dans le foyer plusieurs de mes confrères qui, comme moi, piaffaient d'impatience. Comme à son habitude, Almah était très élégante. Elle portait un tailleur gris avec une veste à parements de velours bleu marine et un chapeau dans les mêmes tons qu'elle avait perché en biais sur le sommet de sa tête. Je n'avais pu m'empêcher de ressentir une grande fierté en notant des regards masculins admiratifs.

Privilège de ma position au journal, nous avions des places de choix, dans les tout premiers rangs, bien en face de la scène. Almah me tenait la main, fébrile à l'idée de découvrir le célèbre animal. Des applaudissements extrêmement nourris accueillirent son entrée en scène. Selon son habitude, il était vêtu d'un austère costume noir qui faisait ressortir son physique sec et nerveux et son visage émacié, grand front intelligent et mâchoire carrée et volontaire. Ses cheveux, coupés très court, grisonnaient sur les tempes. Il portait de petites lunettes sans monture derrière lesquelles ses yeux clairs brûlaient d'une fièvre singulière. Il s'assit rapidement derrière un pupitre recouvert d'une étoffe noire. Seuls ses documents, ses mains et son visage blancs émergeaient de la pénombre. Le ton était donné : aucune fioriture.

Kraus se plongea immédiatement dans sa lecture, sans lever les yeux de ses recueils, soutenant de temps à autre ses propos d'un geste aérien de la main, ses doigts fins dessinant une arabesque dans la pénombre. Almah le voyait en chair et en os pour la première fois. À la pression de ses doigts sur ma main dès que la voix puissante fit vibrer l'espace, je sus que j'avais fait mouche et qu'elle était sous le charme. Comme tous les spectateurs, elle était fascinée par l'intensité et les vibratos des inflexions nuancées de la voix si particulière de Kraus.

En bon polémiste, il éreinta la « journaille », sobriquet dont il affublait avec un mépris non dissimulé la presse quotidienne, dénonçant son pouvoir exorbitant et critiquant des pratiques liées aux contingences commerciales. Il jugeait que nos journaux étaient responsables de la décadence du langage et, ce faisant, de la vérité. Selon lui, le jargon journalistique s'était substitué à la langue des poètes, ce en quoi il n'avait pas tort. Il allait même plus loin, en professant que les conversations avaient remplacé les débats. Passionné de linguistique, virtuose du verbe, l'homme était inflexible et refusait tout compromis dans l'utilisation du langage. En tant que journaliste, je ne pouvais rester insensible à ces attaques qui, il fallait bien le reconnaître, n'étaient dénuées ni de réalisme, ni de pertinence, ni de vision.

Alors que l'assistance était suspendue à ses propos, les portes du fond de la salle de concert s'étaient brusquement ouvertes à grand fracas et un vacarme indescriptible avait envahi la salle. Des cris et des voix de stentor avaient retenti, couvertes par le brouhaha des spectateurs. Un groupe d'une cinquantaine d'hommes arborant des brassards nazis avait fait irruption dans la salle. Kraus avait interrompu sa lecture et levé la tête, immobile, un rictus frondeur aux lèvres. De ma place, j'avais capté le feu de son regard qui étincelait de colère. En nous retournant, nous avions vu les militants pangermanistes qui envahissaient rapidement la salle, gagnant la scène. Ils s'étaient mis à scander des injures : « Calomnies de Juif… Vive la grande Allemagne… Intellectuel sans racines… Parasites… Les Juifs dehors… »

Une onde de peur presque palpable s'était répandue dans le public. Almah m'avait agrippé le bras, le visage blême. La mâchoire crispée, elle jetait des regards affolés de toutes parts. Plusieurs spectateurs avaient tenté de protester, mais les intrus les avaient malmenés. Kraus avait lentement rassemblé ses papiers, restant debout sur l'estrade, telle la statue du Commandeur. J'avais tenté d'apaiser ma compagne avec un ton rassurant :

— Ne t'inquiète pas, Almah, ce n'est pas après nous qu'ils en ont, mais après Kraus. Ses prises de position dérangent.

— Mais c'est son origine qu'ils lui reprochent ! Ces insultes sont une infamie, me murmura-t-elle à mi-voix. Comment peut-on laisser dire de pareilles choses ? Partons avant que ça ne tourne mal !

L'assistance debout protestait mollement, craignant de mettre le feu aux poudres. Je regardais les fascistes avec consternation. Ce n'étaient que des hommes ordinaires, englués dans leur conformisme petit-bourgeois, des loups qui braillaient avec la meute. L'autosuffisance et la bêtise leur tenaient lieu de détermination. Nous dûmes évacuer la salle car il était impossible à Karl Kraus de reprendre le fil de sa lecture, les agitateurs exigeant la « fin de ce spectacle décadent ». Jusqu'au bout, il resta de marbre, debout sur la scène, spectateur imperturbable du naufrage de sa lecture et de la liberté d'expression.

Almah et moi avions fui dans la nuit hivernale comme des lâches. Sans courage. J'avais mal au ventre de tant de couardise, tout en sachant fort bien que tout acte de résistance n'aurait fait qu'aggraver la situation. Dehors le vent soufflait en bourrasques sinistres. Le froid mordant giflait mon visage rouge de colère et de honte. Je me sentais humilié devant la femme que j'aimais. Et pire encore, la peur me nouait le ventre ! J'étais minable. Moi qui avais voulu impressionner Almah, je l'avais entraînée dans une infâme turpitude, faisant d'elle une victime de cet ignoble affront. Je lui jetai un coup d'œil en coin, la tête baissée sous mon chapeau de feutre et le nez caché dans le col relevé de mon pardessus. Elle tenta de me réconforter en esquissant un faible sourire, des larmes plein les yeux. Je n'étais qu'un pantin ridicule et sans honneur, incapable de protéger la femme que j'aimais.

Almah accrochée à mon bras, je m'étais dirigé d'un pas rapide vers le Schwarzenberg tout proche. Nous nous y étions engouffrés, encore sous le choc. Le Schwarzenberg était le café de notre premier rendez-vous. Son décor familier et le brouhaha feutré des conversations nous happèrent instantanément dans une atmosphère rassurante. Nous étions à l'abri, isolés de l'insécurité qui régnait dehors, comme dans une bulle de faste. Une table venait de se libérer contre l'une des grandes baies vitrées, dans une niche entre deux lourdes colonnes de bois. En traversant la salle tout en longueur, je saluai de la tête diverses connaissances, journalistes et artistes attablés en petits groupes. Les conversations ronronnaient et il était évident qu'ils ignoraient tout de ce qui venait de se passer. Tandis qu'Almah s'effondrait sur sa chaise, je scrutai le Ring d'un œil inquiet : de ma place j'avais une vue imprenable sur la grande avenue. Emmitouflés dans leurs manteaux, les rares passants se pressaient, la tête rentrée dans les épaules pour se protéger du vent glacial. Nulle trace de l'horrible incident que nous venions de vivre. C'était comme se réveiller d'un cauchemar. Pourtant tout cela était bel et bien réel. Le grand lustre de cristal scintillait et jetait une lumière crue sur le visage pâle d'Almah. Les lèvres serrées, elle tremblait encore et je n'aurais su dire si c'était de colère ou de peur. Elle retira ses gants et extirpa de son sac son étui à cigarettes. Je me penchai vers elle et lui tendis mon briquet allumé par-dessus la table. Je constatai que ma main tremblait aussi. Nous étions tous deux violemment ébranlés. Je commandai deux Fiakers[1] dont la chaleur nous rasséréna.

— Rien ne les arrête, jeta Almah avec dépit, contemplant le verre vide qu'elle faisait tourner entre ses doigts crispés.

Ses jointures étaient blanches, comme sa voix.

— Je suis tellement désolé, mon amour, de t'avoir entraînée dans cette ignominie.

— Ne t'en veux pas, Wil. Personne n'aurait pu imaginer une telle chose.

— Les nazis sont partout. Il n'y aura bientôt plus aucune liberté d'expression dans ce pays. Nous dansons sur un volcan qui va exploser d'un jour à l'autre.

---

1. Moka servi dans un verre avec un doigt de rhum.

— N'en parlons plus, veux-tu ? C'est déjà assez difficile comme ça.

Almah aspira une longue bouffée et rejeta la fumée en soupirant sans me quitter des yeux.

— Je suis contente que tu m'aies fait découvrir Kraus, reprit-elle d'un ton plus léger. Il est tout bonnement fascinant, incroyablement magnétique.

— N'est-ce pas…

J'appréciai sa tentative d'alléger l'atmosphère et l'encourageai d'un demi-sourire.

— Cependant, ce monsieur est quelque peu excessif et en retard sur son époque… Il y a beaucoup à redire sur certaines de ses thèses.

Almah était très remontée contre Kraus car, outre ses attaques sur le journalisme, il avait vilipendé la psychanalyse et tourné en dérision le féminisme, qu'il considérait comme un « virus qui remet en cause les valeurs viriles », cita-t-elle de mémoire.

— Tu trouves, toi, que mon indépendance remet en cause ta virilité ? me lança-t-elle provocante.

— Tu n'es pas une menace pour ma virilité, ma douce ! Bien au contraire, je dirais même…

Je n'achevai pas ma phrase, la couvant d'un regard où je mis toute la lascivité dont j'étais capable. Elle éclata de son rire clair et rétorqua avec un air faussement indigné :

— Wil, tu es incorrigible, il faut toujours que tu tournes tout en dérision.

Je saisis sa main à travers la table, la retournai paume en l'air et y appuyai mes lèvres. Mais notre badinage sonnait faux et bientôt des réflexions outragées nous parvinrent. La rumeur de l'incident se répandait dans la salle et le ton montait. C'était déjà assez éprouvant de l'avoir vécu, nous quittâmes le Schwarzenberg.

Ce soir-là, nous venions d'assister sans le savoir à la dernière lecture publique de Karl Kraus, qui devait mourir l'année suivante dans ce qui était encore l'Autriche.

18

Frederick

Octobre 1936

Je tournais en rond dans le grand salon de la maison de Hietzing. L'après-midi s'étirait en longueur. De temps à autre, je sortais sur la terrasse pour tromper l'attente en fumant nerveusement une cigarette. Hannah me tenait compagnie, m'exhortant gentiment à la patience. Pour une fois, ma belle-mère semblait être pleinement présente, du moins en entretenait-elle l'illusion. La naissance de son premier petit-enfant était un événement qui ravivait sans doute chez elle des souvenirs anciens et la flamme d'un sentiment maternel. Teofila s'activait en silence. Elle alimentait régulièrement la théière d'un mélange odorant qu'elle accompagnait de viennoiseries.

— Détendez-vous, mon cher Wilhelm. Tout va très bien se passer. Almah est entre de bonnes mains, je n'en connais pas de meilleures que celles de Julius.

— Ça me fait mal de ne pouvoir être auprès d'elle, j'ai l'impression d'être inutile !

— Loin de moi l'idée de vous offenser, mon cher, mais effectivement, à ce stade, vous ne servez à rien ! Dans cette situation, les femmes sont bien seules, et je sais de quoi je parle, mon ami. À propos, hier encore vous n'étiez pas d'accord sur les prénoms. Avez-vous finalement pris une décision ?

— Je crois que ce sera Helmut ou Frederick, Elsa ou Aniela. Enfin, je crois…

Je répondais distraitement, ma tête était au premier étage.

— Fort bien, approuva Hannah déjà ailleurs, sans paraître attacher la moindre importance aux prénoms pressentis.

Son esprit s'était évadé. Était-elle plongée dans ses souvenirs ? En tout cas, elle n'était plus avec moi. Je plongeai mon nez dans ma tasse de thé brûlant pour cacher ma gêne, qu'elle ne remarquerait pas de toute façon.

Cela faisait trois jours que nous avions posé nos valises chez les Kahn. Julius et Almah l'avaient décidé et je n'avais pas eu mon mot à dire. Je faisais entièrement confiance à mon beau-père pour choisir la meilleure option pour sa fille. Or la meilleure option, c'était un accouchement à la maison supervisé par Julius lui-même, assisté d'une infirmière. Je m'étais rangé à cette décision avec soulagement, peu enclin à abandonner Almah dans une clinique du centre où les Juifs n'étaient pas les bienvenus. Je préférais la savoir surveillée par son père et dorlotée par Teofila. Au cours de la matinée, elle s'était enfermée dans la salle de bains puis m'avait alerté d'une voix angoissée :

— Wil ! Je crois que ça y est !

Je m'étais précipité sur la porte qu'elle avait soigneusement fermée.

— N'entre pas, s'il te plaît. Préviens Papa et appelle Teofila.

J'avais foncé dans le bureau de Julius qui avait levé les yeux de sa lecture. Je n'eus pas à m'expliquer, ma tête parlait pour moi.

— On a besoin de moi, à ce que je vois. Rassurez-vous Wilhelm, la situation n'a rien de tragique ! Rejoignez donc Hannah au salon et tenez-lui compagnie pendant que je monte voir Almah, me dit-il avec une sérénité qui me tranquillisa. Je préviens l'infirmière, ajouta-t-il en secouant le combiné du téléphone. Allez, filez !

J'obéis tel un automate. Un peu plus tard Julius nous rejoignit au salon.

— Vous pouvez monter voir Almah, me dit Julius. Allez lui tenir la main. Il n'y a pas encore urgence. Je lui ai donné mes consignes, elle sait ce qu'elle doit faire.

Je grimpai voir ma femme. Dans la chambre aux murs tendus de soie, elle était perdue au fond d'un grand lit Biedermeier. J'avais mal au ventre de la voir ainsi, les yeux fermés, les joues rouges, un voile de sueur sur le front. Elle ouvrit les yeux et tenta un petit sourire crispé.

— Mon pauvre amour, tu as mal ?

— Oui assez, et le pire est à venir ! Mais c'est notre lot à nous les femmes, pas vrai, Margrit, dit-elle en adressant un clin d'œil à l'infirmière assise dans un fauteuil à son côté. Allons Wil, un peu de courage !

Je me sentais ridicule, Almah se moquait de moi. Je ne savais pas comment l'aider.

— Assieds-toi à côté de moi. Quand ce sera le moment, Papa montera. Tout va bien se passer, détends-toi, mon amour.

Ma femme me réconfortait. C'était le comble.

— Ma chérie, je suis stupide, tu es tellement plus courageuse que moi !

— Nous allons bientôt connaître notre bébé, Wil, ce n'est pas…

Une grimace déforma son visage. Un râle rauque, qu'elle tenta d'étouffer, sortit de sa gorge. Je me sentais responsable de ce qui arrivait à mon amour.

— Donne-moi la main, souffla Almah, les yeux fermés, concentrée sur le combat qui se livrait dans ses entrailles.

Nous passâmes ainsi plus d'une heure main dans la main, tandis que le rythme de ses contractions s'accélérait. Puis Margrit me demanda de sortir. Un baiser sur le front d'Almah et je me retrouvai derrière la porte close. Je collai mon oreille au panneau de bois et j'entendis des gémissements étouffés puis des râles plus forts. Au bout de quelques minutes, la tête de Margrit s'encadra dans l'embrasure de la porte :

— Faites venir le docteur, s'il vous plaît. Et inutile de remonter, vous ne serez d'aucune utilité. Restez en bas. On vous appellera quand ce sera terminé !

Ça y était ! Je n'avais plus qu'à attendre. Quand je reverrais ma femme, nous serions parents. Hannah s'était mise au piano, moins pour tromper l'attente que pour couvrir les cris qui nous venaient de l'étage. Une mélodie de Chopin. Apaisante.

— Saviez-vous que Chopin était antisémite ? me lança-t-elle d'un air indifférent en continuant à caresser son clavier. Tout comme Wagner d'ailleurs !

À l'étage, le vacarme était insoutenable.

— Wilhelm ! Vous pouvez monter !

La voix sonore de mon beau-père me dispensa d'une réponse. Je me ruai dans l'escalier que je grimpai en quatre enjambées et me retrouvai le souffle court devant la porte ouverte de la chambre. Je me figeai à la vue d'Almah qui reposait telle une naufragée contre l'oreiller blanc. Dans ses bras, un crâne déplumé émergeait d'un petit paquet emmailloté dans une couverture. Ma gorge se noua car je n'avais jamais vu Almah aussi apaisée, aussi sereine malgré la fatigue, la sueur et les larmes.

— Wil, mon chéri, viens dire bonjour à Frederick !

Quand je pris mon fils dans mes bras, je fus submergé par une telle vague d'amour que j'en perdis pied.

— Félicitations Wil ! Il est en parfaite santé et sa maman aussi, me lança Julius avant de se retirer avec Margrit.

Entendre Almah appelée « maman » me déstabilisa une fraction de seconde. J'allais désormais la partager et je n'étais pas sûr d'avoir le premier rôle. Je m'assis à côté de ma femme, notre fils entre nous, et je l'embrassai longuement. Almah, les yeux brillants, jouait avec les doigts minuscules.

— Regarde, il est parfait jusque dans les moindres détails. Tu vois ses petits ongles… Sa peau est si transparente qu'on voit les veines de ses tempes. Et ses cheveux, des plumes… Et son petit nez…

J'observai ébloui Almah détailler avec adoration chaque détail de l'anatomie de notre bébé. Je n'étais pas très à l'aise dans mon nouveau rôle de père et je comprenais que désormais notre vie s'écrirait autrement.

*

Aux premières heures d'extase qui suivirent la naissance de Frederick succéda immédiatement un moment de perplexité, puis de profond malaise et de heurts. Mes parents, fous de joie, venaient de faire connaissance avec leur petit-fils. Myriam était là aussi et nous déjeunions tous ensemble à la table des Kahn. Comblés, Almah et moi nagions dans un bonheur béat, quand Hannah nous prit par surprise en lançant d'un air détaché :

— Pour la *brit milah*, comment voulez-vous procéder ?

Almah me jeta un regard interloqué, arquant les sourcils en signe d'interrogation. Immergés dans notre bulle de bonheur, nous avions totalement oublié la circoncision.

— Hum, nous n'en avons pas encore parlé, répondis-je confus, gêné et vaguement coupable de ne pas être un père aguerri à ses nouvelles responsabilités.

— Il faut lancer les invitations pour la *seoudat mitzva*[1] sans tarder, car cela doit être fait dans la semaine, ajouta ma mère.

— C'est une mutilation qui fait souffrir l'enfant, je ne sais pas si… commença Almah.

— Rassurez-vous, c'est rapide, sans danger et certainement plus impressionnant pour les parents que pour l'enfant, intervint Julius.

— Les bébés hurlent lors de la *milah* ! Ils… saignent ! dit Almah en frissonnant.

---

1. Repas traditionnel de célébration avec les proches.

— Je n'ai pas dit que c'était totalement indolore, se défendit Julius.

— C'est une étape nécessaire qui marquera l'alliance de Frederick avec Dieu et l'inscrira comme un maillon de plus dans la chaîne de l'histoire juive, renchérit ma mère en hochant la tête d'un air docte.

Je n'aurais jamais imaginé qu'Hannah s'inquiétât de ce genre de chose et si je savais ma mère pétrie de culture classique, je ne l'imaginais pas si au fait des arcanes des rites de la religion. Je repris pied car je sentais qu'Almah avait besoin de mon soutien. Tout en cherchant un appui du côté de mon père, qui s'était bien gardé de prendre part à la discussion, je temporisai :

— Nous allons en discuter tout à l'heure, Almah et moi, n'est-ce pas ma chérie ?

Soulagée, Almah acquiesça d'un hochement de tête. Après le dessert, nous montâmes dans la chambre où dormait notre fils.

— Regarde comme il est beau !

Je souris intérieurement car, objectivement, notre bébé avait le visage rouge, le crâne déplumé et les rides d'un petit vieillard. Il se mit à vagir. Almah le prit dans ses bras et s'installa confortablement dans un fauteuil ; elle ouvrit son corsage pour le nourrir. La vision de ce sein blanc, gonflé et sillonné de fines veines bleues me fouetta les sangs et je sentis une vague de désir enfler dans mon corps. Que je dus juguler, car si j'en croyais mes vagues connaissances, je n'aurais pas droit au lit d'Almah avant quelques semaines. Indifférente à mon émoi, elle avait posé ses lèvres sur le petit crâne chauve tandis que le bébé tétait goulûment. Elle releva la tête et me sourit.

— Il est tellement parfait ! Je ne crois pas que j'aie envie de le faire circoncire ! Je veux le garder comme il nous a été donné.

— C'est une question importante, Almah, une question d'identité et de racines…

— Je ne me sens pas juive, me coupa-t-elle. Tu sais bien que je suis athée. Ce sont les autres qui me voient comme une Juive, moi je n'ai que le sentiment d'être une Autrichienne comme les autres. Autrichienne et athée. Que dirais-tu de ton fils ? « Il est juif » ou « il est autrichien », hein, que dirais-tu, Wil ?

— Moi non plus, je ne suis pas croyant, tu le sais bien. Mais il ne faut pas heurter la sensibilité de nos familles, et c'est un fait, nous sommes juifs et Frederick est né juif.

— Nos parents ne sont pas pieux ! Ils sont simplement vieux jeu ! Quant à moi, je n'ai eu le sentiment d'être juive que ces derniers temps. Je voudrais me déjudaïser complètement et qu'on n'en parle plus !

La voix d'Almah grondait d'une colère contenue. Elle reprit d'un ton plus calme :

— Je ne suis pas sûre que par les temps qui courent ce soit une bonne idée que notre enfant soit estampillé juif. N'y a-t-il pas moyen qu'il choisisse plus tard, quand il sera en âge de prendre ses propres décisions, d'assumer ses choix ?

La décision qui nous revenait allait au-delà d'une prise de position religieuse. Almah avait raison, elle était philosophique. Mais c'était juste, nous devions aussi être pragmatiques.

Dans le grand salon, où nous les rejoignîmes pour prendre le café, la trêve ne fut que de courte durée.

La *brit milah* revint sur le tapis. Almah berçait doucement le nourrisson dans ses bras, le regard chaviré d'amour, et sursauta quand ma mère reprit l'offensive :

— Ce serait plus commode de faire cela chez nous ou chez Wil et Almah, qu'en pensez-vous Hannah ?

Hannah hocha la tête en marmonnant une réponse incompréhensible. Je lui en voulais car c'était elle qui avait mis le sujet sur la table. Mais inévitablement ma mère s'y serait attaquée, et je lui en voulais encore plus. Je me raclai la gorge et me lançai :

— Je crois que nous n'allons pas le faire.

— C'est dit dans la Torah, les garçons doivent être circoncis au huitième jour de leur naissance, insista Esther, décidément très déterminée. Si tu préfères ne pas le faire toi-même, nous ferons appel à un *mohel*.

— Ce ne sera pas utile, nous ne le ferons pas circoncire.

Un silence gêné suivit ma déclaration.

— Ce ne sera pas la première rébellion de mon fils, n'est-ce pas Wil, me lança mon père avec un clin d'œil.

Je pris cela comme un soutien et l'en remerciai d'un hochement de tête. Du coin de l'œil, je vis la mine déconfite de ma mère. Hannah, quant à elle, ne manifesta rien. Du coup, je m'enflammai :

— C'est inutile de jouer les hypocrites, aucune de nos deux familles n'est pieuse que je sache ! C'est la religion qui est le fondement de l'identité juive, et vous ne nous avez élevés dans la religion ni l'un ni l'autre !

— La *brit milah* est une chose qui ne se discute pas, intervint Julius. En temps normal, ajouta-t-il avec un air entendu. Mais nous ne vivons pas des temps normaux, n'est-ce pas ? C'est une décision qui vous revient, à vous deux et uniquement à vous. Quoi que vous décidiez, vous avez mon soutien, plein et entier.

Mon père approuva d'un air grave. Nos mères se taisaient. Dieu merci, le différend n'avait pas tourné à la dispute. Almah me sourit.

Ce fut ainsi qu'à l'issue d'une discussion de famille, notre fils de deux jours échappa à la circoncision.

19

Truie

Janvier 1937

Je n'oublierai jamais cette nuit froide de janvier où le timbre aigrelet de la sonnette nous tira de notre premier sommeil. Un bruit comme une décharge. Almah se dressa sur son séant, en alerte, inquiète. Un visiteur en pleine nuit par les temps qui couraient, ça n'augurait rien de bon. Je regardai le réveil : 22 h 45. Il n'était pas si tard. Je décidai de faire le mort mais la sonnerie insistait. Je me levai à contrecœur et enfilai une robe d'intérieur à la va-vite.

— Wil, Wil, ouvre-nous, s'il te plaît.

La voix d'Aaron suppliait derrière la porte. Je débloquai le loquet et ce fut un coup de poing dans le ventre. Le visage en sang, il soutenait Myriam affalée contre lui. Son visage était masqué par ses cheveux en désordre et elle était manifestement en état de choc. Almah, qui m'avait rejoint, prit les choses en main. Elle les installa sur le sofa et entreprit de les nettoyer. Myriam avait une vilaine estafilade à la tempe, une pommette cramoisie, le visage barbouillé de sang et de larmes, et Aaron le nez de travers, probablement cassé. Je sortis de mon effarement et secouai ma sœur qui paraissait absente.

— Que s'est-il passé ? Myriam, ça va ? Aaron, dis-moi ce qui s'est passé ! Myriam, parle-moi !

Mes questions se heurtaient au mur de leur sidération. Finalement, pendant qu'Almah désinfectait la plaie de Myriam, Aaron raconta.

Il raccompagnait Myriam à pied par les rues sombres et désertées après une séance de cinéma. Au coin d'une rue, un vieux Juif en redingote noire, schtreimel et papillotes, se faisait bastonner par cinq nazillons. Le vieillard titubait sous les bourrades qui se transformèrent en rossée. Ivres d'alcool et de haine, les nazis piétinaient le *Judenhat* et tiraient sur les boucles de cheveux qui pendaient de chaque côté de son front. Les coups pleuvaient sur le pauvre vieux, recroquevillé contre le mur. Aaron avait tenté de s'interposer. Mais il n'était pas de taille, lui dont les mains ne manipulaient que le crayon et le té. Les fascistes s'en étaient pris à lui, le bourrant de coups de poing, puis à Myriam, se moquant de ses yeux vairons, la traitant de truie juive. Avec sa souplesse de danseuse, Myriam avait esquivé une première gifle. Vexés, haletant de hargne bestiale, les nazis l'avaient maintenue à deux pendant qu'un troisième la giflait violemment. Quand elle s'était mise à hurler, ils l'avaient fait taire d'un coup de poing en pleine figure et de coups de pied dans le ventre, avant de s'enfuir.

Le vieux était reparti clopin-clopant sans demander son reste. Myriam avait refusé de rentrer chez nos parents, ne voulant pas les affoler. Elle avait convaincu Aaron de la conduire chez nous. Ils avaient marché longtemps jusqu'à notre porte sans trouver de taxi. Quant elle sortit de son silence, rassurer nos parents fut la seule préoccupation de Myriam dont la pommette bleuissait à vue d'œil.

— Téléphone-leur, Wil… Dis-leur que je passe la nuit chez toi… qu'ils ne s'inquiètent pas… nous inventerons quelque chose demain.

— Demain à la première heure, nous irons chez Julius pour qu'il t'examine.

Aaron berçait Myriam dans ses bras en se lamentant.

— Comment a-t-on pu en arriver là ! Je ne reconnais plus mon pays ni mes compatriotes ! Ce n'est plus possible de vivre ici. Nous allons nous marier et partir au plus vite.

Almah les installa dans mon bureau où elle déplia le sofa. Le lendemain, elle masqua le bleu de Myriam sous une épaisse couche de fond de teint et arrangea sa coiffure de manière à cacher sa plaie, avant de les accompagner chez son père dont le diagnostic fut rassurant. Les blessures de Myriam étaient superficielles. Le nez d'Aaron se remettrait sans plâtre. Quant à leur traumatisme, c'était une autre histoire.

20

Départ

Mai 1937

Aaron tint parole.

Quatre mois plus tard, par une radieuse journée de mai, il épousa Myriam, un mariage civil, en famille et sans pompe. Depuis leur agression, ils n'avaient eu de cesse de préparer leur départ, bien déterminés à vivre loin des métastases du nazisme. Ils avaient tout planifié avec beaucoup de rigueur et une grande sagesse, et obtenu leurs visas sans difficulté. Diplômée en droit, Myriam quittait sans regret son travail de secrétaire dans un cabinet d'avocats. Elle n'avait jamais abandonné ses cours de danse et caressait le projet d'ouvrir une école. Fort de son expérience dans un studio en vue, Aaron avait en poche une promesse d'embauche dans un cabinet d'architecture coté de Manhattan. Deux de ses oncles, déjà installés à Brooklyn, se faisaient un plaisir d'accueillir le jeune couple et de l'aider à faire son trou. Les jeunes mariés avaient suivi avec le plus grand zèle des cours intensifs d'anglais, connaissaient la topographie de New York sur le bout des doigts, avaient choisi le quartier dans lequel ils souhaitaient s'installer… Fixer le jour de la noce, celui du départ et acheter les billets ne fut qu'une formalité. Jacob et Esther avaient encouragé leur départ. Lucide, Jacob pensait que l'avenir était plus ouvert, plus vaste en Amérique. Il y voyait aussi, sans vouloir l'avouer, une façon d'extraire sa fille d'un environnement qui n'augurait rien de bon pour les années à venir.

En guise de voyage de noces, Myriam et Aaron eurent droit à une traversée transatlantique en première classe. Ils embarqueraient au port de Cherbourg, en France.

*

À la gare de l'Ouest, il régnait une pagaille sans nom. Entre ceux qui voyageaient et ceux qui restaient, les quais débordaient de monde. Il était évident à de multiples signes que l'on ne partait pas en vacances. Pour beaucoup c'était l'exil, pour ne pas dire la fuite. On le devinait à une certaine raideur, à la solennité des adieux, aux regards angoissés, aux embrassades déchirantes. Il était facile de deviner qui partait, les plus jeunes, et qui restait, les plus âgés. Une espèce d'atavisme voulait que les vieux restent les gardiens du temple, tandis que les jeunes, porteurs d'avenir, allaient tenter leur chance sous des cieux plus bienveillants.

Myriam et Aaron étaient très élégants et portaient deux valises chacun. Une grosse malle avait été envoyée en avance, qu'ils retrouveraient à Cherbourg. L'importance de ce moment se lisait dans la gravité peinte sur les visages. Wilhelm et Aaron échangèrent une accolade qui se transforma en une longue étreinte.

— Prends bien soin d'elle, glissa Wilhelm avec émotion à son beau-frère.

Sous son maquillage, Myriam était pâle. Elle embrassa longuement son père, puis s'effondra en larmes dans les bras de sa mère qui couvrait ses cheveux de baisers et lui murmurait des mots doux à l'oreille. Quand vint le tour de Wilhelm, il la serra très fort et lui souffla à mi-voix :

— Courage, ma danseuse ! L'Amérique te tend les bras ! Tu vas y réaliser tous tes rêves.

Un sourire se dessina sur les lèvres de Myriam, éclairant un instant son visage. Puis de nouvelles larmes perlèrent au coin de ses yeux.

— Vous allez nous rejoindre bientôt, promets-le-moi, Wilhelm. Nous serons très vite réunis, n'est-ce pas ?

— Si la situation s'aggrave, nous n'aurons pas d'autre choix. Mais pour l'instant, je dois régler bien des choses et veiller sur nos parents…

Wilhelm se mordit la lèvre. Il préférait rester dans le flou. Il se disait que pour émigrer, il fallait être soit très pauvre, soit très courageux. Or il n'était ni l'un ni l'autre. Il admirait Myriam qui possédait le courage qu'il n'avait pas.

— En attendant, voilà un cadeau pour le voyage, ajouta-t-il en lui tendant un paquet.

Il avait choisi à dessein un recueil de textes et de poésies de Richard Beer-Hofmann. Un signet marquait la *Berceuse pour Myriam* dont il avait souligné les derniers vers :

Nous ne sommes que rivages et au fond
de nous coule
Le sang des êtres passés, il s'écoule
vers les êtres à venir.
Sang de nos pères plein d'inquiétude
et de fierté.
En nous, tous sont là. Qui se sent solitaire ?
Tu es leur vie, leur vie est tienne
Myriam, ma vie, mon enfant, endors-toi !

Myriam et Aaron grimpèrent dans le train et rejoignirent leur compartiment. Ils restèrent longtemps penchés à la fenêtre du train qui les emmenait en France, agitant la main, envoyant des baisers. Sur le quai, les familles piétinèrent jusqu'à ce que le train ne soit plus qu'un minuscule point au loin. Ils ne savaient pas quand ils se reverraient et chacun avait conscience que cet adieu était peut-être définitif. Comme tous ceux qui quittaient la gare, les Rosenheck étaient tiraillés entre le soulagement et le sentiment d'une perte immense.

21

Le Talisman

Juin 1937

— Et si nous allions prendre un verre au Landtmann ? Nous n'en sommes qu'à deux pas, suggéra Almah. Il n'est pas si tard et je n'ai pas envie de rentrer tout de suite…

— Tes désirs sont des ordres, ma chérie. Allons-y !

Je resserrai mon bras autour de celui d'Almah. Elle me regarda avec un sourire qui semblait s'excuser. La petite ride, celle qui se dessinait depuis quelque temps juste entre ses sourcils quand elle était grave, fit une apparition fugace. Je ne l'aimais pas, cette petite ride. Almah réprima un frisson.

— Je voudrais, l'espace d'un instant, retrouver l'insouciance d'avant, quand on pouvait sortir sans craindre la violence de la rue.

— Nous y sommes, ne t'inquiète pas mon amour.

Je lui désignai du menton les grandes vitres du Landtmann d'où s'échappaient des flots de lumière. J'aurais fait n'importe quoi pour faire plaisir à mon Almah très affectée par l'ambiance malsaine qui régnait à Vienne. D'ailleurs moi non plus je n'aimais guère rentrer juste après le spectacle, même si l'atmosphère n'était plus vraiment à la fête. Et ce soir, nous avions quartier libre, Jutta dormait chez nous.

J'avais toujours adoré l'ambiance stimulante des cafés et j'aimais échanger mes impressions avec Almah après une représentation. Ses analyses étaient toujours fines. Elle s'engouffra dans le café. Dans le sas d'entrée entre les deux portes vitrées, je me pressai contre son dos et lui volai un baiser dans la nuque, juste à la naissance de ses cheveux qu'elle portait relevés. En retour, d'une main lancée derrière son épaule, elle caressa ma joue, tout en pénétrant dans la grande salle où ronronnaient les conversations. Au passage, j'attrapai l'édition du soir du *Neue Freie* dans le support à journaux. Du bout du manche en bambou, je tapotai l'épaule d'Almah en lui désignant un coin calme où s'affrontaient des joueurs d'échecs. Elle jeta son dévolu sur une table isolée, non loin du long comptoir d'acajou. Elle s'assit, posa ses coudes sur le plateau en marbre et cala son menton sur ses mains croisées. Elle me contemplait de son regard saphir, un léger sourire aux lèvres, tandis que je m'installais face à elle. Dans l'atmosphère feutrée et enfumée du café, le bourdonnement des conciliabules était ponctué par les claquements secs des boules de billard qui retentissaient dans l'arrière-salle.

— J'ai envie du réconfort d'un alcool fort… soupira Almah.

— Un cognac ?

— Oui c'est ça, un cognac, ce sera parfait !

— La pièce t'a plu, si j'en juge à l'enthousiasme de tes applaudissements !

Nous sortions du Burgtheater où nous avions assisté à la première du *Talisman*. La comédie de Nestroy, qui avait connu un franc succès en son temps, était reprise par une jeune troupe. J'avais obtenu des places par la rédaction du journal. Tandis qu'un garçon se faufilait entre les tables et nous servait nos cognacs, Almah me répondit avec une moue en parodiant un mot de Zweig que je lui avais appris :

— Tu m'as contaminée, je suis atteinte de « théâtro-manie » ! J'ai bien aimé toutes ces situations clownesques. Cette pièce a un effet… cathartique !

C'était une des mille choses que j'aimais chez Almah : elle choisissait toujours ses mots avec soin, exigeant de son vocabulaire qu'il exprimât le plus finement possible ses pensées. Cependant, je ne relevai pas le thème de la catharsis.

— Oui, tu as raison, la pièce est très drôle et les dialogues plutôt corrosifs. Tous ces jeux de mots et ces néologismes, c'est bien imaginé. Mais l'argument tient plutôt de la farce, tu ne crois pas ?

Je pensais déjà à ce que j'allais écrire le lendemain.

— Mouais !

Almah eut une moue dubitative.

— Je vais te dire le fond de ma pensée, reprit-elle. Cette pièce est, à mon humble avis, très loin d'être aussi légère qu'elle en a l'air. Elle a une valeur intemporelle, ajouta-t-elle en me regardant droit au fond des yeux.

Avec ce don des Viennois de « joindre le sens du plaisir à celui de l'examen critique[1]», Almah allait

1. Stephan Zweig.

m'amener là où je ne voulais pas aller, dans une conversation en rapport avec l'air du temps. Chaque fois que j'essayais d'introduire un peu de légèreté dans notre quotidien, Almah se jouait de mes efforts et me rappelait que nous naviguions à vue. Je n'avais pas d'autre choix que de l'écouter et d'essayer de la rassurer. Je la regardai, attendri, résigné à un échange qui n'aurait rien d'anodin.

— Je sais d'avance ce que tu vas dire, je te connais par cœur, mon amour ! Mais si nous restions à la surface, pour une fois, au lieu de nous embourber dans la vase nauséabonde.

— Je me demande, reprit-elle en faisant tourner l'alcool brun dans son verre sans tenir le moindre compte de ma remarque, si cette farce populaire n'a pas été remontée pour dénoncer certains préjugés. Parce que, entre nous, cette défiance vis-à-vis des roux, est un peu… tirée par les cheveux ! pouffa-t-elle, satisfaite de son trait d'humour.

— Bien vu, ma chérie !

— Interprétée à la lueur des événements, c'est un sacré coup de griffe contre l'obscurantisme d'une société conformiste qui rejette la différence. C'est un modèle du genre « lecture à plusieurs niveaux », conclut-elle en buvant une gorgée de cognac.

— Espérons que l'on se contentera de rire de la farce, sinon je crains que la pièce n'ait pas un grand avenir.

— Tu as raison : mieux vaut rester au niveau de la bouffonnerie. Saluons : un, le talent des acteurs, deux, la verve de l'auteur, et trois, le parti pris esthétique du metteur en scène, dit-elle d'un ton désabusé en dépliant ses doigts l'un après l'autre. On finira par nous interdire d'être intelligent et de penser par nous-mêmes !

Almah s'emportait facilement dès que nous évoquions la situation. Pour ma part, j'analysais les événements politiques de la manière la plus raisonnable et pragmatique possible, sans être trop alarmiste. J'essayais de calmer son amertume.

— Nous vivons une période si complexe qu'absolument tout est matière à interprétation. Je voulais juste mettre une once de légèreté dans notre soirée.

— Désolée Wil, mais je crois que nous n'avons plus le droit d'être légers. C'est définitivement fini pour nous, la légèreté ! Aujourd'hui, même une farce prend un sens particulier… D'ailleurs, ajouta-t-elle en désignant d'un geste nos deux verres au serveur – Almah buvait volontiers comme un homme –, il faut qu'on reparle de « ce que tu sais ».

« Ce que tu sais », dans la bouche d'Almah, c'était le départ, un sujet qui nous mobilisait chaque jour un peu plus.

22

Les corbeaux de Russie

Automne 1937

Les premiers corbeaux de Russie étaient arrivés. Des hordes entières de ces gros oiseaux noirs envahissaient Vienne chaque automne. Ils avaient peuplé nombre de mes cauchemars d'enfant et, comme beaucoup de Viennois, je les avais en horreur. Depuis quelques jours, leurs croassements stridents étaient omniprésents et leurs silhouettes inquiétantes planaient sur la ville. Cette année, ils étaient très précoces. Annonçaient-ils un rude hiver ? Je ne pouvais m'empêcher d'avoir de sombres pressentiments. Inutile de se voiler la face, il était bien fini le temps de l'illusion. Nous ne pouvions plus ignorer les multiples signaux d'alarme et continuer à vivre dans le déni. Le mythe de l'assimilation avait volé en éclats. Jour après jour, nous prenions conscience de notre situation de plus en plus précaire. Des écriteaux fleurissaient dans les parcs, dans les édifices publics, des lettres anonymes d'insultes ou de dénonciation atterrissaient dans les boîtes aux lettres. Les Juifs étaient diabolisés, des pestiférés en butte à l'hostilité générale et chaque jour était une nouvelle cure de désillusion.

Ce n'était plus un secret pour personne : l'intelligentsia viennoise se bousculait aux frontières pour fuir aux États-Unis ou en Angleterre. Autour de nous, les désertions s'enchaînaient à un rythme soutenu. Pas de jour sans que l'on apprenne que tel ou tel autre avait choisi l'exil. Certains de nos amis juifs avaient déjà quitté le pays. Nos parents nous encourageaient. Les miens avaient transféré des liquidités en Amérique par l'intermédiaire de la famille d'Aaron avant même le départ de Myriam. Julius, qui m'avait fait jurer le secret, avait fait de même avec la complicité d'un ami banquier pour nous assurer « un bon démarrage américain », comme il disait.

*

L'idée d'émigrer me submergeait de tristesse. Je sentais se faufiler en moi une terreur sourde, celle de perdre ce pour quoi je m'étais battu, de le perdre définitivement. Pourtant, jour après jour, Almah et moi évoquions plus sérieusement les possibilités et les conditions d'un départ. Nous ressassions toutes nos bonnes raisons de partir et toutes celles, non moins bonnes, de rester. J'aimais mon travail, Almah le sien, nous avions commencé à construire notre vie, Frederick commençait à parler l'allemand et l'idée de redémarrer à zéro ailleurs nous paralysait. En même temps, nous caressions des rêves d'Amérique, l'idée d'une carrière dans un quotidien américain me séduisait, d'autant que les lettres de Myriam étaient enthousiastes. Ma sœur et Aaron faisaient leur trou à New York et nous pressaient de les rejoindre. New York était la destination idéale et nous avions des atouts pour l'obtention d'un visa : des rudiments d'anglais, de la famille sur place, de bons métiers… Cela faisait de nous des candidats plus que sérieux pour un exil américain. Finalement, seuls nous retenaient encore mon travail qui me passionnait et nos parents vieillissants que nous ne voulions pas abandonner, bien qu'ils nous encourageassent à partir. Ça et l'attachement à l'Autriche, notre pays qui, lui, nous aimait de moins en moins. Viscéralement attaché à ma ville natale et à tout ce qu'elle symbolisait, j'espérais chaque jour l'embellie qui nous donnerait une bonne raison de rester.

23

« Dieu protège l'Autriche ! »

Février-mars 1938

L'histoire s'emballait comme un cheval fou. Malgré l'intense activité diplomatique déployée par Schuschnigg pour garantir l'indépendance de l'Autriche, les nazis gagnaient chaque jour du terrain. Comme beaucoup, Wilhelm s'illusionnait en voulant croire que tous les Autrichiens étaient derrière leur chancelier. Nombre d'entre eux avaient déjà intégré plus ou moins discrètement les rangs des nazis. Dans les rues, des hommes commençaient à porter des emblèmes métalliques au revers de leur pardessus au vu et au su de tous. La lèpre nazie s'étendait comme une contagion nauséabonde que rien n'arrêtait.

Le président Miklas avait beau protester contre les manœuvres militaires à la frontière, il cédait aux exigences successives d'Hitler. Sous la pression, il nomma Seyss-Inquart, un avocat membre du parti nazi, ministre de la Sûreté. Les villes frontalières étaient infestées d'hommes en uniforme ivres de chants nazis.

Mi-février, les SA défilèrent à Linz avec d'immenses drapeaux à croix gammée tandis que de jeunes garçons échangeaient des saluts hitlériens en chantant le *Horst-Wessel-Lied*[1]. Le combat de Schuschnigg n'était plus que d'arrière-garde. La radiodiffusion d'un discours au Bundestag où il déclara que l'Autriche ne ferait plus de concessions et ne renoncerait jamais à son indépendance suscita de violentes réactions des nazis autrichiens qui remplacèrent le drapeau national par la bannière à croix gammée sur l'hôtel de ville de Graz. De leur côté, les socialistes continuaient à soutenir le gouvernement et demandaient que leur activité politique soit à nouveau autorisée, comme cela avait été le cas pour le parti nazi autrichien. Quant à la jeunesse, minée par les problèmes économiques et abreuvée de propagande, elle s'enthousiasmait à l'idée de l'annexion.

La chute de l'Autriche s'accélérait. Le 9 mars, Schuschnigg fit une pathétique tentative pour préserver l'indépendance en annonçant un référendum pour le 13 mars. Il espérait un vote largement positif pour soutenir « une Autriche libre et allemande, indépendante et sociale, chrétienne et unie, pour la liberté et le travail, et pour l'égalité de tous ceux qui se déclarent pour la race et la patrie ». Il fixa l'âge minimal des votants à vingt-quatre ans, afin d'exclure les jeunes largement acquis au nazisme. En réaction, le vendredi 11 mars, Hitler concentra des troupes allemandes à la frontière et programma l'invasion du pays pour le lendemain, au prétexte d'une menace d'attaque. À 10 heures, il exigea l'annulation du plébiscite sous peine d'invasion militaire.

---

1. Le chant officiel SA.

*

« … Le président Miklas m'a demandé de faire savoir au peuple d'Autriche que nous avons cédé à la force parce que nous refusons, même en cette heure terrible, de verser le sang. Nous avons donc décidé d'ordonner aux troupes autrichiennes de n'opposer aucune résistance. Je prends congé du peuple autrichien, en lui adressant cette formule d'adieu allemande, prononcée du plus profond de mon cœur : Dieu protège l'Autriche ! »

Il était 19 h 45 le 11 mars 1938 et Kurt Schuschnigg venait d'annoncer sa démission. Assise face au poste de radio, le visage décomposé et les lèvres tremblantes, Almah porta les deux mains à sa bouche comme pour s'empêcher de crier. Les doigts de Wilhelm se crispèrent sur les épaules de sa femme ; il vibrait de rage et de consternation. Il sentit une décharge de désespoir irradier de son corps et traverser celui d'Almah. Ainsi c'était fini. Cette nuit-là, tandis que des meutes hystériques envahissaient les rues, brisant les vitrines et molestant les passants, Almah et Wilhelm ne purent fermer l'œil. Blotti entre eux, Frederick dormait du sommeil des innocents.

Le lendemain matin, l'Autriche se réveilla avec la gueule de bois. Le couperet était tombé. Il n'y aurait pas de référendum. C'était la fin de la souveraineté de leur pays. Ce matin-là, alors que les Autrichiens se préparaient à aller voter pour ou contre l'indépendance de leur république vacillante, les premiers soldats allemands de la 8e armée de la Wehrmacht franchirent la frontière. Le chaos était le prétexte idéal, il fallait rétablir l'ordre. Les plans d'Alfred Jansa, le chef d'état-major de l'armée autrichienne, pour s'opposer militairement à une agression allemande n'avaient servi à rien. La radio diffusait en boucle les terribles paroles de Schuschnigg qui scellaient le sort du pays. Le chancelier n'avait pas réussi à sauvegarder l'indépendance de l'Autriche qui appartenait désormais au Reich.

Wilhelm et Almah suivaient la progression des événements à la radio. Almah repoussa Frederick qui s'enroulait autour de ses jambes comme un chaton. Elle se releva et fit face à Wilhelm qui soutint son regard dévasté avec difficulté.

— Jamais, jamais je n'aurais cru qu'ils oseraient… Aucune nation ne nous a défendus ! Et maintenant, qu'allons-nous devenir ? ajouta-t-elle dans un sanglot sec.

— Je n'en sais rien, mon amour ! Je ne sais pas de quoi demain sera fait. Même nos dirigeants naviguent à vue… La seule chose que je sais, c'est qu'il faut nous préparer à des jours bien sombres.

— Ils ont été accueillis à bras ouverts, avec des fleurs, tu te rends compte ! *Blumenkrieg*[1] *!* gémit Almah dans un ricanement sinistre.

Puis, laissant échapper un hoquet de détresse, elle se jeta dans les bras de Wilhelm en pleurant, sous le regard inquiet de leur fils.

Ils téléphonèrent à Jacob puis à Julius pour partager leur consternation. Leurs parents semblaient résignés mais refusaient de céder à la panique. Ils voulaient

1. La guerre des fleurs.

encore garder l'espoir. Ils en avaient vu d'autres, eux qui avaient connu la Grande Guerre si meurtrière. Ils leur recommandèrent de se montrer prudents et de rester chez eux. Mais Almah et Wilhelm tournaient en rond dans leur appartement et, après avoir pesé le pour et le contre, ils abandonnèrent Frederick à Jutta et sortirent. Pour ne pas rester seuls, pour prendre le pouls de la rue, pour partager leur émotion avec d'autres Viennois. Au sortir de leur immeuble, ils se mêlèrent à la foule désordonnée qui errait dans les rues de la capitale. C'était le chaos. Sur quelques rares visages se lisaient la sidération, le choc, l'amertume. Sur beaucoup d'autres le soulagement, voire une joie non dissimulée. Mais tous se tournaient vers le ciel bas et gris, sillonné en tous sens d'avions ornés de croix gammées, vrombissant comme autant d'abeilles ivres. De nombreuses façades arboraient déjà des drapeaux nazis. Almah et Wilhelm ne purent progresser très loin. Aux abords des grandes avenues du centre, la foule se coagulait devant le défilé des premiers véhicules militaires et des troupes bottées et casquées qui piétinaient l'asphalte. Sur leur passage de nombreux Viennois agitaient frénétiquement de petits drapeaux nazis qui se vendaient quelques groschen au coin des rues. Envoyés par camions entiers, des agents de la Gestapo, reconnaissables à leurs capotes noires, endiguaient la foule, réprimant les quelques malheureuses manifestations de résistance et neutralisant les mécontents. La marche triomphale d'Hitler sur Vienne avait commencé et ce ne seraient pas quelques barricades inutiles qui empêcheraient l'avancée de la Wehrmacht. Le surlendemain, depuis une tribune pavoisée aux couleurs nazies dressée face à la Hofburg[1], Hitler officialisait l'Anschluss tandis que la presse allemande titrait : « L'Autriche allemande sauvée du chaos ».

*

Dès le lendemain de l'Anschluss, le pays fut en proie à de violentes manifestations d'antisémitisme qui explosèrent en un torrent de jalousie, d'amertume, d'aveuglement, de revanche. La violence s'exerçait comme un jeu, vitrines brisées, pillages de boutiques, humiliations publiques, bastonnades… On ne se bornait plus à piller et à voler, on laissait libre cours à tous les désirs de vengeance personnelle. Les Viennois se montrèrent particulièrement inventifs et sadiques, sans aucune retenue morale. On força des universitaires et des bourgeois à nettoyer les pavés des rues, à effacer des slogans politiques sur les murs sous les huées des passants ; de vieux Juifs hassidiques portant calotte et papillotes durent crier en chœur « *Heil Hitler !* » à genoux devant une synagogue, d'autres manger l'herbe au Praterstern ; des jeunes durent nettoyer les latrines d'une caserne de SA. Ceux qui n'arboraient pas la croix gammée étaient maltraités ou arrêtés. Des pancartes « Aryens n'achetez pas chez les Juifs », « Maison garantie aryenne », des graffitis grotesques de Pinocchios à longs nez se mirent à fleurir aux devantures des magasins et sur les murs. Un peu partout des affiches proclamaient « *Ein Volk, ein Reich, ein Führer* », les tramways promenaient leurs croix gammées dans toute la ville. Partout ce n'étaient plus

1. Le palais impérial.

que bruit des bottes, saluts nazis, violence, terreur et soupçons. En quelques jours, quelque 40 000 membres des forces de sécurité allemandes investirent Vienne et organisèrent l'arrestation et la déportation de plus de 70 000 Juifs et opposants politiques de tous bords.

Le Führer fit son entrée dans la capitale le 14 mars en fin de journée. Il se rendit directement à l'Hôtel Impérial pour rencontrer les membres du nouveau gouvernement de Seyss-Inquart, tandis que des milliers de personnes enthousiastes se massaient à l'extérieur. Le lendemain, 250 000 Viennois convergèrent vers la Heldenplatz et accueillirent triomphalement Hitler qui proclama : « Nous ne sommes pas arrivés en tyrans mais en libérateurs… Personne ne pourra jamais diviser à nouveau le Reich allemand tel qu'il existe aujourd'hui. » L'Église catholique remercia Dieu et l'Allemagne : l'Autriche était sauvée du péril bolchevique sans effusion de sang. Dans la soirée, une foule exaltée s'en prit aux Juifs, les forçant à sortir de chez eux et à s'agenouiller dans les rues, sous les cris de « Mort aux Juifs ». Par miracle, Almah et Wilhelm échappèrent à ces humiliations.

Une histoire fit le tour de Vienne, qui aurait été savoureuse si elle n'avait pas été dramatique. Des nazis allèrent chercher le général von Sommer, monarchiste convaincu et chef des vétérans de la Légion juive pour le forcer à une corvée de nettoyage des pavés, une humiliation sadique dont ils se délectaient. Le vieux soldat leur demanda la permission de se changer et il apparut dans la rue en uniforme de général, toutes ses décorations épinglées sur la poitrine. Honteux, les nazillons le saluèrent et repartirent sous les regards scandalisés des badauds. Mais une hirondelle ne fait pas le printemps et les rues devenaient dangereuses de jour comme de nuit.

Wilhelm avait fait promettre à ses parents et à ses beaux-parents de ne pas sortir durant ces premiers jours de l'annexion, en espérant que le déchaînement de haine se tasserait. Contre l'avis d'Almah, folle d'inquiétude, il allait au journal chaque jour. Le *Neue Freie Presse* était bien trop exposé et elle craignait une arrestation, pire, une déportation.

« Toi espèce de porc juif, que tes mains pourrissent ! » Almah, qui ne travaillait plus que le matin, venait de lire cette inscription sur la vitrine d'une droguerie alors qu'elle se rendait au cabinet dentaire. Déjà fortement ébranlée, elle assista à une scène d'une violence inouïe qui la choqua très profondément. Un attroupement s'était formé sur le trottoir de la Singerstrasse. Des hommes arborant des brassards à croix gammée vilipendaient une dizaine de femmes à genoux dans la rue. Elles nettoyaient le trottoir avec des brosses à dents sous les quolibets de badauds rigolards. Almah sentit son corps se glacer et elle se figea devant le spectacle immonde. Les rires sardoniques, les injures qui pleuvaient sur les pauvres femmes lui parvenaient de loin comme s'ils venaient d'un monde parallèle. C'est alors qu'elle reconnut Hiltrud Feldsher, l'épouse d'un chirurgien réputé, un collègue de son père. Almah l'avait rencontrée à de nombreuses reprises et s'était souvent moquée de son embonpoint. La tête baissée, à quatre pattes dans le caniveau, la grosse Hiltrud lavait les crottes de chien avec son manteau en vison dont on l'avait dépouillée. Elle leva les yeux et son regard croisa celui d'Almah. Elle s'arrêta de frotter le sol. Son regard exprimait une détresse absolue. Voyant qu'elle s'était interrompue, un homme s'approcha d'elle et lui assena un coup de cravache sur la croupe en la traitant de « sale youpine », puis il renversa d'un coup de pied la cuvette d'eau sale, éclaboussant ses bras et son visage. Almah fit un pas en avant, mais elle lut un ordre muet dans le regard d'Hiltrud : « Va-t'en, va-t'en ! » lui ordonnait-elle en silence, des larmes plein les yeux. Puis, baissant la tête, elle reprit son monstrueux labeur.

Almah traversa la rue comme une somnambule jusqu'au trottoir opposé. Elle s'adossa à la façade d'un immeuble. Son cœur battait à tout rompre. Les larmes jaillirent incontrôlables et inondèrent ses joues rouges de honte. En face d'elle, l'ignoble scène se poursuivait sans que personne n'intervienne. La plupart des badauds ricanaient et encourageaient les Juives en les insultant. Pire, des enfants étaient de la partie. Certaines personnes observaient en silence. D'autres pressaient le pas, d'autres encore passaient leur chemin dans la plus grande indifférence, comme s'il s'agissait d'une banale scène de rue. Une femme bien mise ralentit le pas en passant devant Almah.

— Ne restez pas là, ne vous faites pas remarquer, cela ne sert à rien, lui souffla-t-elle.

Almah s'ébroua comme si elle sortait d'un mauvais rêve. Du revers de la main, elle essuya ses joues et ravala ses larmes. Elle prit une profonde inspiration et, les épaules voûtées sous le poids de la honte, reprit son chemin vers le cabinet dentaire. Elle travailla toute la matinée sans desserrer les dents et ce ne fut qu'en rentrant chez elle qu'elle s'effondra dans les bras de Wilhelm. Elle lui dit son manque de courage, sa honte, son dégoût des autres et d'elle-même. Elle ne se reconnaissait plus, elle dont la seule aspiration était de se fondre dans la masse. Elle qui baissait désormais les yeux dans la rue. Elle qui jouait les caméléons, profitant de son physique d'Aryenne, de sa blondeur, de sa beauté, pour échapper à la vindicte de cette populace immonde dans laquelle elle ne reconnaissait plus ses compatriotes. Elle avait une conscience aiguë du danger permanent, car c'était une chose d'entendre des rumeurs et c'en était une autre d'être confrontée concrètement à l'évidence du mal. Ils prenaient soin de ne pas attirer l'attention sur eux, mais jusqu'à quand pourraient-ils échapper aux persécutions ?

Jusqu'à ce que la concierge ou un voisin de palier qui convoitait leur appartement les dénoncent ?

Jusqu'à ce qu'ils saluent la mauvaise personne ?

Jusqu'à ce que par mégarde leur regard croise celui d'un homme en chemise brune ?

24

JA

Avril 1938

« Es-tu d'accord avec la réunification de l'Autriche avec le Reich allemand qui fut décrétée le 13 mars 1938, et votes-tu pour le parti de notre chef Adolf Hitler ? » Bulletin de vote du plébiscite du 10 avril 1938

La promesse d'Hitler d'organiser un vote libre et secret était un leurre et le plébiscite une farce. Les bulletins étaient remis de la main à la main et des officiels allemands surveillaient les isoloirs aménagés avec de larges fentes. Bien entendu, les Juifs étaient exclus du vote. L'Église catholique, par la voix du cardinal Innitzer, estimait que c'était un devoir national de se rallier au Reich allemand. Les sociaux-démocrates eux-mêmes, en la personne de Karl Kenner, fondateur de la Première République, appelèrent les Autrichiens à se prononcer pour le oui. Pour influencer favorablement le vote, les nazis avaient versé 60 millions de marks pour développer l'industrie et moderniser l'agriculture, étendu le système de sécurité sociale à toute l'Autriche, donné des allocations aux chômeurs, offert des vacances à 100 000 écoliers et 25 000 adultes, distribué des vivres… Hitler s'était invité au cœur de Vienne en état de siège : de gigantesques panneaux affichaient son visage tristement célèbre, bouche tombante, lèvres minces, coiffure asymétrique, moustache ridiculement taillée, yeux froids de poisson mort. Les tramways sillonnaient la ville pavoisée de drapeaux à croix gammée et de banderoles marquées d'un « *JA* » gigantesque.

Le résultat fut de 99,75 % en faveur de l'annexion.

Les nazis n'avaient plus qu'à mettre au pas une Autriche devenue *Ostmark*[1] du Reich.

Dans la soirée, l'annonce des résultats déclencha une nouvelle explosion de violences.

*

Almah et Wilhelm écoutèrent le journaliste de la *Ravag*[2] annoncer les résultats du plébiscite. Ils ne furent pas plus surpris que l'ensemble de la population juive. Ils devaient se rendre à l'évidence : leur avenir n'était plus dans ce pays dans lequel ils étaient nés mais qui ne voulait plus d'eux. Ils vivaient désormais dans une ville éphémère, où tous autour d'eux ne parlaient que de partir. Chaque jour un nouveau décret réduisait leur espace vital et leur liberté dans l'indifférence générale. Le départ s'imposait, ils ne pouvaient

1. Province du Reich appelée Marche de l'Est.

2. Radio Verkehrs, station de radio autrichienne fondée en 1924 et rattachée à la radio allemande en 1938.

raisonnablement le différer. Pourtant Almah ne pouvait s'y résoudre. « Nous partirons tous ensemble ou nous ne partirons pas », s'entêtait-elle.

Aussitôt après l'Anschluss, les choses prirent une tournure dramatique. L'Autriche devint le laboratoire de la politique antisémite du Reich. Gangrenée par les uniformes bruns et les bottes noires des membres des forces de sécurité allemandes, Vienne puait la défaite, la soumission et la peur. L'aryanisation systématique commença ; commerces et entreprises changeaient de mains, tavernes et cafés de noms. Peu à peu, c'était tout leur environnement familier qui se modifiait. Des camions chargés de mobilier pillé dans les appartements désertés traversaient la ville sous l'œil imperturbable des passants. Entre propagande et répression, la nuance avait l'épaisseur d'une feuille de papier. Les Autrichiens se montraient même plus zélés que les Allemands dans le harcèlement des Juifs. Chaque nuit, des cocktails Molotov explosaient, visant un magasin, un restaurant, un lieu de prière. Les rues étaient le théâtre permanent de scènes de violences, de brimades et d'humiliations. La rue, c'étaient aussi des dos moins droits, des regards en biais, des airs coupables. La veulerie et la médiocrité faisaient des ravages, comme une maladie contagieuse.

Wilhelm continuait à se rendre au journal dans un élan de loyauté désespéré. Almah était effondrée par les nouvelles dont il l'accablait chaque soir. Elle avait limité à quelques heures hebdomadaires sa présence auprès du docteur Ackerman dont la clientèle se réduisait comme une peau de chagrin, les Aryens désertant un à un son cabinet. Elle se consacrait à Frederick.

Ils vivaient désormais dans un climat de défiance permanente, doutant de la loyauté de tous.

Fin avril, les violences de rue cessèrent, après que Bürckel, un membre du Reichstag, eut menacé de sanctionner les coupables. Des nazis sillonnèrent toutes les rues pour retirer des vitrines des magasins juifs les écriteaux infamants, au prétexte qu'ils cachaient les marchandises. Il se murmurait que le président de la Reichsbank, Hjalmar Schacht, connu pour être opposé aux actions extrémistes, était à l'origine de cette mesure. Les rues offraient un calme étrange. Simple répit ou pause durable ? Un soir en rentrant, Wilhelm constata qu'il ne restait plus dans le centre que des panneaux identifiant les boutiques aryennes. Cette note d'apaisement fit naître un espoir démesuré qui se propagea à la vitesse de la lumière pour retomber quelques jours plus tard.

25

Dans le collimateur

Mai-juin 1938

Les journaux allemands avaient envahi nos maisons de presse, le *Völkischer Beobachter*[1] était partout. Toute la presse autrichienne était dans le collimateur des nazis. Au journal, la pression devenait de plus en plus forte et la tâche se compliquait de jour en jour. Les journalistes portaient les stigmates de la résignation, mines sombres et moroses, regards fuyants. Personne n'osait plus s'exprimer, chacun se méfiait de tous les autres, il fallait surveiller ses arrières. L'ambiance était lourde de non-dits. La fébrilité joyeuse de la rédaction, les échanges et les boutades n'étaient plus qu'un lointain souvenir. La ligne éditoriale s'infléchissait, nous imposant d'inacceptables concessions à une idéologie nauséabonde. Le comité de rédaction soupesait le moindre mot avant publication, l'audace était domptée. Je n'enviais pas la position

1. Journal officiel du parti nazi.

de notre directeur qui ne savait plus comment préserver le peu d'intégrité qui nous restait. Nos effectifs diminuaient, la vague d'arrestation du 10 mai dans les milieux culturels en ayant incité plus d'un à partir sous couvert d'exil politique. Il ne faisait plus bon penser et créer à Vienne.

La rumeur allait bon train : le *Neue Freie Presse* devait fusionner avec le *Neues Wiener Journal*, dont l'audience était bien plus populaire que la nôtre. Cela équivalait à perdre notre âme, sans parler de l'hémorragie au niveau du personnel. Beaucoup allaient se retrouver à la rue, à commencer bien sûr par les Juifs. Peter Graff, qui s'occupait de la rubrique des faits divers au *Neues Wiener Journal*, m'avait confirmé que les négociations à huis clos avançaient sous la houlette des nazis et que, d'un jour à l'autre, nos deux journaux n'en feraient qu'un. Il était inquiet pour son poste, car notre chef de rubrique, Anton Maack, était 100 % aryen, alors que lui-même n'était qu'un *mischling*.

La situation n'était pas meilleure du côté de la *Kronen Zeitung*[1]. Mes jours en tant que journaliste et feuilletoniste étaient comptés. Les nazis contrôleraient bientôt toute l'information. Il était bel et bien fini le semblant de liberté d'expression dont nous jouissions encore.

*

En rentrant ce jour-là, j'avais ma tête des mauvais jours.

---

1. Après sa mise au pas par les nazis, la *Kronen Zeitung* fut interdite le 31 août 1944.

— C'est consommé ! Notre bon vieux *Neue Freie Presse* est mort, lançai-je en balançant mon chapeau sur le portemanteau. Le *Neues Wiener Journal* n'a pas survécu non plus. Je suis convoqué par le rédac' chef, ajoutai-je d'un ton lugubre. Doublement coupable, Juif et journaliste ! Inutile de me bercer d'illusions : demain je serai sans emploi.

Je vis Almah pâlir, mais elle s'efforça de rester impassible. Elle ne voulait pas m'accabler de son inquiétude, pourtant perceptible. Elle m'enlaça.

— On ne peut pas aller à contre-courant de l'histoire, soupira-t-elle avec résignation. C'est un exploit que tu aies tenu aussi longtemps. Je suis fière de toi.

— Il ne me reste plus qu'à mettre un mouchoir sur mon orgueil et à aller quémander du travail à l'imprimerie, tant qu'elle tourne encore ! ajoutai-je, un sanglot sec dans la voix.

Sans un mot, Almah remplit deux verres de cognac que nous descendîmes d'un trait.

— Longue vie au *Neues Wiener Tagblatt,* un quotidien pour le prix de deux ! raillai-je plein d'amertume. Bernd a eu la clairvoyance de partir à Londres, ça lui aura évité une désillusion supplémentaire, lui qui aimait tant notre journal. Je me demande jusqu'à quand nous allons tenir… J'espère que nous n'aurons pas à faire la queue pour obtenir de la nourriture devant les associations caritatives.

Le lendemain, l'entrevue fut expéditive. Je n'argumentai même pas, je savais mon sort scellé d'avance. Compte tenu de la situation politique, de l'agenda culturel qui s'allégeait, de mes origines, on se passerait désormais de mes services. J'enfournai mes affaires dans ma sacoche sous le regard gêné des quelques journalistes encore en poste en me disant que leur tour viendrait. J'étais désormais en roue libre, sans travail, sans statut. Je donnerais un coup de main à l'imprimerie, mais ce n'était que pour la forme.

La presse annonça le départ de Freud. C'était une perte immense pour le pays. Je me fis la réflexion qu'Hannah en serait probablement terriblement affectée. Certains avaient choisi une forme de départ plus radicale, et je me demandais si cela relevait du courage ou de la lâcheté. Egon Friedell[1] s'était jeté par une fenêtre au lendemain de l'Anschluss. À Coblence, le mathématicien Albert Smolenskin s'était noyé dans le Rhin tandis que sa femme s'ouvrait les veines. Le corps médical n'échappait pas à la vague de suicides. Le dermatologue Gabor Nobl, le chef de clinique Denn et le professeur de pathologie Gustav Bayer s'étaient également donné la mort. Je tentais de cacher ces nouvelles désastreuses à Almah et craignais la réaction de Julius. Les seuls à ne pas envisager de partir étaient des aveugles ou de doux rêveurs, qui voulaient croire, contre toute raison, que la situation pouvait encore se stabiliser, voire se rétablir. Il y avait ceux qui espéraient sauver leurs biens. Il y avait aussi ceux qui, comme nos parents, se sentaient trop vieux pour recommencer une vie ailleurs et se croyaient protégés par leur grand âge. À ceux-là, la tradition enseignait que leurs ancêtres avaient traversé bien d'autres épreuves que des boycotts ou quelques mesures d'exception.

1. Egon Friedell, philosophe, historien, journaliste et acteur, s'est suicidé le 16 mars 1938 à Vienne alors que les SA venaient l'arrêter.

Je n'aurais pas imaginé me sentir un jour appartenir à la communauté juive, tant mon éducation et mon style de vie m'en avaient éloigné. Je cédais à des attitudes qui me révulsaient : rester discret, passer inaperçu, baisser les yeux, raser les murs… J'avais adopté un pas rapide et régulier, j'essayais de me fondre dans la foule. Surtout ne pas attirer l'attention, faire en sorte que personne ne me remarque. L'anonymat était ma seule protection. Je perdais de la substance. Ce comportement me répugnait et me désignait à la vindicte des nazis. Alors je me redressais, protégé par mon visage commun, exempt de ces traits juifs que l'on se complaisait à dénoncer. C'était une horreur d'en être réduit à penser ainsi. J'avais toujours peur qu'on m'arrête, qu'on me demande mes papiers. Je ne laissais plus Almah sortir seule. Jusqu'à présent, nous étions passés entre les mailles du filet, mais la nasse se resserrait lentement. J'avais peur le jour, j'avais peur le soir quand je rentrais dans les rues désertes, j'avais peur la nuit. La peur était un mal plus terrible que la douleur et me mettait face à ma faiblesse. Inutile de tergiverser, l'exil était inéluctable. Mais loin d'être une solution de facilité, c'était un pari risqué.

Nos conditions de vie se dégradaient. L'argent commençait à manquer, nous étions désormais tributaires de nos familles. J'étais de plus en plus désemparé, mais je continuais à faire bonne figure face à Almah. Je faisais des allers et retours entre Hietzing et Alsergrund, tentant de convaincre nos parents qu'il n'y avait d'autre échappatoire que l'exil. « Il est hors de question de les laisser derrière nous », répétait Almah. J'étais d'accord avec elle.

Julius, dont la famille vivait à Vienne depuis plus de deux siècles, avait longtemps cru que quels que soient les bouleversements, sa position ne serait jamais remise en question au sommet de la hiérarchie sociale et que personne ne pouvait lui contester le droit de vivre dans ce pays. Il s'imaginait à tort protégé par son argent, son métier et son statut d'ancien combattant. Il bénéficiait encore de la protection de quelques relations. Mais pour combien de temps ? Conscient de la précarité de sa situation, il envisageait désormais que nous partions tous en Suisse, le temps que les choses se tassent. Il avait judicieusement transféré des fonds à Zurich et en Amérique avant l'Anschluss ; il avait été bien inspiré car désormais les avoirs des Juifs étaient bloqués. Quand je lui faisais remarquer que les Suisses menaçaient de nous fermer leur frontière[1], il haussait les épaules, persuadé qu'il n'aurait pas de problème pour obtenir des visas. Il avait aussi mis à l'abri chez des amis une bonne partie de sa collection. Il avait toutefois gardé le portrait d'Almah enfant, celui qui m'avait tant ému quand je l'avais découvert lors de notre première rencontre. J'étais bêtement soulagé qu'il soit resté entre ses mains. Julius, qui savait combien j'aimais ce portrait, m'en avait remis deux photographies, une en couleurs et l'autre en noir et blanc. J'avais été très touché par cette attention.

---

1. Le 28 mars 1938, la Suisse imposa un visa d'entrée aux Autrichiens et ordonna de ne pas en délivrer aux réfugiés qui voudraient séjourner ou se fixer en Suisse. La frontière fut fermée le 19 août 1938.

*

L'oreille collée au combiné, Almah me tournait le dos. Je vis ses épaules se raidir. Elle raccrocha le téléphone sans avoir prononcé une parole. Quand elle me fit face, je vis au tremblement de son menton qu'elle allait fondre en larmes d'une seconde à l'autre, mais elle se reprit.

— C'est mon tour !

Je la regardai sans comprendre.

— C'était Ackerman. Les Juifs viennent d'être exclus du Conseil de l'ordre des médecins. À partir de juillet, les médecins juifs seront soumis à une autorisation d'exercer et devront se limiter à une clientèle exclusivement juive.

Je n'avais plus de mots.

— Je m'inquiète pour mon père, la chirurgie est toute sa vie. Moi, je vais me consacrer à Frederick. Et puis, je pourrai toujours soigner des caries juives… ricana-t-elle avec un cynisme qui ne lui ressemblait pas.

Nous étions le 25 juin 1938. Nous n'avions plus de travail ni l'un ni l'autre, ni aucun espoir d'en retrouver un.

26

Un rideau de fumée

Juillet 1938

La fidèle Torpedo de Wilhelm avait repris du service. Grâce à un ami de son père, il avait obtenu un petit travail à domicile : il corrigeait des épreuves pour une maison d'édition. C'était un travail dans ses cordes, discret et payé une misère, mais c'était un travail. Il restait informé des événements par Hans Springel, un ancien collègue qui avait eu la chance de conserver son poste au journal, à la politique internationale, et dont il appréciait à sa juste valeur la solidarité, malgré l'ostracisme qui le frappait.

Les nazis avaient trouvé la solution au « problème » juif : l'expulsion et la relocalisation hors du Reich, dans les pays prêts à les accueillir. À l'initiative de Roosevelt, une conférence internationale débuta le 6 juillet à Évian pour trouver des terres d'accueil, faisant écho au discours d'Hitler en avril à Königsberg : « J'espère que le reste du monde, qui a une telle sympathie pour ces criminels, aura suffisamment de générosité pour convertir cette sympathie en aide effective. Pour nous, nous sommes prêts à mettre ces criminels à la disposition de ces pays, et même sur des bateaux de luxe, peu importe. » Tout le monde espérait que de bonnes décisions seraient prises. Beaucoup de pays déclinèrent l'invitation. Au bout du compte, seuls 32 pays y participèrent dont 20 d'Amérique latine et seulement 9 d'Europe.

La lecture de la presse accablait Wilhelm. Le 14 juillet le *New York Herald Tribune* titra : « 650 000 exilés juifs refusés par tous à Évian ». La une du *Reichswart* était carrément ignoble : « Juifs à céder à bas prix – Qui en veut ? Personne ! » Leur sort indifférait toutes les nations. Roosevelt, pourtant à l'initiative de cette conférence, avait refusé d'augmenter ses quotas d'immigration. Même l'Australie refusait d'« importer un problème racial ». Les organisations juives n'avaient même pas été capables de présenter un projet d'action commun. Leurs délégations s'étaient dédouanées en créant un Comité intergouvernemental pour les réfugiés, une institution inutile.

Un seul pays s'était porté candidat pour accueillir des Juifs : la République dominicaine. Wilhelm se renseigna : c'était une petite république bananière des Caraïbes, une moitié d'île qui vivait sous le joug d'un tyran sanguinaire ne valant guère mieux qu'Hitler. Le despote proposait 100 000 visas. L'information passa quasiment inaperçue, c'est dire le crédit qu'on lui accordait. D'après Springel, Trujillo renouvelait là une offre de 1935 restée lettre morte. Wilhelm doutait fort que beaucoup de candidats se manifestent. C'était aussi consternant que lors de l'Anschluss, quand seul le Mexique, un lointain pays peuplé de révolutionnaires et de communistes, avait protesté. C'était une désillusion de plus et elle était de taille.

La conférence d'Évian se termina le 16 juillet. Elle n'avait été qu'un rideau de fumée pour la bonne conscience de l'opinion internationale. « Les émigrants involontaires », comme furent baptisés les Juifs du Reich, n'avaient aucun pays où émigrer. C'était le triomphe de la fatalité.

Wilhelm n'était pas du genre à se laisser engloutir par le désespoir, mais le choc fut rude. Il ne voyait aucune autre issue à leur situation que l'exil qui devenait une urgence absolue. Il décida de se mettre en quête de visas. Il n'avait que trop tardé.

27

Une enveloppe de vélin

Août 1938

On tambourinait contre la porte d'entrée. Des coups comme une urgence. Mon cœur rata un battement. Je me demandai si nous avions commis une erreur, attiré l'attention sur nous. Le moindre écart dans la routine quotidienne pouvait avoir des conséquences graves. Je me ressaisis et me dirigeai vers la porte que j'ouvris avec appréhension. Je restai médusé en voyant devant moi la dernière personne que je m'attendais à trouver à ma porte un lundi matin, à l'heure du café.

Teofila, la bonne des Kahn.

Elle n'avait aucune raison d'être là. Si dans les premiers temps de notre mariage elle venait en alternance avec Jutta pour aider Almah et garder Frederick, depuis quelques mois nous nous passions de ses services compte tenu du danger qu'elle courait à traverser Vienne.

Engoncée dans un gilet défraîchi, Teofila restait plantée sur le seuil, les épaules voûtées, très pâle, la bouche agitée d'un tic nerveux. Avant même qu'elle ouvrît la bouche, je devinai qu'elle était porteuse de mauvaises nouvelles.

— Teofila, que se passe-t-il ?

Un silence lourd et angoissant me répondit. Elle baissa la tête. Ses lèvres se mirent à trembler. Je la secouai d'une main brusque.

— Teofila, pourquoi êtes-vous là ? Avez-vous un message de mes beaux-parents ? demandai-je la gorge nouée.

Elle leva vers moi son visage rond et en observant ses yeux rouges et gonflés je sus que ce serait pire que ce que j'imaginais. Almah déboula dans mon dos, Frederick dans ses bras. J'essayai vainement de lui masquer la porte de mon corps.

— Teofila, qu'est-ce que tu fais ici ?

Au moment même où elle formula sa question, Almah se rendit compte que quelque chose n'allait pas. Son ton changea immédiatement.

— Teofila, qu'y a-t-il ? demanda-t-elle alarmée.

Teofila restait muette. D'un geste mécanique, elle me tendit une enveloppe d'un vélin crème épais portant un monogramme reconnaissable entre mille, deux K dorés entrelacés, Kahn et Khitrov. Almah s'était raidie derrière moi. Sans décacheter l'enveloppe, je fis entrer Teofila dans l'appartement. Nous étions tous les trois figés. Le temps semblait s'être arrêté. C'était comme si, tant que je n'ouvrais pas la missive, tant que je ne lisais pas le message, ce qui avait pu se passer, quoi que ce fût, n'existait pas. D'un doigt nerveux, je fis sauter le cachet. Un bref coup d'œil me suffit pour prendre connaissance du drame.

Il y avait un second feuillet destiné à Almah, plié à l'intérieur du premier. Je le lui tendis et pris mon fils dans mes bras. Elle déchiffra le billet et je sentis son corps s'affaisser lourdement contre moi. Ses parents expliquaient-ils leur geste ? Exhortaient-ils leur fille au départ ? Almah recula dans l'appartement et s'écroula sur la méridienne près de la fenêtre du salon, le visage dans ses mains.

Julius et Hannah avaient choisi de quitter ce monde ensemble. Un geste d'amour l'un envers l'autre pour se protéger de ce qui devait advenir ? Un geste d'amour envers Almah qu'ils libéraient de ses attaches à Vienne ? Je me demandais lequel des deux avait eu l'idée. Hannah, que l'exil de son cher thérapeute avait laissée orpheline ? Julius, privé d'exercer son métier, qui ne reconnaissait plus cette société inhumaine ? Le poids de la détresse était sans doute trop lourd pour les frêles épaules d'Hannah, mais Julius était un colosse au caractère bien trempé. Peut-être n'avais-je rien compris à cet homme que j'avais appris à aimer comme un père. Je me fis la réflexion qu'il fallait que mon beau-père fût très las et désespéré pour s'ôter la vie et ôter celle de sa femme, lui qui en avait tant sauvé. Plus tard, je me poserais la question de sa force ou de sa faiblesse. Pour l'heure, il fallait affronter le chagrin et les conséquences de leur désertion.

La nouvelle, aussi accablante fût-elle, ne m'avait pas surpris. Quant à Almah, elle n'avait pas eu un cri, pas une larme. Cela viendrait après. Le choc la laissa un long moment en état de catatonie. Puis elle revint à la réalité. Nous confiâmes Frederick à Teofila et prîmes un taxi pour Hietzing. Dans la voiture, je regardais les épaules raides, le masque pâle et sans expression de ma femme. Seule sa main crispée, qui serrait la mienne à l'en broyer, trahissait sa tension. Dans la maison de Hietzing, il n'y avait rien de macabre. Dans la chambre d'Hannah, Julius et Hannah, main dans la main, semblaient dormir.

— C'est ainsi que je veux me les rappeler, murmura Almah, les yeux brouillés de larmes. Unis jusqu'au bout, envers et contre tout. Ils sont désormais à l'abri des dangers et des souffrances.

Durant les semaines qui suivirent le drame, nous fûmes absorbés par un déluge de démarches. Le suicide des Kahn avait fait peu de bruit. Ils n'étaient pas les premiers à choisir cette issue aux malheurs que nous vivions. Nous avions fait paraître un court avis dans le journal. Je fus étonné du nombre de témoignages de sympathie que reçut Almah malgré les circonstances.

L'enterrement eut lieu dans l'intimité dans le carré juif du cimetière central. De toute façon, il ne restait plus grand monde pour se souvenir. Et pourtant… Un homme en uniforme militaire, la poitrine bardée de médailles, celui-là même qui avait assisté à notre mariage, vint rendre un dernier hommage au médecin qu'il avait croisé sur le front durant la Grande Guerre. Quand je l'avais vu, noble et digne, j'avais pensé que tout n'était peut-être pas perdu, puisqu'il restait des Autrichiens capables de discernement et de fidélité.

Nous avions déménagé temporairement à Hietzing. Ma mère et Almah faisaient le tri, aidées par Teofila et Jutta. Almah m'impressionna par sa capacité à contenir son chagrin. Pendant les semaines suivantes, nous tentâmes de mettre en ordre ce qui restait du faste de la vie d'avant. Beaucoup de choses avaient déjà disparu, vendues par Julius. Il y avait des vides sur les murs à l'endroit où pendaient autrefois les tableaux qui faisaient sa fierté. Il ne restait plus que quelques pièces de sa collection d'art et du beau mobilier. Il fallait faire vite car chaque jour nous craignions que des nazis ne viennent s'approprier la maison. Almah tenait le coup, mais je sentais bien que son courage n'était qu'une façade que le moindre choc pouvait fissurer.

Heinrich Heppner fit un retour en force dans notre cercle désormais très restreint. C'était un excellent juriste doublé d'un bon commercial et il nous aida à vendre au mieux ce qui restait du naufrage. Almah ne voulait se résoudre à vendre la maison de son enfance, mais Heinrich était formel, la maison n'échapperait pas au processus d'aryanisation. Autant essayer de la vendre avant que quelque nazi s'en emparât. Si, dans un premier temps, j'avais vu d'un mauvais œil son intervention, je révisai mon jugement : Heinrich était droit, loyal et honnête. Il slalomait avec efficacité dans les méandres des administrations et nous fut d'une grande aide.

Un jour que je m'étonnais qu'il ait les mains libres pour agir sans contrainte et qu'il ne soit pas inquiété, il me renvoya à la période où mon physique aryen me protégeait.

— Regardez-moi, je ne ressemble pas à un Juif tel qu'ils le voient ! D'ailleurs, techniquement je ne suis pas juif, puisque ma mère ne l'est pas. Je suis juste un *mischling*. C'est ce qui me permet de sauver nos magasins, pour le moment du moins. Et vous ne soupçonnez pas ce que quelques milliers de schillings, pardon, de Reichsmarks, peuvent ouvrir comme portes et fermer comme bouches !

Heinrich avait de la situation une lecture plutôt cynique. On ne pouvait pas lui reprocher d'essayer de s'en sortir. Si j'étais vexé dans mon amour-propre de constater qu'il se débrouillait bien mieux que moi, je ne pouvais m'en prendre ni à lui ni à moi, mais aux circonstances.

Heinrich passerait encore au travers du décret de novembre 1938 qui exigeait l'élimination des Juifs de la vie commerciale. Il échapperait aux vagues de déportation de masse des Juifs autrichiens lancées à partir d'octobre 1941. En 1943, après la saisie de ses magasins, il serait envoyé en tant que demi-Juif au camp de Theresienstadt avec toute sa famille, puis transféré à Auschwitz.

28

Der Stürmer

Septembre 1938

J'assistais impuissant au naufrage de notre vie de couple. Elle n'avait plus rien d'harmonieux. Almah se montrait éplorée, apathique, ne se préoccupant que de Frederick. Puis d'un coup une montée de désir se déchaînait en une sorte de rage passionnée et nous faisions l'amour avec fureur comme si notre vie en dépendait, comme un antidote au malheur.

Ce soir-là, je retrouvai Almah assise dans la semi-pénombre à la table de notre salle à manger. À côté d'elle, Frederick gazouillait dans son parc sans qu'elle lui prêtât la moindre attention. Elle semblait statufiée et je sentis une poigne d'acier comprimer ma poitrine. J'eus peur. Depuis le décès de ses parents, Almah s'évadait parfois, me rappelant sa mère, et ma sollicitude n'y pouvait rien. J'avais beau me dire que c'était normal, qu'il lui faudrait du temps pour se remettre du choc, je craignais qu'elle n'ait hérité du funeste penchant d'Hannah pour la mélancolie et l'autodestruction.

Devant elle sur la table, elle avait étalé un journal et des photographies. En m'approchant, je reconnus avec horreur le torchon raciste *Der Stürmer*[1], l'ignoble hebdomadaire de propagande antisémite imprimé en Allemagne. À la une, il y avait une caricature atroce d'un couple au physique repoussant, longs nez crochus, oreilles pointues, cheveux hirsutes, vêtements loqueteux, vilaine barbe… J'en eus la nausée.

À côté, Almah avait étalé six photographies. Julius, assis à son bureau, son lorgnon sur le nez, un sourire bienveillant aux lèvres ; Hannah, diaphane et sublime en robe du soir ; mes parents heureux, en train de valser lors de notre mariage ; elle-même, surprise en train de jardiner dans le potager de la maison de Hietzing, les cheveux remontés en queue de cheval, le visage éclairé d'un rire joyeux ; moi, hilare, coiffé d'un chapeau de paille, en rameur maladroit sur le lac de Neusiedl lors de notre voyage de noces ; Frederick, cramponné à son ours en peluche, ange blond à la bouche grande ouverte sur un sourire édenté. Almah sentit ma présence silencieuse dans son dos et leva la tête vers moi. Je remarquai deux sillons d'argent sur ses joues.

---

1. *Der Stürmer* était un hebdomadaire allemand nazi violemment antisémite, publié de 1923 à 1945. Il utilisait des contenus divertissants, de la pornographie, des caricatures. Chaque édition comportait sur la première page « *Die Juden sind unser Unglück* » : « Les Juifs sont notre malheur. » Son lectorat appartenait aux classes populaires de la société allemande. Sa diffusion passa de 27 000 à 400 000 exemplaires par semaine entre 1927 et 1935. Lors du procès de Nuremberg, Julius Streicher, son éditeur, fut condamné à mort pour incitation au génocide juif.

— C'est ainsi qu'ils nous voient, me dit-elle d'une voix sourde. Mais nous ne sommes pas comme ça ! Nous ne sommes pas comme ça, Wil, n'est-ce pas ? répéta-t-elle en me désignant les photographies.

Sa voix était montée dans les aigus. Sans répondre, je pris l'immonde feuille de chou, je la chiffonnai d'un geste rageur et je la jetai par terre. Je m'essuyai les mains sur mon pantalon dans un réflexe de dégoût, car je ne pouvais pas enlacer ma femme après avoir touché cette saleté. Je relevai Almah et la serrai contre moi. Elle se remit à pleurer doucement, le visage caché dans mon cou. Ses larmes mouillaient le col de ma chemise. C'était un chagrin profond qui venait du fond de son âme. Je resserrai mon étreinte.

— Non, nous ne sommes pas comme ça mon amour ! Et nous valons bien mieux que tous ces chacals ! Je ne veux pas que tu t'abaisses à regarder cette ignoble propagande. Ignore-la, ignore-les, Almah, je t'en prie. Ils cherchent à abrutir le monde à force de calomnies. Un jour prochain, ils se rendront compte de leurs erreurs, le monde entier s'en rendra compte.

— Mais je ne peux pas, je ne peux plus, c'est tellement injuste !

— Je sais que c'est difficile, mais nous devons être plus forts que ça ! Nous le devons, pour Frederick, pour la mémoire de tes parents. Nous allons partir bientôt, le temps que les choses reviennent à la normale, car elles reviendront à la normale un jour, il n'y a pas d'autre issue. Il faut que tu sois forte, mon amour ! J'ai tellement besoin de toi !

Comment pouvais-je convaincre Almah alors que je n'étais pas convaincu moi-même de ce que je disais ? Comment lui insuffler de la force alors que je me sentais si vulnérable ? Elle se laissa consoler comme une enfant. Peu à peu, je sentis ses épaules se détendre et son corps s'amollir contre le mien. Puis elle se dégagea de mes bras et essuya ses yeux d'un revers de la main. Se penchant vers le parc, elle souleva notre fils et l'embrassa. Elle me le mit dans les bras et se dirigea vers le bar, sortit deux verres en cristal et les remplit d'un reste de cognac.

29

Sarah et Israël

Septembre 1938

Assise dans le canapé, Almah brandit nos nouveaux papiers d'identité et les agita comme s'ils lui brûlaient les doigts.

— Wilhelm-Israël et Almah-Sarah[1], le joli couple juif ! ricana-t-elle d'une voix cynique que je ne lui connaissais pas.

Elle leva les yeux vers moi et je fus effrayé : elle n'était pas maquillée, son visage semblait de craie, sa bouche était déformée par un rictus, ses yeux semblaient fous. Je me penchai vers elle, lui arrachai les passeports et la secouai vigoureusement. Elle s'ébroua et sembla revenir à elle.

— Ils nous prennent tout… même nos noms…

Jusque-là, nous avions échappé aux agressions et aux humiliations, mais nos physiques aryens ne

1. À partir du 17 août 1938, les Juifs du Reich durent accoler Israël pour les hommes et Sarah pour les femmes à leurs prénoms sur leurs papiers officiels.

suffisaient plus à nous protéger. Nous étions désormais étiquetés comme juifs. C'était une chute dans un abîme sans fond. Almah avait encaissé tant bien que mal les événements des derniers mois. Mais depuis le suicide de ses parents je craignais toujours l'onde de choc qui pourrait la faire basculer dans la folie. Je frissonnai en repensant à Hannah. Cette atteinte à son identité serait-elle la violence de trop ? Je m'agenouillai en face de ma femme et la pris par les épaules.

— Nous allons partir le plus vite possible, plus rien ne nous retient désormais.

— Tes parents, Wil…

— Mes parents souhaitent que nous partions. Nous les ferons venir dès que nous serons installés, dès que mon père aura vendu l'imprimerie si on ne la lui vole pas avant. Comme les tiens, ils ont fait le nécessaire pour que nous ne manquions de rien aux États-Unis. Myriam et Aaron nous attendent.

Almah resta silencieuse un temps qui me sembla une éternité. Elle avait toujours refusé de partir en abandonnant nos parents. Quand elle releva la tête, son regard avait changé. J'y lus une sombre détermination que rien ne ferait plier. Je la pris dans mes bras et je sentis un long frisson la parcourir. Puis elle se mit à pleurer doucement sur le naufrage de notre vie.

*

À partir de ce jour, les choses s'accélérèrent. Almah n'avait de cesse de préparer notre départ. Elle avait enfin pris sa décision et ne voulait plus la considérer de peur de faire machine arrière.

De mon côté, je m'activais. C'était une course effrénée dans tout Vienne. Désespérée et désespérante. L'obtention d'un visa était devenue une question de survie, celle d'un visa américain une obsession. Mais ils n'étaient délivrés qu'au compte-gouttes et selon une alchimie très aléatoire. J'avais rejoint le flot des quémandeurs des consulats et des ambassades qui se signalaient de loin aux queues interminables piétinant nuit et jour devant leurs portes. Des rumeurs naissaient, enflaient. Le consulat britannique délivrait des visas… La Finlande offrait un asile… Le Brésil ne recrutait que des scientifiques… On nous suggérait l'Uruguay ou le Paraguay… Puis la rumeur retombait et les espoirs s'évaporaient. Je fréquentais assidûment L'Américain, un modeste café de la Taborstrasse dans le quartier juif, le repaire où chômeurs et candidats à l'émigration s'échangeaient des tuyaux, des adresses, des contacts, des renseignements sur les États-Unis. Au Bureau central d'émigration juive[1] c'était la foire d'empoigne pour obtenir des informations sur les conditions d'émigration et les papiers à remplir avant le départ. Pris dans l'étau du désespoir, les gens ne faisaient plus montre de la moindre civilité. Je m'en voulais terriblement de n'avoir pas pris les choses à bras-le-corps plus tôt.

Bien que les nazis aient décidé de nous chasser, les formalités pour quitter le pays étaient longues et complexes. Il manquait toujours un document. Il fallut signer l'abandon de tous nos biens au profit du Reich. Ceci dit, nous n'avions plus grand-chose à nous.

1. Le *Zentralstelle für Jüdische Auswanderng*, Bureau central d'émigration juive, a été mis en place à Vienne le 20 août 1938.

La maison de Hietzing avait été « vendue » par l'entremise de Heinrich à des spéculateurs à l'affût. Nous n'avions pas pu garder la voiture de Julius. Le reste n'était que mobilier et bibelots que nous n'étions évidemment pas parvenus à vendre à leur juste valeur. Nous avions décidé de donner tout ce que nous ne pouvions pas vendre et de ne garder que des souvenirs.

*

Les nouvelles de l'étranger étaient désastreuses. Des groupes d'émigrants illégaux avaient été refoulés de Finlande, de Lituanie et des Pays-Bas. Paradoxalement, la politique d'exclusion s'accélérait. Les nazis avaient dissous toutes les institutions juives, n'autorisant que celles qui tentaient d'organiser l'émigration, tolérées pour la simple et bonne raison qu'elles expédiaient les Juifs hors du Reich. Himmler avait ordonné le regroupement à Vienne de tous les Juifs des provinces autrichiennes pour mieux contrôler la population. Il était question d'interdire la cohabitation avec des Aryens et de concentrer les Juifs dans des immeubles réservés, des maisons juives à l'extérieur du Ring. Comptait-il recréer à Vienne les anciens ghettos de l'Est ?

30

Le goût du bonheur

Octobre 1938

Ce matin, je cherchais dans notre penderie mon écharpe en soie noire, ma préférée, celle qu'Almah me chipait sans arrêt. La petite pièce qui nous servait de vestiaire était divisée en deux grandes armoires qui se faisaient face, celle d'Almah et la mienne. Un ébéniste, un vieil ami de mon père, avait aménagé cet espace pour le rendre parfaitement fonctionnel. Depuis, il avait dû « vendre » sa florissante menuiserie, c'est-à-dire qu'il en avait été soulagé contre une bouchée de pain au profit d'un repreneur aryen.

Je n'arrivais pas à mettre la main sur cette maudite écharpe. Peut-être était-elle dans l'armoire d'Almah. Je fis coulisser une porte avec le sentiment de violer un sanctuaire. À la vue de ses vêtements, quelque chose me gêna, sans que j'arrive à mettre le doigt dessus. Je fis coulisser les deux portes ensemble dans l'autre sens. Quelque chose n'était pas en ordre. Les vêtements d'Almah étaient suspendus sur des cintres, bien rangés. Soudain je vis ce qui n'allait pas. C'était l'espace entre chaque vêtement. Trop grand. Il manquait des vêtements. J'ouvris une autre porte, celle du compartiment des manteaux et des robes du soir. Il était quasiment vide. Je ne vis ni le manteau de loutre d'Almah, un cadeau de ses parents, ni sa somptueuse veste en renard de Sibérie. Seuls pendaient, solitaires, un imperméable et un manteau à martingale en laine marron. Le trois-quarts de drap bleu marine qu'elle portait en ce moment était accroché à la patère de l'entrée. Il n'y avait plus qu'une seule robe longue et une robe de cocktail. J'ouvris le compartiment des sacs et le même vide affligeant me frappa : ses sacs en crocodile, en lézard, même son préféré, son sac seau rouge Lancel, avaient disparu. Il ne restait rien de sa somptueuse garde-robe. Je m'adossai au mur. Quel imbécile j'étais ! Je n'avais rien vu ou rien voulu voir. À ma décharge, depuis un an nous ne sortions quasiment plus et Almah n'avait plus d'occasions de s'habiller. Je compris en un éclair de lucidité que c'était aux belles pièces de sa garde-robe, à ses fourrures et à sa maroquinerie que nous devions nos repas toujours copieux et de bonne qualité, malgré l'argent qui se faisait de plus en plus rare. J'étais furieux qu'elle ne m'ait rien dit et plus furieux encore de n'avoir rien soupçonné. Pourtant les temps difficiles se manifestaient dans tout l'appartement. J'entrai dans la cuisine d'où me parvenait le parfum de la viande de bœuf qui mijotait. Adossé au chambranle de la porte, j'attaquai, agressif :

— Combien t'a coûté cette viande ? Un col, une manche ? Combien ?

Almah me regarda interloquée. Elle ne m'avait jamais rendu de comptes sur les dépenses ménagères et ne comprit pas.

— Je cherchais mon écharpe noire dans la penderie…

Son regard chavira et ses lèvres se mirent à trembler. Elle me tourna le dos, soudain très absorbée par le contenu de sa cocotte.

— J'ai fait un peu de tri, me répondit-elle d'un air faussement dégagé en remuant sa cuillère.

— Almah, tu aurais dû m'en parler ! Pourquoi ne m'as-tu rien dit ?

Ma voix s'était radoucie et j'essayai de ne pas prendre le ton du reproche.

— Bah ! Ce ne sont que quelques bouts de tissu et des peaux de bêtes mortes ! Je ne voulais pas t'ennuyer avec ça, tu as bien d'autres choses à penser ! Et puis de toute façon, la fourrure c'est démodé, ajouta-t-elle en haussant les épaules avec une fausse désinvolture.

— Je suis tellement désolé, ma chérie !

— Ne le sois pas, puisque je ne le suis pas moi-même ! Nous ne sortons plus et il est inutile d'attirer l'attention avec des vêtements de prix. Et puis nous partons bientôt, pas vrai ? J'aurais dû les abandonner de toute façon. Alors, autant les manger ! Et je peux te dire que j'ai fait des heureuses !

J'avançai d'un pas vers Almah et la pris par la taille. Je la serrai à l'en étouffer. Une fois de plus, dans la déroute de notre vie, c'était elle qui se montrait la plus avisée. Je l'embrassai dans le cou, derrière l'oreille, à la naissance de ses cheveux, là où sa peau était si tendre. Plaquée contre moi, Almah sentit mon désir qui se manifestait. Elle me fit face et se récria.

— Ce n'est pas le moment Wil ! Tu as à faire et moi aussi. À propos, ton écharpe, elle est sous mon manteau, sur la patère de l'entrée. Je te l'avais empruntée.

*

Ce soir-là, après avoir passé un après-midi décourageant en démarches vaines, je me retirai dans la pièce du fond, celle que je m'étais octroyée comme bureau, pendant qu'Almah s'occupait de Frederick. Je jetai sur le papier mes émotions du jour. Notre dossier au consulat des États-Unis semblait en bonne voie grâce à quelques pots-de-vin, mais j'avais fait la queue pour rien à l'administration des impôts.

— Wil, viens dire bonne nuit à Frederick, pendant que je mets la table. N'oublie pas de lui raconter son histoire. Prends ton temps.

Quand je rejoignis le salon, je fus soufflé. Almah m'attendait une coupe de champagne à la main. Elle avait préparé une mise en scène romantique, des bougies, une nappe blanche, les jolies assiettes des jours de fête, elle s'était maquillée avec soin et portait la robe longue que j'avais vue dans la penderie quelques heures auparavant. Une robe de moire rouge sombre, fluide, qui épousait parfaitement ses formes, dont le décolleté laissait voir la naissance de ses seins et plongeait derrière jusqu'à la cambrure de ses reins. La dernière rescapée de sa garde-robe de star. Je fus ébloui et ému. Ma femme était une magicienne. Dans l'éclairage feutré des bougies, elle s'approcha de moi et me tendit une coupe.

— Tu vois, j'ai gardé ce qu'il faut pour les grandes occasions !

— Et nous fêtons quoi, ce soir ?

— Ton écharpe retrouvée !

Elle leva son verre en me regardant dans les yeux. Le champagne n'était qu'un petit Sturm[1]. Il avait un goût sucré, un goût de paradis perdu, et nous le savourâmes comme un nectar. C'était une minuscule parenthèse dans les temps atroces que nous traversions, un moment suspendu comme il en existe peu dans le cours d'une existence. Nous dévorâmes avec appétit le bœuf façon goulash, grignotâmes les pommes rôties dans le sucre et liquidâmes la bouteille de vin bourru. Puis nous fîmes l'amour comme cela ne nous était pas arrivé depuis des semaines. Une première fois avec passion et une folle ardeur – Almah eut des hardiesses que je croyais à jamais oubliées –, une seconde fois avec infiniment de tendresse. Je retrouvai cette sensation exaltante de ne faire qu'un avec elle, de former un tout complet, de lui appartenir sans limite. Après l'amour, nous restâmes longtemps enlacés, silencieux, son flanc pressé contre le mien. Nous nous emplîmes de cet instant, du décor de notre chambre, de cet appartement que nous aimions tant, le nid de nos premières années de bonheur ensemble. Des taches plus claires sur les murs, à l'endroit des tableaux disparus, nous rappelaient à l'ordre, nous vivions nos derniers jours à Vienne.

Je me fis la réflexion qu'Almah avait, plus que moi, la capacité de surmonter les épreuves et l'adversité, de s'accommoder du manque et même du dénuement,

1. Le Sturm est un vin jeune, blanc ou rouge, pas encore fermenté, très peu alcoolisé, 4° environ. Très populaire en Autriche, il est vendu de septembre à fin octobre.

elle que son milieu n'avait pas préparée à cela. Quelques mois plus tard, je serais encore confronté à son incroyable plasticité devant les cahots de la vie, à sa formidable capacité à encaisser les privations et à renaître, toujours plus forte. Almah était bien la meilleure chose qui me soit jamais arrivée. Et mon devoir, envers et contre tout, était de mettre à l'abri ce trésor qu'était ma famille. Et de retrouver le goût du bonheur.

Ce soir-là, je m'endormis heureux. Malgré tout.

31

Un témoignage majuscule

9-10 novembre 1938

Le pogrom de la nuit du 9 au 10 novembre marqua une étape supplémentaire sur le chemin de l'enfer. Le 7 novembre, Herschel Grynszpan, un Juif polonais de dix-sept ans, assassina Ernst vom Rath, un diplomate allemand en poste à Paris. En représailles, les nazis organisèrent des manifestations antijuives « spontanées » que la Gestapo reçut l'ordre de ne pas réprimer. Enhardis par la passivité de la police, des civils enivrés de haine s'étaient joints aux nazis. Une vague de violence inouïe déferla sur une Vienne plus avide de sang que jamais. Cette nuit-là, toutes les synagogues et les maisons de prière furent incendiées. Seul le Stadttempel[1] de la Seitenstettengasse, protégé par son emplacement discret entre deux immeubles d'habita-

1. La Grande Synagogue de Vienne a été érigée en 1825 par l'architecte Biedermeier Josef Kornhäusel. Jadis, seuls les lieux de culte catholiques pouvaient se trouver en bord de route. Intégrée à un bloc d'habitation, la synagogue fut la seule des 94 synagogues

tion, échappa au massacre. Des milliers de magasins et d'entreprises furent pillés, des cimetières profanés, il y eut des assassinats, des suicides, des arrestations, des centaines de déportations à Dachau, à Buchenwald et à Sachsenhausen.

Aux premières rumeurs des violences, le timbre aigrelet du téléphone avait résonné dans l'appartement où Almah et Wilhelm étaient retranchés, transis de peur. Jacob les suppliait de rester cachés chez eux. Plus tard dans la nuit, il avait rappelé. De leur fenêtre, Jacob et Esther assistaient, impuissants et terrorisés, au saccage de l'imprimerie Rosenheck et fils. Ce fut un miracle qu'on ne s'en prît pas à eux. De leur côté, tapis dans l'ombre, Almah et Wilhelm observaient le rougeoiement des incendies qui dévoraient la ville. Ils restèrent éveillés toute la nuit, sursautant au moindre éclat de voix, au moindre claquement de porte, au moindre bruit de pas dans l'immeuble.

Dans la journée du 10 novembre, les violences cessèrent. Almah, qui se sentait toujours protégée par ses cheveux blonds et ses yeux bleus, voulut à toute force sortir pour voir l'état de la ville. Elle affronta Wilhelm qui ne voulait la laisser sortir à aucun prix, et partit en lui abandonnant leur fils. Elle rentra une heure plus tard, dévastée, et s'alita sans un mot. Le centre de Vienne était un théâtre de guerre, empuanti par les odeurs de fumée et par celle, plus insidieuse, de la peur. Les synagogues finissaient de se consumer sous les yeux des badauds. Les trottoirs étaient jonchés du

---

et maisons de prière juives de Vienne à rester intacte lors de la nuit de Cristal.

verre des vitrines brisées et de débris des meubles fracassés par leur chute. Les rumeurs allaient bon train. Il y avait eu des arrestations par milliers. Le bruit courait qu'un groupe de 1 500 Juifs de Leopoldstadt allait être déporté dans un camp polonais à Nisko. Des familles entières s'étaient suicidées…

Dans le calme relatif des jours qui suivirent, Wilhelm s'activa de plus belle. Il passait des heures dans la queue interminable des candidats à l'exil qui assiégeaient le consulat américain. Il manquait toujours un document, une attestation, un tampon, et chaque jour était une nouvelle quête. De pesantes, les tracasseries administratives étaient devenues insurmontables. Quand il n'était pas occupé à faire la queue, Wilhelm aidait Jacob qui s'entêtait à vouloir remettre en état de marche son imprimerie. Les dommages étaient considérables : tout le stock de papier avait brûlé, les caractères avaient fondu, seules les grosses presses avaient résisté. Non seulement il fallait racheter du matériel, mais en plus il devait s'acquitter de la taxe que Goering, dont l'imagination perverse n'avait pas de limites, avait créée pour punir les Juifs, tenus pour responsables des dégâts du pogrom. Au cours d'une de ses visites aux ruines de l'imprimerie, Wilhelm empocha une lettrine de plomb, un A légèrement déformé, témoignage majuscule du désastre.

Et puis un soir, Wilhelm ne rentra pas chez lui.

C'était le neuvième jour après le pogrom.

*

Dès que l'obscurité commença à tomber, Almah pressentit que quelque chose était arrivé. Wilhelm était en retard et ça ne lui ressemblait pas. Il était devenu prudent et prenait soin de toujours rentrer avant la tombée de la nuit. Almah tournait en rond, les nerfs à vif. Elle essaya de tromper l'attente en jouant avec son fils qui babillait, inconscient de ce qui se jouait, mais elle avait la tête ailleurs. Elle laissa passer une heure dont chaque minute lui parut durer une éternité, puis une autre. À bout de nerfs, elle se résolut à appeler les parents de Wilhelm. Elle ne voulait pas les inquiéter mais elle n'avait personne d'autre vers qui se tourner, et puis il y avait une chance, une toute petite, qu'il soit chez eux. Le combiné de Bakélite pesait une tonne dans sa main et sa voix tremblait quand Esther décrocha. Celle-ci comprit immédiatement que quelque chose n'allait pas, avant même qu'Almah ne lui annonçât d'une voix blanche : « Wil n'est pas rentré ! »

Il n'était pas chez ses parents et ceux-ci n'avaient pas la moindre idée de l'endroit où il pouvait se trouver. Un vertige terrassa Almah. Son univers s'effondrait. Elle eut l'impression de basculer dans un gouffre béant. Elle savait qu'il y avait eu une vague d'arrestations massive et des exécutions sommaires dans les jours qui avaient suivi le pogrom. Jacob avait pris le téléphone. Sa voix lui parvenait assourdie, comme venue de très loin, avec en bruit de fond les lamentations d'Esther. Mais les mots ne parvenaient pas à son cerveau, Almah ne comprenait pas ce que son beau-père lui disait. Elle ne revint à la réalité que parce que Frederick tirait frénétiquement sur la jambe de son pantalon en pleurnichant. Elle colla de nouveau le combiné à son oreille. La voix de Jacob résonnait, grave et apaisante.

— Ne panique pas Almah, s'il te plaît. Je t'en supplie, reste calme. Tu dois essayer de joindre des amis de Wil, peut-être l'un d'entre eux saura-t-il quelque chose.

Jacob lui proposa de la rejoindre, mais elle refusa dans un sursaut de lucidité, c'était beaucoup trop dangereux. Il lui demanda de le rappeler dès qu'elle aurait du nouveau. De son côté, il allait tenter de se renseigner du mieux qu'il le pouvait.

Almah tenta de se raisonner. Il pouvait y avoir mille et une raisons au retard de Wilhelm. La rencontre providentielle avec un ami de longue date qui allait les aider, une discussion chez l'un ou chez l'autre qui s'était éternisée, un *stammtisch*[1] à l'ancienne dans un café autour d'une bière. Mais elle n'y croyait pas. La seule, l'unique raison de son retard, c'était qu'il avait été arrêté. Arrêté, juste arrêté ! Elle refusait de penser au pire. Ce n'était même pas envisageable. Abandonnant Frederick dans son parc, elle entra dans la pièce du fond, celle dans laquelle elle ne mettait jamais les pieds, le bureau de Wilhelm, son sanctuaire. Elle réprima un sanglot en effleurant de la main celle qu'il appelait sa fidèle Torpedo, la machine à écrire que Jacob lui avait offerte pour célébrer son diplôme. Elle fouilla fébrilement dans les tiroirs et se dit avec

1. Le *stammtisch* est une tablée traditionnelle, une sorte de café littéraire qui se tient dans un coin réservé d'un bar ou d'un restaurant où des habitués se retrouvent pour discuter et s'amuser. Historiquement, l'appartenance à un *stamm* est une marque de statut social.

amertume qu'elle détestait faire cela. Il n'aurait pas apprécié. Au fond de celui du bas, elle trouva un carnet relié en maroquin marron. C'était son agenda de 1936. Wil tenait une sorte de journal, il y griffonnait les événements marquants de la journée, ses impressions, ses états d'âme. Pour rien au monde Almah n'y aurait mis le nez, mais elle n'avait pas le choix. D'un doigt nerveux, elle fit défiler les pages. Elle s'arrêta sur une note de Wilhelm dans les premières pages du mois de mai :

> *Il est difficile de se défendre d'un sentiment d'angoisse et de crainte pour le futur. Kraus a selon moi quelque chose d'un visionnaire. Cependant, mon optimisme naturel refuse de cautionner sa prophétie qui qualifie notre ville de « Laboratoire pour une Apocalypse ».*

Et plus loin, en date du 1er août 1936 :

> *Début des Jeux olympiques à Berlin. Depuis quelques semaines les nazis se calment. Une compétition sportive va-t-elle renverser le cours des choses ? J'en doute.*

Almah secoua la tête, la gorge serrée, et continua à feuilleter le carnet. Coincé dans le rabat de cuir, il y avait un petit répertoire où Wilhelm avait noté des numéros de téléphone par ordre alphabétique. Almah parcourut avidement la liste des noms. Pour la plupart d'entre eux, elle ignorait de qui il s'agissait, mais elle en connaissait certains. Elle s'attarda une seconde sur les noms de Bernd Krauze, l'ami de toujours, et de Klemens Reicht, le caricaturiste de leur mariage. C'étaient les meilleurs amis de Wilhelm au journal. Ils ne pouvaient rien pour elle, ils étaient tous les deux partis se mettre à l'abri juste après l'Anschluss, l'un en Angleterre, l'autre en France. Ils avaient bien fait. Almah faisait travailler sa mémoire, sollicitait le moindre de ses souvenirs, pour tenter de se rappeler qui était qui.

La sonnerie de son premier coup de téléphone résonna longtemps dans le vide avant qu'elle ne se résolve à raccrocher. Ce fut pareil pour la deuxième tentative. Une femme répondit sèchement à son troisième coup de fil, il n'y avait plus de David Bloch à ce numéro, avant de raccrocher sans autre forme de procès.

Elle appela ensuite un K. Hauffman dont le nom était souligné. Ce fut une femme qui lui répondit, Krista Hauffman. Almah sentit une épine lui piquer le cœur, mais, à cette heure, la jalousie n'était pas de mise. La voix de Krista était chaude et rauque, une voix de fumeuse, et son élocution distinguée. Elle s'amusa qu'Almah ait pu croire qu'elle était un homme. Quand elle lui fit part de la raison de son appel, Krista reprit son sérieux. Bien sûr, elle connaissait Wilhelm, très bien même, elle était photographe au journal, ils avaient souvent travaillé ensemble. Mais non, elle ne savait rien. Elle avait été remerciée lors de la fusion, enfin virée pour dire les choses clairement, et elle n'avait pas eu de ses nouvelles depuis. Elle pouvait cependant donner quelques contacts à Almah, si cela pouvait lui être utile. À la lueur jaune de la lampe de bureau, Almah griffonna des noms et des numéros de téléphone. Eberhard Taub, Dietmar Hartmann, Carsten Aldermann. Eux étaient restés au journal. Krista espérait sincèrement qu'ils pourraient l'aider. Puis elle rassura Almah : elle allait retrouver Wilhelm très vite, il ne pouvait en être autrement. Krista lui souhaita bonne chance et raccrocha.

Bien des années plus tard, Wilhelm recevrait un livre de photographies publié par une maison d'édition américaine. C'était un recueil de photographies en noir et blanc de Krista prises entre 1933 et 1941, date à laquelle la journaliste, bien que 100 % aryenne, avait émigré en Amérique. Elle avait dédié son livre à tous ses amis journalistes autrichiens perdus dans la tourmente de la guerre. À côté du nom de Wilhelm, il y avait ceux de Bernd et de Klemens. Krista les avait réunis pour toujours. Elle avait ajouté un petit mot manuscrit qui souhaitait tout le bonheur du monde à Wil et à Almah. Almah laisserait remonter avec émotion le souvenir de cette nuit lointaine durant laquelle Krista l'avait aidée. Elle ne pourrait s'empêcher de questionner Wil : « Est-ce que tu as eu une aventure avec Krista ? » Il lui répondrait en riant que Krista était certainement la lesbienne la plus talentueuse qu'il connaîtrait jamais.

*

Dietmar Hartmann fut le numéro gagnant. Dietmar était journaliste sportif et toujours en poste à la nouvelle rédaction. Il avait un ton bourru mais il se radoucit quand Almah lui expliqua la raison de son appel. Il était 22 heures quand il lui apprit ce qui s'était passé. Il y avait eu des dénonciations. Les nazis avaient fait une descente au journal dans l'après-midi. Dietmar n'avait rien vu parce qu'il était dehors à ce moment-là. Quand il était rentré au journal, tout le monde était sous le choc. Ces salauds de nazis – il n'avait pas peur de les appeler ainsi – avaient embarqué une douzaine de journalistes et quelques personnes « suspectes » (Almah entendit les guillemets) qui se trouvaient là par hasard, dont Wilhelm qui avait gardé l'habitude de passer au journal de temps à autre pour dire bonjour aux copains, même s'il n'était pas en odeur de sainteté auprès de la nouvelle direction. Ce n'était vraiment pas de chance, il s'était trouvé au mauvais endroit au mauvais moment. On ne savait pas où les nazis les avaient conduits. Dietmar était désolé. Il conseilla à Almah de se rendre dès le lendemain à la Gestapo pour essayer de savoir ce qu'il en était. Au fur et à mesure que Dietmar parlait, Almah sentait un froid glacial envahir la moindre parcelle de son corps. Un bloc de glace se solidifia dans sa poitrine, comprimant sa respiration.

Quand elle raccrocha, elle tremblait. Wilhelm disparu, elle n'était plus entière. Elle avait l'impression qu'on lui avait ouvert la cage thoracique et que son cœur mis à nu hoquetait. Un goût de plomb emplissait sa bouche. Elle se laissa aller contre le dossier du siège et ferma les yeux un long moment, essayant de retrouver son intégrité. Elle se força à respirer calmement, puis, curieusement, elle ressentit comme une pointe d'apaisement. Elle savait ce qui était arrivé et ce qu'elle aurait à faire dès le lendemain. Elle mettrait tout, absolument tout en œuvre pour retrouver Wilhelm et le faire rentrer à la maison. Elle appela Jacob pour lui dire ce qu'elle savait. Ils iraient ensemble à la Gestapo aux premières heures de la matinée. Puis Almah coucha Frederick qui, fatigué de l'attendre, s'était assoupi sur le sol, pelotonné au milieu de ses jouets.

*

Le lendemain, au mépris des risques encourus, Jacob et Esther débarquèrent à la Majolika Haus sur le coup de 8 heures. Almah avait passé la nuit à se ronger les sangs et échafaudé mille hypothèses. Elle avait les traits tirés et était aussi pâle qu'Esther dont les yeux rouges et gonflés disaient assez la détresse. Almah abandonna Frederick à sa grand-mère et partit affronter la police avec Jacob.

Ils durent prendre sur eux pour supporter l'indifférence et le mépris des fonctionnaires, sans doute tous acquis à la cause nazie. Ils étaient nombreux à rechercher des parents ou des amis disparus. Ils attendaient sur des bancs de bois inconfortables, humiliés et fébriles, épaules basses, visage honteux, que l'on daigne s'intéresser à leur cas. Almah et Jacob patientèrent plusieurs heures, en proie à des sentiments confus. Vaincue par la fatigue, Almah s'assoupit, la tête sur l'épaule de son beau-père. Finalement, un gratte-papier gonflé d'importance et plein de morgue vint les chercher. Almah se redressa et retrouva de sa superbe. Elle avait soigné sa tenue, un tailleur simple, de bon goût, discret. Elle ne s'était pas maquillée. Son extrême pâleur rehaussait sa beauté. Almah n'était jamais quelconque. Très consciente de l'effet qu'elle produisait sur les hommes, elle était bien déterminée à en jouer si cela se révélait nécessaire. Un officier les reçut dans un box. Dévisageant Almah, il eut comme un léger mouvement de surprise, impressionné par cette belle femme impassible malgré l'angoisse qui lui rongeait le ventre. Jacob n'était pas moins digne. Le policier consulta des listes et passa plusieurs coups de téléphone. Il les informa que Wilhelm, doublement coupable d'être juif et journaliste, et social-démocrate de surcroît, avait été arrêté et envoyé dans la nuit à Dachau, un camp de détention situé au nord de Munich. Il y resterait interné jusqu'à plus ample information. C'est tout ce qu'il pouvait leur dire. Non, ils ne pouvaient pas aller le voir, il n'y avait rien d'autre à faire qu'attendre que les autorités statuent sur son cas.

Jacob et Almah s'activèrent une semaine durant. Ce furent des jours d'attente, de fatigue, d'espoir, de découragement, d'angoisse. Des jours de répit aussi, car les violences avaient marqué le pas, après le déchaînement du pogrom. Les Juifs avaient payé leur tribut, apaisant pour un temps la haine sanguinaire des Autrichiens.

Jacob s'humilia à faire le siège de la police et à payer des pots-de-vin. Almah fit intervenir un colonel de l'armée, ami de toujours de son père. Ils finirent par obtenir l'assurance que Wilhelm serait libéré. Il fut relâché dix jours plus tard. Les dessous de table versés par Jacob, les papiers justifiant des demandes de visas en cours et, dans une moindre mesure, le charme d'Almah ne furent pas étrangers à sa libération. Avant de quitter le camp, il s'était formellement engagé à quitter le Reich avant la fin du mois de janvier 1939. Il avait dû signer un papier par lequel il abandonnait tous ses biens et un autre stipulant qu'il n'avait aucune plainte à formuler contre le gouvernement. Il devrait aussi s'acquitter du *Reichsfluchtsteuer*, la taxe exorbitante que tout émigrant devait payer.

*

Wilhelm surprit Almah en débarquant un jour de pluie en fin d'après-midi à l'appartement dans lequel elle tournait en rond comme une lionne en cage. Son soulagement fut tel qu'elle s'effondra en une crise nerveuse dans ses bras. Wilhelm était trempé, sale et amaigri. Il sentait mauvais, la crasse, le sang, l'urine, la sueur. Il avait un hématome jaune à la mâchoire et une croûte brunâtre sur la joue. Ses yeux, qui avaient vu des horreurs, étaient vides, deux trous noirs. Il était manifestement en état de choc et très affecté par sa détention. Il ne raconta pas à Almah qu'à son arrivée au camp, il avait été frappé à coups de matraque. Il ne raconta pas que des prisonniers couraient en tous sens pendant que les gardes leur tiraient dessus et que d'autres se jetaient tête baissée sur la clôture électrifiée. Il ne raconta ni le froid, ni la faim, ni les sévices, ni la douleur, ni la cruauté, ni la peur. Almah ne le questionna pas. Ils étaient ensemble de nouveau et rien d'autre ne comptait. Elle lui fit couler un bain chaud et s'occupa de lui comme d'un enfant.

Une seule chose importait pour Wilhelm désormais : mettre sa famille à l'abri en quittant au plus vite l'Autriche.

Quelques jours plus tard, Almah s'effondra sur le carrelage de la cuisine dans une mare de sang. Elle venait de faire une fausse couche.

32

Pas le bon moment

Novembre 1938

— C'est comme ça, Wil, on n'y peut rien !

J'étais posté dans l'embrasure de la fenêtre de notre chambre. Dans l'air confiné flottait une vague odeur d'éther. L'atmosphère était tendue. Je regardais à l'extérieur. Le ciel était bas, gris, les voitures rares, les piétons plus rares encore. Je me retournai et je regardai Almah. Elle était assise dans notre lit, le dos calé contre les oreillers, le visage pâle, les traits tirés. Ses cheveux étaient ternes, ses yeux avaient perdu leur éclat. Pourtant sa voix était posée.

— Ce n'était pas vraiment le bon moment pour avoir un autre bébé, tu ne crois pas ? reprit-elle d'un ton las. Nous en aurons un autre quand le temps sera venu.

Almah avait raison. Dans ces circonstances difficiles, elle faisait parler la raison et taisait ses émotions. Mais j'étais triste, infiniment triste. Je me sentais coupable. C'était arrivé à cause de mon arrestation, parce que j'avais été imprudent, parce que j'avais pris des risques inutiles en me rendant au journal. Ce bébé qui ne naîtrait pas, c'était le prix de mon égoïsme, encore un signe que j'étais maudit.

— J'aimerais tes bras, Wil !

C'était l'expression d'enfant avec laquelle Almah me réclamait un câlin. Je m'approchai du lit et elle se poussa pour me faire de la place. Je m'assis à côté d'elle et entourai ses épaules de mon bras. Elle nicha sa tête au creux de mon cou et nous restâmes enlacés, silencieux.

— Moi aussi je suis triste, Wil. Très triste. Il n'empêche, ça n'aurait pas été une bonne chose. N'est-ce pas ?

— Pourquoi ne m'as-tu rien dit ?

— C'était trop tôt. J'attendais d'être sûre. Et aussi le bon moment pour te l'annoncer. Après ton arrestation, tu n'avais pas besoin de soucis supplémentaires.

— Je n'ai pas besoin que tu me ménages ! Et puis un enfant, ça n'est pas un souci supplémentaire, c'est du bonheur !

— Pas dans ces circonstances, Wil, pas avec ce que nous traversons.

Je resserrai mon étreinte autour des épaules de ma femme et j'embrassai le sommet de sa tête. Ses cheveux sentaient la vanille. Ma gorge se bloqua. J'étais tellement malheureux de ne pouvoir lui offrir que la précarité et l'angoisse permanentes dans lesquelles nous vivions. Depuis mon internement à Dachau, j'étais sur une mauvaise pente, je me sentais coupable et inutile. Mes démarches n'avançaient pas. Je devais me ressaisir. Almah se redressa. Elle prit mon menton dans sa main, tourna mon visage vers le sien et me regarda au fond des yeux, comme si elle cherchait à m'insuffler cette force singulière qui était la sienne et qui toujours me surprenait. Almah était bien la fille de Julius et d'Hannah, faite d'un mélange d'intelligence claire et pragmatique, de volonté et de fragilité.

— C'est la vie, Wil, ce sont des choses qui arrivent fréquemment. Beaucoup de femmes font des fausses couches avant le troisième mois ! Personne n'est responsable. La seule chose qui doit nous occuper maintenant c'est d'obtenir ces satanés visas et de fiche le camp au plus vite. Nous n'avons pas d'autre option, souligna-t-elle avec de l'amertume dans la voix.

— Tu as raison. Ça ne devrait plus être qu'une question de jours maintenant.

— Va t'occuper de Frederick s'il te plaît, j'ai besoin de me reposer un moment.

Je déposai un baiser sur ses lèvres sèches et je quittai la chambre en fermant doucement la porte derrière moi. Almah me démontrait chaque jour que l'être humain a une capacité de résistance inouïe, qui lui permet de surmonter toutes les douleurs, quelle que soit leur intensité, et toutes les pertes, aussi irréparables soient-elles.

Je réintégrai mon antre où j'installai le parc de mon fils qui, docile, avait appris à s'amuser tout seul. Je m'assis derrière mon bureau. J'ouvris un carnet. Je me mis à écrire.

33

« J »

Décembre 1938

Les mesures antijuives s'enchaînaient à un rythme soutenu. Des services d'achat étatiques rachetaient tous les objets de valeur. L'accès aux autobus et aux tramways était réglementé. Nous étions exclus de toute vie sociale : théâtres, musées, bibliothèques, cinémas, salles de concerts, centres sportifs nous étaient désormais interdits. Les écoles publiques et les universités nous avaient fermé leurs portes. On nous privait de tout moyen de subsistance, nous interdisant d'exercer nos professions. Les boutiquiers et les artisans devaient cesser leurs activités avant le 1er janvier. J'avais parfois l'impression d'être propulsé dans une mauvaise pièce écrite par un piètre dramaturge, l'impression que tout ceci n'était pas réel, tant la situation devenait absurde.

Dans ce marasme, c'était un miracle que l'imprimerie continuât à fonctionner, même au ralenti. Pour sauvegarder son atelier, Jacob, écartelé entre ses compromissions, sa loyauté envers sa communauté, son devoir de mémoire et la nécessité de survivre, acceptait des commandes d'organisations aryennes. Il naviguait à vue avec pour seul objectif la sécurité de sa famille. Tant qu'il leur serait utile, les nazis le ménageraient. Il restait persuadé qu'on ne pouvait s'en prendre durablement à des personnes âgées et aussi inoffensives qu'Esther et lui. J'étais loin d'être aussi confiant.

Nous étions farouchement arc-boutés sur notre volonté d'émigrer aux États-Unis. Pour traverser la Suisse, nous avions dû faire apposer l'infâmant « J » sur nos passeports comme l'exigeaient désormais nos voisins qui, devant l'afflux de réfugiés, avaient durci leur accès. Pour obtenir un visa de transit par la Suisse, il nous fallait d'abord nos visas américains. J'avais fait la queue pendant des journées entières devant le consulat des États-Unis pour me voir opposer une fin de non-recevoir. J'avais pourtant cru les choses bien engagées. Mais les Américains exigeaient des professions exceptionnelles, des références, des contacts sur place. Aux phases de découragement succédaient les vagues d'espoir quand nous faisions intervenir une nouvelle relation. Je me démenais. En vain. Ni les attestations en tous genres, ni les lettres d'invitation de Myriam n'avaient fait bouger la bureaucratie. De toute façon, le quota d'Allemands[1] était atteint. Nous étions dans une impasse. Si nous n'obtenions pas gain

---

1. En 1939, le quota pour l'immigration annuelle pour l'Allemagne et l'Autriche était fixé à 27 370 et fut rapidement atteint. Il y avait une liste d'attente de plusieurs années.

de cause, il ne nous resterait plus qu'à payer des passeurs pour traverser la frontière illégalement. Mais c'était dangereux et je redoutais d'exposer Almah et Frederick à ce risque.

Un diplomate américain finit cependant par nous prendre en amitié et il s'engagea à nous obtenir nos précieux sésames. Pourtant il faisait traîner les choses. Ce fut Almah qui eut finalement le dernier mot. En désespoir de cause et sans m'en avertir, elle demanda son aide à Heinrich Heppner. Quand elle se décida à m'en parler, mon amour-propre en prit un sacré coup et je me fâchai contre elle. Mais Heinrich avait trouvé la brèche. Grâce à ses contacts et à son art consommé de la négociation, il nous avait obtenu la promesse de visas.

*

— Combien ?

Almah releva le menton avec un regard provocateur.

— Le tableau !

— Le tableau ?

— Le Kurzweil, celui qui était en pension chez Heinrich.

Ce fut comme un coup de poing dans l'estomac. Pas CE tableau ! Je l'aimais tellement…

— Tu as… vendu… le tableau ?

— Je l'ai offert au consul. Par l'entremise d'Heinrich qui connaissait son point faible. C'est lui qui a servi d'intermédiaire et mené la transaction.

Je devais avoir l'air dévasté.

— Nous les aurons, Wil ! Nous aurons nos visas et c'est tout ce qui compte. Maintenant ce n'est plus qu'une question de quelques jours. Et puis, je préfère largement savoir ce tableau dans les mains d'un Américain plutôt que dans celles d'un nazi. De toute façon, nous ne pouvons pas l'emporter !

Je ne pouvais que lui donner raison. Le tableau de Kurzweil, voilà ce que nous avaient coûté nos visas. C'était aussi simple que ça. Je songeai avec une bouffée de tristesse aux deux photographies que m'avait données Julius et que je conservais précieusement.

Almah était devenue étrangement imperméable aux événements et à l'atmosphère oppressante, gérant avec efficacité toute la logistique entourant notre départ. Était-elle en train de se forger une armure à la perspective de ce long voyage que nous allions entreprendre ? Je craignais qu'elle ne s'active que pour ne pas se noyer. Parfois, cela me faisait peur.

Elle s'arrangea pour qu'Heinrich stocke le peu qui avait pu être sauvé de la maison de Hietzing. Notre appartement vide n'était plus que l'ombre du nid douillet qui nous avait accueillis trois ans plus tôt. Elle préparait nos bagages avec une rigueur presque scientifique, faisant un tri draconien entre ce qui pouvait se remplacer et ce qui était irremplaçable. Elle mit au fond d'une valise nos diplômes, quelques disques, des photographies et une sélection de mes meilleurs articles. Je rajoutai quelques livres dont je refusais de me séparer. Elle sélectionnait, donnait, jetait. Plus la perspective du départ approchait, plus la fébrilité s'emparait d'elle, tandis que j'essayais de garder la tête froide.

Elle se lança dans des achats compulsifs avec ce qu'il nous restait d'argent, que nous ne pourrions de toute façon pas emporter, car elle entendait bien que nous voyagions avec des vêtements de qualité. Elle avait entrepris d'écumer les boutiques élégantes du Kohlmarkt et du Graben et rentrait avec son butin : des valises en cuir solide, un manteau très chaud pour Frederick, des chaussures confortables et résistantes, des écharpes de cachemire, des gants fourrés, deux manteaux de chez Loden-Plankl, un gris pour moi, un bleu pour elle.

— Il ne sera pas dit que nous partirons comme des mendiants !

34

Sésame

Décembre 1938

Nous les avions !

Nous avions enfin nos visas américains.

Un cadeau de Noël arrivé un peu en avance.

Il était donc écrit que le Kurzweil serait notre sésame.

Peu importait.

J'avais brûlé la politesse à tous ceux qui piétinaient devant l'ambassade américaine. L'entrevue avait été rapide. Le regard en biais, pas vraiment franc du collier, le fonctionnaire m'avait tendu les documents en marmonnant : « Vous avez de la chance ! Je vous souhaite un bon voyage », avec un manque de conviction qui ne m'alarma pas compte tenu des circonstances.

Je ressortis de l'ambassade presque joyeux sous les regards inquisiteurs et envieux. Je rentrai d'un pas léger à l'appartement, pressé d'annoncer la bonne nouvelle à Almah. Dans ma poche, nos passeports me brûlaient la poitrine. Je n'aurais jamais cru qu'un jour la perspective de quitter l'Autriche me rendrait heureux. Il ne nous restait plus qu'à acheter nos billets de train et à boucler nos bagages.

Au mépris du danger qui guettait à chaque coin de rue, Almah voulut faire une dernière promenade au Prater. Aux alentours du parc, sur les bancs duquel nous n'avions plus le droit de nous asseoir, les façades étaient souillées de bannières à croix gammée. C'était une journée maussade, comme mon humeur. Le ciel était boursouflé de gros nuages gris-noir gonflés comme des baudruches. Dans les allées désertes baignées d'une lumière crue et froide, les marronniers chargés de boules de gui semblaient fragiles et tristes. Avec des airs de conspiratrice, Almah dégagea son bras du mien et sortit de son sac une boîte de bonbons achetée à prix d'or chez Altmann et Kühne. En me fixant droit dans les yeux, elle me tendit un bonbon et laissa le sien fondre doucement sur sa langue. C'était sa façon de savourer encore un peu de notre ville qui n'était plus que la capitale d'une province du Reich. Notre ville où tout avait l'air de nous dire adieu.

2e Partie

ERRANCE

*« Tout voyage a une destination secrète
que le voyageur ignore. »*

Martin Buber

*« Regarde-les donc bien ces apatrides,
toi qui as la chance de savoir où sont ta maison
et ton pays […]. Regarde-les bien, ces déracinés,
toi qui as la chance de savoir de quoi tu vis et pour qui,
afin de comprendre avec humilité à quel point le hasard
t'a favorisé par rapport aux autres. Regarde-les bien,
ces hommes entassés à l'arrière du bateau et va vers eux,
parle-leur, car cette simple démarche, aller vers eux,
est déjà une consolation. »*

Stefan Zweig, *Voyages*

1

La Westbahnhof

Décembre 1938

C'était un matin de fin décembre, froid, humide et gris. Le soleil ne parvenait pas à percer la gangue épaisse des nuages bas. La Westbahnhof, la gare qui relie Vienne à l'Europe de l'Ouest, grouillait de monde. Partout aux abords de la gare, dans le hall, sur les quais, régnait une pagaille indescriptible. Au milieu des uniformes bruns, une foule de voyageurs et de familles venues faire leurs derniers adieux, un chaos de valises, de malles, de sacs. Cris, pleurs, exhortations, murmures, coups de sifflet stridents, chuintement des jets de vapeur des locomotives, rumeur sourde des trains qui s'ébranlaient… Des soldats arpentaient le quai à grandes enjambées, tentant de ramener un semblant d'ordre dans la confusion. La tension, l'abattement et le désespoir étaient palpables et rendaient l'atmosphère oppressante.

Nous avions dû nous frayer un passage dans la foule compacte pour approcher des quais et des trains de l'exil. Comme chaque jour, des centaines d'Autrichiens quittaient leur pays, tous vêtus de leurs meilleurs habits. Almah et moi avions belle allure dans nos lodens de prix, flambant neufs. S'il n'y avait pas eu les masques douloureux peints sur tous les visages, on aurait pu avoir l'illusion d'un départ en vacances. J'essayais de détendre les muscles de mes mâchoires crispées et j'adressai un sourire d'encouragement à Almah. Je resserrai ma main sur la menotte de mon fils, minuscule dans cette foule. Encombrés par nos bagages, nous ne pouvions pas le porter. Je regardais attendri mon petit bonhomme courageux, affublé d'un chaud manteau vert un peu trop grand pour lui. Sous le bonnet de laine tricoté par Esther qui lui mangeait le front, il fronçait les sourcils et ses yeux clairs m'interrogeaient. Rassuré par mon sourire, il me lança un regard confiant et redressa vaillamment les épaules sous le poids de son petit sac à dos. Je ne m'attardai pas sur la pensée coupable qui me traversa quand je mesurai tout ce que mon petit garçon, qui n'avait pas encore trois ans, endurait depuis quelques mois. Son comportement devenu timoré et craintif disait assez qu'il percevait parfaitement la tension permanente et l'angoisse dans lesquelles nous vivions.

Nous étions seuls. Nous n'avions pas voulu d'adieux déchirants sur un quai de gare. Nous voulions nous quitter sans pleurs, avec dignité, et ne pas donner notre douleur et celle de mes parents en pâture. Et puis, mieux valait leur éviter le risque de se voir contrôlés et malmenés par les nazis. Il était donc plus sage qu'ils restent chez eux. Nous avions passé notre dernière nuit dans leur appartement après un ultime dîner ensemble. Nous avions rendu les clés de notre appartement la veille et ne possédions plus que le contenu de nos quatre valises et quelques cartons entassés chez mes parents. Le dîner avait eu lieu tôt, un dîner lugubre où chacun essayait d'endiguer ses émotions et d'alléger l'atmosphère en évoquant un avenir serein. Nous voulions nous persuader que l'exil n'aurait qu'un temps et que nous allions bientôt nous retrouver dans des temps meilleurs. Il y eut beaucoup de recommandations et de conseils, beaucoup de promesses. Mes parents avaient déjà vécu une séparation douloureuse avec le départ de Myriam et d'Aaron. Mais elle n'avait pas le même écho car ils étaient partis de leur plein gré et dans de bien meilleures conditions. Jacob et Esther allaient rester seuls. Seuls avec des frères et des cousins plus ou moins proches. Mon père avait rétréci et perdu de sa superbe. Depuis quelques temps, ses épaules se voussaient, ses cheveux avaient blanchi, il soignait moins sa mise. Il commençait à ressembler à un vieillard. Un vieillard aveugle et obstiné qui avait décidé de tout supporter jusqu'à ce que « les choses aillent mieux » pour « vous accueillir à votre retour ». Ma mère, dont la chevelure était entièrement grise désormais, avait pressé un mouchoir blanc contre sa bouche au moment des adieux sur le palier. La dernière image que j'emportais de mes parents était celle d'un couple de vieux, écrasés par le chagrin, sur le pas de leur porte.

Alors que nous progressions lentement dans la foule, j'entendis crier mon nom. Je me retournai et j'aperçus la haute silhouette de mon père. Mes parents avaient enfreint leur promesse et ils étaient venus. Bousculés par la cohue, ils tentaient de nous rejoindre. Ma poitrine se resserra et une boule de plomb se dilata dans ma gorge. À l'annonce du train dans les haut-parleurs, une vague de panique s'empara de la foule. Embrassades, étreintes, pleurs, cris, bousculades. Jacob et Esther jouèrent des coudes jusqu'à nous. C'était la scène des adieux qu'Almah redoutait tant. Je serrai longuement ma mère dans mes bras, respirant le parfum d'eau de rose de ses cheveux, puis mon père, qui refusait de laisser paraître son trop-plein d'émotion. Il avait dû chapitrer Esther qui s'efforçait à grand-peine de retenir ses larmes. Ses bras se resserrèrent comme un étau autour de moi. Dans ses yeux brillants, je lisais toute sa tristesse et sa résignation mêlées à l'immense espoir que nous nous en sortions.

Nous montâmes dans notre wagon à la recherche de nos places. Les voyageurs s'entassaient tant bien que mal sur les banquettes prises d'assaut. Les portes du train se refermèrent avec fracas. Un bruit dur, métallique, définitif. Un coup de sifflet strident déchira le silence sinistre qui venait de tomber sur le quai qui était comme tétanisé. La vapeur jaillit dans un chuintement. D'un coup, les acteurs de la tragédie s'animèrent de nouveau. Des clameurs montèrent le long du quai, s'échappèrent des fenêtres ouvertes, des pleurs, d'ultimes adieux, des mains qui refusaient de se lâcher, des mouchoirs agités, des visages décomposés… Notre fenêtre était monopolisée par la famille avec laquelle nous partagerions le compartiment. Ils nous firent de la place et nous nous pressâmes les uns contre les autres, tandis que la locomotive grondait.

Jacob et Esther étaient là, serrés au milieu de ceux qui restaient. Lui agitait une main, elle nous envoyait des baisers. Il y eut des explosions de vapeur, un épais panache de fumée noire, puis ce fut l'arrachement, le moment fulgurant du départ. Le train s'ébranla et s'éloigna lentement de la gare dans le vacarme des bielles qui s'activaient.

La dernière image que je garderais de mes parents n'avait pas changé. C'était celle d'un couple de vieux vêtus de noir, drapés dans leur chagrin, un homme de haute stature au visage sévère et une petite femme brisée, debout sur le quai d'une gare. Ils ne cessaient d'agiter leurs mains et devenaient de plus en plus petits. Ils finirent par se diluer dans la foule agglutinée tandis que le train prenait peu à peu de la vitesse dans un mugissement sinistre. J'eus le pressentiment fugace que c'était la dernière fois que je les voyais. Dans un sursaut d'instinct de conservation, je me dis qu'il était vain de faire l'inventaire de ce que nous quittions. C'était trop douloureux. Nous avions fait nos adieux et mieux valait ne pas se retourner.

2

Ciel plombé et mutisme

Décembre 1938

Ce fut un voyage étrange, fait de silence, de ciel plombé, de mutisme. Ils étaient neuf dans le compartiment. Une famille avec trois enfants, un homme seul, Almah, Wilhelm et Frederick. Un silence pesant régnait, rythmé par le fracas des roues sur les rails et entrecoupé par les pleurs aigus d'un bébé venant du compartiment voisin. Même les enfants, conscients de la gravité du moment, se taisaient. Frederick s'était assoupi sur les genoux de sa mère, la tête contre sa poitrine, le pouce pendant entre ses lèvres entrouvertes. Le temps était à la neige, un ciel uniformément gris et bas que le soleil n'arrivait pas à percer. Peu à peu, les façades austères et familières des faubourgs de Vienne avaient laissé la place à la campagne qui défilait derrière la vitre au rythme lancinant du roulement des bogies. Les vallées, les collines et les contreforts des montagnes se dessinaient au loin, paisibles et disciplinés. Le front collé à la vitre, Almah était immobile, comme statufiée. La buée de son souffle s'accumulait sur la paroi de verre, créant un écran cotonneux entre elle et le paysage qui paraissait nimbé d'irréalité. Le train les aspirait vers un vide incommensurable et terrifiant. C'était une fuite tragique et angoissante vers l'inconnu. À mesure que le train avançait, leur pays s'effaçait. Chaque tour de roue les éloignait lentement de Vienne et des débris de leur vie. Ils allaient vers un avenir incertain, sans se douter que ce compartiment n'était que le premier épisode d'une très longue histoire, celle d'un voyage qui durerait plus d'un an.

*

Ils devaient traverser toute l'Autriche. Wilhelm avait pris dans la sienne la main d'Almah dont le visage restait obstinément tourné vers l'extérieur. C'était le même train qu'ils avaient pris bien des années plus tôt, quand ils étaient allés skier à Zürs. Comme ils étaient insouciants et joyeux alors, confiants dans leur avenir ! Comme les années et les événements leur avaient donné tort ! Almah scrutait le décor enneigé, en espérant presque, contre toute logique, que quelque chose allait arrêter la locomotive et mettre un terme à leur fuite. Wilhelm l'observait sans mot dire, le cœur serré. Il voulait qu'Almah sache qu'il souffrait comme elle. Une grosse larme solitaire perla contre l'arête de son nez, roula sur sa pommette, dévala la courbe de sa joue jusqu'à son menton. Une seule larme. C'était un tel déchirement que Wilhelm en eut la gorge nouée. Il levait déjà une main, s'apprêtant à effacer cette larme de son pouce. Mais Almah l'écrasa d'un geste rageur, du plat de ses doigts sur sa joue, honteuse de se laisser aller à pleurer devant des tiers. Puis elle tourna son visage vers son mari et tenta, sans grand succès, son sourire de brave petit soldat, celui que Wilhelm lui avait vu afficher au long de ces derniers mois et qu'il aimait tant, celui qui lui redonnait le courage qu'il était parfois sur le point de perdre. Incapable d'articuler un mot, il se contenta de serrer la main de sa femme très fort, à lui faire mal, essayant, par cette simple pression, de lui dire tout son amour, de lui faire la promesse silencieuse qu'il veillerait sur elle et sur leur fils jusqu'au bout de ses forces. Dans le regard qu'Almah lui lança, Wilhelm lut la nostalgie de ce qu'ils ne seraient plus. C'était leur jeunesse qui ce jour-là prenait fin. Il se rencogna contre l'appuie-tête et ferma les yeux. Des images des dernières semaines, des derniers jours défilèrent. « C'est fini, je m'exile », pensa-t-il.

Ils avaient espéré que ce serait plus facile. La marche poussive du train leur infligeait une torture supplémentaire. Ils auraient voulu être déjà de l'autre côté de la frontière, que l'Autriche soit derrière eux, que c'en soit fini une bonne fois pour toutes. C'était un lent déchirement, une séparation qui s'étirait au fil des paysages qui défilaient. Rien ne les avait préparés à cette sensation qu'on les amputait d'une partie d'eux-mêmes. C'était un adieu poignant, silencieux, intime. Cahotés dans leur compartiment de deuxième classe, ils ne pouvaient détacher leurs regards des paysages tranquilles de leur pays qu'ils quittaient. Les pieds de vigne tordus qui s'étageaient sur les pentes des collines, les champs vallonnés, les arbres dénudés, les fermes et les granges qui ressemblaient à des maisons de poupées, les montagnes tassées sous la neige au loin... Wilhelm songeait aux tableaux de Bruegel, ces scènes de village où chacun est à sa place. Désormais, leur place n'était plus ici. Ils n'étaient plus que des spectateurs indésirables.

Ils voyagèrent une longue journée dans ce train douloureux. L'inquiétude et le désespoir palpables planaient comme une mauvaise odeur qui aurait envahi le compartiment. Ils avaient échangé quelques banalités avec leurs compagnons de route aux regards ternes, mais chacun était recroquevillé sur sa propre peine. Une résignation teintée d'angoisse était peinte sur les visages des adultes, insensibles au babillage des enfants, qui seuls mettaient un peu d'animation dans cette atmosphère tendue. Il y eut un moment de détente quand Frederick se réveilla et s'étira en grognant, attirant sur lui des regards bienveillants. Almah se ressaisit. Son instinct maternel reprit le dessus et chassa momentanément sa tristesse. Elle sourit tendrement à son fils et le câlina. Puis, sa main dans la sienne, elle souffla contre la vitre et dessina avec son petit index un visage dans la buée. Inconscient du drame qui se jouait, Frederick se tortillait contre elle en gloussant de plaisir. Puis il réclama son repas et Almah le fit manger. Le moment de grâce était passé. Comme si un signal avait été donné, les voyageurs s'étaient décidés à sortir leur déjeuner. Sans conviction, ils avaient maladroitement trinqué tous ensemble à leur avenir, des sourires artificiels plaqués sur leurs visages. Wilhelm et Almah avaient grignoté leurs en-cas, l'ultime cadeau d'Esther. Puis la fatigue et le chagrin eurent raison d'Almah. Elle somnola un long moment, la tête dans le cou de Wilhelm, son fils sur les genoux, avant de reprendre son poste d'observation, le visage rivé à la fenêtre. Quand le train marqua un arrêt à Feldkirch, les voyageurs se regardèrent, alarmés. Puis il longea la frontière jusqu'à Hohenems. Là, les attendait le comité d'accueil.

3

Aux portes de la Suisse

Décembre 1938

Un coup de sifflet sec et le train stoppa sa course dans un miaulement d'essieux. Ils étaient arrivés aux portes de la Suisse. Une haie de policiers, de soldats en uniforme gris et de SS allemands réquisitionnés pour surveiller la gare attendait sur le quai. Des soldats envahirent le train qu'ils passèrent au peigne fin, en faisant descendre tous les passagers. Personne ne devait rester à l'intérieur. Dehors il régnait un froid humide qui glaçait les os. En tête du train, le quai était barré de tables à tréteaux derrière lesquelles officiaient policiers, douaniers, dont les effectifs avaient été renforcés, et employés des services des finances. Les voyageurs se rangèrent en plusieurs files. Policiers et douaniers examinaient soigneusement passeports, visas et quitus financiers, tandis que des SS fouillaient les bagages.

Une attente angoissée commença. Ils avançaient à petits pas dans le froid en direction des tables où tout se jouait en baissant les yeux comme des coupables.

La file des Rosenheck progressait plus rapidement que celle d'à côté et Wilhelm se força à y voir un bon signe. Ceux qui contrôlaient cette file étaient plus rapides, plus efficaces, moins tatillons. Puis ce fut au tour de la file d'à côté de prendre quelques pas d'avance et l'angoisse revint lui ronger l'estomac comme un acide.

À quelques mètres d'eux, pour une obscure raison, une grosse femme engoncée dans un manteau de fourrure attira l'attention sur elle. Un nazi la tira de la queue et entreprit de la fouiller au corps. Il arracha triomphalement des bijoux de la doublure de son manteau en l'insultant. Sans autre forme de procès, malgré leurs supplications, elle fut embarquée avec son mari. Pour eux, c'était la fin de ce voyage et le début d'un autre, vers l'emprisonnement ou la déportation. Almah se mit à trembler. Regards en biais, têtes basses, personne ne protesta, il n'y eut aucun élan de solidarité pour leur venir en aide. En quelques mois, les nazis les avaient dressés à la lâcheté et à la soumission.

Vint le tour de Wilhelm et Almah. Comme tous, ils craignaient que quelque chose ne soit pas en ordre et d'être refoulés vers l'Autriche. Le certificat d'abandon de leurs possessions était en règle, ils n'emportaient pas plus d'argent que l'équivalent des 30 marks réglementaires. L'officier qui examina longuement leurs papiers dévisagea Almah et son regard vacilla l'espace d'une seconde. Sa beauté avait toujours cet effet-là sur les hommes. En lui rendant son passeport, il hocha la tête avec une expression de compassion mêlée de gêne. Un autre entreprit de fouiller rapidement leurs bagages qui contenaient le strict nécessaire de linge et de vêtements, quelques souvenirs, des photographies, leurs diplômes, l'appareil photo de Wilhelm, un rasoir et un immense espoir… Un nazi ausculta longuement l'ours en peluche que Frederick ne voulait pas lâcher et le contact de ses mains sur le jouet leur fit horreur. Almah n'avait pour tout bijou que son alliance et la modeste bague de fiançailles que Wilhelm lui avait offerte et qui ne pouvait guère attiser les convoitises. Sa montre, une montre de prix fort discrète, n'éveilla pas les soupçons du policier. Quand il s'attaqua au sac à main d'Almah, elle leva sur lui son regard bleu et il en fut déstabilisé. On pouvait presque lire en lui à livre ouvert : une Juive peut-elle être aussi belle, plus belle que bien des Aryennes… Il referma son sac et leur fit signe d'avancer d'un geste plein de mépris. Almah adressa à Wilhelm un petit sourire incongru dont il ne comprit la raison que quelques heures plus tard, quand elle lui avoua qu'elle avait fait ce pari fou de cacher en vrac dans son sac une bague et une médaille de sa mère. Wilhelm en trembla rétrospectivement et lui fit jurer qu'à l'avenir elle ne prendrait plus aucun risque de ce genre.

Ensuite ce fut le passage de la frontière suisse. Les policiers suisses se montrèrent encore plus méticuleux que les Autrichiens. Ils examinèrent à la loupe leurs passeports tamponnés du J rouge de l'infamie, puis leurs visas. Cela dura longtemps. Les employés cantonaux, visiblement surchargés et manquant d'expérience, enregistraient tous les migrants dans de volumineux registres. Ils eurent droit à des visas de transit qui leurs ouvrirent la porte de la Suisse. Ils étaient autorisés à séjourner huit jours, pas un de plus, après quoi ce serait le renvoi de l'autre côté de la frontière. À ce moment-là, ils seraient déjà en route pour l'Amérique. Pour l'instant, ils étaient transis de froid, les pieds et l'âme gelés. L'Autriche, le pays qui les avait vus naître, venait de refermer ses portes derrière eux.

Leur train repartit vers l'Autriche avec une poignée de passagers refoulés sous bonne garde. Ils se détournèrent, honteux mais soulagés de ne pas faire partie du lot, se désolidarisant lâchement des malheureux renvoyés vers l'horreur. Des membres de la Judengesellschaft, une institution juive, attendaient les réfugiés du côté suisse pour les conduire dans des camps et des auberges. Quelques rares voyageurs montèrent dans un train pour Genève. Comme prévu par l'organisation qui les avait aidés à sortir d'Autriche, Wilhelm et Almah devaient faire étape à Diepoldsau. Il n'y avait qu'à suivre la route balayée par de violentes bourrasques. La neige s'était mise à tomber dru, de gros flocons tourbillonnaient dans les rafales de vent glacial. Tout était silencieux. Les yeux perdus dans le paysage d'hiver, ils se mirent péniblement en marche dans la neige sale, lamentable troupe de proscrits sans patrie. À leur arrivée à la porte du camp, la couche de neige atteignait dix centimètres.

4

« La barque est pleine[1] »

Suisse – janvier 1939

À Diepoldsau, un village frontalier situé dans un méandre de l'ancien cours du Rhin, les nouveaux arrivants n'étaient pas accueillis avec un franc enthousiasme. La population locale était écartelée entre la compassion et la crainte d'être submergée par ce soudain afflux d'étrangers appelés pudiquement « les émigrants ». En août, Paul Grüninger, le chef de la police saint-galloise, indigné par les décisions de son gouvernement et le refoulement des Juifs, avait pris l'initiative d'ouvrir là un premier camp. Le policier s'était acquis une réputation de bienveillance au-delà des frontières suisses et les réfugiés pensaient, non sans raison, qu'une fois à Diepoldsau, ils pourraient bénéficier de sa protection. Car Grüninger jouait volontiers

1. Le gouvernement suisse avait fermé sa frontière aux réfugiés le 18 août 1938 sous le slogan « La barque est pleine » et refoulait les Juifs du Reich qui ne pouvaient pas fournir un visa pour un autre pays d'accueil.

l'aveugle devant les faux papiers, allant jusqu'à conseiller de modifier la date d'arrivée en Suisse pour éviter un renvoi vers le Reich. Plus d'une fois il s'était compromis dans des affaires de tampons falsifiés et de fausses citations à comparaître pour permettre à des familles de se retrouver ou à des réfugiés de rester en Suisse dans l'attente d'une solution. Malgré le renforcement des contrôles, le flot des arrivants, légaux et illégaux, ne tarissait donc pas ; les arrivées clandestines s'étaient multipliées, les passeurs autrichiens connaissaient la frontière qui était perméable et certains gardes-frontières fermaient les yeux.

Aménagé à la hâte dans une ancienne usine de dentelle désaffectée, financé par l'aide israélite aux réfugiés, le camp, prévu pour 300 personnes, en abritait plus de 500 à l'arrivée de Wilhelm et Almah. Il y avait un grand bâtiment équipé de dortoirs avec des châlits en bois et des paillasses pour les hommes. Un bâtiment administratif du service des eaux du Rhin servait d'infirmerie ; on y logeait les femmes et les couples mariés. Le camp accueillait tous les réfugiés ; ceux en transit pour un autre pays, ceux dont la situation n'était pas définitivement éclaircie, ceux qui passaient la frontière clandestinement, ceux dont les visas avaient expiré et ceux qui attendaient une proposition d'affectation. Chaque jour un nouveau contingent échouait là, tandis que certains étaient évacués sur d'autres camps et que les plus chanceux entamaient le voyage qui les mènerait vers un pays d'accueil. Dans ce va-et-vient permanent, les réfugiés passaient plusieurs semaines voire plusieurs mois au camp. Malgré les persécutions du régime nazi, ils n'étaient pas considérés comme des réfugiés politiques. Ils n'avaient aucun statut défini et leur situation manquait singulièrement de clarté.

La Croix-Rouge suisse et la communauté juive assumaient la responsabilité matérielle du camp. La police avait établi un règlement intérieur strict et faisait régner une discipline presque militaire, aidée par une équipe de migrants qui assurait la direction intérieure du camp. Il y avait un appel le matin et le soir. Dans les premiers temps, les réfugiés étaient conduits en rangs dans les auberges des environs pour le déjeuner, puis on avait construit une cuisine et un réfectoire. Les visites étaient filtrées et toutes les sorties contrôlées. Les seuls à avoir droit de cité permanent étaient les membres des associations d'entraide.

Le premier soir, les Rosenheck dînèrent dans le réfectoire et s'écroulèrent dans leurs lits, vaincus par la fatigue. Almah partageait le sien avec Frederick, dans le dortoir des femmes, Wilhelm dormait dans celui des hommes. Ce ne serait qu'une courte halte. Ils avaient la ferme intention de poursuivre rapidement leur voyage jusqu'à un port d'embarquement pour l'Amérique. Ce serait le Danemark, la France ou le Portugal. L'important était de trouver l'association qui accepterait de financer leur voyage.

5

Naufrage

1939

Ce fut un choc brutal, une atroce déception, le naufrage sans appel de tous leurs espoirs. Ce fut d'autant plus terrible qu'ils étaient naïvement sûrs de leur fait : ils avaient la chance d'avoir un visa américain et ils ne séjourneraient à Diepoldsau que le temps que les associations d'aide organisent leur transfert vers un port de la façade atlantique.

Le conseiller de l'agence juive pour l'émigration leva le lièvre le lendemain de leur arrivée, alors qu'il était venu pour les aider à programmer leur voyage. Almah et Wilhelm ne pouvaient pas partir pour les États-Unis pour la bonne et simple raison que leurs visas, obtenus de haute lutte, étaient des faux. Ils n'étaient pas valables car ils avaient été établis en décembre 1938, alors que les quotas d'Allemands étaient atteints depuis belle lurette. Trop contents de se débarrasser d'une famille juive, les Autrichiens n'avaient pas été trop regardants.

Wilhelm s'insurgea, il argumenta, éleva la voix. Almah ne broncha pas, elle n'eut pas un mot. Elle se contenta de poser sa main sur le bras de son mari dans un geste d'apaisement pour stopper le flux de ses protestations. Mais elle lança à Wilhelm un regard plein d'une telle détresse que celui-ci sentit la terre s'entrouvrir sous ses pieds. Il aurait voulu disparaître tant son humiliation et son impuissance le rendaient honteux. Une fois la stupeur passée, une lame de colère brûlante balaya son cœur. Une question se mit à le tarauder qui l'obséderait pendant des semaines et dont il n'aurait peut-être jamais la réponse : Heinrich avait-il sciemment mis leurs vies en danger en leur fournissant de faux visas pour les aider à quitter l'Autriche ?

La désillusion était immense. Ils durent se rendre à l'évidence : ils devaient rester au camp le temps que leur situation soit éclaircie. Ils firent la queue, sonnés et tête basse, pour se faire inscrire dans les registres. Au moment de présenter son passeport, Almah regarda le policier suisse droit dans les yeux avec un air de défi. Elle pointa du doigt le J rouge inscrit sur la première page, comme une revendication. Après l'enregistrement de leur identité, ils subirent la visite médicale.

La discipline du camp s'imposa à eux ; elle allait régler leur vie pendant tout leur séjour. Les premiers jours ils ne purent dormir ensemble. Puis on leur attribua un espace dans le bâtiment des couples. Il leur fallut plusieurs jours pour réaliser pleinement ce qui leur arrivait et ce que leur situation impliquait. Ils étaient sortis d'Autriche et désormais à l'abri des persécutions nazies, mais ils ne possédaient plus que le contenu de leurs valises et n'avaient nulle part où aller. Ils étaient devenus des indésirables, reniés par l'Autriche, refusés par les États-Unis, reclus dans un camp suisse, une prison sans barreaux ni miradors de quelques milliers de mètres carrés, sans aucune perspective d'en sortir dans un avenir proche. C'était la première fois qu'ils se sentaient privés de toute liberté. Ils n'étaient ni mieux ni plus mal lotis que les autres réfugiés, pourtant la déception les isola dans un silence cafardeux. Ils subirent leurs premiers jours au camp comme une punition. Leurs rêves anéantis, ils se sentaient vidés de leur énergie vitale. Ils passaient leurs jours à traîner leur détresse sans réagir, et leurs nuits cramponnés l'un à l'autre, Frederick entre eux, sur leur paillasse.

Wilhelm s'enfonça dans une résignation poisseuse. Une tristesse grise se dégageait d'Almah. Rien ne semblait de nature à les tirer, lui de son amertume, elle de sa déprime. Almah fut la première à réagir. Frederick était malade. Un médecin autrichien, qui vivait dans le camp depuis plusieurs mois, diagnostiqua une mauvaise angine. Le petit garçon était victime du froid glacial et de l'humidité qui régnaient partout dans le camp. Almah se démena pour obtenir des soupes chaudes et une couverture supplémentaire. Elle ne quitta pas son fils jusqu'à ce qu'il soit remis sur pied. Au bout d'une semaine il allait mieux et Almah était prête à reprendre le combat. La maladie de Frederick leur avait permis de pénétrer tous les arcanes du camp, d'en recenser les ressources et d'identifier les personnages clés.

6

Une année difficile

1939

Ce fut une année difficile pour leur couple et une période de doute pour Wilhelm qui se voyait comme un être falot, dépossédé de ses rêves de jeunesse et incapable de construire son avenir après tant d'espérances laminées. Il lui semblait avoir failli en tout. Conscient de la précarité de leur situation, de moins en moins optimiste à mesure que les mois passaient, il remâchait d'horribles scénarios. Et le pire, il avait abandonné ses parents à leur sort. Il avait beau se dire que Jacob en avait décidé ainsi, refusant de croire au dessein de guerre de l'Allemagne, la culpabilité rongeait Wilhelm aussi sûrement qu'un ver installé dans un fruit mûr. Il pensait à la façon dont son fils le jugerait un jour, s'ils s'en sortaient, et la simple idée du regard d'Almah sur lui le rendait malade.

Elle s'accommodait mieux que lui de leur situation, malgré les crises d'angoisse et les insomnies des premiers jours. Elle commençait à s'habituer à ce que ses parents lui manquent. C'était une douleur toujours présente, semblable à celle d'une vieille blessure qui ne guérirait jamais tout à fait et avec laquelle elle devait apprendre à vivre. Cette blessure, la pire de toutes, avait laissé un trou béant dans son cœur, mais Almah avait élevé le rempart de la raison contre son immense douleur. Elle avait choisi de considérer leur geste comme un acte d'amour entre eux et envers elle. Quand une vague de chagrin menaçait de la submerger, elle se répétait que Julius et Hannah l'avaient libérée. Elle devait aller de l'avant sans tenir compte des vents contraires, pour Frederick, en hommage à leur sacrifice. Elle refusait de regarder en arrière, tout entière tournée vers l'avenir pour l'amour de son enfant. Son instinct maternel lui servait de tuteur, c'était un torrent puissant qui canalisait toute son énergie. Almah veillait à ce que son fils ne soit pas affecté par les miasmes de ce que vivaient les adultes. Chaque jour, avec une constance farouche, elle recréait pour lui une bulle protectrice où il pouvait s'épanouir.

Elle avait remisé leur situation actuelle au rang d'une abstraction. Le temps ne comptait plus, il disparaissait, absorbé, et elle balayait les petits tracas du quotidien d'un sourire. Chaque fois qu'elle trébuchait, Julius et Hannah la visitaient. Julius assis au coin de la cheminée, levant les yeux de son journal et la regardant en souriant par-dessus ses lunettes. Hannah coiffée d'un grand chapeau de paille en train de tailler ses massifs de roses. Julius lui apprenant à jouer au croquet sur la pelouse du parc. Hannah picorant dans son assiette le regard perdu, et revenant vers elle avec un petit sourire d'excuse. Hannah encore, assise au piano à côté d'elle, la guidant dans l'exécution d'une polonaise de Chopin. Julius et Hannah amoureux, valsant lors de son mariage… Leur image la rappelait à l'ordre et sa détermination s'en trouvait renforcée.

Ils apprirent à tuer les heures, les jours et les semaines qui devinrent des mois. Leur vie de couple pâtit de cette réclusion. La cohabitation forcée avec les autres réfugiés et la présence permanente de leur fils entre eux avaient fait de Wilhelm et Almah un couple sans vie intime. Il y eut bien quelques tentatives machinales et maladroites, de brèves secondes de plaisir mutuel arrachées comme une revanche sur le sort, mais cela ne comptait pas. Cela faisait des mois qu'ils ne s'étaient pas vraiment aimés. Ils se parlaient affectueusement, avaient l'un pour l'autre des gestes tendres, se promenaient parfois hors du camp main dans la main, puis ils sombraient, s'endormant enlacés avec leur fils, et s'oubliaient dans le sommeil. Eux qui avaient tant aimé l'amour ensemble semblaient impuissants à renouer avec sa magie. Ils espéraient que leur désir n'était pas mort, mais seulement engourdi, qu'il allait se réveiller un beau jour. C'était un sujet qu'ils n'abordaient pas, mais cette faille entre eux se creusait, inexorablement.

*

Si Wilhelm se sentait coupable d'avoir failli dans son rôle de protecteur et de chef de famille, il reprit peu à peu du poil de la bête. Jour après jour, semaine après semaine, mois après mois, il fit le siège des différentes associations pour renouveler leur demande de visas. Encore et encore. Pendant l'année qui suivit leur arrivée et malgré les échecs successifs, il ne s'avoua jamais vaincu. Les émissaires des organisations juives tentaient désespérément de trouver des solutions d'émigration. Wilhelm et Almah, peu convaincus par le sionisme, ne se sentaient pas l'âme de pionniers agricoles et refusaient l'hypothèse palestinienne. De toute façon, la Grande-Bretagne verrouillait cette destination en délivrant les visas avec une extrême parcimonie. Des lucarnes s'ouvraient parfois dans des pays lointains, comme le Chili ou la Bolivie, pour se refermer aussitôt. Quant aux États-Unis qui avaient limité leur contingent à la portion congrue, leurs quotas, fixés strictement sur les origines, infligeaient des cauchemars à tous.

En décembre 1939, un an après leur arrivée, Wilhelm était prêt à jeter l'éponge et à se résigner à rester à Diepoldsau jusqu'à ce que les choses reviennent à la normale. Il ne leur restait plus qu'à espérer un miracle.

Le miracle se produisit en la personne d'un petit homme chauve à la bouille ronde qui portait des lunettes à fine monture d'acier.

Il s'appelait Solomon Trone.

C'était le recruteur de la Dorsa.

7

Extraits des carnets de Wil

Janvier-novembre 1939

8 janvier

L'année a commencé sous les pires auspices.

Pourtant nous étions si optimistes en arrivant en Suisse.

« Vos visas sont des faux. » Ces cinq mots ont suffi pour anéantir tous nos espoirs.

Ce matin-là, nous nous sommes réveillés de bonne humeur, convaincus de poursuivre notre voyage dans les jours suivants, puisque notre visa de transit est limité à huit jours. Nous attendons avec impatience le représentant d'une association d'entraide. Je n'ai pas de mots pour dire notre consternation et notre confusion quand le verdict est tombé. Sans compter l'humiliation d'être internés au camp pour une période indéfinie et la menace d'un renvoi en Autriche.

Je suis en proie à des sentiments confus qui ne me laissent aucun répit. De la déception, de la compassion pour Almah et notre fils, une immense tristesse, une angoisse abyssale face à notre avenir incertain, une froide colère envers Heinrich. Comment a-t-il pu être assez stupide pour se faire gruger de la sorte ? À moins qu'il n'ait agi en connaissance de cause, mais dans ce cas-là pourquoi ne m'en avoir rien dit ? Nous nous sommes laissé conduire dans une impasse comme des moutons à l'abattoir. Le fait de ne pas savoir me hante.

Pendant les deux jours suivants, nous sommes si assommés que nous restons sans réaction devant les conditions de vie épouvantables qui se profilent. Nous craignons d'être renvoyés en Autriche à tout moment. Il y a déjà eu des refoulements spectaculaires pour décourager les immigrants.

Autour de nous de bonnes âmes nous rassurent : à Diepoldsau, on ne renvoie pas les Juifs malgré la règle. Le chef de la police du canton met un point d'honneur à protéger les exilés, désobéissant sciemment aux directives. La preuve, c'est que de nombreux réfugiés sont là depuis des mois.

« Des mois ici, je ne le supporterai pas », m'a avoué Almah la première nuit où, grelottant, soudés l'un à l'autre, nous tentions de trouver le sommeil enroulés dans une mince couverture.

11 janvier

Il y a du mieux : nous avons déménagé dans une chambre avec un grand lit dans le bâtiment réservé aux femmes et aux couples. Nous essayons de prendre chaque petite amélioration de notre sort positivement. Toujours engluée dans une léthargie de mauvais augure, Almah subit la routine quotidienne comme une punition. Je ne vaux guère mieux. Je n'ai aucune envie de partager avec les autres nos malheurs et nos illusions perdues.

Nous souffrons terriblement du froid. Dans les baraquements, il n'y a pas de chauffage. Durant la journée, ça reste supportable, mais la nuit il gèle à pierre fendre et le froid nous glace les os. Le thermomètre descend jusqu'à -15 °C. Nous ne sommes pas équipés pour affronter de telles températures. Les deux couvertures qu'on nous a attribuées ne suffisent pas à nous réchauffer. Nous dormons pelotonnés l'un contre l'autre, Frederick coincé entre nous. La neige a transformé le sol en bourbier et nos chaussures sont insuffisantes. Chaque jour, je bénis Almah de nous avoir acheté de bons manteaux avant le départ.

13 janvier

Almah est folle d'inquiétude. Frederick est brûlant de fièvre et n'avale plus rien. Vu les conditions dans lesquelles nous vivons depuis notre arrivée, ça n'est pas surprenant. Un médecin de Graz s'est présenté spontanément car ici tout se sait instantanément. Pour une fois, nous ne nous en plaignons pas. Il s'appelle Emil Zelman, il est jeune, socialiste et sympathique. Il a diagnostiqué une mauvaise angine et nous a procuré des médicaments pour faire tomber sa fièvre et soigner sa gorge. D'ici quelques jours, le petit devrait être sur pied. La maladie de notre fils a fait réagir Almah, et moi aussi par voie de conséquence. Elle a retrouvé son énergie, le câline, lui raconte des histoires et, pour lui, son sourire est revenu.

20 janvier

Frederick est sorti d'affaire, son angine ne sera bientôt plus qu'un mauvais souvenir.

Nous ne sommes certes pas libres d'aller et venir comme bon nous semble, mais au moins nous sommes en sécurité.

25 janvier

Les associations juives nous approvisionnent. La cuisine casher qu'on nous sert est une abomination. Nous mangeons pour nous nourrir. Je pense avec nostalgie aux plats mijotés de Jutta et aux pâtisseries de ma mère. Quand Almah améliore l'ordinaire avec des fruits ou une pâtisserie qu'elle rapporte du village où elle va promener Frederick, c'est jour de fête.

Le camp est une société particulière, avec ses règles et ses problèmes. Nos origines très diverses géographiquement et socialement rendent la cohabitation difficile. Beaucoup de personnes ayant vécu dans de bonnes conditions ne s'adaptent pas au mode de vie plus que rudimentaire. Si des amitiés se tissent, il y a aussi des jalousies et des rivalités, dans la chasse au visa comme pour les maigres avantages que nous pouvons obtenir. Allemands contre Autrichiens, sociaux-démocrates contre communistes, intellectuels contre commerçants. J'essaie de m'extraire de ces coteries, mais, de fait, j'appartiens à l'une ou l'autre.

L'oisiveté forcée a des effets psychologiques désastreux. Nous n'avons pas le droit de travailler en Suisse. Nous nous occupons en participant à l'intendance et à la logistique : tenue des registres, organisation des rendez-vous avec les émissaires des associations, des rites religieux, distribution du courrier et des paquets. L'ordinaire d'une journée est fait de travaux domestiques, lectures et discussions à n'en plus finir. À travers la presse suisse et allemande et la radio, nous assistons de loin à la détérioration de la situation, à l'avancée des nazis et à la marche en avant vers la guerre.

Beaucoup d'hommes ont laissé les femmes derrière pour leur éviter la rigueur de la vie au camp, en espérant les faire venir quand leur situation sera éclaircie. Mauvais calcul car les persécutions empirent de l'autre côté de la frontière.

Les rares femmes célibataires sont très convoitées. Liaison éphémère ou amour durable, quelques couples se sont noués dans cette ambiance qui est tout sauf romantique. J'ai surpris plus d'une fois des regards masculins sans équivoque sur Almah. Quand cela arrive, je serre les poings et maîtrise ma colère pour ne pas créer d'incident.

5 février

Quelles possibilités s'offrent à nous ? Nous n'avons quasiment aucune chance d'obtenir un nouveau visa pour les États-Unis. L'Argentine, le Brésil, la Bolivie, le Chili ne recrutent que des professions scientifiques et délivrent les visas au compte-gouttes. De toute façon, nous n'avons aucun contact dans ces pays et nous n'en parlons pas la langue. Je persiste à croire, contre toute logique, que nous devons privilégier une solution américaine.

10 février

Les semaines s'étirent sans la moindre amorce d'une solution. J'ai parfois un sentiment d'irréalité, tout cela n'est qu'un mauvais rêve qui va prendre fin. Je vais me réveiller et tout sera comme avant. Les nuits sont toujours aussi froides. Au matin, nous nous réveillons le corps raide et les os douloureux. Je dors très mal. Almah présente tous les symptômes de l'angoisse : elle fait des cauchemars, pleure dans son sommeil, se réveille hébétée… Quand j'essaie d'en parler avec elle, elle refuse de se confier et fait bonne figure. J'aimerais tellement la soulager. Je suis accablé par mon impuissance. Cette situation sans issue empoisonne mon âme de façon subtile, aussi sûrement que la mer érode une falaise.

20 février

Il y a une vingtaine d'enfants dans le camp. Almah a pris, avec quelques femmes, l'initiative de monter un jardin d'enfants. D'autres ont créé un atelier de couture pour réparer les vêtements.

Emil Zelman, le médecin de Graz, est une des rares personnes avec qui je me sens en affinité. Il a de vraies valeurs, des convictions politiques et il considère son métier comme un apostolat. Il est devenu le médecin du camp. Comme nous, il est en attente d'un pays d'accueil. Il vise Cuba et s'astreint à l'étude de l'espagnol.

25 février

Désormais quand un réfugié a mal aux dents, il s'adresse à Almah. Elle donne des consultations sans instruments et sans fauteuil. En fait, elle se contente d'un premier diagnostic avant d'adresser les patients au dentiste du village. Même les policiers suisses s'adressent à elle. Cette activité lui a regonflé le moral. Rien de tel que de se sentir utile pour aller mieux.

1er mars

Nous avons peu de contacts avec les civils, ce n'est pas formellement interdit mais personne, ni l'administration, ni les locaux, ni les réfugiés, n'y tient. Quand nous sortons du camp pour une courte promenade, la police cantonale chargée de nous surveiller est plutôt coulante et la population bienveillante. Les Suisses répugnent à nous appeler Juifs et nous ont baptisé « les émigrants ». Les habitants du camp sont bien souvent plus éduqués et cultivés que les gens du cru et les vrais échanges avec les villageois sont rares. Mais il y a des gestes de sympathie, le boulanger nous fait souvent livrer ses surplus de pain.

L'autre jour, alors que nous marchions tous les trois le long de la route bordée de maisons anciennes, une femme nous a accueillis chez elle et nous a offert un verre de lait et des gâteaux. Cela nous a fait chaud au cœur. Ce genre de petits miracles nous aident à supporter notre condition.

4 mars

Aujourd'hui Almah s'est coupé les cheveux. Sans me prévenir. Quand je l'ai vue avec ses cheveux au ras des oreilles, j'ai eu un tel choc que j'en aurais pleuré. J'aimais tant caresser sa belle chevelure. Devant ma mine catastrophée, elle a eu un petit haussement d'épaules désinvolte :

— Ce ne sont que des cheveux ! Ça repousse ! Ce sera bien plus pratique pour les entretenir et puis les cheveux longs c'est démodé !

Je me suis abstenu de lui faire remarquer que parler de mode dans cet univers est totalement incongru.

— Tu aurais dû m'en parler avant, me laisser m'habituer à l'idée.

Avec un sourire, elle m'a tendu une épaisse mèche dorée nouée avec un ruban bleu.

— J'ai pensé que ça te ferait plaisir !

Mes doigts ont joué un moment avec sa mèche et je l'ai rangée avec nostalgie dans mon portefeuille. Je n'ai pas pu m'empêcher de la taquiner :

— Je me demande bien comment tu vas faire maintenant pour les enrouler autour de ton index !

18 mars

Dans le creux de notre lit, Almah m'a raconté une histoire à dormir debout.

— Herta, celle qui s'occupe des petits avec moi, a écrit une lettre à Grüninger. Elle lui a raconté que ses parents étaient sourds-muets, qu'ils avaient essayé de venir avec elle en Suisse, mais qu'ils avaient été renvoyés à Vienne. Elle l'a supplié de faire tout son possible pour les sauver. Figure-toi que Grüninger a répondu qu'il ne pouvait pas leur délivrer un visa, mais il leur a envoyé une citation à comparaître pour une audition dans son bureau à Saint-Gall. Ses parents ont pu acheter des billets de train grâce à ce document et Herta les attend d'un jour à l'autre.

— J'ai du mal à y croire !

— Je ne vois pas pourquoi elle mentirait. C'est peut-être la solution pour faire sortir tes parents d'Autriche. On devrait écrire à Grüninger et lui raconter une histoire bien attendrissante.

— Si c'était si facile, tout le monde le ferait !

— Tout le monde n'a pas le culot d'Herta, et elle ne s'en est pas vantée ! On ne peut pas rester sans rien faire. Je t'en prie, essayons !

Almah veut à tout prix concocter un drame familial et obtenir une citation pour mes parents. Je tempère son excitation mais son plan me séduit.

— Attendons d'abord de voir si les parents d'Herta arrivent. Ensuite, je devrai convaincre mes parents de quitter Vienne, ce qui ne sera pas une mince affaire puisque, contre toute raison, mon père espère toujours un assouplissement des mesures antijuives.

Ce soir, nous nous sommes endormis sur un petit nuage d'optimisme.

23 mars

Les parents d'Herta sont arrivés au camp et ont obtenu un permis de séjour. Ils ne sont pas sourds-muets, mais simplement vieux et durs d'oreille. J'ai écrit à mes parents et nous ruminons l'histoire que nous allons servir à Grüninger pour obtenir leur évacuation.

31 mars

Nous sommes consternés par la nouvelle : Paul Grüninger[1] a été dénoncé pour falsification de documents et suspendu de ses fonctions. Au mépris des directives de son gouvernement, il avait pris l'initiative d'ouvrir ce camp et il a sauvé de nombreux Juifs depuis que la Suisse nous a fermé ses portes. Ce rempart bienveillant contre la dureté de l'administration suisse et sa complaisance envers le Reich vient de sauter. La porte entrouverte par Grüninger vient de se refermer. Plus question de faire venir mes parents par son entremise. C'est une désillusion supplémentaire dans une liste qui ne cesse de s'allonger.

---

1. Après avoir été licencié de la police suisse et condamné à une amende pour violation répétée de ses devoirs, le commandant Paul Grüninger, chef de la police saint-galloise, devint représentant de commerce puis enseignant. En 1970, le gouvernement de Saint-Gall lui a accordé une réparation morale et lui a rendu hommage. Décédé en 1972, il a été réhabilité à titre posthume en 1995 et décoré par l'État d'Israël.

1er avril

Franco a annoncé la fin de la guerre d'Espagne. Cette nouvelle victoire du fascisme est une cruelle déception.

10 avril

Nous allons sortir de notre inactivité forcée. L'administration du camp a décidé de nous employer à de petits travaux qui ne concurrencent pas les locaux, comme la traite des vaches et la récolte des fruits. Nous ne toucherons qu'un maigre dédommagement et une contribution sera reversée pour le fonctionnement du camp. C'est un arrangement insatisfaisant mais qui a le mérite de nous tenir occupés. Pour ma part, je vais prêter main-forte aux ouvriers de l'usine Bollag, une fabrique d'imperméables dont l'atelier se trouve à la périphérie du village.

Grande victoire : à la demande du dentiste de Diepoldsau dont l'assistante vient de déménager, Almah va travailler dans le cabinet dentaire. Pas de salaire, mais elle est contente d'exercer son métier.

20 avril

Alimentée par des dons, notre bibliothèque est bien fournie. Nous avons organisé des cours d'anglais dans la perspective de nos prochains départs. Certains ont voulu inaugurer des cours de formation communiste, initiative vite disqualifiée par la direction du camp.

De toute façon, il n'y avait pas beaucoup d'adeptes, peu d'entre nous sont là pour sauvegarder une idéologie. Des policiers donnent un cours de gymnastique un matin sur deux. Nous avons construit une scène et créé une troupe de théâtre, une chorale et un orchestre très honorable car il y a beaucoup de musiciens parmi nous. L'acmé de notre vie sociale, ce sont les soirées théâtrales auxquelles sont conviés les villageois.

8 mai

Je renoue avec mon activité de critique culturel. Rubrique théâtre.

Notre directeur de troupe, Herbert Falk, ancien professeur de théâtre à Vienne, met en scène des comédies et dirige les acteurs. Rudolph Mandl, un acteur méconnu et quelque peu imbu de lui-même, monopolise les premiers rôles. Ursula et Else, respectivement modiste et chapelière, sont devenues costumières. Deux étudiants aux Beaux-Arts se sont improvisés accessoiristes. Cela fait finalement une petite troupe d'un assez bon niveau.

En ce moment, ils montent *Lumpazi le vagabond,* une comédie de Nestroy, l'histoire d'un petit bourgeois sentimental qui parie avec deux anges qu'il pourra corrompre trois personnes.

Les répétitions ont commencé. Almah tient le rôle d'Amorosa, l'un des anges. Elle est très enthousiaste. Chaque jour, après le travail, j'assiste aux répétitions, et chaque soir je lui fais réviser son texte.

20 mai

La pièce a été appréciée si l'on en juge aux applaudissements nourris des villageois et des réfugiés. Almah ne s'en est pas mal tiré. Ça a été un moment de partage joyeux, une de ces petites parenthèses dans la vie au camp qui alimentent l'espoir que tout n'est pas irrémédiablement perdu. Pour autant, ces brefs répits ne nous donnent pas l'embryon d'une solution.

Juillet

Le camp est surpeuplé. Des clandestins arrivent chaque nuit avec l'aide de passeurs autrichiens qui connaissent bien la frontière. On raconte qu'ils utilisent une brèche dans les buissons au milieu des aulnes, un peu à droite du poste de douane, et que les gardes-frontières ferment les yeux.

La situation s'est considérablement tendue en Autriche comme en Allemagne. Les déportations sont désormais monnaie courante. Les nazis ont commencé à concentrer les Juifs des campagnes et des petites villes à Vienne. Les rares lettres de mon père se veulent rassurantes. Mes parents partagent maintenant leur appartement avec une autre famille juive. Ils vivent cloîtrés et sont heureux d'avoir des compagnons. Ils espèrent toujours que les choses vont revenir à la normale et que dans un proche avenir nous serons tous réunis. Pour ne pas peser sur leur moral, je leur envoie des lettres enthousiastes.

Août

Le soleil nous fait du bien. Le quotidien est moins dur, les relations plus détendues, on s'amuse plus volontiers. Les horaires des promenades ont été étendus et nous pouvons marcher le soir le long de la route et profiter de la campagne. Mais c'est un décor factice qui cache l'horreur de ce qui se déroule de l'autre côté du Rhin. Car les nouvelles ne sont pas bonnes : l'armée allemande est massée à la frontière polonaise. La guerre est imminente.

1er septembre

Les Allemands sont entrés en Pologne. Les supputations vont bon train sur la date de l'entrée en guerre des grandes puissances européennes.

3 septembre

La France et l'Angleterre viennent de déclarer la guerre à l'Allemagne. Est-ce le début d'un nouveau conflit international ?

Malgré nos conditions de vie précaires, nous sommes en sécurité dans un pays neutre. Que va-t-il advenir de mes parents, Juifs dans un pays nazi en guerre avec le reste de l'Europe ?

6 septembre

Ici la guerre n'est qu'une rumeur. J'ai été affecté au ramassage des pommes dans une petite ferme. C'est un travail dur qui met mon corps à l'épreuve, mais je suis heureux de rentrer le soir avec des fruits pour les enfants. C'est ma récompense. Almah s'en sort mieux que moi. Le vieux dentiste l'a prise en affection, elle rentre souvent avec de petites douceurs, des plats préparés par son épouse, des bonbons pour les enfants, des vêtements.

20 septembre

Les Allemands viennent d'entrer à Dantzig. Où s'arrêtera leur progression ? Une chose est sûre, l'ogre ne s'en tiendra pas là.

Octobre

Nous nous sommes coulés dans le moule et nous vivons englués dans notre morne quotidien, un engourdissement peut-être salutaire. Notre vie est coupée en deux univers qui jamais ne se chevaucheront : avant le passage de la frontière et après. Je commence à me résigner. Pour être tout à fait honnête, je dois reconnaître que je suis totalement découragé. J'ai jeté l'éponge quant à d'hypothétiques visas pour les États-Unis. Nous attendrons ici en prenant notre mal en patience que les choses se tassent, car elles reviendront bien à la normale, un jour ou l'autre. Notre fils grandira dans un camp de réfugiés.

Novembre

Un nouveau coup au moral, pourtant je devrais être heureux pour lui : Emil part pour Cuba. Au fil des mois, nous étions devenus proches, pas de vrais amis mais pas loin. Je vais me sentir encore plus seul.

Les jours passent, des jours gris comme le ciel. Le temps pourrait tout aussi bien s'étirer indéfiniment. Ce qui me préoccupe en ce moment, c'est le retour de l'hiver et du froid. Aucune perspective d'amélioration de notre situation.

8

Trone

Décembre 1939

Depuis quelques jours le camp de Diepoldsau était en émoi. Le bruit s'était répandu comme une traînée de poudre. Un émissaire du Joint[1] arrivait de New York. Il venait recruter des volontaires pour établir une colonie sous les tropiques. On parlait d'une île, on parlait de visas, on parlait de kibboutz… Une nouvelle lucarne allait peut-être s'ouvrir pour ceux qui attendaient une affectation.

Wilhelm fit immédiatement le lien avec la conférence d'Évian qu'il avait suivie de loin un an et demi auparavant par l'intermédiaire d'un journaliste du

1. Le Joint ou JDC (American Jewish Joint Distribution Committee) est la plus grande organisation humanitaire juive au monde. Créé en 1914 par des Juifs américains pour venir en aide aux Juifs d'Europe victimes de la famine et de persécutions et aux Juifs de Palestine, le Joint est aujourd'hui présent dans plus de 70 pays.

Neues Wiener Tagblatt. Ça n'avait été qu'un échec politique de plus dans une longue liste de fiascos. Il se rappelait : la République dominicaine, cette république bananière au sud de la Floride, à quelques encablures de Cuba... Le dictateur mégalomane qui avait fait massacrer des milliers d'Haïtiens... Les 100 000 visas... Ainsi, ce n'était pas une offre en l'air. La proposition de Trujillo avait finalement été prise au sérieux et les États-Unis jouaient les intermédiaires. Wilhelm sentit renaître ses instincts de journaliste. Comme il aurait aimé être en contact avec son ancienne rédaction pour grappiller des informations ! Il se demandait quelle place tenait ce pion sur l'échiquier politique international et quel intérêt les États-Unis trouvaient dans l'opération. Car la première puissance mondiale, qui sortait à peine de la récession, n'agissait pas sans intérêt. Était-ce pour renforcer sa mainmise dans la zone caraïbe ? Pour se dédouaner face à l'opinion internationale de son incapacité à accueillir des réfugiés ? Pour apaiser les pressions du puissant lobby des banquiers et des industriels juifs américains ? Était-ce un pas dans la direction des sionistes ?

Il y eut une première réunion d'information où furent conviés les hommes entre dix-huit et trente-cinq ans. Ils furent peu nombreux à y assister car la plupart visaient d'autres pays, en priorité les États-Unis, ou à défaut l'Argentine, le Brésil ou le Chili ; quant aux sionistes, pour eux c'était la Palestine sinon rien. Wilhelm s'y rendit, plus pour satisfaire sa curiosité que par véritable intérêt.

Le recruteur, un petit homme à la face joviale, inspirait d'emblée la sympathie. Solomon Trone était ingénieur. Il représentait la Dorsa[1], une association créée en décembre 1939 par le Joint et l'Agro Joint pour organiser le projet dominicain, projet qui n'existait pour le moment que sur le papier. Trone travaillait sous l'égide d'un certain Joseph Rosen qui avait dirigé un projet d'établissement de Juifs en Crimée dans les années 30. Un contrat venait d'être signé par le gouvernement dominicain. Les pionniers s'installeraient sur les terres d'une ancienne plantation de bananes que la United Fruit avait abandonnée et revendue à Trujillo qui l'avait lui-même revendue au Joint, empochant au passage un petit pactole. Plusieurs recruteurs américains parcouraient les pays d'Europe pour sélectionner les candidats.

C'était un accord gagnant-gagnant. D'un côté, Trujillo développait son pays grâce aux capitaux juifs et au zèle européen. Au passage, il espérait blanchir la population dominicaine trop sombre à son goût, un paradoxe pour le métis qu'il était. De l'autre, le projet était un laboratoire pour le Joint. Il devait prouver que de vastes établissements de colonisation pourraient bientôt revêtir une grande unité de part et d'autre de l'Atlantique.

Trone devait évaluer les compétences des futurs colons. Il cherchait en priorité des hommes jeunes, de préférence célibataires, ayant quelques notions d'agriculture ou, à défaut, d'accord pour suivre une formation agricole accélérée avant de s'établir en République dominicaine. Ils devaient être organisés, désireux d'apprendre, peu attachés aux conventions et

1. Dominican Republic Settlement Association.

capables de supporter des conditions de vie rudimentaires. De bonnes graines de fermiers.

Trone ne leur dora pas la pilule : il s'agissait purement et simplement de faire sortir de terre une communauté rurale à l'image de Degania et Kinneret, les premiers kibboutzim de Palestine. Ce serait dur, aucun doute, mais ils seraient libres, en sécurité, indépendants. Il leur offrait une aventure exceptionnelle, exaltante, comme on n'en vit qu'une fois dans une vie. Les moyens de production et de consommation seraient collectifs, les décisions se prendraient de concert et à la majorité, droits et devoirs seraient équitablement partagés. Trone leur proposait tout simplement de se mesurer à eux-mêmes et de réinventer leur vie.

D'abord timides, les questions se mirent à fuser. Solomon Trone y répondit avec toute la patience d'un instituteur investi d'une mission particulièrement difficile auprès d'écoliers récalcitrants.

— Quelle était la religion du pays ? Catholique en grande majorité. Bah, comme en Autriche alors !

— Y avait-il des Juifs là-bas ? Une toute petite communauté historique, pour la plupart des Espagnols et des Hollandais installés depuis plus de deux siècles, plus une dizaine de familles installées récemment dans la capitale.

— Allait-il recruter des femmes ? La question était délicate. Trujillo n'avait pas su cacher sa volonté de blanchir sa population largement métissée, et de jeunes hommes qui feraient souche lui convenaient parfaitement. Trone esquiva : Pourquoi pas quelques-unes, selon leurs compétences…

— Les couples pouvaient-ils postuler ? Trone n'y était pas totalement opposé mais il fallait prendre en compte la rudesse de la vie sur place dans les premiers temps, notamment pour les enfants.

— Pourraient-ils faire venir leurs familles ? Cela faisait partie du plan. La Dorsa se chargerait de réunir les familles dans un second temps, le nombre de visas promis était important.

— Ce pays était-il un simple caillou au milieu de la mer ? Un pays de bonne taille, environ celle de la Suisse, avec des montagnes, des rivières, des plaines très fertiles et des côtes, et un peu moins de deux millions d'habitants.

— Et le régime politique ? Trone cilla mais ne vacilla pas : c'était une démocratie avec un président élu. Il ne jugea pas utile de préciser que l'opposition avait été laminée et les élections honteusement truquées, comptant plus de votants que d'électeurs inscrits. Il omit de mentionner la police secrète de Trujillo, les enlèvements, la torture, les assassinats et les geôles pleines d'opposants politiques.

— La capitale c'était San José ou San Juan ? La ville s'appelait Santo Domingo ou plutôt, et là Trone eut une petite moue gênée, Ciudad Trujillo… Mince alors, le nom du dictateur ? Santo Domingo avait été débaptisée. Trone en convenait, c'était un peu mégalomaniaque. Il ne précisa pas que le dictateur avait aussi débaptisé La Pelona, le plus haut sommet de l'île, pour le nommer Pico Trujillo, et que partout des statues à son effigie étaient érigées, que les églises devaient proclamer « *Dios en cielo, Trujillo en tierra* » (« Dieu au ciel, Trujillo sur terre »), ni qu'il avait nommé son fils colonel de l'armée à cinq ans. Il était inutile d'effrayer les futurs colons qui de toute façon vivraient en autarcie.

Wilhelm intervint, curieux de voir comment Trone allait s'en sortir :

— Avec ce militaire au pouvoir, n'est-ce pas un état fasciste, une sorte de… dictature ?

L'ingénieur fronça les sourcils, identifia le fauteur de troubles et répondit avec circonspection :

— C'est plutôt un régime autoritaire qui garantit l'intégrité du pays, mais il est soutenu par les États-Unis, comme le gouvernement de l'île voisine, Cuba. Les Américains sont les garants de la stabilité politique dans la région.

— La population était-elle noire ou blanche ? Les Blancs tenaient les rênes du pays, la population était en majorité métissée, il y avait aussi des Noirs. Là encore, Trone préféra pécher par omission et ne parla pas de la main-d'œuvre haïtienne maintenue en état d'esclavage.

— Et les colons juifs au milieu de tout ça ? Ils auraient un statut à part, protégé par les accords entre le gouvernement dominicain et le Joint. Ils ne dépendraient pas de l'administration dominicaine, seraient exemptés de taxes et de droits de douane. Ils pourraient pratiquer leur religion en toute liberté.

— Et le climat ? À cette question sans risque, Trone se détendit. Chaud, tropical, plus frais en hiver, un climat très agréable. Il passa sous silence les cyclones et les tempêtes tropicales qui balayaient parfois l'île.

— Et les bêtes sauvages, les maladies ? Trone soupira et les rassura : il n'y avait aucun gros animal dangereux, seulement des insectes… Nouveau mensonge par omission : Trone ne mentionna pas les mygales, les moustiques féroces et les fièvres tropicales qui sévissaient dans l'île.

Enfin pour conclure, Trone sortit avec assurance son dernier argument, et il était de taille : la plage et la mer idylliques, encore plus belles qu'en Floride, le sable blanc, l'eau turquoise, les cocotiers, de quoi faire rêver ces réfugiés dont le froid était devenu le tourment quotidien.

9

Une planche de salut

Décembre 1939

Almah et moi tergiversâmes longtemps. Je n'étais pas franchement convaincu, mais c'était la première fois que nous entrevoyions une vraie possibilité de quitter le camp. L'idée faisait son chemin. Elle parvint à me convaincre que c'était une chance que nous devions saisir. Bien que je m'en défendisse, un plan pernicieux et inavouable germait dans mon cerveau. Quand je m'en ouvris à elle, elle ne s'en étonna pas.

— Cela fait presque un an que nous poireautons dans ce camp sans aucune perspective d'amélioration de notre situation. Nous devrions jouer le jeu pour quitter l'Europe. Tous les bateaux font halte aux États-Unis. Là nous leur fausserons compagnie en refusant d'aller plus loin. Nous avons toujours nos visas américains, même s'ils sont périmés, et nos arguments n'ont pas changé.

— Oh Wil, je savais que tu dirais ça ! Figure-toi que j'y ai pensé, moi aussi, et je me dis que ça peut marcher.

— Alors nous sommes sur la même longueur d'onde ?

Almah hocha la tête en signe d'assentiment.

— Après tout, que risquons-nous ?

— Au point où nous en sommes, rien ! Nous demanderons de nouveaux visas sur place. Myriam et Aaron nous aideront.

Un pli soucieux marqua le front d'Almah.

— Quand même, c'est un peu déloyal. Si nous sommes sélectionnés par ce Trone, ils vont payer pour notre voyage.

— Franchement, je n'ai pas d'état d'âme. Les organisations juives sont pétries d'argent. Nous devons essayer, nous le méritons ! Et surtout nous le devons à nos parents.

— J'espère seulement ne pas être abandonnée au milieu du gué, reprit Almah d'une voix d'enfant. Je voudrais voir le bout de la route. De toute façon, ajouta-t-elle avec un haussement d'épaules désinvolte, ce sont des paroles en l'air. Il ne nous acceptera pas, nous sommes un couple avec un enfant en bas âge. La belle affaire pour eux ! Nous n'avons pas le profil de pionniers. Tu te vois pelleter du fumier, planter des choux et gratter une guitare autour d'un feu de joie ?

Almah éclata de rire. Elle me rappela *La Piste des géants* que nous avions vu au cinéma, John Wayne qu'elle avait adoré, et les premiers colons du Far West vivant dans leur chalet de bois, au milieu de leur bétail et se déplaçant en charrette…

— Non vraiment, je ne nous vois pas du tout comme ça !

Il ne nous restait plus qu'à fourbir nos arguments pour convaincre Solomon Trone que nous étions de la bonne graine de pionniers. Nous postulâmes avec notre esquisse de plan en tête.

Forte de son expérience d'ange dans *Lumpazi le vagabond*, Almah n'eut pas à forcer son talent de comédienne. De toute façon, elle était capable de mettre n'importe qui dans sa poche d'un battement de cil.

Pour moi, ce fut plus délicat. Avec mon métier de journaliste, j'étais d'emblée suspecté de sympathies à gauche. Comme je m'étais fait remarquer par mes questions insidieuses et provocantes lors de la réunion d'information, ce n'était pas gagné d'avance. Je tus mes réserves vis-à-vis du régime politique en place et surjouai un franc enthousiasme pour le projet. Quant à ma piètre expérience agricole qui se limitait au ramassage de pommes, je préférai ne pas m'étendre dessus. Pour me dédouaner, je me rappelais les réserves de Hans quand il me commentait les débats de la conférence d'Évian. Après tout, les acteurs de cette farce n'avaient rien de charitables protecteurs qui venaient sauver de malheureux Juifs des griffes du nazisme. Derrière le projet humanitaire, chaque acteur avait des visées politiques précises. D'un côté, le dictateur souhaitait récupérer un peu de respectabilité internationale, développer son pays et le purifier de ses Noirs grâce à une main-d'œuvre blanche, tout en engraissant ses comptes bancaires au passage. De l'autre, le Joint positionnait sur l'échiquier mondial un nouveau pion qui lui permettrait de valider la capacité de jeunes urbains à construire une société à partir de rien, tout en ménageant une sortie de secours en cas de faillite de l'option palestinienne. Compte tenu du dessous des cartes et eu égard à l'opportunité qui s'offrait à nous, je m'autorisais une certaine duplicité que je me refusais à appeler hypocrisie. Bien sûr, nous nous sentions un peu en délicatesse vis-à-vis du recruteur et des autres candidats, mais il fallait que nous dopions notre chance. Personne ne pouvait décider de notre destin pour nous. Nous n'avions pas dit notre dernier mot et nous tenterions coûte que coûte de forcer la porte des États-Unis.

10

Le contingent de Trone

Décembre 1939

Ils ne furent pas si nombreux à postuler.

Comme il s'y attendait, Trone ne trouva parmi eux aucun expert et leurs antécédents agricoles étaient bien minces. La maigre expérience des plus chevronnés se bornait à la traite des vaches, aux moissons et au ramassage des fruits, tâches auxquelles ils avaient été affectés dans les fermes des environs de Diepoldsau depuis le printemps 1939. Quant aux autres, c'était le néant. Trone ne rencontra que des personnes ayant occupé des fonctions intellectuelles, quelques artisans et des jeunes sans expérience, enthousiastes à l'idée de vivre une aventure dans un pays exotique. Il se contenta de privilégier ceux qui étaient en bonne forme physique.

Contrairement aux pronostics d'Almah, ils furent sélectionnés. Avec sa formation de dentiste, elle était une bonne recrue. Quant à Wilhelm, si sa formation ne le prédestinait aucunement à un avenir agricole, il sut convaincre Trone.

Au total, ils furent vingt-neuf à être retenus : dix-neuf hommes, huit femmes, vingt-trois célibataires, deux couples avec chacun un enfant. Du haut de ses trois ans, Frederick était le benjamin. L'autre enfant était un garçonnet de cinq ans. Dès lors, ils furent comme un clan, animés par le souffle de l'aventure, préparant leur départ, tandis que Solomon Trone se démenait comme un beau diable pour obtenir les visas de transit et organiser le voyage de ses recrues.

11

Extraits des carnets de Wil

Décembre 1939

Une sacrée troupe de bras cassés, voilà ce que Trone a recruté ! Ses critères de sélection sont aussi obscurs et impénétrables que les voies du Seigneur.

Liste des candidats sélectionnés
Kaethe et Erica Discher : étudiantes en lettres et aux Beaux-Arts
Else Glinck : chapelière
Suzie Hilb : étudiante en médecine
Gertrude Bein : violoniste
Ursula Kreitman : modiste
Lotte Zeitman : architecte
Almah Rosenheck : dentiste

Otto Solniks : professeur de mathématiques
Siegfried Ackerman : ingénieur chimiste
Kurt Edelstein : sculpteur et professeur de dessin
Ernst et Josef Birenbaum : étudiants en droit

Heinrich Bergman : typographe
Nathan Zilberman : couturier
Max Kaplan : cuisinier, ex-propriétaire
du Kaplan' Deli à Vienne
Herbert Falk : professeur de théâtre
Gustav Meisterlin : assureur
Jakob Reichelberg : ébéniste
Ludwig Friedman : vétérinaire
Walter Erlich : comptable
Isaac Sprinz : avocat
Moritz Zucker : boucher
Rudolph Mandl : acteur
Sigfried Lechner : chauffeur de taxi
Kurt Zeitman : opticien
Wilhelm Rosenheck : journaliste

Helmut Zeitman : cinq ans
Frederick Rosenheck : trois ans

Seuls points communs entre nous, l'allemand que nous parlons et notre âge, en dessous de trente-cinq ans. Pour le reste, nous serions certainement plus à même d'animer un camp de vacances ou de monter un spectacle de cirque que de défricher une jungle tropicale pour y construire un kibboutz !

Que font là une chapelière, une violoniste, un acteur, un boucher, un typographe et un chauffeur de taxi ? Quant aux deux couples encombrés d'un enfant, les Zeitman et nous, ce sont les professions des épouses, l'une architecte et l'autre dentiste, plutôt que les métiers des maris, l'un opticien et l'autre journaliste, qui ont décidé Trone.

S'ajoutent une dizaine d'autres élus, recrutés dans le camp de Girenbad, non loin de Zurich, dont nous ferons la connaissance lors du voyage qui doit nous mener au port de Lisbonne.

*

À vrai dire, j'aurais préféré attendre en Suisse une opportunité de partir aux États-Unis car je ne me vois que journaliste à New York ou à Vienne. Mais Almah a eu gain de cause à force d'arguments bien huilés. Nous voilà donc embarqués dans cette aventure, avec, solidement ancré en tête, le plan de leur fausser compagnie à la première occasion, à Lisbonne ou aux États-Unis où nous ferons escale. Autant tenter le tout pour le tout car notre situation ici n'a rien d'enviable. L'avenir nous dira si nous avons pris la bonne décision.

Notre « affectation » (j'utilise la terminologie du camp) a créé une forme de solidarité entre nous et nous sommes désormais « les pionniers de Trone ».

— Plus besoin de cours d'anglais, nous lance un boute-en-train à table, mettez-vous à l'espagnol !

— Vous nous laisserez vos manteaux et vos écharpes puisque vous partez dans les îles ! renchérit un autre.

J'ai accepté avec un enthousiasme de façade une vague formation à l'agriculture. Nos cours sont dispensés par un ingénieur agronome, un bénévole juif de Bâle. Je rejoins Ludwig le vétérinaire dans la bibliothèque pour échanger nos impressions.

— Trone n'a pas aimé quand tu lui as balancé le mot dictature l'autre jour ! rigole-t-il.

Je lui réponds avec un rien de forfanterie :

— Ça, il n'était pas franchement à l'aise.

— La vraie question c'est : « Quelles garanties avons-nous ? »

— Quelles garanties avons-nous ici ?

— Ils devraient nous envoyer en Palestine, ce serait plus logique puisqu'ils veulent y construire un pays.

— Tant que la Grande-Bretagne en gardera le contrôle, il n'y aura pas d'émigration massive en Palestine. Quand l'État juif sera créé…

— Parce que tu y crois, toi, à cet État juif ?

— Il n'y a pas d'alternative, le processus est en marche. Tôt ou tard…

— Mais alors, quel intérêt de nous envoyer à l'autre bout du monde ?

— Il faut un plan B au cas où le projet Palestine échouerait. Ils tâtonnent, il y a eu d'autres projets avortés en Alaska, aux Philippines, en Afrique et en Amérique du Sud.

— Ils cherchent des endroits reculés où nous caser, si possible loin de chez nous, constate amèrement Ludwig.

— De toute façon, il faudra des pionniers aguerris pour entraîner les nouveaux colons où qu'ils s'installent. Nous serons peut-être de ceux-là !

Je joue le jeu et essaie de conclure sur une note positive. Nous devons désormais nous serrer les coudes et maintenir le moral de la troupe au beau fixe.

12

Errance

Janvier 1940

Ils devaient rejoindre Lisbonne d'où appareillaient tous les bateaux à destination du continent américain.

Ce fut une lente et douloureuse errance.

« Les pionniers de Trone » quittèrent Diepoldsau au matin du 15 janvier, escortés de membres des associations d'entraide. L'émotion se lisait sur tous les visages. Ils n'étaient ni exaltés ni joyeux, mais graves, presque tristes, mis à part quelques-uns parmi les plus jeunes qui affichaient une gaieté affectée. Une nouvelle page de leur vie se tournait. Ils avaient pour la plupart passé de longs mois, et jusqu'à plus d'un an pour certains, dans le camp suisse où ils avaient pris des habitudes et tissé des amitiés. Ils partaient avec presque rien, le maigre pécule reçu en rétribution de leur travail et les souvenirs de leur vie au camp. Ils quittaient la sécurité d'un pays neutre, la proximité de leur propre pays, pour partir sous des constellations inconnues, vers un pays dont certains ne connaissaient même pas l'existence quelques semaines auparavant. Un pays dont ils ne parlaient pas la langue, dont ils redoutaient le climat, parmi des gens dont ils ignoraient tout. S'ils avaient eu le choix, à coup sûr, aucun d'entre eux n'aurait retenu cette option. Ce n'était qu'un pis-aller, une planche de salut que le hasard avait mis sur leur chemin et à laquelle ils s'étaient cramponnés en se disant que, peut-être, leur choix serait chanceux, et de toute façon temporaire.

Après les portes du Reich, c'étaient les portes de la Suisse qui se fermaient derrière eux. Ils prirent un premier train pour Genève où ils patientèrent quelques heures avant d'embarquer dans un autre train pour Lyon, en France. De là, ils prirent un troisième train jusqu'à Perpignan. Le voyage jusqu'au sud de la France dura vingt heures, pendant lesquelles ils eurent le temps de regretter la sécurité du camp de Diepoldsau. C'était étrange et angoissant de traverser un pays sur le point de basculer dans la guerre. Il régnait un calme précaire et inquiétant, le calme d'avant la tempête car, malgré la déclaration de guerre de la France, les Allemands n'attaquaient pas. Pour autant, partout les habitants se préparaient au conflit. Une pesanteur sourde suintait des regards.

Les associations qui avaient pris le relais à leur sortie de Suisse durent déployer des trésors de diplomatie pour acheminer à travers la France ces ressortissants d'un pays ennemi. C'était une situation absurde : ils étaient considérés comme des ennemis, alors qu'ils fuyaient le Reich qui les avait reniés. Ils furent maintes fois arrêtés, contrôlés, fouillés et tous leurs documents minutieusement épluchés. Les vrais ennuis commencèrent à Perpignan où le groupe fut bloqué par des policiers un peu trop zélés et tout à fait bornés. À cause de leurs passeports et malgré le J rouge, on les arrêta en tant que ressortissants du Reich, un pays désormais ennemi. Ils furent embarqués pour Saint-Cyprien, un camp de fortune construit à la hâte sur une plage aux pieds des Pyrénées, pour accueillir les républicains espagnols qui avaient fui lors de la victoire de Franco. Leur séjour dans le camp suisse les avait certes endurcis mais ils n'étaient pas préparés à cela. Le camp de Saint-Cyprien était bien pire que celui de Diepoldsau. C'était un océan de baraques en bois rudimentaires au sol en terre battue, cerné par de hauts remparts de fils barbelés.

Le bureau parisien de L'Hicem[1] dut intervenir pour clarifier leur situation. Après deux nuits passées à Saint-Cyprien, ils purent repartir en autobus en direction du Pays basque. Le cauchemar recommença. En pire. Ils furent internés quatre jours dans le camp de

1. Fondée en 1927, l'Hicem est une organisation internationale chargée de la migration juive. Le nom est un acronyme des trois organisations qui l'ont créée : HIAS (Hebrew Sheltering and Immigrant Aid Society, organisation américaine basée à New York), ICA (Jewish Colonization Association fondée par le baron de Hirsch en 1891, basée en Angleterre) et Emig-Direkt (fondée en 1921 à Berlin). L'Hicem avait des bureaux à Paris, en Amérique centrale et du Sud et en Extrême-Orient. Après l'invasion allemande mi-1940, l'Hicem ferma son bureau de Paris et s'établit à Lisbonne. Largement financée par l'American Joint Distribution Committee, l'Hicem a permis à quelque 90 000 Juifs de s'échapper d'Europe *via* Lisbonne pendant l'Holocauste, en s'occupant de la logistique de leur départ à leur arrivée dans les pays d'accueil.

Gurs, dans des conditions de vie et d'hygiène encore plus déplorables. Plusieurs milliers d'Espagnols, jeunes, vieillards, hommes, femmes, enfants, s'y entassaient comme du bétail, dans une promiscuité sordide. L'hiver avait transformé le sol en un marais de boue, les baraques en bois étaient infestées de vermine, et les réfugiés crevaient de faim.

Ce cauchemar sans fin, cette errance de camp en camp, dans des conditions qui se détérioraient à chaque étape, allaient-ils encore empirer ? Plusieurs femmes eurent des crises nerveuses et certains hommes des accès de rage et de désespoir. Tous regrettaient leur décision prise à la hâte et sous la pression, ils s'en voulaient de s'être laissé séduire par les fumeuses promesses de Trone et d'avoir quitté la Suisse, qui, toutes proportions gardées, leur apparaissait comme un havre.

Finalement, ils purent franchir la frontière et filèrent en autobus jusqu'à la capitale espagnole. L'Espagne se relevait à peine de la guerre civile qui l'avait mise à feu et à sang et n'était que désolation, un véritable champ de ruines. À Madrid, ils prirent un train pour Lisbonne. L'espoir, douché par l'adversité, revint galvaniser la troupe. Ils s'estimaient chanceux par rapport à la population espagnole qu'ils laissaient derrière eux et se convainquaient que les aléas du voyage ne seraient bientôt plus qu'un mauvais souvenir.

Pas une fois Almah ne s'était plainte. Sa détermination à protéger son fils, quelles que fussent les épreuves qu'ils traversaient, imposait le respect. Son attitude obligeait Wilhelm à se montrer invincible. Il se demanderait toujours comment sa femme avait pu tenir, elle qui, avant de le rencontrer, avait vécu une existence si privilégiée. Il découvrait que les femmes ont des ressources insoupçonnées, liées à la maternité, inaccessibles aux hommes. Il se consolait en se disant que, quand ils seraient très vieux, ils évoqueraient cette aventure comme un épisode rocambolesque qui ferait partie de leur légende.

13

Lisbonne

Janvier 1940

Nous fîmes notre entrée en gare de Lisbonne vers 16 heures sous un soleil déclinant. Un comité d'accueil composé des membres de la Comassis[1], une association juive, nous attendait en impeccable rang d'oignons. Ils nous prirent en charge à notre descente du train. Nous eûmes à peine le temps de faire nos adieux à nos compagnons de voyage. Notre groupe s'éparpilla, chacun suivant son accompagnateur. Il faut reconnaître que, s'ils laissèrent peu de place aux émotions, ils avaient bien organisé les choses. Moins d'une heure plus tard, nous étions installés dans la *pensão* São Rafael, une modeste pension située sur les hauteurs de l'Alfama, le quartier du port. Notre nouveau

1. En 1933, la communauté juive de Lisbonne et le médecin Augusto d'Esaguy fondèrent la Comissão Portuguesa de Assistência aos Judeus Refugiados (Comassis), un comité d'assistance qui, avec l'accord du gouvernement, soutint de nombreux réfugiés.

chez-nous, une chambre haut perchée sous les toits, comptait un grand lit, un petit matelas pour enfant roulé, une table, deux chaises, une grande bassine de fer-blanc avec un seau pour nos ablutions, des draps et du linge de toilette. La douche et les toilettes se trouvaient à l'étage en dessous. C'était un confort enviable après les baraquements des camps français. On nous avait également gratifiés d'un maigre viatique, une poignée d'escudos pour faire face à nos dépenses de première nécessité. La femme qui nous avait installés nous recommanda de nous reposer en attendant les émissaires de l'Hicem qui devaient prendre le relais dès le lendemain matin. Ils s'occuperaient de nos autorisations de sortie et de nos billets pour la traversée transatlantique.

Tandis que Frederick faisait des bonds de carpe en riant sur le lit, Almah s'effondra sur une chaise avec un soupir, sans même prendre la peine d'enlever son manteau. Les traits de son visage s'affaissèrent et ses yeux s'emplirent de larmes.

— Notre situation s'améliore, c'est indéniable ! Combien de temps allons-nous errer comme des nomades ? lâcha-t-elle d'une voix enrouée.

Dans ses yeux, des larmes brillaient. Une boule se forma dans ma gorge qui m'empêcha de lui répondre. J'étouffais et j'ouvris la bouche pour aspirer une grande goulée d'air et neutraliser l'émotion qui m'étreignait. Cela faisait de longs mois que je n'avais pas vu Almah pleurer. Elle avait tenu envers et contre tout, elle avait toujours fait bonne figure, même quand la situation paraissait désespérée, et voilà que son armure se fendillait alors que nous touchions au but.

Je mis cela sur le compte de la fatigue plutôt que de la détresse.

Debout face à ma femme, je détaillais son visage amaigri au teint blafard, les petites rides au coin de ses yeux, celle qui commençait à creuser son chemin au milieu de son front, les plis d'amertume à peine visibles à chaque coin de sa bouche, ses mains nerveuses posées sur ses genoux, son épais manteau, ses chaussures ternes et déformées dont on ne pouvait deviner qu'elles avaient été, autrefois, d'un chic rare… Sous son loden entrouvert, je voyais sa robe de laine bleu marine. Je devinais son corps aminci qui flottait dans le vêtement devenu trop grand. C'était une robe de prix, élégante et bien coupée, qui n'était plus de la première fraîcheur, mais qu'elle avait entretenue avec soin tout au long de notre périple. Je savais que de sa maigre garde-robe, c'était sa préférée et qu'elle la considérait comme un fétiche, une sorte de porte-bonheur des grandes occasions. Le fait qu'elle la portât ce jour-là signifiait bien plus qu'elle n'aurait su l'exprimer. Une larme solitaire dévala sa pommette.

Je ressentis une vague de tristesse et de découragement déferler sur moi, prête à m'engloutir. Je n'avais pas su protéger ma femme et mon fils, j'avais échoué à faire de notre vie un enchantement, comme je le lui avais promis le jour de notre mariage. Nous étions victimes des circonstances, de l'histoire, de la bêtise des hommes… À cette seconde, j'en voulus à la terre entière que j'aurais volontiers pulvérisée dans un accès de haine et de colère. Ce fut bref, mais fulgurant. Puis la voix flûtée de Frederick me ramena à la réalité.

— Papa, maman, regardez comme je saute haut !

Notre fils était en train de défoncer allègrement le matelas en rebondissant tel un pantin monté sur ressort. Almah se tourna vers lui et applaudit en riant. Je pris sa main, la forçai à se relever et l'entourai de mes bras. Faisant volte-face, je nous plantai devant l'étroite fenêtre que j'ouvris. La rumeur sourde de l'animation du quartier monta jusqu'à nous. Une odeur de savon flottait dans l'air. Je resserrai mes bras autour du corps d'Almah et plantai mon menton sur le sommet de son crâne, laissant un rai de soleil caresser nos visages. Au-delà des toits de tuiles rouges, sous les rayons du soleil couchant, le Tage miroitait d'un éclat métallique. Des paquebots étaient à quai, prêts à larguer les amarres.

— D'ici quelques jours, nous partirons sur l'un de ces bateaux.

Je sentis le corps de ma femme se relâcher et peser de tout son poids contre le mien. Elle prit une grande respiration.

— Tu as raison, bientôt ce sera notre tour. En attendant, ajouta-t-elle en se redressant, je vais défaire nos valises et tu vas aller chercher de l'eau, car nous avons besoin d'une bonne toilette.

Almah se dégagea de l'étau de mes bras, planta un baiser sur mes lèvres et me tendit le seau. Plus tard, nous descendîmes de notre soupente pour explorer le quartier. Lisbonne était la première ville civilisée que nous voyions depuis longtemps. Nous nous attablâmes dans une gargote où l'on nous servit une épaisse soupe de légumes, qui se révéla fort goûteuse.

*

Le lendemain, nous attendîmes avec impatience les émissaires de l'Hicem. Pour tromper notre fébrilité, nous échafaudions des projets avec une assurance naïve : une fois en Amérique, nous nous installerions à Brooklyn, près de Myriam et Aaron, j'obtiendrais un emploi dans un quotidien, Almah s'associerait dans un cabinet dentaire. En fin de matinée, nous déjeunâmes rapidement dehors. À notre retour, une femme et un homme patientaient en bas de la pension, visiblement excédés de poireauter. Nous nous excusâmes sans obtenir autre chose de leur part qu'un regard désabusé et vaguement méprisant. Ils étaient l'un et l'autre entre deux âges et fort bien mis si on les comparait à nous. Je remarquai que l'homme avait une mine préoccupée. Après s'être présenté, il expliqua dans un allemand presque sans accent :

— Nous allons vous donner des billets jusqu'à New York car il n'y a pas de bateau qui aille directement en République dominicaine. Vous devrez donc débarquer aux États-Unis et attendre un autre bateau là-bas.

Almah me décocha un regard complice. Nous étions bien décidés à rester, nous ne voulions pas d'un autre bateau.

— Nous n'avons pas encore les visas de transit, poursuivit l'homme, et nous sommes en train de faire pression auprès du consulat américain pour accélérer les choses.

Je vis là l'ouverture que j'attendais et je m'y engouffrai.

— De toute façon, nous voulons des visas d'entrée et non pas de transit. Nous souhaitons rester aux États-Unis car nous avons de la famille qui nous attend là-bas.

La femme en resta bouche bée tandis que l'homme fronçait les sourcils sans indulgence.

— Mais... vous faites partie du contingent République dominicaine pour le projet Dorsa.

— Nous ne souhaitons pas y aller. Ce que nous voulons c'est un visa d'entrée aux États-Unis ou au moins traverser l'Atlantique et renouveler notre demande sur place, car nous avions des visas...

L'homme me coupa et me recadra vertement :

— Mais vous avez été recrutés pour ça ! Vous vous êtes engagés. C'est dans ce but que votre voyage a été financé jusqu'ici. Nous ne sommes pas une agence de voyage et vous ne pouvez pas changer d'avis en cours de route comme des gamins capricieux.

Ça lui avait échappé sous le coup de l'indignation. Je me sentis rougir. De honte et de colère mêlées. J'étais humilié par cette semonce et je haussai le ton :

— Nous ne sommes pas des gamins capricieux. Nous sommes une famille avec un enfant de trois ans, nous sommes sans domicile depuis un an, nous avons dû tout abandonner derrière nous et nous avons des parents qui nous attendent de l'autre côté de l'Atlantique.

Manifestement gêné, l'homme s'apprêtait à me répondre. La femme posa une main sur son bras pour l'apaiser et prit la parole. Son allemand à elle aussi était parfait.

— Vous ne semblez pas comprendre la situation. Les États-Unis opposent désormais un refus à toute nouvelle demande de visa. Des dizaines de milliers de demandes sont rejetées dans tous les consulats européens. Les émigrants s'entêtent à frapper chaque jour à leur porte, mais c'est peine perdue. Il n'y a aucun moyen de contourner leurs quotas.

— Mais nous avions nos visas, tenta Almah en lui tendant nos passeports. Regardez vous-même.

L'homme réprima une grimace. Une résignation exaspérée suintait de toute sa personne. Il condescendit à jeter un coup d'œil blasé sur nos papiers.

— Ils ne sont plus valables, constata-t-il.

— C'est parce que nous sommes restés coincés en Suisse pendant presque un an…

— Malheureusement cela ne vous donne aucun passe-droit ! C'est déplorable, mais les quotas d'Allemands sont atteints, expliqua l'homme en secouant énergiquement la tête de droite à gauche.

— Mais nous ne sommes pas allemands, nous sommes autrichiens, objecta Almah en tapotant la couverture de nos passeports.

— Vous savez bien que désormais, c'est la même chose… D'ailleurs, les quotas allemands englobent même les Tchèques maintenant !

Almah, les joues en feu, me jeta un regard qui appelait à l'aide. Je tentai sans grande conviction :

— Ma femme et moi avons chacun une excellente formation : elle est dentiste et je suis journaliste. Ma sœur et son mari sont installés à New York depuis un peu plus de deux ans et ils se porteront garants pour nous.

— Cela ne change rien, intervint la femme d'un ton las. L'Amérique, il vous faut faire une croix dessus. Vous êtes là pour le projet Dorsa. Bien sûr, à ce stade, vous pouvez encore changer d'avis, on ne vous mettra pas de force sur le bateau. Mais c'est bien irresponsable car vous avez pris la place d'autres candidats qui aimeraient sans doute être à la vôtre. Et puis, de toute façon, ce n'est qu'une solution provisoire…

Je jetai un regard oblique à Almah qui avait rougi de honte. En vérité, nous nous y attendions mais nous avions tenté le coup. Je ne me sentais pas très fier.

— Quoi qu'il en soit, vous ne pourrez pas rester au Portugal, reprit la femme. Il vous faut prendre une décision le plus vite possible. Vous avez la chance d'avoir trouvé une solution. Même si elle n'est pas celle dont vous rêviez, ne laissez pas passer cette opportunité.

Une solution, comme si nous étions un problème ! Cette opportunité ? En était-ce vraiment une ? C'était notre avenir qui se jouait là.

— Vous êtes sûrs que nous n'avons vraiment aucune chance ? tenta Almah.

— Aucune ! répliqua l'homme d'un ton ferme. Réfléchissez jusqu'à demain et faites-nous part de votre décision. Il faut que nous sachions quoi faire de vous. Si vous décidez de partir, sachez que la demande des visas de transit peut prendre une semaine, parfois même un peu plus. Pendant ce temps, votre hébergement et vos repas seront pris en charge.

La discussion était close. Les représentants de l'Hicem repartirent déstabilisés par notre peu glorieux retournement de veste. Quant à nous, il ne nous restait plus qu'à trancher.

— Et voilà ! Je crois bien que nous avons gagné nos galons de rebelles. Nous sommes les mauvais élèves de la troupe, me lança Almah une fois que le bruit de leur pas s'éteignit dans les escaliers.

Je vis ses yeux briller et le coin de sa bouche frémir. Ses lèvres se retroussèrent, découvrant ses dents, et soudain elle éclata de rire. Je sentis monter en moi un fou rire qui cascada comme un torrent impétueux.

Tout excité, Frederick trépignait en gloussant sans savoir pourquoi. C'était la première fois depuis de très longs mois que nous rigolions ainsi de concert, et cela nous fit du bien. Une fois calmés, je résumai la situation :

— Nous n'avons guère le choix, si j'ai bien compris la leçon !

— Nous faisons partie du « contingent Dorsa » !

Almah singeait la femme.

— Enfin ça valait le coup d'essayer. Ça nous a permis d'apprendre que nous étions des gamins capricieux !

— Hors de question de nous laisser abattre. En attendant nos fameux visas de transit, nous allons nous offrir des vacances portugaises, qu'en penses-tu ?

— Je pense que nous les avons largement méritées.

Je considérai Almah. Dans sa manière de plisser les yeux, de serrer les lèvres, je sentais du refus, une résistance secrète, quelque chose qui me disait qu'elle n'avait pas vraiment renoncé et je lui en sus gré. Je pris mon brave petit soldat dans les bras et lui proposai d'écorner notre maigre pécule en nous offrant un dîner en famille dans une des cantines du quartier. Je venais de décider que notre étape lisbonnaise serait un bon souvenir.

14

Une ville en paix

1940

Ce fut sous les toits de la petite pension de l'Alfama que Wilhelm et Almah se retrouvèrent.

Après le bras de fer avec les émissaires de l'Hicem, ils n'en discutèrent même pas. C'était une évidence : ils poursuivraient le voyage avec le groupe de Trone. Jusqu'à New York, où ils tenteraient coûte que coûte de rester. En attendant leurs visas de transit, ils étaient bien déterminés à faire de leur séjour à Lisbonne une fête. Cela faisait plus d'un an qu'ils n'avaient eu ni liberté ni intimité. Ils éprouvaient un bonheur indicible à se retrouver tous les trois, libres d'aller et venir comme bon leur semblait. Ils écrivirent une lettre enthousiaste et pleine d'espoir à Jacob et Esther et une autre plus mesurée à Myriam.

De prime abord, ils furent déroutés par Lisbonne. Mais ils tombèrent vite sous l'emprise de son atmosphère magique, de son air pur et frais, de son ciel d'azur et surtout de sa lumière intense et crue, si différente des brumes germaniques, qui leur faisait plisser les yeux. C'était une ville de ciel et de collines, où le soleil tout-puissant patinait les pierres dorées des églises, les façades aux couleurs délavées, les toits de tuiles rouges et jusqu'aux eaux du Tage, miroir étincelant dont l'estuaire se devinait au-delà de la tour de Belém. C'était aussi un monde joyeux en perpétuel mouvement, une ville gouailleuse et plébéienne aux antipodes de l'impériale Vienne. Mais c'était avant tout une ville en paix, malgré les métastases du conflit qui transpiraient dans les unes alarmistes des journaux, les nombreux réfugiés de toutes origines et l'incessant ballet des paquebots.

Ce fut un moment suspendu. Pendant quelques jours, mettant les troubles de leurs vies entre parenthèses, ils jouèrent les touristes. Réveillés tôt le matin par les cloches de l'église voisine, ils grimpaient dans le tramway qui partait à l'assaut des collines, se perdaient dans les ruelles pentues, s'attablaient dans une *tasca* aux murs recouverts d'azulejos où ils commandaient une *bica*[1] en grignotant un *pastel de nata*[2]. Almah adorait le quartier de l'Alfama. Elle ne se lassait pas d'arpenter les rues en escalier qui grouillaient de vie populaire. Le linge suspendu aux fenêtres, les odeurs mêlées de lessive, d'oignons, de poisson et d'iode marin, les angelots joufflus des azulejos, les petites gargotes interlopes où les marins se retrouvaient autour d'une chanteuse de fado donnaient à la ville un parfum d'exotisme et d'interdit qui chatouillait son imagination.

1. Café.
2. Gâteau évoquant notre flan pâtissier.

Almah mit Wilhelm devant le fait accompli : elle avait revendu la bague d'Hannah. Elle en avait tiré une misère qui leur permit cependant de renouveler leurs vêtements et de s'offrir de menus plaisirs. Elle écuma les boutiques du centre pour dénicher une paire de lunettes de soleil pour enfant. Elle fit une provision de pellicules photographiques, et le fidèle Leica de Wilhelm reprit du service. Ils allèrent écouter Severa, la fameuse chanteuse de fado. Un jour, ils prirent une barque pour traverser le Tage jusqu'au port de Cacilhas, où ils s'offrirent un déjeuner de poisson. Un autre, ils marchèrent jusqu'à la tour de Belém pour respirer l'océan tout proche. Ils flânèrent le long de la rive tranquille du Tage jusqu'au Cap, là où les femmes regardaient autrefois s'éloigner les bateaux des conquistadores partant à la conquête du Nouveau Monde. Le regard portait au loin sur l'immensité de l'océan. Bientôt, ce serait leur tour.

Ils avaient pris l'habitude de se poster en fin de journée sur le belvédère d'une petite place surplombant l'Alfama, d'où ils observaient le ballet des bateaux franchissant cette ultime porte de l'Europe. Puis ils descendaient jusqu'à la place du Commerce où Frederick s'amusait à saluer la statue équestre. Almah aimait cheminer sous les arcades. Au milieu des promeneurs massés au bord du fleuve, ils admiraient les couchers de soleil flamboyants. Cela sentait la mer, le large, l'avenir.

Cela se produisit un de ces soirs tranquilles. Ils venaient de quitter une auberge-débit de tabac de la ville basse, un endroit sans nom de la rua dos

Sapateiros, la rue des cordonniers. Ils remontaient lentement par les rues escarpées. Wilhelm portait Frederick assoupi sur son épaule. Devant lui, Almah montait l'escalier raide de la pension pour rejoindre leur chambrette. En regardant le dos de sa femme et ses hanches qui ondulaient au rythme des marches, Wilhelm eut un coup au cœur. Il fut projeté des années en arrière, un soir d'été à Vienne où Almah montait l'escalier menant à son deux pièces sous les toits de Alsergrund. Son pouls se mit à battre plus vite, sa respiration s'accéléra, son bas-ventre se crispa. À chaque marche, son désir montait. Almah sentit-elle le regard de Wilhelm sur ses jambes ? Il lui sembla qu'elle ralentissait sa montée et accentuait sciemment le balancement de ses hanches. Dans la chambre, les volets étaient fermés. Maîtrisant sa tension, Wilhelm coucha Frederick sur son petit matelas, dans l'obscurité. L'enfant ne se réveilla même pas. Les lumières jaunes et les rumeurs de la ville filtraient à travers les fentes des jalousies. Almah se déshabilla lentement, en silence, sans quitter Wilhelm du regard. Elle se tint nue devant lui, frissonnante. Dans ses yeux dilatés, malgré la pénombre, elle lisait l'urgence de son désir. Il retrouva ses lèvres, sa langue, dans un baiser qui les étourdit. Puis ils s'allongèrent sur leur lit sans un mot. Au cœur de la nuit, ils renouèrent avec l'avidité de l'autre, ils retrouvèrent des gestes oubliés et fusionnèrent dans la violence d'un plaisir fulgurant et partagé. Après l'amour, ils restèrent longtemps enlacés, saisis par l'évidence de se retrouver. Quand Almah s'endormit au creux de l'épaule de Wilhelm, un sourire de chatte repue flottait sur ses lèvres.

15

Le *Serpa Pinto*

Février 1940

Le jour de notre départ fut un jour de brume grise et de pluie fine. Le *Serpa Pinto* était à quai. Il n'avait rien d'un paquebot de luxe, mais il avait l'air solide et confortable. C'était un long navire blanc – 9 000 tonneaux, m'apprendrait fièrement un marin – à la coque effilée, avec une grosse cheminée centrale autour de laquelle étaient regroupés les canots de sauvetage. Nous avions retrouvé nos camarades de Diepoldsau et fait connaissance avec ceux du camp de Girenbad. Le groupe de Trone avait grossi pour atteindre une quarantaine de personnes. À 14 heures, nos passeports et nos billets dûment épluchés par des agents administratifs zélés, nous étions prêts à embarquer. Les passagers se pressaient en direction des étroites passerelles, montant à bord en file indienne. Un petit soleil frileux finit par percer dans le ciel délavé. L'air était doux pour un jour de plein hiver, mais une humidité glaçante remontait à travers nos semelles tandis que nous piétinions sur le quai. Il régnait un silence compact malgré la foule dense des voyageurs, des curieux et des familles venues faire leurs adieux.

Almah restait silencieuse et grave à mes côtés, ses deux valises à la main, son sac en bandoulière sur la hanche. Elle semblait singulièrement détachée. Devant nous, Frederick trépignait d'excitation à l'idée de monter dans le bateau. Quant à moi, j'étais tendu. Une angoisse diffuse m'oppressait à l'idée de quitter l'Europe pour de bon. Était-ce vraiment « le début de la fin de notre errance » comme me l'avait soufflé Almah dans un demi-sourire ? Nous avions tellement espéré ce moment que nous avions du mal à y croire. Touchions-nous au but ou allions-nous devoir affronter d'autres déconvenues ? Jusqu'à ce jour, chaque pas en avant dans notre odyssée s'était révélé aventureux.

On nous avait attribué des billets de deuxième classe, un privilège rare réservé aux familles. La cabine était étroite, quatre mètres de long sur deux mètres de large à tout casser, et basse de plafond. Pour tout mobilier, deux lits simples disposés à angle droit contre les parois et surmontés de lampes, un lit d'enfant pliant qui occuperait l'espace libre entre nos lits, une armoire lilliputienne, un lavabo surmonté d'une glace. Nous avions à peine la place de nous mouvoir.

— Voilà notre nouveau nid d'amour pour les deux prochaines semaines, déclara Almah satisfaite. Nous avons même un hublot, ajouta-t-elle en collant son visage au vitrage.

— Nous aurions pu tomber plus mal, la plupart des autres voyagent en troisième classe !

Almah se mit à déballer nos valises et à ranger leur modeste contenu dans l'armoire, puis elle s'effondra sur un lit.

— Je prends celui contre le hublot ! Ça te va ?

Elle rebondit sur le matelas comme une enfant, histoire d'en tâter l'improbable moelleux. Frederick l'imita en piaillant de bonheur.

— Literie raide, pas de première jeunesse, mais on a connu pire ! diagnostiqua-t-elle en souriant malicieusement. Nous allons être très bien dans notre petite cabine, n'est-ce pas Frederick ?

Le petit acquiesça, tout excité par cette nouvelle aventure. Une fois installés, nous sortîmes explorer les ponts-promenades.

L'embarquement était terminé, les passerelles repliées. Nous étions postés sur le pont arrière, accoudés à la rambarde. Le bateau s'ébroua dans un soubresaut de toute sa coque et commença à trembler tandis que les ancres remontaient dans un sourd fracas métallique. Le départ fut annoncé par trois longs mugissements de sirène. Aussi graves que le moment que nous vivions. Des filets de vapeur sortaient de la cheminée, puis un panache de fumée noirâtre, et le *Serpa Pinto* s'écarta imperceptiblement du quai, aidé par deux remorqueurs qui nous escorteraient jusqu'à la sortie de l'embouchure du Tage. Il était 15 h 30, nous étions le mardi 6 février 1940. Nous quittions l'Europe malade de la guerre et de la folie des hommes.

Tous les passagers étaient massés sur les ponts. Sur le quai hérissé de grues qui s'éloignait lentement, des bras se levaient, des mouchoirs blancs se déployaient en signe d'au revoir. Personne n'était là pour nous, aucune silhouette familière pour agiter un mouchoir et nous souhaiter une bonne traversée. Comment décrire ce départ ? Je cherchais en vain, mais aucun mot n'était assez puissant pour exprimer le déchirement poignant que j'avais ressenti au hurlement de la sirène. Je me sentais infiniment triste et en même temps empli d'un espoir immense. Deux émotions contradictoires qui gonflaient mon cœur à le faire éclater. Une brume de larmes gagna mes yeux. Je vis, au tremblement de ses lèvres, l'émotion silencieuse d'Almah qui me serra la main et se laissa aller contre moi. Le bateau avançait lentement dans l'embouchure du fleuve en direction de l'océan. Je voulais graver dans ma mémoire l'image des petites maisons aux toits de tuiles rouges qui s'étageaient sur les collines piquetées des coupoles blanches des églises. Je voulais me souvenir à jamais de cette ultime vision de l'Europe. Un chapitre de notre vie se terminait ici. Peut-être la fin de notre jeunesse.

Le navire gagna le large. Longtemps nous restâmes à regarder la côte portugaise qui s'effaçait peu à peu à l'horizon, baignée par la lumière déclinante. Puis ce fut l'immensité de l'océan.

16

Malaise

Février 1940

Après seulement quelques heures de navigation, le bateau commença à être méchamment secoué et Almah, qui avait voulu se reposer dans notre cabine, donna les premiers signes de malaise.

— J'ai des bouffées de chaleur et les oreilles qui bourdonnent, me jeta-t-elle avec un regard piteux, en essuyant de la paume de sa main la sueur qui perlait à son front.

Elle transpirait et frissonnait à la fois. Je considérai ma femme d'un œil préoccupé, son visage virait au gris.

— Je crois que tu as tout simplement le mal de mer, ma pauvre chérie !

— C'est bien ma veine pour mon premier voyage en mer ! souffla-t-elle d'une voix éteinte. C'est vrai que les seuls bateaux que j'ai connus, ce sont les barques du lac de Neusiedl !

— Montons prendre l'air avant de dîner, ça te fera du bien.

— Je serais bien incapable d'avaler la moindre bouchée de quoi que ce soit, gémit Almah.

Nous montâmes en titubant sur le pont qui était quasiment désert. La nuit était tombée. Il faisait froid. Je portais Frederick d'un côté et de l'autre je soutenais Almah, guère vaillante. Le paquebot avait pris sa vitesse de croisière et tanguait dangereusement. Il s'élevait lentement dans la masse noire de l'eau puis plongeait dans la houle qui dansait. Ce n'était pas une bonne idée et nous regagnâmes notre cabine rapidement. J'abandonnai Almah sur son lit.

— Je vais voir si je peux trouver des pilules contre le mal de mer.

Un quart d'heure plus tard, je la retrouvai le visage défait, gisant sur sa couchette. Son teint était passé à un verdâtre de mauvais augure.

— Pas de médicaments, mais je te rapporte une banane !

Je brandis sous son nez le fruit dont m'avait fait cadeau un marin. Almah me jeta un regard vitreux en se redressant sur un coude. Prise d'un tremblement, elle se rallongea aussitôt.

— Oh Wil, je n'ai pas envie de rire ! Si tu savais comme je me sens mal !

— Je ne plaisante pas. Il faut toujours garder le ventre plein et les bananes sont recommandées, c'est un conseil de l'équipage. Il faut boire sucré, du thé, pas du café. N'essaie pas de résister aux mouvements du bateau. Il faut accompagner son rythme.

— Tu en as de bonnes !

Un spasme tordit Almah. Frederick la considéra d'un œil inquiet.

— Ça va aller, dit-elle d'une voix pitoyable. Allez explorer le bateau, je vais rester allongée en espérant que la banane me soulage. Et si ça marche, tu iras m'en chercher un régime entier !

Malgré ses nausées, Almah n'avait pas tout à fait perdu son sens de l'humour. C'était une des nombreuses choses que j'aimais chez elle : sa force de caractère était inoxydable. Plus tard, elle fit une courageuse tentative pour se joindre à nous pour le dîner, mais dut quitter la table en catastrophe. Les rangs de la salle à manger étaient d'ailleurs clairsemés : la mer avait fait d'autres victimes.

17

Au milieu de nulle part

Février 1940

Au soir de notre deuxième journée de navigation, accoudé au bastingage du pont de deuxième classe, le regard fixé sur l'infini de la mer qui moutonnait, je me répétais comme un mantra : « De l'autre côté, tout sera différent. » Emmitouflé dans mon manteau, une écharpe entortillée autour du cou, je frissonnais en regardant d'un œil morose les eaux grises de l'océan qui malmenaient notre bateau. Il laissait derrière lui un sillon d'écume, large traînée blanche dans les eaux démontées. Depuis la veille au soir, la mer avait forci. Roulis et tangage avaient impitoyablement décimé nos rangs. Une odeur douceâtre et fétide de vomi flottait dans les coursives desservant les cabines. Le *Serpa Pinto* poursuivait sa route plein ouest, dans une mer opaque, grise, épaisse comme un sirop, où l'eau semblait une masse gluante et dangereuse.

Rien en vue, sinon un grand vide horizontal. Où que portât le regard, l'immensité grise de l'océan nous encerclait. Une vision ô combien angoissante... On se sentait si faible et si impuissant au milieu de l'océan, suspendus entre l'eau et le ciel, deux éléments bien trop vastes pour nous. Où étions-nous ? Au milieu de nulle part... Déjà partis et pas encore arrivés. En un point hasardeux, en suspension entre hier et demain, entre la vie et la mort, entre un pays qui nous expulsait et un pays qui ne savait pas encore qu'il allait nous accueillir. L'Autriche n'était plus désormais qu'un souvenir, une ombre du passé, et Vienne un petit point sur la carte de l'Europe. New York était une attente, une inconnue, un espoir. Quant à la République dominicaine, elle était... une menace, un cauchemar, et je ne voulais pas y penser. Pour l'instant, nous n'appartenions qu'à l'étendue désolée de l'eau, un *no man's land* sans limites. Hier, nous étions des émigrants, demain nous serions des immigrés, mais maintenant ? Nous étions des voyageurs. Des Juifs errants. Apatrides.

Pour soulager cette chape de sentiments angoissants, certains tentaient tant bien que mal de faire régner dans le bateau une ambiance de camp de vacances. Je sentais que la joie était forcée, mais avec de la bonne volonté et en faisant un petit effort, cela passait.

Du pont de la troisième classe montait le son assourdi d'un piano à bretelles qui nasillait un air nostalgique, une chanson populaire allemande reprise en chœur par des voix graves qui, sans préavis, réveilla en moi toute la nostalgie de mon enfance. Malgré moi, je me surpris à fredonner le refrain, la gorge nouée d'émotion. Je m'arrachai à l'attendrissement et me hâtai de rejoindre ma famille. Je dévalai les escaliers raides, retrouvant la chaleur des coursives, et dès que j'eus ouvert la porte de la cabine, le spectacle m'apaisa : ma pauvre Almah se débattait dans un sommeil agité et Frederick dormait comme un bienheureux en serrant contre lui son ours en peluche.

*

Ce soir, après le dîner que j'avais pris seul, je lisais étendu sur ma couchette, quand Almah s'est glissée près de moi. Je posai mon livre, un médiocre roman d'espionnage emprunté à la bibliothèque du bord, et je lui fis de la place dans le lit étroit, en l'enlaçant. Quand elle s'allongea, je sentis les os de ses hanches saillir au creux de mon aine. Elle avait perdu du poids depuis notre départ. Elle nicha son nez dans mon cou.

— Almah, tu crois vraiment que dans ton état…

— Quoi, mon état ? Je ne suis pas à l'article de la mort que je sache ! Juste un peu barbouillée, souffla-t-elle en glissant une main vers mon entrejambe déjà raide, tandis que de l'autre elle éteignait la lampe suspendue à la tête du lit.

Nous fîmes l'amour tendrement. Silencieusement, pour ne pas réveiller Frederick assoupi dans son lit de fortune entre nos deux couchettes. Sans grande fantaisie, compte tenu du manque d'espace et de l'état d'Almah. La tête sur mon torse, elle soupira, et je devinai le petit sourire moqueur qui flottait sur ses lèvres, celui qui contractait et retroussait sa lèvre supérieure. Je ne m'étais pas trompé :

— Hum ! Voilà un exploit qui ne restera pas dans les mémoires ! Bien loin dans notre livre des records !

— J'ignorais que tu tenais un classement de nos performances sexuelles !

— Et pourquoi pas ! gloussa-t-elle ravie de mon objection en tapotant ma poitrine. Bon, chéri, je retourne dans ma niche, car je ne me sens pas très vaillante. Bonne nuit, mon amour !

Un petit baiser sur mes lèvres et la voilà hors de ma couchette. Dans la pâle lueur qui régnait, je devinai sa frêle silhouette qui regagnait le coin opposé de la cabine. C'était notre troisième nuit à bord. Il nous en restait douze avant d'arriver en Amérique.

*

Dans le ciel d'acier terni, des mouettes survolaient le bateau. Le cône noir et pointu d'un volcan émergeait au loin dans l'étendue liquide grise qui nous cernait. Nous approchions des Açores, un archipel que j'aurais été bien en peine de situer correctement sur une carte. Nous avions laissé à bâbord l'île de São Miguel et avancions au ralenti vers Terceira pour une courte escale après quatre jours de mer. Je descendis chercher Almah et Frederick pour qu'ils assistent à l'arrivée au port. Almah avait le teint cireux et un air malheureux. Le navire jeta l'ancre dans l'anse abritée d'Angra do Heroísmo. Nous devions rester au mouillage, le port n'était pas conçu pour les gros bateaux. Telle une nuée de minuscules aiguilles acérées, un crachin glacé picotait nos visages. Je pointai du doigt les coupoles qui dépassaient des toits rouges.

— Ça ressemble à Lisbonne en miniature, avec ces toits de tuiles rouges, ces églises blanches et ces collines…

— On ne peut pas dire que ça respire la joie de vivre, me répondit Almah. C'est tout gris, humide et froid, et d'une tristesse… En tout cas, cette escale est bienvenue. Au moins une nuit sans roulis ni tangage !

— Je n'ai presque plus rien à fumer, je vais demander à un marin de m'acheter des cigarettes. As-tu besoin de quelque chose ?

— Non, rien à part des bananes ! Nous retournons à l'intérieur, sinon nous allons attraper froid, décida Almah qui avait retrouvé quelques couleurs.

Ce soir-là, nous profitâmes d'un dîner calme que nous prolongeâmes au bar autour d'un jeu de cartes. De loin, nous apercevions les timides lumières du port. Plus tard, Almah se coula dans ma couchette et s'endormit dans mes bras.

Aux petites heures du matin, sous un ciel toujours aussi maussade, nous reprîmes la navigation au ralenti entre les îles de l'archipel. Agglutinés sur les ponts, les passagers scrutaient la mer car un bruit avait couru : des cachalots avaient été repérés. Un initié nous désigna le cône parfait de l'île de Pico, appelée l'île noire. Une mélancolie dramatique se dégageait des paysages ternes délavés par la pluie. Soudain, une clameur venue de l'avant se répercuta de passager en passager, un groupe de dauphins caracolait hardiment à l'étrave du bateau. Puis ce furent les baleines tant espérées. Des centaines d'oiseaux marins piaillaient en un concert assourdissant. Le fascinant spectacle des dos émergeant de l'eau, des nageoires battant les flots, des jets d'eau jaillissant telles des fontaines, des gigantesques gueules béantes, des queues se cabrant quand les mammifères replongeaient dans les profondeurs enchanta Frederick. Deux longues embarcations de bois où s'agitaient des pêcheurs faisaient route en direction des cétacés.

Moins d'une heure après avoir quitté Terceira, nous étions au cœur d'une tempête qui malmenait le bateau. La température s'était considérablement rafraîchie et des paquets d'eau se déversaient sur les ponts inférieurs balayés par un vent glacial. Chacun chercha un refuge, qui dans sa cabine, qui dans les salons, le fumoir ou la salle à manger. Les rangs des malades allaient à coup sûr s'alourdir de nouvelles victimes. Par un hasard que je ne m'expliquais pas, je tenais le coup, et même plutôt bien, ne donnant aucune prise au mal de mer.

18

La vie à bord

Février 1940

Cette traversée de l'Atlantique semblait ne jamais devoir finir. J'avais l'impression que le bateau se traînait. Jour après jour, rien que la mer immense et vide. À bord la vie s'organisait en une routine lénifiante. Sur les visages, excités au début du voyage, on lisait désormais un profond ennui. Nous dormions mal, malmenés par le roulis, les grincements sinistres de la coque d'acier et les vibrations de la machinerie qui ronronnait en permanence, tourmentés par les malaises d'Almah et l'angoisse du futur. Seul Frederick, épuisé par ses journées remplies de jeux et d'explorations, dormait comme un ange.

Aux premières heures du jour, les marins, qui nettoyaient les ponts et astiquaient les bastingages, nous réveillaient. Les repas pris en commun rythmaient la journée : 7 heures petit déjeuner, 11 h 30 déjeuner, pause du thé, 18 h 30 dîner suivi de soirées passées à jouer aux cartes ou à écouter un concert improvisé. Il y avait le rituel de 11 heures : un marin affichait les nouvelles et le point de la navigation sur un panneau grillagé. Je piétinais, à l'affût avec mes compagnons, pour être parmi les premiers informés des événements internationaux, du nombre de milles parcourus et de ceux qui restaient à couvrir. Après le déjeuner, la plupart des passagers partaient à l'assaut des ponts pour une courte promenade digestive, oscillant dans un pas de deux comique à cause du roulis. De temps en temps, nous croisions un autre bateau qui se signalait au loin par un panache de fumée noire. Tout le monde se pressait aussitôt sur les ponts pour l'apercevoir.

La cuisine, variée et de bonne qualité, était une agréable surprise. Almah, nauséeuse en permanence, picorait sans enthousiasme quand elle ne sautait pas le repas. Le plus souvent je lui apportais un plateau dans la cabine, mais elle n'y touchait guère. Frederick, lui, dévorait. Cet enfant était décidément une bonne nature, toujours d'humeur égale. Comme sa mère ne pouvait guère lui consacrer de temps, je m'occupais de lui. Nous avions sympathisé avec une famille de commerçants de Dresde en route pour l'Argentine qui avaient un petit garçon de son âge et je leur confiais souvent mon fils car les deux gamins étaient ravis d'avoir un compagnon de jeu.

À l'inverse d'Almah dont l'état variait en fonction de la férocité de la mer, je me sentais plein d'énergie. J'avais apprivoisé le bateau, je me perdais dans les coursives et flânais dans le salon et le fumoir. Mais ce que je préférais, c'était me poster sur le pont arrière. J'y passais de longs moments solitaires à méditer, fouetté par l'air marin, le regard fixé sur le large ruban d'écume ruban d'écume blanche qui concrétisait notre progression. J'aimais sentir les embruns glacés mordre mon visage et poisser mes cheveux. Mon humeur oscillait entre vague à l'âme, angoisse, optimisme et euphorie. Je voguais vers les États-Unis, sur les traces d'illustres compatriotes. Je m'amusais à établir des listes que j'inscrivais dans le carnet relié de cuir qu'Almah m'avait offert avant notre départ de Lisbonne. Les Autrichiens : Hanns Eisler, Ernst Křenek, Arnold Schönberg, Erich Wolfgang Korngold, Wolfgang Pauli, Johannes von Neumann, Max Reinhardt, Gina Kaus, Hermann Broch… Puis les Allemands : Albert Einstein, Thomas Mann, Robert Musil, Ernst Bloch… Je comptais tous ceux qui étaient partis ailleurs, à commencer par mon cher Zweig, Bertolt Brecht, Anna Seghers, Sigmund Freud, Alfred Polgar, Joseph Roth, Fritz Brügel, Alfred Döblin, Walter Benjamin, Hermann Kesten, Thea Sternheim… Je faisais la liste de ceux qui avaient choisi la même fuite définitive que les parents d'Almah… Je m'embrouillais et j'arrêtais de faire des listes car c'était effarant. Un immense gâchis, une hémorragie de talents qui me donnait la nausée. Je m'interrogeais : quel avenir pour l'Autriche et l'Allemagne saignées à blanc de leurs intellectuels ? Quel avenir pour nous, les pestiférés du XXe siècle, rejetés par tous ? Pour chasser mes idées moroses, je recommençais mes listes, je notais des pensées, des observations, bref je noircissais des pages. Je photographiais aussi notre odyssée, histoire d'emmagasiner des souvenirs.

J'avais fait le compte exact des passagers grâce aux informations glanées auprès de l'équipage :

120 première classe, 142 deuxième, 180 troisième parmi lesquels une grande majorité d'émigrants juifs. Notre bateau était une véritable arche de Noé des nationalités, Espagnols, Allemands, Autrichiens, Polonais, Hongrois, Français, Portugais, Américains, Tchécoslovaques, Russes… Nous avions une tendance grégaire à nous regrouper par nationalité et en fonction des langues que nous parlions. Ça baragouinait dans tous les coins, j'avais déjà identifié une douzaine de langues différentes.

Depuis les Açores, le temps était couvert en permanence, nuits d'encre et journées grises. La température avait chuté brutalement et la mer était plus forte, d'énormes et lourdes vagues moutonnaient et nous malmenaient. Le froid humide qui régnait sur les ponts avait découragé les promeneurs, le bateau était parcouru de courants d'air glacés. Le plus sage était de se tapir dans sa cabine ou dans un salon. À mesure que les jours passaient, le mal de mer faisait des victimes supplémentaires. Les visages étaient fatigués, les silhouettes s'amaigrissaient, les regards devenaient hagards. Almah se languissait de la terre ferme et avait perdu le compte des jours. Je l'obligeais à prendre l'air deux fois par jour, une courte promenade sur le pont, les yeux fixés sur l'horizon.

Un matin, de très bonne heure, encore hirsute après une nuit mouvementée, j'allumai ma première cigarette de la journée, quand je croisai un sportif, carrure d'athlète et traits d'acteur, qui arpentait la promenade à grands pas énergiques, entrecoupant ses allers et retours de séries d'étirements. Une volute de buée opaque sortait de sa bouche à chaque respiration.

Comme je le considérais d'un œil goguenard, il s'approcha :

— Au lieu de vous esquinter la santé à fumer, vous devriez faire comme moi ! Il faut garder le corps dans une forme impeccable si l'on veut que le mental suive ! Eli Schoen[1], ajouta-t-il en me tendant la main.

Son nom lui allait à merveille. Sa poignée me broya la main.

— Wilhelm Rosenheck.

— Enchanté Wil, vous permettez que je vous appelle Wil ? Joignez-vous à moi, gymnastique et marche rapide chaque matin à 6 heures. Vous en verrez les bienfaits immédiatement !

C'est ainsi que chaque matin, j'avais rendez-vous avec Eli pour une séance d'exercice, avant de rejoindre les autres au petit déjeuner. Champion d'athlétisme, Eli avait été membre de l'Hakoah[2] et de la ligue de football juive de Vienne. Il commençait à faire parler de lui quand le club avait fermé sous la pression des nazis. Il comptait s'installer en Amérique comme entraîneur sportif. Il me confia avoir entamé une liaison torride à bord, avec une beauté rousse, une Juive russe, actrice de son état, en route pour Hollywood.

Hier, perdu dans mes réflexions, je fumais à mon poste du pont arrière en constatant que ma petite provision de cigarettes portugaises diminuait rapidement.

---

1. *Beau* en allemand.

2. Fondé en 1909 pour réagir aux lois qui interdisaient aux clubs autrichiens d'intégrer des athlètes juifs, l'Hakoah (*la force* en hébreu) devint, dans les années 30, le club de sport le plus important au monde. Le terrain de ce club de sport mythique fut confisqué en 1938.

Je fis la connaissance de Dariusz Pinsker, un Allemand d'une cinquantaine d'années, cultivé et d'une compagnie agréable. Ravi de trouver une oreille bienveillante, il se laissa aller aux confidences. Il avait abandonné son négoce de matériel de construction à Cologne aux mains des nazis pour s'exiler avec sa femme Hilda. Ils comptaient gagner l'Argentine ou le Chili, des pays en pleine expansion où le bâtiment avait un bel avenir. Il évoqua la malheureuse odyssée des passagers du *Saint-Louis* qui hantait nombre d'entre nous : quelque 900 Juifs embarqués à Hambourg et refoulés à Cuba malgré des visas en bonne et due forme, mais frauduleusement vendus par le directeur des douanes cubaines. Par fierté, je ne lui dis pas que j'avais été victime du même genre d'abus. À vrai dire, j'en ressentais de la honte. Dariusz s'insurgea : aucun argument n'avait pu infléchir le gouvernement cubain. Les demandes de visas américains avaient été refusées en Floride. Cerné par les bateaux des gardes-côtes américains, le *Saint-Louis* avait été contraint de remettre le cap sur l'Europe. Retour à la case départ, retour en enfer après plus d'un mois passé à bord.

— Un bel exemple de solidarité, qui montre à quel point nous ne sommes les bienvenus nulle part ! conclut amèrement Dariusz. Je suis convaincu que cela pourrait se reproduire, malgré l'indignation de l'opinion internationale. Heureusement que nous faisons cap sur New York. On ne peut comparer une minuscule île tropicale à la puissante Amérique.

Quand je lui racontai l'histoire du recrutement de Trone et le projet de colonie dans l'île voisine de Cuba, Dariusz dressa l'oreille et parut intéressé par la perspective. À coup sûr, il y aurait un tas de chantiers là-bas…

L'après-midi, je descendais souvent dans les salons de troisième classe. La stricte observance des castes qui régissait la vie à bord n'autorisait pas le chemin inverse : on pouvait descendre dans une classe inférieure, le contraire était malvenu et quasiment impossible. J'y retrouvais mes compagnons de Suisse. Le salon-fumoir bruissait d'un bourdonnement continu de discussions. On s'enflammait autour de la politique, on affirmait que l'entrée en guerre des États-Unis était inéluctable, qu'elle seule pouvait renverser la situation, on parlait révolution, Palestine, socialisme… Vaines discussions qui offraient cependant l'avantage de meubler les heures. Un rabbin improvisait régulièrement des offices religieux. Un jour, un vieil Allemand exhiba un jeu de cartes portant les anciennes enseignes. Je fus bêtement ému de revoir les cœurs, les glands, les feuilles et les grelots de mon enfance. Nous passâmes l'après-midi à disputer des parties de skat[1] et de sechsundsechzig[2], des jeux auxquels nous jouions autrefois en famille, en misant des cigarettes, notre seule monnaie d'échange.

Une nuit, l'océan se déchaîna, secouant plus méchamment que jamais le bateau qui penchait d'un côté puis de l'autre de façon alarmante. Almah gémissait sur sa

---

1. Né en 1813, le skat est un jeu de cartes originaire d'Allemagne où il est très populaire. À l'origine, il se pratiquait avec un jeu traditionnel allemand de trente-deux cartes dont les couleurs sont Feuille, Cœur, Grelot, Gland, avec au moins trois joueurs.

2. Le soixante-six est un jeu de levées populaire en Allemagne. Il se joue à deux, trois ou quatre joueurs avec vingt-quatre cartes aux enseignes françaises dans le Nord et aux enseignes germaniques dans le Sud.

couchette et faisait des allers et retours en titubant vers les toilettes communes. Le roulis manqua de me jeter à bas du lit. Je jetai un coup d'œil par le hublot. C'était une tempête extraordinaire, les flancs du navire étaient violemment fouettés par des vagues monstrueuses qui écumaient de rage. Au petit déjeuner, j'estimai les ravages du mal de mer au nombre de tables vides. Les quelques rescapés se disputaient les meilleures places, au milieu, pour échapper au roulis, et près des hublots pour happer un peu d'air frais. Un vent violent cinglait et même les ponts supérieurs étaient noyés sous des trombes d'eau. Après deux jours de tempête, le calme revint, mais le temps restait glacial. Almah prenait l'air assise sur un banc du pont-promenade. Je la vis de loin converser avec une belle jeune femme rousse, peut-être l'actrice d'Eli. Elles gesticulaient toutes les deux, ce qui me donna à penser qu'elles ne parlaient pas la même langue. Je vis Almah sourire vraiment pour la première fois depuis des jours et ça me fit plaisir. Je voulais tant qu'elle ne gardât pas un trop mauvais souvenir de cette traversée. Plus tard, elle me raconta sa rencontre.

— Elle s'appelle Natacha, elle a mon âge mais ne parle que le russe et l'anglais. C'est une actrice, elle va à Hollywood. Nous avons parlé en anglais. Les cours suisses m'ont bien servi !

J'avais vu juste : c'était bien la rousse d'Eli !

Nous étions au soir du quatorzième jour de navigation. Il ne restait plus que deux nuits et un jour avant l'arrivée. Le dernier soir en pleine mer fut empreint de joie et de nostalgie.

19

L'Amérique en vue

Février 1940

Hier en fin de journée, les premières mouettes étaient apparues au-dessus du bateau, déclenchant une rumeur de soulagement parmi les passagers : la côte américaine était toute proche. De gris-bleu, l'océan avait pris un ton gris sale. Almah avait accueilli la nouvelle avec soulagement. L'atmosphère sur le bateau devint fébrile. Le dîner du soir avait été bien arrosé. Nous avions discuté, ri, dansé et chanté tard dans la nuit, toutes classes mélangées, sans plus aucun souci des usages du bord.

J'avais dormi d'un sommeil plein de rêves confus d'une nouvelle vie en Amérique. Réveillé aux premières heures du jour par les matelots qui lessivaient les ponts à grande eau, j'avais gagné la proue d'un pas léger et là, miracle ! Le regard achoppait sur une ligne noire : la côte américaine se dessinait à l'horizon.

La température s'était un peu radoucie et le vent était moins fort. Accoudé au bastingage, le menton posé sur mes doigts croisés, je respirais goulûment l'Amérique. J'éprouvais un drôle de vague à l'âme, d'autant plus incompréhensible que le voyage m'avait paru n'en plus finir et que j'étais soulagé d'arriver. N'étant pas à un paradoxe près, je me faisais la réflexion que je m'étais vite habitué au train-train anesthésiant de la vie à bord. Comme ça avait été simple de limiter sagement ma vie à flâner et rêver dans cette coquille flottante, une bulle suspendue dans l'espace et dans le temps où je n'étais pas coupable d'être passif. J'avais aimé la monotonie de ces journées interminables où je n'étais personne. J'avais aimé notre petite communauté hétéroclite où chacun était en route vers sa terre promise. Notre univers en miniature avec sa multitude d'histoires et de destins singuliers allait me manquer. Une part de moi aurait bien voulu continuer ce voyage pour toujours.

Rêveur, je contemplais la côte qui se rapprochait imperceptiblement, puis je me secouai comme on sort d'un songe et filai chercher Almah pour partager avec elle ce moment précieux. Nous nous engageâmes dans l'embouchure de l'Hudson sillonnée de nombreux bateaux de toutes tailles, des paquebots, des navires marchands et même quelques bâtiments militaires aux sinistres coques grises. L'Upper Bay se refermait sur nous comme une nasse. Des mouettes et des goélands saluaient notre arrivée. C'était le 22 février et nous étions en Amérique. Notre errance était terminée. Le moment était venu de confronter nos rêves avec une nouvelle réalité.

20

Ellis Island

Février 1940

Le roulis avait cessé depuis que le bateau avait quitté la pleine mer. Nous avancions désormais au ralenti en direction de la partie haute de la baie de New York au son des cris sourds et lugubres de la corne de brume. Comme la plupart des autres voyageurs agglutinés sur les différents ponts, emmitouflés dans nos lodens, nous étions appuyés au bastingage, les yeux rivés sur l'horizon. Pâle et encore barbouillée, Almah aspirait l'air froid et humide à grandes goulées avides. Elle avait maigri durant ce voyage car elle ne pouvait rien garder dans l'estomac. De grands cernes lui mangeaient les joues. Elle avait passé un bras sous le mien et de l'autre portait Frederick qui somnolait, le pouce dans la bouche et la tête nichée contre son cou. Dans le petit matin grisâtre, la lumière du soleil avait de la peine à percer le brouillard cotonneux qui nous cachait la côte. Le jour de notre arrivée en Amérique était un jour terne. Des nappes d'essence irisées miroitaient à la surface de l'eau grise, des odeurs métalliques et grasses agressaient nos narines. Pourtant, les yeux d'Almah brillaient de soulagement et d'un espoir confiant. Elle avait hâte d'arriver, de poser le pied sur la terre ferme après l'épreuve de cette traversée, et d'en finir avec l'épuisante incertitude qui avait été notre lot tout au long de la dernière année, hâte de commencer enfin notre nouvelle vie.

— Je crois que nous ne regretterons pas nos manteaux, me souffla-t-elle faussement détendue.

Nos lodens, achetés à prix d'or avant notre départ de Vienne, étaient devenus un sujet de plaisanterie entre nous. Ça avait été l'un de nos derniers achats à Vienne et notre meilleur investissement jusqu'à présent. Sous la boutade d'Almah, je sentis sourdre une pointe d'angoisse diffuse. Elle inclina la tête contre mon épaule et resserra son bras sur le mien.

À mesure que se précisait la rive américaine, ma femme reprit des couleurs. Elle serra convulsivement mon bras tandis qu'une sourde clameur montait de toutes parts sur le pont. Une multitude de doigts se tendirent vers l'avant. La statue de la Liberté avait surgi drapée dans la brume épaisse, si proche qu'on aurait presque pu la toucher. L'agitation avait réveillé Frederick qui se redressa. Je le pris dans mes bras pour lui montrer la statue. Mon fils sentait bien qu'il se passait quelque chose d'extraordinaire, même s'il était bien trop jeune pour saisir toute la portée du symbole. Il écarquilla les yeux face à l'immense dame de fer. Les candidats à l'immigration échangeaient des regards d'enfants émerveillés et comblés. Je regardai ma montre. Il était 10 heures du matin et notre rêve commun venait de se transformer en réalité : nous étions en Amérique ! Et la meilleure preuve, c'était cette colossale sentinelle verdâtre qui émergeait de l'eau, à un jet de pierre. Je pensais avec émotion aux centaines de milliers d'émigrants qui nous avaient précédés et qui avaient senti au même endroit, monté du fond de leurs entrailles, le même émoi, connu le même sentiment qu'une nouvelle page de leur vie allait enfin pouvoir s'écrire.

Puis un petit miracle se produisit. La brume se dissipa doucement pour laisser place à la lumière blanche et crue d'un pâle soleil hivernal. J'étais prêt à parier que nombre d'entre nous y virent un signe du destin. Quant à moi, je sentis comme un relâchement de tout mon être, comme si, d'un coup, j'étais soulagé d'un énorme poids. Je passai mon bras autour des épaules de ma femme et ce fut étroitement enlacée que ma famille fit son entrée en Amérique.

Où que portât le regard, la ligne d'horizon était dentelée de gratte-ciel d'une hauteur telle que nous n'en avions jamais vue. Je pensai à Aaron, mon beau-frère architecte, qui devait se délecter de ces audaces. Je me disais que quelque part dans le labyrinthe des rues qui se devinait, quelque part tout près, ma sœur Myriam vivait et dansait. Bientôt nous serions réunis. Je l'espérais de toute mon âme. Le paquebot laissa Liberty Island sur notre gauche et poursuivit son chemin dans une majestueuse lenteur, comme pour mieux nous laisser nous imprégner de la solennité du moment que nous étions en train de vivre. La petite embarcation qui nous escortait depuis notre entrée dans la baie aborda le navire. Un pilote monta à bord pour guider notre arrivée dans le port.

Nous approchions d'une île plate que nous contournâmes. Sa physionomie géométrique, dessinée au cordeau, criait qu'elle devait tout à la main de l'homme. Le *Serpa Pinto* s'engagea lentement dans un grand bassin rectangulaire en forme de U. Il déroula les cordes des amarres dans un grondement assourdissant et stoppa les moteurs qui s'arrêtèrent dans un dernier soubresaut. Nous étions au cœur d'Ellis Island, prêts à débarquer. Un immense drapeau américain flottait sur la façade d'un des grands bâtiments de brique rouge à l'allure militaire qui nous entouraient. Chacun rassembla ses maigres bagages dans un état d'excitation indescriptible. Almah me sourit. Notre errance d'un an touchait à sa fin.

21

Presque l'Amérique

Février 1940

Harassés par une traversée qui n'avait pas été de tout repos, les passagers formaient un troupeau compact contre le bastingage. Ils surveillaient de haut les hommes qui, à quai, fixaient une passerelle métallique pour relier le bateau à un large ponton en bois. Des officiers d'émigration en uniforme attendaient à terre pour encadrer leur transfert dans le hall d'inspection de l'immense bâtiment principal flanqué de tourelles. Alors que jusque-là tout s'était déroulé dans un calme relatif, il y eut une rude bousculade pour accéder à la passerelle, comme un prélude à la course au visa. Les voyageurs débarquèrent à la queue leu leu, sous les regards indifférents des premiers Américains qu'ils croisaient. Ce qui pour eux était infiniment angoissant n'était qu'un spectacle banal pour ces fonctionnaires impavides qui voyaient arriver des hordes d'émigrants jour après jour. Un crachin glacial se mit à tomber. Malgré sa faiblesse, Almah tenait fermement Frederick d'une main et une valise de l'autre. Elle se hâtait vers le porche, derrière Wilhelm qui portait le reste de leurs bagages. Tout ce qu'ils possédaient tenait dans quatre valises, deux sacs à dos et un sac à main. Au fur et à mesure que les émigrants arrivaient dans le bâtiment central, on les dirigeait vers une consigne où ils étaient délestés de leurs bagages contre un ticket, puis vers le hall d'enregistrement où s'effectuaient les formalités d'immigration. Vaste comme un hall d'exposition, il était tristement éclairé par la lumière blafarde que distillaient les grandes baies vitrées et l'éclairage au néon. La grande horloge marquait 11 heures. Almah régla sa montre, en espérant que ce serait la dernière fois qu'elle aurait à le faire.

*

Ce fut long, fatigant et humiliant. Ils durent subir des queues interminables et des tris successifs dans un brouhaha permanent qui aiguisait les nerfs. Il y eut d'abord l'inspection médicale dans des salles froides et carrelées de blanc, aux fenêtres pourvues de barreaux – d'un côté les femmes et les enfants, de l'autre les hommes –, à l'issue de laquelle les malades étaient dirigés vers l'hôpital qui, détail sinistre, comptait aussi une morgue.

Almah supporta avec stoïcisme l'examen, bien qu'elle se fît l'effet d'une pouliche jaugée par un maquignon. Le cuir chevelu, les yeux, les dents, les aisselles, la respiration, le cœur, la température, tout y passa. Quand l'homme en blouse blanche lui demanda si elle avait été traitée pour troubles mentaux, l'image de sa mère la visita et la douleur la frappa en pleine poitrine. Elle éclata en sanglots convulsifs. Depuis la mort de ses parents, le chagrin la submergeait parfois, une vague imprévisible qu'un simple mot, un regard, une image anodine suffisait à déclencher. Gêné, le médecin s'excusa. Cramponné à sa mère, Frederick refusait de la lâcher et elle dut user de toute sa persuasion pour le convaincre de se laisser examiner.

Ils patientèrent ensuite longtemps, assis tous les trois sur d'inconfortables bancs de bois. Il y eut le tri par nationalités – Almah et Wilhelm durent se ranger avec les Allemands –, l'épluchage des passeports, l'examen des visas ou le constat de leur absence, et une nouvelle sélection. Le grand hall, cette gare de triage des Juifs comme l'appellerait Almah plus tard, vibrait de cris de colère, de sanglots de désespoir, de pleurs de consternation, de larmes de résignation, de grondements de protestation, de crises d'hystérie... Cet endroit était un lieu accablant, d'une infinie tristesse, où se jouaient des milliers de tragédies personnelles.

Les visas de transit de Wilhelm et Almah étaient en règle. Ils durent ensuite faire une nouvelle queue pour un interrogatoire mené par un trio, officier de l'émigration-traducteur-sténographe. Le métier de Wilhelm éveilla la méfiance. On leur demanda s'ils étaient anarchistes, communistes ou peut-être socialistes. Ils expliquèrent qu'ils voulaient s'établir aux États-Unis, arguant de leurs anciens visas, de leurs métiers, de leur expérience professionnelle, de leur relative maîtrise de la langue anglaise, de leurs garanties financières et morales, de leur famille à Brooklyn, ils pouvaient obtenir un affidavit des Ginsberg... La République dominicaine n'était qu'un pis-aller qu'ils avaient accepté par désespoir. Ils usèrent des arguments qu'ils avaient longuement fourbis, firent feu de tout bois, allant jusqu'à s'humilier, sans réussir à infléchir le verdict : les quotas étaient atteints, on ne pouvait accueillir d'autres Allemands. En fait, ils pouvaient s'estimer heureux, ils avaient une affectation, ce qui était loin d'être le cas de tous les refusés. Pour eux, ce serait la République dominicaine ou le réacheminement. Pour couper court à leur plaidoirie, l'officier temporisa. Il n'y aurait pas de bateau avant quelques jours ; d'ici là leur dossier serait examiné. Dès le lendemain, il s'y engageait. En gage de bonne foi, il tamponna leur dossier d'un « *Appeal* » à l'encre bleue. Cependant, il ne leur laissait pas grand espoir, car l'attribution des visas se faisait strictement *via* les ambassades. Mais Wilhelm, comme Almah, voulait s'accrocher au moindre espoir, aussi ténu fût-il. Ils ne s'avouaient pas encore vaincus. Ensuite, ils durent faire une nouvelle queue pour obtenir un lit pour leur première nuit sur le sol de ce qui n'était pas tout à fait l'Amérique.

*

Cette première journée à terre avait été bien loin de tenir ses promesses. Essorés par des émotions contradictoires, ils étaient épuisés. Les traits tirés, le visage pâle, les joues mangées par des cernes et les yeux ourlés de tristesse, Almah n'était guère vaillante. Comble de malchance, un mal de terre sournois avait pris le relais du mal de mer. Quant à Wilhelm, sa mauvaise humeur n'avait d'égale que sa fatigue. Il avait anticipé ce refus qu'ils venaient d'essuyer, il avait eu le temps de s'y préparer, mais il ne parvenait pas à le digérer. C'était une nouvelle défaite, un pas de plus dans leur déchéance. Il enrageait d'une colère froide à l'idée du but, si près et si inaccessible.

Ils prirent leurs repas dans un immense réfectoire où plus d'un millier de personnes mangeaient au coude à coude une cuisine bien peu appétissante, à cent lieues de celle du *Serpa Pinto*. Le bruit était infernal, la salle résonnait du brouhaha des conversations, du cliquetis des couverts entrechoqués sur les écuelles de métal, du raclement des bancs de bois et des chaussures sur le sol. Après le dîner, abattus, ils regagnèrent leur dortoir dans un bâtiment où étaient concentrés les ressortissants du Reich. Ils restèrent longtemps à remâcher leur déception en silence, assis côte à côte sur le lit métallique qu'Almah devait partager avec son fils. Exténuée, elle avait posé sa tête sur l'épaule de Wilhelm et les yeux fermés, la tête vide de toute pensée, elle serrait son fils dans ses bras, comme un bouclier contre la souffrance. Après les avoir embrassés, Wilhelm regagna le dortoir des hommes. Il se tourna et se retourna longtemps dans son lit. Malgré la fatigue, il ne parvenait pas à fermer l'œil. Contre toute raison, il voulait y croire encore, refusant de céder. Pourtant, il sentait la bataille perdue et le goût amer de l'échec lui brûlait le cœur. Leur situation ne s'améliorait pas. L'embellie de Lisbonne n'était déjà plus qu'un pâle souvenir. Ils étaient retombés dans des conditions comparables à celles du camp de Diepoldsau, l'espoir en moins. Son rêve d'une belle carrière de journaliste s'était étiolé au fil de leur errance pour se briser ici. Jamais plus il ne connaîtrait l'ébullition d'une salle de rédaction, l'excitation d'un angle acéré, l'euphorie d'un titre fracassant, la satisfaction du point final posé au bas d'un article. Et ce n'étaient pas les pauvres notes qu'il griffonnait à longueur de journée qui pouvaient remplacer l'ivresse de l'écriture. Wilhelm se dit qu'il devait mettre un terme définitif à ses ambitions, enterrer ses rêves et se reconstruire. Mais comment ? Il ne savait même pas de quoi serait fait le lendemain. Quelle vie pourrait-il offrir à Almah et quel avenir à son fils ? Il n'était pas à la hauteur de l'espoir qu'elle avait mis en lui. Quand il se prit à penser qu'elle eût mieux fait d'épouser Heinrich Heppner, il comprit que son esprit déraillait. Il tenta de s'apaiser en se disant que tout avait une fin, cette guerre comme tout le reste. Il n'y avait qu'à faire le dos rond en supportant les coups du sort. Et à se réinventer une vie, qui ne serait certes pas celle qu'il avait imaginée quelques années auparavant, mais qui serait tout de même une vie. La présence d'Almah et de Frederick à ses côtés suffirait-elle à maintenir le malheur à distance ? Vaincu par ses idées moroses, Wilhelm finit par s'endormir d'un sommeil plein de cauchemars.

22

Appeal rejected

Février 1940

Ils étaient plus d'un millier pris au piège d'Ellis Island, l'île-prison où l'attente était le maître mot, sans autorisation de la quitter ni de recevoir des visites de l'extérieur. Quelques rares migrants possédant le sésame tant convoité avaient pu partir en ferry-boats à Manhattan ou dans le New Jersey. D'autres attendaient le bateau qui les emmènerait vers leur destination finale, en Amérique centrale ou en Amérique du Sud. C'était le cas du contingent de Trone au sein duquel Wilhelm et Almah faisaient figure de brebis galeuses. Les émissaires des agences juives bataillaient sans relâche avec les ambassades pour trouver une affectation aux indésirables refusés de toutes parts. Il y avait ceux dont on ne parlait pas, ceux qui étaient en « prison » dans l'attente de leur renvoi vers leur pays d'origine. Enfin, il y avait les malades hospitalisés, les dépressifs, les suicidaires, les contagieux en quarantaine qui attendaient d'aller mieux pour connaître leur sort définitif.

*

Dès le matin du deuxième jour, Wilhelm put téléphoner à sa sœur. Il fit une queue interminable devant les cabines téléphoniques. Quand vint son tour, il composa fébrilement le numéro de Myriam, mais la sonnerie résonna longtemps dans le vide. Découragé, il abandonna. Avec Almah, ils firent le tour des installations, repérèrent la bibliothèque, l'école et le jardin d'enfants tenus par des bénévoles, le bureau des interprètes. La Croix-Rouge, le Hias (Hebrew Immigrant Aid Society) et la United Hebrew Charities distribuaient vêtements et jouets. Frederick hérita d'un camion de pompiers cabossé qui le ravit. Après le déjeuner, ils sortirent prendre l'air. La brume d'hiver humide montait en nuées opaques. Les troncs gris des arbres et leurs cimes nues qui griffaient le ciel terne rajoutaient à la tristesse du lieu. Ils marchèrent jusqu'au bord de l'île et s'attardèrent à regarder Manhattan qui les narguait, à un jet de pierre, terre promise qui se dérobait devant eux, si proche et si inaccessible. Il y avait un espace avec des balançoires et un toboggan. Le rire cristallin de Frederick qui voulait aller toujours plus haut les ramena à la réalité. Almah se prit à penser qu'un rire d'enfant pouvait conjurer la fatalité.

*

L'après-midi, ils furent convoqués dans un bureau de la galerie qui surplombait la salle d'enregistrement.

Ils étaient quatre à les attendre, un fonctionnaire vieillissant en uniforme avec de grosses joues et des yeux bleus globuleux, un homme au nez fort et au regard noir peu amène, représentant le Joint, une traductrice anguleuse au chignon sévère, le nez chaussé de lunettes aux verres épais à grosse monture d'écaille, et la sténographe, une jeune fille au sourire benêt. Avant même de pénétrer dans l'espace exigu du bureau, Wilhelm sentit que rien de bon ne sortirait de cette entrevue. L'officier ne prit même pas la peine d'ouvrir leur dossier. Assis en face de lui, Wilhelm déchiffra les deux mots du tampon rouge qui barrait la couverture de la chemise cartonnée.

« *Appeal rejected.* » Demande rejetée.

Deux mots à l'encre rouge qui scellaient leur sort. Le verdict était tombé.

Almah avait blêmi. Wilhelm resservit ses arguments éculés. Le fonctionnaire leur répéta l'antienne de la veille : on ne pouvait les accepter au détriment d'autres Allemands ayant des visas en règle, et un refus signifierait le renvoi en Europe. Wilhelm s'efforça de rester maître de lui, s'obligeant à ignorer le ton moralisateur où pointait une once de mépris. Le cliquetis d'une machine à écrire venu du bureau voisin à travers la cloison aiguisait ses nerfs. L'émissaire du Joint leur fit miroiter les avantages de leur affectation. La traductrice affectait un air désabusé, elle en avait vu bien d'autres, tandis que la sténographe griffonnait telle une mécanique bien rodée. Ils n'avaient d'autre choix que de jeter les armes. La lumière déclinante nimbait le bureau d'une semi-pénombre. L'éclairage au néon donnait un teint terreux aux visages. Le regard d'Almah se perdit par-dessus l'épaule de l'officier, au-delà de la vitre sale. La neige s'était mise à tomber. En face d'elle, se déployaient le port de New York et l'horizon déchiré par la haie dentelée des buildings. Des larmes embuèrent ses yeux. Leur vie trébuchait de nouveau. Ils sortirent du bureau les épaules basses. En dessous d'eux, des centaines de nouveaux immigrants patientaient, dégageant une odeur poisseuse d'espoir, d'angoisse et de tristesse.

*

Ils savaient ce qu'ils devaient faire à présent : attendre, encore. Ils étaient habitués, ils n'avaient fait que cela, attendre, depuis des mois.

Attendre leurs nouveaux billets de bateau et le feu vert pour un autre départ.

Faire le deuil de leur rêve qui venait de sombrer dans un îlot artificiel battant pavillon américain.

Poursuivre leur route vers leur terre d'exil.

C'était pour Wilhelm que c'était le plus dur. Son humeur était grise comme le décor qui les entourait. Toutes ses aspirations professionnelles venaient de se fracasser définitivement contre le mur du refus américain. Almah n'avait pas une ambition si démesurée. Elle était très consciente que sa formation valait de l'or. Trone ne lui avait-il pas dit « On a partout besoin de docteurs, de dentistes et d'infirmières », lui laissant entendre qu'elle pourrait exercer son métier dans la colonie ? Et puis il y avait Frederick et les autres enfants qu'elle espérait. L'important était d'apaiser la déception abyssale et les blessures d'amour-propre de Wilhelm. Elle décida d'afficher un optimisme qui n'était pourtant que de façade. Elle était terrifiée par l'inconnu dans lequel on les précipitait, mais elle se fit le serment de n'en rien laisser paraître. Wilhelm était bien assez rempli d'amertume pour deux.

— Et si nous prenions ce rejet comme une promesse plutôt que comme une malédiction, un tremplin pour sauter encore plus haut ? Je n'ai pas tant de regrets, décréta-t-elle crânement. Il fait froid ici, c'est gris et moche, et les gens ne sont pas si gentils. Ce sera sans doute beaucoup mieux là-bas pour Frederick. Et puis, je suis sûre que tu trouveras un journal qui t'embauchera…

Wilhelm apprécia l'enthousiasme maladroit de sa femme pour ce qu'il était, un témoignage de son amour et de sa solidarité, mais il ne put réprimer un haussement d'épaules excédé. Il lui répondit d'une voix où perçait l'amertume :

— Tu rêves, Almah ! Au cas où tu l'aurais oublié, je te rappelle que nous partons là-bas pour créer un kibboutz et jouer les fermiers modèles. Franchement, tu me vois avec une pioche et un râteau, moi qui ne suis même pas capable de planter un clou ?

Almah ne put se retenir de pouffer.

— Dans ce cas, on t'affectera à la traite des vaches !

— C'est ça, moque toi de moi !

— Ne fais pas la tête Wil, ça ne changera rien. Il faut accepter la soupe que la vie nous sert, même si elle est amère. De toute façon, tout ça n'aura qu'un temps. Et puis, ce sera l'occasion de te mettre à écrire ce roman avec lequel tu me bassines depuis des années.

Wilhelm continuait à ressasser des idées noires, mais il n'osait s'opposer frontalement à la légèreté d'Almah de peur de la voir s'effilocher. Lâchement, il ne voulait pas voir le masque tomber.

— À partir de maintenant nous n'avons plus qu'à nous laisser porter. C'est plutôt reposant en définitive. Tiens, je vais demander s'il y a des cours d'espagnol ici.

Une ombre passa dans son regard bleu, crispant les traits de son visage pâle.

— Mon seul véritable regret, c'est Myriam. Je l'aime tellement… Mais maintenant, nous sommes du même côté de l'océan et c'est déjà ça.

Wilhelm découvrait une autre facette de sa femme. Il ne la savait pas si malléable. Elle se révélait plus que lui capable de s'accommoder des circonstances sordides et de rebondir. C'était une qualité qui lui faisait cruellement défaut et il se dit qu'il ferait bien d'en prendre de la graine. Une fois de plus, sans le vouloir, Almah lui donnait une leçon.

*

Ils se rapprochèrent des autres membres du groupe avec lesquels ils avaient pris quelque distance depuis Lisbonne. Leur malaise fut vite dissipé. On les avait certes étiquetés « éléments réfractaires », mais on comprenait parfaitement qu'ils aient essayé jusqu'à ce qu'il n'y ait plus aucune chance. Dans ce chaos, chacun agissait au mieux de ses intérêts. On ne pouvait guère exiger d'eux une totale loyauté envers une quelconque institution alors qu'ils avaient été trahis par leur propre pays. Cela frisait l'anarchisme et ils en rigolèrent. Finalement, dans cette atmosphère délétère, c'était rassurant d'appartenir à un clan et de partager un objectif. Pourtant c'étaient un compagnonnage forcé et des amitiés artificielles qui ne devaient rien à des inclinations naturelles. Wilhelm pensait avec nostalgie à sa complicité d'antan avec Bernd qui vivait désormais à Londres, quant à Almah, Myriam et sa joie de vivre lui manquaient cruellement. Le froid les empêchait de sortir. Almah en profita pour faire une grande lessive dans le local où on étuvait le linge.

*

Ils purent parler avec Myriam à trois reprises. La première fois, elle avait beaucoup pleuré. Elle semblait plus meurtrie qu'eux de leur échec. Elle attendait leurs retrouvailles avec tant d'impatience. Ce fut Almah qui dut la consoler. La deuxième fois, ce fut plus joyeux. L'entrain de Myriam était un peu forcé mais il leur fit du bien. Elle donna à Wilhelm des nouvelles de leurs parents. À Vienne, les choses devenaient de plus en plus difficiles, mais la solidarité s'installait et Jacob et Esther tenaient bon, contre vents et marées. Elle leur annonça aussi l'arrivée prochaine d'un colis dont elle fit grand mystère.

Au matin du sixième jour, on leur remit un volumineux paquet. Il avait été minutieusement contrôlé par les autorités. Ce fut un moment de vrai bonheur pour Wilhelm et Almah qui l'ouvrirent avec la joie de deux gamins découvrant leurs cadeaux au pied du sapin de Noël. Sur une carte colorée, Myriam avait écrit « Joyeux Noëls et bons anniversaires ». Chaque cadeau était accompagné d'une étiquette portant un commentaire. Il y avait des bas pour Almah, une brosse à cheveux aux poils en soies de sanglier et au manche en corne, un nécessaire à manucure avec les lettres *A.R.* dorées dans le cuir, deux tubes de rouge à lèvres, un flacon de vernis à ongles rouge vif, un pot de crème pour le visage, des tubes de crème solaire « le soleil est fort sous les tropiques », le tout de la marque Helena Rubinstein, « c'est mieux de faire travailler une des nôtres ». Il y avait des cravates en soie « pour faire le beau », un blaireau en soies de porc, un savon à barbe parfumé, un agenda relié en cuir fauve de l'année qui démarrait et un stylo-plume Waterman pour Wilhelm « pour tenir ton journal », un disque de jazz, le fameux concert de Carnegie Hall de 1938 de Benny Goodman « pour swinguer », un livre des contes de Grimm « à lire pour s'endormir » et une voiture pour Frederick, qui, malgré ses portières et son toit ouvrant, ne réussit pas à éclipser le camion de pompiers cabossé de la Croix-Rouge. Il y avait aussi un sachet de guimauve et des barres de chocolat Hershey's. Au fond du colis, une enveloppe contenait une photographie de Myriam et Aaron prise sur la promenade de Coney Island et une lettre où Wilhelm reconnut l'écriture à volutes démodées de son père. En regardant le cachet il vit qu'elle datait de six mois. Jacob avait adressé sa lettre à son fils aux bons soins de Myriam. Quand il la décacheta, le sang battait à ses tempes et un nœud l'empêchait de respirer. Le cœur serré, il lut les encouragements de son père et les tendres recommandations de sa mère, mais ne trouva aucune allusion à leur condition, aucune plainte. Il fit lire la lettre à Almah et la replia avec soin dans son enveloppe.

La troisième fois qu'ils se parlèrent, Myriam était tout excitée. Elle leur expliqua qu'elle avait étudié les cartes et s'était renseignée. Il y avait des vols et des bateaux réguliers entre la Floride et la République dominicaine. Aaron et elle viendraient les voir très vite et ils passeraient ensemble de merveilleux moments. Et puis, quand cette guerre absurde serait finie, ils viendraient s'installer pour de bon à Brooklyn. Wilhelm reconnaissait le tempérament exubérant de sa sœur qui le ramenait des années en arrière, quand ils vivaient en famille en face de l'imprimerie. Inutile de lui rappeler qu'ils n'étaient même pas encore en route pour l'île, sans compter la menace que le conflit faisait peser sur l'équilibre du monde.

*

Chaque matin, un ferry déposait un flot de visiteurs et d'employés qui examinaient les nouveaux arrivants, sélectionnaient ceux qui auraient le droit de traverser le fleuve pour entamer une nouvelle vie, soignaient, informaient, distrayaient les otages de l'histoire pris au piège d'enjeux politiques qui les dépassaient. Chaque soir, les émigrants déboutés étaient abandonnés à leurs rêves perdus.

Finalement, au bout de douze jours, on leur remit leurs billets. Leur départ était programmé pour le surlendemain.

23

Extraits du carnet de Wil

Février 1940

À quelques encablures, de l'autre côté du bras de l'Hudson, des gens insouciants mangent, travaillent, s'amusent, font l'amour, dorment sans se soucier une seconde des pauvres bougres retenus prisonniers à quelques centaines de mètres d'eux, avec pour toute faute le fait d'être nés dans une famille juive.

Je n'ai plus d'appétit. Je me sens triste et j'ai mal au cœur tout le temps. On m'a confisqué mon appareil photo, qui me sera rendu à mon départ. Je me demande bien ce qu'ils craignent.

— C'est parce que tu es journaliste, affirme Almah d'un air entendu. Ils ne veulent pas de mauvaise publicité.

Elle a sans doute raison. D'ailleurs je m'en fiche, je n'ai même pas envie de prendre des photos.

*

J'ai retrouvé Eli Schoen, mon compagnon d'exercice du *Serpa Pinto*, que je croyais bien loin d'ici. Il a perdu sa belle assurance et fait peine à voir. Il est doublement découragé. Il a été débouté de sa demande d'asile malgré ses accointances dans les milieux sportifs : on n'a pas besoin d'un entraîneur juif dans les clubs américains, et Natacha, son actrice russe, est en route pour Hollywood. Le spectre du « réacheminement » plane sur lui. Son sort est entre les mains d'une association qui lui cherche une affectation. Ce vocabulaire m'ulcère, je le trouve aussi insultant qu'humiliant. Ce conflit est en train de révéler l'inhumanité de l'humanité. Je lui ai suggéré de rencontrer un représentant de la Dorsa. Il ne déborde pas d'enthousiasme mais n'a guère de choix.

Le bruit court qu'un couple s'est suicidé. Je suis en train de me prendre d'une véritable détestation pour les Américains et leur arrogance. Comment eux, qui disposent d'un si grand territoire et de telles richesses, peuvent-ils maintenir une poignée d'émigrants à leur porte. N'ont-ils pas été des émigrants tous autant qu'ils sont ? N'ont-ils pas volé leurs terres aux tribus autochtones ? Et pourtant ils refusent de partager.

J'accumule sans doute les arguments pour ne rien regretter de notre échec.

*

Il est 1 heure du matin et j'écris à la lueur blafarde de la lumière des toilettes. Un cauchemar m'a réveillé. C'était assez confus. Je n'avais pas épousé Almah, j'avais quitté l'Autriche avec Myriam qui avait pris les traits d'Almah. Je dirigeais la rubrique culture d'un grand quotidien new-yorkais.

Je me suis réveillé en nage, tâtant l'espace à côté de moi à la recherche du corps d'Almah. Pas besoin de l'aide du docteur Freud pour comprendre la signification de mon rêve et en déduire l'ignominie de la pensée qui avait envahi sournoisement mon esprit.

Si j'étais resté célibataire, je serais parti à temps et je ne croupirais pas dans cet îlot sinistre, réduit à la condition de mendiant sans nation, enlisé dans les sables mouvants de l'errance. Voilà ce que signifiait mon rêve. Comment une telle pensée a-t-elle pu m'effleurer, même inconsciemment ? Durant la nuit la face sombre qui sommeille en chacun de nous ressurgit. Mon double noir est un être profondément égoïste, nombriliste, à l'ambition démesurée. Pourtant, je ne suis pas celui-là ; ma femme et mon fils sont toute ma vie et je leur sacrifie volontiers mes rêves de jeunesse.

Des questions me taraudent. Est-il possible de vivre pleinement heureux avec ceux qui vous ont coûté vos rêves ? Le sacrifice de ce qui faisait l'essence même de votre vie vous rend-il meilleur ? Porterai-je à tout jamais le regret de ce qui n'a pas été ?

De la honte ou du dégoût vis-à-vis de moi-même, je ne sais quel est le sentiment qui prédomine. Jamais je ne me pardonnerai. La seule façon de me laver de cette tache est de l'avouer à Almah. En aurai-je le courage ?

Je dois retourner dans mon lit et noyer tout cela dans le sommeil.

*

Au petit matin, je me suis précipité vers le dortoir des femmes. J'avais un terrible besoin d'Almah, de sa présence, de son corps, une envie irrépressible de la posséder pour conjurer les fantômes de la nuit. J'ai passé toute la journée à chercher le moment propice, bouillonnant d'une rage mal contenue. L'occasion s'est présentée dans l'après-midi. Nous avions déposé Frederick dans la garderie où il pouvait jouer avec d'autres enfants. Je l'ai entraînée sans un mot dans les sanitaires. Almah n'a pas résisté. Je l'ai plaquée contre la paroi au carrelage glacé. D'une main, j'ai relevé sa jupe jusqu'à sa taille et tiré sur ses bas et sa culotte, tandis que de l'autre, j'ouvrais mon pantalon. J'ai saisi son cou pour la maintenir contre le mur et l'ai pénétrée sans un mot, avec une détermination sauvage. Sa chair était brûlante. Elle a fermé les yeux et détourné son visage sur le côté, la joue plaquée contre le carrelage blanc. Agrippée à moi, elle a remonté ses jambes et a étroitement ceinturé ma taille. Je lui ai fait l'amour avec rage. Les lèvres collées à son oreille, je lui ai ordonné :

— Jure-moi que jamais, jamais tu ne me quitteras. Jamais. Jure-le-moi !

— Je t'aime ! a-t-elle répondu d'une voix rauque en resserrant l'étau de ses jambes autour de moi.

Les mains à plat sur le carrelage de chaque coté de son corps, je l'ai martelée de coups de reins violents jusqu'à ce qu'elle crie comme une bête blessée. Les os saillants de son bassin heurtaient mon ventre. C'était brutal et totalement enivrant. La jouissance m'a terrassé et laissé exsangue contre son corps. Honteux. Je lui ai demandé pardon. Almah a lentement desserré l'étreinte de ses cuisses. Elle s'est laissée glisser le long du mur jusqu'au sol, le souffle court, sans me quitter des yeux.

— Je t'aime, a-t-elle répété.

Je l'ai relevée et je l'ai embrassée longuement. Le désir est revenu, impérieux, ne me laissant pas d'alternative. Je l'ai reprise, mais avec une infinie douceur cette fois, et nous avons joui ensemble, accrochés l'un à l'autre comme deux naufragés.

— Le sexe n'est pas un antidote au désespoir, l'amour si, m'a-t-elle dit tandis que je l'aidais maladroitement à remettre de l'ordre dans sa tenue.

Je n'ai pas confessé à Almah mon cauchemar dont les relents me hantent. Mais une frénésie sexuelle s'est emparée de nous et nous avons fait l'amour tous les jours, chaque fois que nous trouvions un recoin isolé au fil de nos déambulations dans les bâtiments lugubres d'Ellis Island. C'est délirant et enivrant, un jeu pour repousser les griffes du malheur. Et c'est certainement ce que nous faisions de mieux sur cette île.

24

Un autre départ

Mars 1940

Ils quittèrent Ellis Island treize jours après y avoir débarqué.

Ce matin-là le ciel était limpide, nettoyé des nuages gris qui avaient encapuchonné la ville depuis leur arrivée. Leur steamer devait appareiller en milieu de matinée.

La veille, les colons de Trone avaient dîné tous ensemble, un dîner un peu solennel et plutôt silencieux. Ils n'étaient ni joyeux ni tristes, simplement graves, tendus, un peu angoissés aussi à l'idée de cette nouvelle page de leur odyssée qui allait s'écrire dès le lendemain. Ils ne comptaient plus les pays traversés, les camps, les trains, les cars qui les avaient emmenés jusqu'à des lieux inconnus où ils n'étaient jamais que de passage. Demain, ce serait un autre départ, un autre voyage, le dernier peut-être.

La troupe s'était étoffée de quinze nouvelles recrues, parmi lesquelles Eli Schoen et les Pinsker qui s'étaient laissé convaincre par les recruteurs du Joint à mesure que leurs négociations avec les autorités d'immigration échouaient. Au moins ceux-là étaient casés. Ils étaient maintenant une cinquantaine à s'être faits à l'idée de rejoindre les premiers pionniers du kibboutz dominicain, avec plus de résignation que d'enthousiasme.

À 8 heures du matin, fin prêts, bagages bouclés, papiers en règle et billets en main, ils se regroupèrent au rez-de-chaussée du bâtiment principal. Les formalités, si longues à leur arrivée, furent expédiées en un rien de temps. À quai, l'*Algonquin* paraissait petit et beaucoup plus rudimentaire que le *Serpa Pinto* avec lequel le gros de la troupe était arrivé. Ils embarquèrent en silence. Certains parmi les plus jeunes essayaient de dérider les autres avec des blagues de potache. Wilhelm aurait aimé partager leur insouciance. Pour eux, ce n'était sans doute qu'une aventure grisante, ils n'avaient pas conscience de l'aspect dramatique de la situation. La plupart des passagers, embarqués au port de New York, étaient déjà installés en première et en deuxième classe. Eux se sentaient comme les parents pauvres, ceux auxquels on faisait l'aumône d'une traversée, et qui resteraient confinés en troisième classe et sur les ponts inférieurs. Les couples étaient mieux lotis que les célibataires, qui voyageaient dans des cabines de huit à douze couchettes sans sanitaires. On leur avait attribué une cabine, bien moins confortable que celle du *Serpa Pinto*, deux lits superposés avec un minuscule lavabo, sans hublot, mais cela leur assurait un minimum d'intimité.

Comme à Lisbonne, il y eut la sirène, le largage des amarres, les manœuvres, le bateau pilote les guidant vers la sortie de la baie. Wilhelm était appuyé au bastingage du pont arrière, Almah et Frederick pelotonnés contre lui. La gorge sèche, il sentait un étau se resserrer autour de son cœur à mesure que le panorama des buildings new-yorkais s'éloignait. Accablé, il regardait son rêve perdre de la substance et se diluer peu à peu dans la brume. Comme absent de lui-même, il gardait la main d'Almah étroitement serrée dans la sienne. Elle ne disait rien et observait le profil de son mari, fermé et triste. Elle avait reconnu le muscle qui tressaillait dans sa joue quand il était contrarié. Elle aussi était triste, plus pour lui que pour elle-même, et elle respectait son chagrin silencieux. Mais son esprit était tout entier tourné vers une préoccupation plus organique : elle redoutait le mal de mer qui l'avait réduite à l'état de loque durant la traversée de l'Atlantique et en guettait le moindre symptôme. Pour rien au monde elle n'en aurait parlé à Wilhelm qui assistait au naufrage de ses illusions. Quand il n'y eut plus rien à voir, ils quittèrent le pont arrière. Après à peine deux heures de navigation, alors que le bateau s'engageait en haute mer, Almah sentit une première nausée lui tordre l'estomac.

*

Au matin du deuxième jour, le masque sombre de Wilhelm était tombé. Il avait passé une bonne partie de la nuit les yeux grands ouverts dans l'obscurité à écouter les bruits du bateau et à méditer sur leur sort. Au-dessous de lui, Almah gémissait doucement dans son sommeil, son corps recroquevillé en coquille autour de celui de leur fils. Au petit matin, Wilhelm avait pris une résolution. Il serait un moteur et non un poids pour sa famille. Il allait enterrer ses ambitions au fond de sa poche et mettre un mouchoir dessus jusqu'à nouvel ordre. Almah accueillit avec un sourire de soulagement son manifeste changement d'humeur. Ils n'avaient plus qu'à profiter du voyage, si le mal de mer voulait bien lui laisser un répit.

Dès le début, il y avait eu quelque chose de moins tendu dans cette navigation, un imperceptible relâchement des corps, une négligence désinvolte dans les tenues, des esquisses de sourires, les premiers éclats de rire francs, une lueur de gaieté dans les yeux… Les dés étaient jetés et il n'y avait plus d'enjeu. Le groupe était maintenant comme une grande famille avec ses règles implicites, ses clans, ses amitiés et ses inimitiés parfaitement lisibles lors du placement à table pour les repas. Ils apprenaient à se connaître, s'efforçaient de mémoriser leurs prénoms respectifs, leurs origines, leurs métiers, passaient du temps ensemble, s'apprivoisaient. Après tout, ils cohabiteraient bientôt étroitement au sein de leur colonie.

Wilhelm suivait leur itinéraire sur la carte où, chaque matin, un marin déplaçait un fil rouge entre deux punaises, indiquant grossièrement la navigation de la journée. Au fur et à mesure de leur progression, le souffle de l'air devenait plus doux. Imperceptiblement, le mercure montait et la mer virait du gris sale au bleu profond. Au matin du quatrième jour, ils se réveillèrent dans une mer limpide sous un soleil lumineux. Ils troquèrent leurs vêtements d'hiver pour des tenues plus légères et Almah s'en voulut de ne pas avoir été plus prévoyante. Ils étaient plutôt mal équipés pour un temps d'été. Oubliées au fond d'une valise, les lunettes teintées de Lisbonne refirent surface.

Almah restait attentive à l'humeur de Wilhelm qui lui semblait en voie de cicatrisation. Elle en voulait pour preuve cette nouvelle avidité qui s'était emparée de lui : il avait étrenné l'agenda offert par Myriam et renoué avec ses carnets boudés à Ellis Island. Mieux, son Leica avait repris du service et il s'était instauré photographe officiel du voyage. Almah se félicitait d'avoir eu la bonne idée de lui offrir une provision de pellicules à Lisbonne.

— Loin de moi l'envie d'être indiscrète, mais je me demande ce que tu écris dans ce carnet, lui dit-elle un soir alors qu'il relisait ses notes.

— Je recueille des confidences sur les itinéraires des uns et des autres, enfin ceux qui veulent bien se livrer car il y en a qui restent très pudiques.

— C'est un peu indiscret ce que tu fais là, Wil.

— Je ne les force pas. Certains sont très contents de m'ouvrir leur cœur, ça les soulage sans doute. Si quelqu'un doit rendre compte un jour de notre aventure, j'aimerais que ce soit moi.

— Tu penses à un article, c'est ça ? Pour un journal ?

Wilhelm hocha la tête :

— Oui, ou un roman, qui sait !

Almah était contente, le spectre du roman refaisait surface, c'était bon signe.

*

Plus le bateau avançait, plus les doutes qui tenaillaient Wilhelm cédaient du terrain.

Comme leurs compagnons, Wilhelm et Almah étaient bercés par un ennui langoureux et s'installaient dans une paresse dont ils n'avaient pas honte. Ils se reposaient enfin, soulagés de n'avoir rien à faire, après avoir bataillé si longtemps pour arriver jusque-là.

Ce fut un imperceptible glissement. Un matin ils se réveillèrent en été comme s'ils avaient franchi une nouvelle frontière pendant la nuit. L'eau était plus bleue, le ciel plus limpide, l'air plus chaud. Eux étaient plus détendus, plus insouciants et plus gais. La retenue dont ils avaient fait preuve jusque-là avait cédé. Ils commencèrent à se dévoiler et à se livrer les uns aux autres. Ce fut à partir de là, sous le soleil et dans la chaleur de l'été, que se cimenta leur petit groupe.

25

Extraits des carnets de Wil L'*Algonquin*
Mars 1940

Jour 1

Encore un départ, mais celui-là a un goût particulièrement amer. Ça a été un tel crève-cœur que j'en aurais pleuré. Mais les hommes ne pleurent pas. C'en est bien fini de mes illusions. Je ne serai jamais ce journaliste respecté qui tient tribune dans le *New York Times*, le *Sun* ou le *Post*. Je cherche les mots qui pourraient exprimer l'ampleur de mon désenchantement, mais ils sont galvaudés et sans nuance. Almah n'a pas l'air si affectée que ça par notre déroute. Je lui en voudrais presque de se montrer sereine et optimiste, alors que c'est la seule attitude raisonnable à adopter. Au lieu d'admirer sa force d'âme, je ressens une pointe d'irritation à son égard et je m'en veux terriblement. Je dois cesser de ressasser mes regrets et chasser cette aigreur qui menace de stagner au fond de mon âme.

Pour en revenir à des choses plus terre à terre, Almah a de nouveau le mal de mer et je la plains de tout mon cœur. J'avais espéré que la traversée de l'océan l'aurait aguerrie, mais ce n'est pas le cas. Par chance, elle a obtenu des pilules avant de quitter Ellis Island. J'espère qu'elles agiront.

Je renoue avec la routine du *Serpa Pinto* : ma pauvre Almah gît sur la couchette du bas dans notre cabine pendant que je déambule sur les ponts avec Frederick. Nous longeons la côte, cap au sud, et j'espère que bientôt la mer sera moins forte et lui laissera un peu de répit.

J'apprends à connaître mes nouveaux compagnons. Vais-je trouver parmi eux celui qui comblera le vide laissé par Bernd ? Je le déplore, mais, parmi tous ceux de Diepoldsau, il n'y en a pas un dont je me sois fait un véritable ami.

Jour 2

J'ai trouvé un dérivatif à ma morosité. Je photographie notre odyssée à la manière d'un reportage. Je légenderai les photos et je les assortirai de bribes d'histoires personnelles. Pour cela, il faut que mes camarades acceptent de se livrer. Cette excitation qui sourd en moi est-elle un bon signe ?

Les heures s'étirent. De temps en temps, nous apercevons un bateau et tous les passagers se précipitent pour le regarder passer, saluant vainement les voyageurs que nous croisons. Je peaufine mon projet.

Jour 3

Des journées de plein soleil remplacent la grisaille de New York. Le vent est moins fort, la température se radoucit. La mer s'est assagie et Almah va mieux.

Je commence à prendre mes repères dans notre parenthèse suspendue. J'ai recueilli aujourd'hui mon premier témoignage, celui d'Egon Hornthal, un avocat de vingt-sept ans, originaire de Stuttgart. Son itinéraire est à peu de chose près le même que le nôtre : Zurich, huit mois au camp de Girenbad, Lisbonne, Ellis Island et destination la République dominicaine. Son histoire, celle d'un jeune homme plein d'avenir, dont le destin a été brisé, est singulière et triste, mais pas plus que celle de milliers d'autres.

Cette démarche va-t-elle me mener quelque part ?

Jour 4

Une douceur dans l'air annonce l'été. Nous longeons les États de la Caroline. Nos manteaux sont relégués au fond des valises.

Pour tromper les heures, je lis, mais la bibliothèque de bord est bien pauvre. Les livres circulent d'un lecteur à l'autre, ce qui nous donne l'occasion d'échanger nos impressions.

J'aime rester sur le pont le soir après le dîner (nourriture médiocre). De loin en loin, de faibles halos de lumière signalent les phares qui veillent sur la côte américaine. Je constate avec soulagement que ma colère et mon vague à l'âme se dissipent à mesure que le mercure monte.

Ce soir, nous sommes tous assis par terre sur le pont. Almah est adossée contre ma poitrine, Frederick entre ses genoux. Les mèches folles de ses cheveux en désordre chatouillent mon menton. La nuit est tombée, le ciel est magnifique, avec un beau quartier de lune argenté et un semis d'étoiles scintillantes. On voit même la Voie lactée au-dessus de nous. Je ne me lasse pas d'admirer ce spectacle. Un nouveau dénommé Raimund joue de la mandoline, un air nostalgique. Soudain, il attaque une vieille chanson populaire allemande. Nous entonnons doucement :

Ich hatt' einen Kameraden...
Röslein, Röslein auf der Heiden...
Trink, trink, Brüderlein trink...

Puis il enchaîne avec entrain une autre chanson et nous reprenons à tue-tête :

Ein Jäger aus Kurpfalz,
Der reitet durch den grünen Wald,
Er schießt das Wild daher,
Gleich wie es ihm gefällt.

Pour la première fois ce soir, grâce à de vieux refrains de mon enfance, j'ai senti une véritable onde de solidarité entre nous. C'était magique, apaisant, et cela m'a fait un bien fou.

En regagnant la cabine, j'ai déposé Frederick endormi sur la couchette du haut. Comme Almah craignait qu'il tombe, je l'ai calé avec un sac à dos. Puis je me suis allongé à côté d'elle et nous avons fait l'amour doucement, avec beaucoup de tendresse. Nous sommes restés longtemps silencieux dans les bras l'un de l'autre.

Jour 5

Changement de cap. Nous laissons la Floride sur notre droite, ou plutôt à tribord, et nous filons vers Porto Rico. Nous ignorions que nous devions faire escale dans cette île. Nous passons au large d'une multitude d'îles et d'îlots paradisiaques émergeant de nappes turquoise. Ce sont les îles des Bahamas. La mer est magnifique, de toutes les nuances de bleu et plate comme un lac. Elle scintille de reflets métalliques aveuglants sous la lumière intense du soleil. Le thermomètre grimpe en flèche.

Durant la journée, nous fuyons les cabines où la chaleur est intenable et l'air irrespirable. Engourdis par le ronronnement des machines, nous passons l'essentiel de notre temps sur les ponts à paresser. Nous improvisons des jeux. Certains lisent, d'autres scrutent la mer et guettent avec patience l'apparition des dauphins ou d'éventuels requins. Egon, l'avocat de Stuttgart, a déniché un échiquier. Il a entrepris de m'initier à ce jeu qui faisait les beaux jours des cafés de Vienne, et auquel j'ai toujours été réfractaire. C'est parfait pour remplir les longues heures monotones.

Effets conjugués de la lune, des étoiles et de la musique, une idylle est en train de se nouer entre Else, la chapelière de Diepoldsau, et Raimund, le joueur de mandoline fraîchement recruté. Il lui donne l'aubade en la dévorant des yeux. Elle semble totalement sous le charme.

Almah a repris des couleurs, l'air marin et le soleil lui vont bien. Elle passe son temps à bavarder avec Lotte Zeitman en surveillant Helmut et Frederick qui jouent ensemble. Il faudra faire attention à cet Helmut qui profite de ses cinq ans pour prendre l'ascendant sur mon petit bonhomme.

Jour 6

Nous avons passé une mauvaise nuit. Dans notre cabine aveugle, la chaleur est accablante. L'air brûle la gorge et les draps collent à la peau. Les marins ont tendu une espèce de toile de tente sur le pont arrière pour nous ménager un coin d'ombre.

Nouveau témoignage : Norbert Ochs, comptable dans un atelier de confection renommé de Salzbourg. Gênes, Ellis Island, Dorsa. Ne laisse percer aucune émotion, aucun commentaire personnel sur son parcours.

Quant à Raimund, notre troubadour, nul besoin de l'interviewer. Ardent et passionné, il raconte volontiers son aventure. Après des études ratées d'ingénieur, il a quitté Hanovre pour retrouver son frère aîné qui vit au Danemark. À Copenhague, il a travaillé quelques mois chez un luthier. Menacé d'expulsion faute de papiers en règle, il a pris un bateau jusqu'à New York. La suite, on la connaît. Raimund s'ouvre naïvement de ses rêves : créer un orchestre, peut-être une école de musique, et fonder une famille sous des cieux plus cléments que ceux de l'Allemagne nazie.

Le cas Schlesinger : Rainer Schlesinger est allemand, ingénieur de son état. C'est un homme grand et sec. Hautain, il ne sourit jamais. C'est un donneur de leçons qui s'exprime avec une pointe d'arrogance et affecte un air de supériorité assez désagréable. Il a des théories sur tout et il nous inflige ses opinions sans être sollicité, notamment sur la politique, un sujet que nous évitons tacitement. Selon lui « les Allemands sont en passe de gagner la guerre… le projet sioniste en Palestine va droit dans le mur car les Britanniques ne céderont pas… ». À se demander s'il ne s'efforce pas de nous casser le moral. Hier Egon l'a remis à sa place : seule une guerre mondiale fera évoluer la situation et elle est en bonne voie. Les femmes ont protesté : « Pas la peine d'être aussi loin de tout pour entendre parler de la guerre. » Schlesinger va devoir mettre de l'eau dans son vin.

Jour 6 – Fin de journée

Un cri d'excitation les a signalés. Immédiatement tout le monde se presse à la proue du navire : un couple de dauphins nage à l'étrave du bateau. Bientôt ils sont quatre, puis six. Ils tracent leur sillon dans l'écume blanche, sautent et cabriolent hardiment, s'éloignent puis reviennent dans un ballet de nageoires soigneusement orchestré. Puis c'est l'éclat d'argent d'un banc de poissons volants qui rasent l'eau. Dans mes bras Frederick est aux anges. Je suis submergé par une émotion d'enfant, un violent sentiment de bonheur me gonfle la poitrine. C'est incompréhensible, mais bien là. Quand les dauphins disparaissent, nous nous sentons heureux, comblés par le spectacle qu'ils viennent de nous offrir.

Jour 7

Nous voguons en pleine mer. Lèvres salées par la brise marine, visage rougi par le soleil, assis à l'avant sur un paquet de cordages, je relis mes notes. Comment donner forme à mon projet ? Je trouve mes compagnons admirables : ils ne parlent pas du pays qu'ils ont dû quitter, pas de nostalgie, rien que de la pudeur.

Pour l'instant, notre univers se limite à ce coin d'humanité qui flotte, où l'on flâne, où l'on rit, où l'on bavarde à bâtons rompus et où l'on n'ose songer à demain. Derrière moi, j'entends les rires des enfants qui se poursuivent, des accords de musique, les éclats de voix, des conversations qui ronronnent.

J'aspire goulûment l'air du large. Je regarde l'infini, rien que le ciel et la mer, et je me découvre une nouvelle soif de liberté et de découvertes.

Nous avons revu des dauphins et ça a été la même joie enfantine qu'hier.

Jour 8

Schlesinger a ramené sa science en annonçant le passage du tropique du Cancer. Il a souligné sa péroraison de grands gestes et de petits sourires supérieurs. Pour une fois, son information a été bien accueillie.

À la mi-journée, le bateau ralentit l'allure. Porto Rico est en vue. Nous entrons dans la rade par une passe étroite. À bâbord, sur une pointe rocheuse, s'élèvent les ruines d'un ancien fort ; au fond de l'anse le port de San Juan, la capitale de l'île. Le bateau jette l'ancre. Une flottille de barques aborde l'*Algonquin* pour le déchargement des marchandises et des passagers.

Nous sommes restés tout l'après-midi au mouillage. Egon, décidément très débrouillard, s'est fait prêter une paire de jumelles qui passe de main en main. La ville semble toute petite, quelques coupoles d'églises et des édifices bas assez délabrés, quelques bâtiments plus modernes. Rien de transcendant.

En fin de journée nous vivons un drame : ce diable d'Helmut s'est approprié le camion de pompiers de Frederick qui trépigne et hurle de frustration. J'ai dû intervenir. Mon fils doit apprendre à se défendre, mais aussi à partager. Quand j'ai fait la remarque à Almah que la présence d'un frère ou d'une sœur lui ferait le plus grand bien, elle m'a regardé avec des yeux de merlan frit.

Dans la soirée, le magnifique coucher de soleil mauve, rose et orange est un peu gâché par les constructions. Nous repartons à 1 heure du matin. La chaleur a à peine baissé. Le spectacle de la baie illuminée est magnifique. Rituels coups de sirène, les ancres remontent dans un fracas assourdissant et nous voilà de nouveau en route.

Jour 9

La nuit a été calme. En milieu de matinée les choses se corsent. Nous entrons dans le canal de la Mona qui sépare Porto Rico de la République dominicaine. La mer a forci et le roulis devient infernal. L'*Algonquin* est ballotté en tous sens par des vagues nerveuses. Almah renoue avec son ennemi oublié depuis quelques jours. Elle n'est pas la seule à être malade. Notre dernière journée de navigation ne restera pas un bon souvenir.

En fin de journée, aussi soudainement qu'elle s'était déchaînée, la mer s'apaise. Nous avançons lentement dans une mer d'huile d'un bleu intense tacheté de turquoise où seul le sillage du bateau laisse quelques rides. De nouveau, nous longeons une côte, au sud de l'île qui se dessine nettement. Nous passons assez près pour deviner dans le lointain des collines verdoyantes hérissées de grands arbres. Nous dépassons un îlot baigné par les rayons du soleil déclinant. Les jumelles passent de main en main. Je distingue une plage de sable blanc, une frange d'eau claire, quelques barques de pêcheurs et de grands palmiers. Schlesinger, qui décidément joue les premiers de la classe, corrige avec son petit sourire suffisant :

— Il s'agit de cocotiers, qui donnent des noix de coco, précise-t-il, alors que les palmiers donnent des dattes.

Je me mords les joues et me retiens de le féliciter pour sa maîtrise de la flore tropicale. Ce type m'exaspère. Palmiers ou cocotiers, vu du large, c'est très beau. Notre ailleurs sans figure commence à prendre forme.

Soudain, sans prévenir, des images de l'été dans la campagne autrichienne me reviennent, des odeurs. Le raisin qui mûrit, l'herbe qui embaume, le blé qui ondule doucement sous le vent, les talus piquetés de fleurs sauvages en bordure des routes, les nuages ronds et légers comme du coton suspendus dans le ciel azur… Ma gorge est nouée d'émotion et ma vue se brouille. Je suis tiré de ma rêverie par les cris d'excitation des passagers. Une nouvelle bande de dauphins.

La nuit est tombée quand nous faisons une dernière escale au port de La Romana. Cette fois, nous sommes en République dominicaine. Dans l'obscurité, on ne voit de la ville que quelques pauvres lumières. À l'aide d'un dictionnaire de poche, Egon a soutiré des informations à l'équipage. Il y a là une plantation de canne à sucre et une raffinerie qui se signale par une forte odeur de caramel brûlé. Quelques Américains débarquent, quelques femmes aussi. Une grosse machine est déchargée du ventre du navire et la manœuvre dure longtemps.

Notre dernière soirée à bord est une veillée d'armes. La parenthèse du voyage s'achève. Notre errance touche à son terme. Une angoisse diffuse est perceptible. Comme tous les autres, je suis taraudé d'interrogations. Qu'allons-nous découvrir ? Serons-nous bien accueillis ? Quelles vont être nos conditions d'existence ? Pourtant personne n'en parle. Un peu émus, nous préférons chanter, accompagnés par la mandoline de Raimund.

Il y a des étoiles filantes plein le ciel.

— Il faut que tu fasses un vœu, m'a soufflé Almah. Moi, j'ai fait le mien.

En silence j'ai fait mon vœu, celui de retrouver mes parents sains et saufs. J'en fais un second : vivre heureux le temps que durera notre exil. Pour faire bonne mesure et parce que ça ne coûte rien, je rajoute : redevenir journaliste dans un grand quotidien américain ou autrichien, après la guerre. Almah refuse de me révéler son vœu :

— Sinon il ne se réalisera pas ! précise-t-elle d'un ton convaincu en réprimant un bâillement.

Nous décidons de dormir tous ensemble sur le pont. Tout s'est tu, c'est le calme absolu. La machinerie qui ronronne doucement nous berce. C'est notre dernière nuit à bord.

Demain nous serons arrivés.

Jour 10

La nuit a été très courte. Ce matin, dès 5 heures, nous nous sommes réveillés sur le pont. Encore tout engourdis de sommeil, nous avons vu poindre l'aube et un spectaculaire lever du soleil. Ça a été un moment de communion magique qui a dopé nos espérances secrètes. Des pélicans escortent le bateau, zébrant le ciel azur, clair comme du verre poli. Une légère brise marine souffle sans discontinuer et il fait bon. La journée promet d'être chaude. La mer d'un bleu intense se trouble peu à peu de limon. Nous touchons au but.

3e Partie

INVENTER LE PARADIS

« Il faut se déraciner. Couper l'arbre et en faire une croix, et ensuite la porter tous les jours. »

Simone Weil

« L'homme n'était pas destiné à faire partie d'un troupeau comme un animal domestique, mais d'une ruche comme les abeilles. »

Emmanuel Kant

1

Ciudad Trujillo

Mars 1940

L'air tremblait de chaleur, le soleil à son zénith brillait d'un éclat impitoyable et brûlait les peaux, et la lumière leur écorchait les yeux. Infernal. La main en visière sur son front, Wilhelm balayait le panorama, perplexe. Son regard se perdait au-delà du quai, vers la ville qui s'adossait à une colline. Almah, Frederick sur un bras, était coincée entre le bastingage et le torse de son mari, les yeux écarquillés. Son cœur battait à tout rompre. Le voyage était fini. Ils étaient arrivés.

Ils accostèrent à l'embouchure d'un grand fleuve boueux, face à l'étendue ouverte de la mer des Caraïbes. Le pilote guida le bateau jusqu'à son emplacement à quai, à l'aplomb d'une forteresse de pierre dorée datant de la conquête espagnole. Un cargo rouillé et un deux-mâts ventru étaient amarrés en face, sur la rive orientale du río Ozama. Un autre steamer, plus petit que l'*Algonquin*, patientait à quai. C'était à peine un port, une grue et quelques hangars aux toits de zinc, et tout juste un quai, ce qui ne laissait pas d'inquiéter les recrues de la Dorsa qui, agglutinées au coude à coude contre le garde-corps, découvraient la ville. Depuis le fleuve, on n'en voyait pas grand-chose, juste quelques édifices manifestement hors d'âge et en fort mauvais état et une douce colline qui montait vers le nord. On pressentait la vie qui grouillait au-delà du port. Plus loin à l'est, en bordure de mer, s'étendait un quartier plus moderne. Un fouillis de barques en bois effilées, chargées de passagers et de tombereaux de marchandises, poules, régimes de bananes vertes, noix de coco pelucheuses, bidons, traversaient le fleuve dont les rives étaient reliées par un unique pont, long et étroit, qui interdisait aux gros bateaux de s'aventurer en amont des quais. Les passagers de première classe débarquèrent, empruntant une étroite passerelle, puis ce fut au tour des deuxième et troisième classes. Le groupe des futurs colons restait soudé. Sur leurs visages et dans leurs regards se lisaient toutes les questions qui les assaillaient. L'excitation des jours précédents était tombée. Ne restait que l'angoisse. Ils étaient étrangement émus de poser le pied sur la terre de cette île, dernière étape de leur interminable voyage vers la liberté, un voyage jalonné de faux départs et de haltes imprévues.

Deux membres de la Dorsa en costume léger et coiffés de panamas les attendaient en s'épongeant le front. Ils devaient faciliter les formalités douanières. Les voyageurs déposèrent leurs bagages dans un hangar surchauffé où le mercure dépassait allègrement les 30 °C, puis, exemptés d'examen sanitaire, ils firent la queue devant de petits bureaux derrière lesquels officiaient les fonctionnaires de l'émigration. Bien moins zélés que ceux d'Ellis Island, ils feuilletaient nonchalamment les passeports, vérifiant les photographies d'un œil placide, et les tamponnaient avec flegme, tout en baragouinant un sabir incompréhensible d'espagnol mêlé d'anglais. Et faute de se faire comprendre, ils souriaient. Les sourires, ce fut la première chose qui frappa Almah. De grands, de vrais sourires, spontanés, naturels, francs, qui étiraient largement les bouches, découvraient des dents blanches, illuminaient les yeux et réchauffaient l'âme. Chaque tampon appliqué sur un passeport s'accompagnait d'un « *Bienvenido, Belcome* » chantant. C'était la première fois depuis bien longtemps qu'ils étaient bienvenus quelque part. Almah se détendit et un sourire ensoleilla son visage. Tout en patientant auprès de Wilhelm, elle lissa sa robe du plat de la main pour la défroisser et, du bout des doigts, tenta de redonner du gonflant à sa coiffure. Le tri des bagages soumis à une fouille négligente s'effectua dans une joyeuse pagaille, puis ils purent enfin sortir.

Regroupés sur le quai, au bord d'une large avenue de bord de mer, qu'ils apprendraient à appeler le Malecón, les futurs colons étaient perdus dans le grouillement nonchalant d'une foule où se mêlaient toutes les couleurs de peau, du noir profond au blanc laiteux. Il y avait des hommes élégants en costume de lin clair, des femmes coquettes en robe légère coiffées de chapeaux à large bord, des travailleurs dépenaillés. Les senteurs d'épices, de fruits mûrs, de fleurs et de poisson les grisaient. La lumière crue faisait claquer les couleurs exubérantes et rendait les contours plus nets. Ils avaient l'impression d'avoir débarqué dans un décor en Technicolor. Peu habitués à un tel remue-ménage des sens, ils étaient étourdis, comme sonnés.

Ils furent répartis dans plusieurs véhicules hésitant entre le bus et l'automobile et éparpillés dans des hôtels et des pensions du centre-ville. Ils y attendraient leur transfert vers le nord, prévu le surlendemain. Entre-temps, Max Goldman, un membre de la Dorsa, se chargerait d'obtenir leurs papiers provisoires. On leur conseilla de se reposer et de prendre des forces, « car les choses sérieuses commenceraient bientôt ». Ils se retrouvèrent livrés à eux-mêmes dans une ville inconnue, au milieu de gens dont ils ne parlaient pas la langue.

2

En famille

Mars 1940

Les Rosenheck, les Zeitman et les Pinsker furent déposés avec deux autres couples et les sœurs Discher, Kaethe et Erica, dans une petite pension de famille de la rue Arzobispo Nouel, au cœur de la vieille ville de Ciudad Trujillo. Les Kriegerman, une famille de Juifs allemands arrivés dès 1937, géraient cette pension. Comme celle des Hirtz, un autre couple allemand, qui se trouvait à quelques rues de là, elle était financée par la Dorsa et accueillait les volontaires du projet.

Ce fut comme de se retrouver en famille. Ils déjeunèrent autour d'une grande table que présidait Irene Kriegerman, très investie de son rôle d'hôtesse. C'était une femme à poigne d'une quarantaine d'années, grassouillette et autoritaire. Boudinée dans une robe de cotonnade à fleurs, elle portait ses cheveux relevés, maintenus sur la nuque par un gros peigne d'écaille. Manifestement elle tenait les rênes de la boutique, tandis que son mari, un individu falot, semblait filer doux. Irene les avait accueillis en les félicitant de leur bonne mine.

— Vous êtes déjà hâlés, c'est bien. Mais vous avez besoin de vous ravigoter, allez resservez-vous ! insistait-elle en désignant la fricassée de poulet au riz, accompagnée de tranches d'avocat et de plantains frits qu'elle avait fait préparer pour eux.

C'était un vrai moulin à paroles. Ne les laissant pas placer un mot, elle leur avait prodigué moult conseils.

— Nous sommes tout près de la principale artère commerciale, le Condé, où il y a pas mal de boutiques. Il y a dans le coin des églises et quelques édifices anciens qui remontent au temps des conquistadores, des amas de vieilles pierres pour tout dire, un joli parc au bout du Condé, des petites places, bref vous avez largement de quoi occuper vos deux jours d'attente avant de partir dans le nord. Profitez-en bien parce que plus tard ce sera… une autre paire de manches, avait-elle ajouté d'un air entendu. Je ne veux pas vous inquiéter, mais inutile de vous faire des illusions, là-haut vous serez bien loin de la civilisation.

Herr Kriegerman se contenta de la foudroyer du regard ; sa femme avait la langue trop bien pendue. Les mines déconfites de ses hôtes n'échappèrent pas à Irene qui tenta maladroitement de se rattraper :

— Il ne faut pas me faire dire ce que je n'ai pas dit… Maintenant, je vous conseille de faire une bonne sieste pour laisser passer les heures les plus chaudes, avant de vous aventurer dans le quartier.

Perplexes, Almah et Wilhelm regagnèrent leur chambre pour la sieste imposée.

— Qu'est-ce qu'elle a voulu dire par « une autre paire de manches », à ton avis ? questionna Almah légèrement alarmée.

— Nous le saurons bien assez tôt, ma chérie, mais rien ne pourra être pire que ce que nous avons vécu. De toute façon, maintenant les dés sont jetés. Viens te reposer un moment, répondit Wilhelm en tapotant le lit sur lequel il était déjà allongé, et plus tard nous sortirons explorer ces amas de vieilles pierres.

Étendus sur les draps frais, les nerfs à vif, ils ne réussirent pas à dormir. Malgré les murs épais, il régnait dans la chambre une chaleur étouffante que ne parvenaient pas à rafraîchir les pales du ventilateur à bout de souffle. Frederick, lessivé par la chaleur, s'assoupit sans demander son reste. Ils sortirent vers 4 heures. La chaleur était à peine moins intense et la lumière du soleil oblique nimbait tout d'un éclat doré magnifique.

Dans la fameuse rue du Condé vantée par Irene Kriegerman de nombreux passants flânaient nonchalamment le long des trottoirs, en regardant les vitrines. Comme le fit remarquer Almah à Wilhelm, on était à des années-lumière des boutiques chics du Graben et même de celles des belles rues de Lisbonne. Pourtant les femmes étaient élégantes et gracieuses dans leurs robes fleuries courtes et légères et les hommes en costume blanc, canotier et chaussures bicolores avaient belle allure. Il régnait comme un parfum de vacances. Au bout de la rue, ils arrivèrent sur une place au milieu de laquelle se dressait une statue. Sans doute un Espagnol avec une Indienne emplumée à demi nue à ses pieds. Au fond, il y avait une église massive, manifestement très ancienne. Ils s'assirent sur un banc à l'ombre d'un arbre immense et cédèrent aux avances d'un petit *limpiabotas*. Armé d'une caisse en bois grossier et d'une brosse, l'enfant, qui n'avait pas huit ans, entreprit de cirer les chaussures de Wilhelm à grands coups de crachats. « Il devrait être à l'école, à son âge », observa Almah émue par le sourire limpide du garçonnet. Tandis que Frederick s'épuisait à poursuivre les pigeons, ils observaient les gens, les peaux mates et lisses, les visages aux courbes harmonieuses, les lèvres pleines, les yeux en amande, les nez fins, les gestes à la sensualité flagrante. Un homme élégant s'assit à côté d'eux et engagea la conversation dans un anglais qui valait largement le leur. Étaient-ils *americanos* ? Ils parvinrent à expliquer qu'ils étaient autrichiens, qu'ils venaient d'arriver et, au terme d'un échange laborieux, ils comprirent qu'ils étaient face à la cathédrale construite au XVIe siècle par les Espagnols et que la statue représentait Christophe Colomb et la *cacica* Anacaona. L'homme insista pour les inviter à prendre un verre. Ils se retrouvèrent attablés à la terrasse d'un café qui bordait la place. C'était charmant. Ce n'était pas le faste des cafés viennois, mais c'était manifestement un lieu chic et très couru avec ses petites tables de marbre cerclées de laiton, ses chaises cannées en bois tourné, ses grands ventilateurs au plafond. Sur le chemin de la pension, Wilhelm et Almah se sentaient apaisés. Ça avait été un moment d'échange simple, un de ces petits bonheurs banals qui faisaient dire que la journée avait été bonne.

— Je trouve que l'accueil est bien meilleur qu'en Amérique. Les gens d'ici sont beaux, gais et tellement gentils ! s'exclama Almah, une note de triomphe dans la voix.

Le dîner fut enjoué, ça fusait, ils parlaient tous à la fois, excités comme des gamins à leur premier jour de vacances. Les sœurs Discher étaient aux anges.

— On s'est fait baratiner par des jeunes gens très entreprenants dans le parc de l'Indépendance, raconta Kaethe avec un petit sourire triomphant.

— Il y en avait un qui était beau comme un dieu, avec des yeux verts et une peau couleur miel, ajouta Erica en arquant les sourcils de façon comique.

Pour tout commentaire, Hilda Pinsker leva les yeux au ciel.

— Méfiez-vous des Dominicains, mesdemoiselles, ce sont de vrais don juans au sang chaud, les avertit Irene. Ils n'ont pas froid aux yeux et rien ne les arrête !

Les deux sœurs se mirent à glousser, contentes de leur effet. Les Zeitman avaient repéré une vieille forteresse laissée à l'abandon dont Lotte loua l'architecture.

— Il y a ici un patrimoine incroyable, mais ce sont des champs de ruines, déplora Lotte en connaisseuse. Il y aurait fort à faire pour des archéologues et des architectes, croyez-moi !

Agitant frénétiquement un éventail devant son visage couperosé, la grosse Hilda Pinsker, saucissonnée dans une robe d'un tissu bien trop épais pour le climat, ronchonnait dans son coin, pestant contre la chaleur suffocante, contre l'humidité insupportable, contre ces filles impudiques qui roulaient de la croupe sans vergogne, contre cette musique qui cassait les oreilles.

Le lendemain, vêtus de ce qu'ils avaient trouvé de plus léger dans leur maigre garde-robe, Almah et

Wilhelm sortirent tôt. Almah portait une robe de percale bleu clair rebrodée de fils de coton bleu marine, simple et sans doute démodée. Wilhelm se fit la réflexion qu'elle méritait mieux. Il se promit qu'il lui offrirait une jolie robe dès qu'il le pourrait. La chaleur était déjà accablante. Ils flânèrent main dans la main, comme deux touristes, bien décidés à profiter de leur journée de liberté. Almah tint à entrer dans la cathédrale, « histoire de voir si par hasard Dieu se cacherait là », précisa-t-elle ironiquement. Elle fut frappée par l'austérité et la sobriété de l'église. Ils se promenèrent le long d'anciens remparts et d'édifices coloniaux dont beaucoup étaient, comme l'avait dit Lotte, en piteux état. De placette ombragée en église gothique, de façade armoriée en palais arabisant, ils découvraient des indices de l'histoire dans les ruines de la vieille ville. Frederick gambadait joyeusement. Partout, il y avait les sourires et la gouaille, la nonchalance, la suavité des gestes et des regards. On les apostrophait, on les interrogeait, on les renseignait avec une gentillesse désarmante, on offrit des bananes à Frederick, on leur fit goûter du jus de canne et de l'eau de coco. Almah apprit à dire « *Gracias, muy bueno* ». Ils rentrèrent à la pension pour le déjeuner, fourbus mais ravis, et repartirent en expédition après la sieste de rigueur. Au dîner, Irene distribua avec solennité les nouveaux papiers d'identité déposés par Max Goldman. C'était une simple fiche cartonnée qu'elle appelait « *cedula* ». Almah se saisit de la sienne les doigts tremblants. Elle n'allait certes pas devenir une autre par la grâce d'un vulgaire bout de carton, mais c'était un sentiment exaltant, presque une renaissance.

— Ils ont oublié le H, lui fit remarquer Wilhelm en posant l'index sur son prénom, Alma.

— Pfft, ce n'est pas bien grave, répondit-elle en haussant les épaules. Je leur en fais cadeau, comme du J ! De toute façon, on ne le prononce pas, pas vrai ?

Ils bouclèrent leurs bagages et se couchèrent tôt sous les pales du ventilateur qui livrait en grinçant un combat inégal contre la chaleur humide. Ils s'endormirent, leurs corps en sueur soudés au point le plus profond du matelas creusé comme un hamac. Le lendemain, ils reprenaient la route.

3

Une boîte à sardines

Mars 1940

Le jour n'était pas encore levé quand on vint les chercher. À peine le temps d'avaler un café et ils étaient embarqués *manu militari* dans un bus qui fit le ramassage des colons. Max Goldman était de la partie, il les chaperonnerait jusqu'à leur arrivée.

— Cette fois, c'est la dernière ligne droite, s'exclama Almah joyeusement, en grimpant dans l'antiquité bringuebalante qui devait les acheminer jusqu'à la côte nord.

Wilhelm eut une conscience aiguë de la note très nette d'espoir dans sa voix.

— Tu parles d'un carrosse ! gloussa Kaethe Discher.

— Espérons qu'il ne se transformera pas en citrouille, renchérit sa sœur Erica en levant les sourcils avec son air de clown.

— Espérons juste que nous arriverons à bon port sans encombre ! répliqua Hilda Pinsker, le regard sombre et les traits tendus, imperméable à l'humour des sœurs Discher.

Cette aventure n'avait pas l'air de l'enchanter. Cette femme arborait en permanence un air revêche peint sur un visage aux traits naturellement ingrats. Elle était hermétique à toute forme d'humour et incapable d'une manifestation de sympathie, voire de simple solidarité. Dariusz, son mari, luttait pour arrondir les angles, mais il avait du mal.

Comme dans le train plus d'un an auparavant, Almah s'installa contre une fenêtre pour ne rien perdre du paysage. Sur ses genoux, Frederick, grognon et le pouce entre les dents, luttait contre le sommeil.

— C'est parti pour huit heures dans une boîte à sardines ! constata Wilhelm en calant avec difficulté ses genoux contre le dossier dans l'étroit espace qui séparait les rangs de sièges.

— Else et Raimund sont assis ensemble, lui souffla Almah avec un clin d'œil entendu.

Les valises furent arrimées tant bien que mal par des cordages dans un camion qui les suivrait. On en entassa quelques-unes dans la travée centrale du bus.

— Avec ça, si on veut descendre on ne peut pas, ronchonna celle qu'on appelait déjà derrière son dos « la Pinsker ».

Les sœurs Discher se donnèrent des coups de coude en riant sous cape tandis que les autres faisaient mine de ne pas entendre. Au fur et à mesure que les futurs pionniers montaient dans le car, l'atmosphère devenait plus joyeuse. On aurait dit une bande de scouts excités en partance pour un camp de vacances.

La ville qu'ils traversèrent se révéla beaucoup plus étendue qu'ils ne l'avaient imaginé. C'était une ville plate, tracée au cordeau, dont les édifices les plus élevés ne dépassaient pas quelques étages. Elle s'étendait le long de la mer vers l'ouest. Ils dépassèrent un quartier résidentiel avec de belles villas modernes qui s'appelait Gazcue, avant de rejoindre la *carretera* Duarte, une grande route qui partait plein nord. À cette heure très matinale, il y avait peu de circulation. Quelques grosses américaines, des guimbardes en mauvais état, des camionnettes, des vélos, des motocyclettes et des charrettes tirées par des mulets. Ils s'étonnèrent de croiser quelques Volkswagen noires en maraude. Ils apprendraient plus tard que c'étaient les véhicules des redoutés agents de la police secrète du dictateur, l'équivalent dominicain de la Gestapo. Les faubourgs de Ciudad Trujillo dévoilèrent le visage moins avenant d'un entassement chaotique de bicoques précaires de bois et de tôles. Très vite la ville s'effaça et les premières lueurs du jour naissant révélèrent un paysage de campagne tranquille.

Le bus avançait en ahanant. Le nez au vent, ils regardaient le panorama qui défilait. La poussière qui s'engouffrait par les fenêtres grandes ouvertes les faisait suffoquer. Almah buvait des yeux le spectacle, fascinée par l'exubérance de la végétation. Plantées dans le bleu du ciel parsemé de nuages crémeux, des collines vert tendre ondulaient à perte de vue, butant à l'ouest sur une chaîne de montagnes aux sommets bruns, recouvertes de forêts d'un vert plus sombre. Ici et là, des vaches paissaient paisiblement. C'étaient des vaches bizarres, maigres, avec une bosse prononcée sur l'échine, de grandes cornes, des oreilles ridiculement longues et tombantes. Elle se dit que Schlesinger devait certainement savoir de quelle race il s'agissait. Elle n'eut pas à le lui demander, il informa spontanément les occupants du bus. Des zébus ! Un instant distraite, Almah reprit son poste d'observation. Les prairies étaient piquetées de cocotiers dont les plumets naïfs et haut perchés contrastaient avec les ramures cathédrales d'arbres dodus et touffus. Almah se prit à penser qu'il y avait une véritable magie dans ces paysages qui ressemblaient à des dessins d'enfant ou à des décors de contes de fées, avec leurs couleurs gorgées d'eau et leurs formes douces toutes en rondeur. Ils traversaient des hameaux assoupis aux cases de bois colorées. Les peaux étaient plus sombres qu'à Ciudad Trujillo, les paysans bien plus pauvres que les citadins. Des enfants à moitié nus jouaient au bord de la route, des hommes vaquaient, une machette suspendue à la taille battant leurs cuisses, d'autres chevauchaient des mulets chargés de régimes de bananes, des femmes transportaient de lourds fardeaux en équilibre sur leur tête. Ça sentait l'herbe fraîche, la terre, le bétail, la campagne.

Au fil des kilomètres, les conversations se turent à mesure que la chaleur montait, implacable. Même le caquetage incessant des sœurs Discher n'y résista pas. Les passagers somnolaient dans un bain de vapeur tropicale. La sueur poissait les visages et collait les vêtements au skaï des sièges défoncés et inconfortables. Les bouteilles d'eau circulaient de main en main, on improvisait des éventails avec des bouts de carton. Assis au premier rang, Schlesinger s'efforçait de déchiffrer les rares panneaux indicateurs. Il annonçait d'une voix tonitruante empreinte de sérieux le nom des villages qu'ils traversaient, Villa Altagracia,

Piedra Blanca, Bonao, La Vega. Il contrôlait sur une carte d'état-major, qu'il s'était procurée Dieu sait où, le kilométrage parcouru, et constatait que le bus se traînait.

— Le premier de la classe est à la manœuvre ! souffla Almah à Wilhelm en riant.

En fin de matinée, sous un soleil de plomb, ils firent une halte dans une *parada*, une aire de stationnement où le chauffeur fit le plein d'essence. Il y avait une buvette, de petits stands de nourriture et des étals de fruits gorgés de soleil. Des ailes de poulet grillées fumaient sur un gril improvisé dans un bidon de fer et leur parfum chatouillait délicieusement les narines, des haricots nageaient dans une sauce brunâtre. C'était frustrant mais ils durent se contenter des sandwichs bourratifs qu'on leur avait préparés. Quant aux toilettes situées à l'arrière de l'esplanade : « Elles sont inutilisables, une horreur », décréta la Pinsker qui revint en se bouchant le nez avec un air indigné. Almah dut reconnaître que cette fois on ne pouvait que lui donner raison. Depuis sa balançoire, dans une cage de fer, un perroquet vert au ventre rouge les observait de ses petites billes noires. Quand Frederick approcha la main, l'oiseau fit mine de lui donner un coup de bec agressif. Il décréta qu'il en voulait un, juste pareil, et qu'il l'appellerait Chiquito, le nom dont l'avait affublé le monsieur, la veille au café.

Ils reprirent la route et traversèrent la ville de Santiago. Ils n'avaient pas besoin de guide de voyage. Schlesinger, baptisé en douce « Monsieur Je-sais-tout » par les sœurs Discher, les affranchit ; la deuxième ville du pays vivait essentiellement de la culture du tabac et de la fabrication de cigares et de cigarettes. C'était une ville certes bien plus développée que les précédentes, avec une université et un aérodrome, mais toujours aussi alanguie de chaleur.

Ils étaient en route depuis six heures quand Almah, abrutie de chaleur, donna les premiers signes de nausée. Elle avait envie de vomir. Ils durent faire une halte pour lui permettre de se soulager. Les autres en profitèrent pour se détendre les jambes au bord de la route.

— Décidément je n'ai pas de chance, entre le bateau et le car, s'excusa-t-elle d'un air contrit. Mon corps proteste contre ce voyage qui n'en finit pas. J'ai hâte qu'on arrive enfin.

Mais Schlesinger doucha ses espoirs en annonçant qu'il leur restait au bas mot trois à quatre heures de route avant d'arriver au point qu'il avait encerclé sur sa carte.

À Puerto Plata, Schlesinger déclara qu'ils n'étaient plus très loin, non sans avoir précisé au passage que c'était le grand port du Nord et le premier centre industriel du pays avec des fabriques alimentaires, textiles, de meubles et de chaussures. À partir de là, le ruban d'asphalte s'effaçait au profit d'une route de terre en piètre état qui sinuait entre deux hauts murs vert tendre de canne à sucre. Le car se mit à slalomer dangereusement pour éviter les nids de poule, sa vieille carcasse lançant une plainte stridente à chaque cahot. Au loin, dominait la cheminée étroite d'une raffinerie d'où s'échappait un panache noir. À de multiples petits signes, le bleu plus profond du ciel, une saveur discrète sur les lèvres, le souffle plus frais de l'air sur la peau, un léger parfum d'iode flottant dans l'air, on la sentait toute proche. Puis dans un méandre de la route, à travers une frange de cocotiers, au détour d'un champ de canne à sucre, ils la virent. La mer. Une bande turquoise qui virait au bleu intense au large, étincelante sous les rayons du soleil. Son apparition fut saluée par de joyeuses exclamations. C'était une vision magique, un paysage magnifique. Ils mirent encore une heure pour parcourir les vingt derniers kilomètres.

Le car s'arrêta dans un dernier soubresaut. Les voyageurs s'ébrouèrent et émergèrent, les cheveux collés au crâne par la sueur, le visage plein de poussière, de grandes auréoles sous les bras et dans le dos. Cette fois, ils étaient bel et bien arrivés.

4

Sosúa

Mars 1940

RIEN, il n'y avait RIEN.

C'était la prémisse fondamentale, celle à partir de laquelle allait s'écrire notre nouvelle vie.

Il était 4 heures de l'après-midi. Nous avions roulé onze heures sans discontinuer, mis à part deux arrêts techniques. Après un dernier cahot, l'autobus bringuebalant nous avait abandonnés, abrutis de fatigue, au bout d'une piste de terre, sur une petite esplanade poussiéreuse, au milieu de nulle part.

Un nulle part accablé de soleil et de chaleur.

Un nulle part qui allait être le cadre de notre nouvelle vie.

Depuis un an, durant cet interminable périple à travers le monde, aussi difficile qu'il eût été, nous étions toujours en mouvement et nous pouvions en imaginer l'issue à notre guise. Nous étions maintenant arrivés. À l'arrêt. Il n'y avait plus rien à imaginer, tout était devant nous. Tout, c'est-à-dire… rien. Une mince bande de terre défrichée, coincée entre un mur de jungle inhospitalière et l'océan. La vacuité de cet espace nous faisait vaciller.

C'était la fin de l'après-midi, mais il faisait encore une chaleur de four. L'air était lourd d'humidité, saturé d'effluves parfumés. Nous n'étions pas prêts pour un ciel si bleu, une lumière si aveuglante, une chaleur si moite. Je plissai les yeux pour tenter de me faire une idée de notre nouvel environnement. Le ciel était pur, sans un nuage. Je jetai un coup d'œil circulaire. Nous étions dans un amphithéâtre cerné de jungle verte, dense et sombre, d'où émergeaient les sommets ébouriffés de palmes de grands cocotiers filiformes. Devant nous, trois longs baraquements de bois d'un seul niveau aux toits de tôle gris étaient posés sur un immense terrain vague d'où toute végétation avait été éradiquée. Pas un arbre, pas un buisson, pas une fleur, juste un fin tapis d'herbe grise de poussière. L'endroit était désert. Juste ces baraques de bois brut qui avaient tout du camp d'internement. On était bien loin de l'éden tropical promis. Personne ne disait rien mais nous étions tous atrocement déçus. Une vague de découragement se propagea dans nos rangs. On le sentit aux sourires qui s'effaçaient, aux regards qui se dérobaient, aux épaules qui s'affaissaient comme pour affronter une nouvelle épreuve. Par un étrange instinct animal, tout notre groupe restait massé à côté du car, contemplant d'un œil incrédule ce spectacle de désolation.

Du coin de l'œil, j'observai Almah. Raide comme la justice, elle serrait son sac sous son bras, comme si elle ne réalisait pas encore que nous avions atteint le terme du voyage. Elle embrassa du regard le décor puis baissa la tête, le temps de digérer le spectacle qui s'offrait à ses yeux, ses espoirs instantanément douchés à la vue des baraquements. La pilule avait du mal à passer. Elle me regarda d'un air désemparé et sur son visage je lus la fatigue, la déception, le découragement. Je devinai à la crispation de sa mâchoire qu'elle luttait contre les larmes.

— Tout ça pour ça ! Encore un camp, et, si je sais bien compter, c'est notre cinquième. Et celui-là est définitif, il n'y a pas d'échappatoire ! me souffla-t-elle à mi-voix, une espèce de sanglot sec dans la gorge.

Je n'étais pas loin d'éprouver la même chose qu'elle, mais je m'efforçai de faire bonne figure. Ce n'était pas le moment de me laisser aller. J'entourai ses épaules de mon bras, la serrai contre moi et murmurai à son oreille avec un optimisme forcé :

— Ça va aller, ne t'en fais pas, ce n'est que le début…

Le début de quoi ? J'étais bien en peine de le dire, mais je cherchais un refuge derrière les mots. Nous échangeâmes un long regard plein de tendresse. Un sourire monta timidement aux lèvres d'Almah, son petit sourire de combattante qui me rassura. Elle avait une telle envie de me croire, de croire que l'horrible désordre de nos vies allait prendre fin. Entre nous, noyé dans la marée des jambes d'adultes, Frederick se cramponnait à ma jambe. Je le pris dans mes bras. Il cligna des yeux sous la lumière violente, posa sa tête au creux de mon cou et colla résolument son pouce dans sa bouche.

Ils nous avaient vus venir de loin et nous attendaient. Je détaillai notre comité d'accueil, un maigre aréopage d'hommes en sueur dans des costumes aussi peu adaptés au climat qu'au décor. J'identifiai un militaire dominicain, doublement reconnaissable à son uniforme vert olive et à sa peau cuivrée de métis, mais je ne vis personne qui ressemblât de près ou de loin à un « colon ». Max Goldman échangeait des poignées de mains, puis il se retourna vers nous :

— Je vous invite à rejoindre notre salle de réunion où vous attendent des rafraîchissements bien mérités.

Une onde de soulagement se répandit dans le groupe à la perspective d'une boisson fraîche. Nous nous ébranlâmes en une longue colonne compacte, hésitante et silencieuse, en direction d'une bâtisse de bois à peine plus élaborée que les baraquements. Goldman, resté sur le seuil, nous gratifiait d'un « Bienvenue à la Casa Grande » au fur et à mesure que nous entrions. Nous franchîmes le seuil et d'un coup la mauvaise impression initiale s'évapora. « *Willkommen, Bienvenidos en Sosúa, Welcome* », ça fusait de toutes parts. L'émotion me serra la gorge. Ils étaient une trentaine à nous accueillir dans ce qui s'appelait la Casa Grande, la grande maison. Les premiers colons, nos nouveaux compagnons. Il y avait une majorité d'hommes, vêtus de tricots et de salopettes de travail, certains en culotte de cheval et bottés, et quelques femmes. Ils étaient tous jeunes, hâlés, bien portants. Ils avaient l'air heureux. Les sourires étaient sincères, les regards francs et les poignées de main chaleureuses. Soudain, un homme fendit la foule et s'avança vers moi, les bras ouverts. Emil, Emil Zelman ! Mon ami du camp de Diepoldsau m'étreignit longuement. Emil avait bien meilleure mine que quand nous nous étions quittés quelques mois auparavant : bronzé, musclé, il rayonnait de santé et j'y vis un bon signe.

— Wilhelm ! C'est incroyable !

— Emil ! Mais qu'est-ce que tu fais ici ? Je te croyais à Cuba !

— Ils n'ont finalement pas voulu de moi ! Je n'ai pas eu d'autre choix que de venir ici !

— Il y a longtemps que tu es là ?

— Presque un mois. C'est formidable de te retrouver !

Je me retournai triomphant vers Almah. Emil l'embrassa puis salua nos compagnons du camp suisse. Comme c'était bon de retrouver une vieille connaissance ! Mon cœur se gonfla d'un bonheur démesuré. C'était comme si on nous avait attendus et je me sentis d'un coup soulagé.

Max Goldman prit la parole. Il nous présenta le « Docteur Joseph Rosen », le représentant de la Dorsa à Sosúa, chargé de la gestion du camp qu'il s'obstinait à appeler kibboutz, responsable de notre installation et de toutes les questions administratives. Âgé d'une cinquantaine d'années, c'était un homme grand et mince au regard doux et à la crinière blanche, dont toute la personne dégageait une grande autorité naturelle. Il fit son petit discours, puis ce fut au tour du militaire dominicain dont il traduisit patiemment les paroles, une espèce d'ode servile à Trujillo à qui nous devions ce havre de paix. Je n'écoutais déjà plus que d'une oreille, pressé de faire connaissance avec ceux dont nous allions désormais partager la vie. Eux, c'étaient les vrais pionniers. Ils étaient arrivés au compte-gouttes et s'étaient affublés de numéros, le colon n° 1, le n° 2, le n° 3 ; ils avaient abandonné après le n° 10 !

Ils avaient bâti ce que nous voyions à partir de rien, retapant les ruines abandonnées par la United Fruit. Nous, on nous appellerait désormais « ceux du premier groupe de Suisse ». D'ici peu, nous aussi ferions figure d'anciens.

Les pionniers se chargèrent de nous installer. Les hommes célibataires dans l'une des baraques transformée en dortoir, Almah et moi, comme les autres couples, dans la baraque réservée aux femmes. Des chambres aménagées pour les couples et les familles étaient séparées du dortoir par une mince cloison de bois. Un grand lit et un lit d'enfant en bois équipés d'une moustiquaire maintenue par une armature de fortune, une étagère, le tout plus que spartiate. Mais nous n'eûmes pas le temps de nous extasier sur notre mobilier que sonnait l'heure du repas. Nous nous entassâmes dans un réfectoire bruyant, longues tables de bois, bancs et chaises de fer, abrité dans la troisième baraque. La cuisine était casher, nous précisa-t-on. Ensuite, il y eut une courte fête improvisée avant l'extinction des feux. Cette première nuit, épuisés par des émotions mêlées et la fatigue du voyage, nous nous endormîmes sans mal, sans réaliser vraiment que notre errance avait pris fin.

*

Le lendemain, Rosen prit solennellement la parole au cours de la première d'une longue série de séances plénières qui seraient désormais l'ordinaire. Son exposé était solidement charpenté. C'était un vétéran de la colonisation. Il nous fit brièvement part de son expérience, la direction dans les années 30 d'un projet d'établissement de Juifs en Crimée, devant laquelle on ne pouvait que s'incliner. C'était un homme de convictions qui avait sacrifié sa vie personnelle à son idéal, et, sous ses allures débonnaires, se profilait un meneur d'hommes.

— L'objectif du Joint est de créer à Sosúa une communauté agricole sur le modèle de Degania, le premier kibboutz fondé en Palestine en 1909. Ici, il n'existe pas de propriété privée. Les terrains, les équipements, le matériel appartiennent à la Dorsa et la communauté pourvoit à tous les besoins de ses membres et de leurs familles. Vous allez recevoir une dotation d'équipement, vêtements de travail, bottes, chapeaux de paille, et une allocation mensuelle de 9 dollars par adulte et 6 dollars par enfant, à utiliser au magasin général. Vous serez affectés aux différentes équipes de travail avec un système de rotation…

J'échangeai un regard perplexe avec Almah qui se retenait de pouffer. Nous étions parachutés en plein socialisme. Nous étions très au fait des théories de Theodor Herzl, qui avait été le feuilletoniste le plus emblématique du *Neue Freie Presse* quelques décennies avant que j'y travaille. Je n'avais jamais adhéré à l'idéal du socialisme associatif prôné par le mouvement sioniste, créer un homme nouveau et une société débarrassée de la propriété privée. Je le jugeais intéressant mais utopique et peu adapté aux réalités du caractère humain.

Rosen évoqua rapidement la création d'une maison des enfants, « un thème sur lequel nous reviendrons », puis récapitula les règles de vie : lever à 6 heures, horaires des repas pris en commun dans le réfectoire, extinction des feux, affectations, roulement des équipes de travail, fonctionnement du jardin d'enfants, du dispensaire, de la buanderie, horaires des services religieux, de la salle de lecture, règlement des dortoirs (pas d'hommes chez les femmes et vice versa)… Les enfants furent dirigés vers la garderie et les femmes affectées aux travaux de la cuisine, de la laverie et du secrétariat. Pour les hommes c'était du gros œuvre, défrichage, déboisement, taille du bois, menuiserie, construction, création de pistes… Nous commencions à entrevoir qu'une discipline stricte régnait dans le camp. Mais la tâche était immense : un kibboutz devait sortir de terre.

5

Un demi-cercle parfait

Mars 1940

— Je veux voir la mer !

Depuis le premier jour, Almah en trépignait d'envie, avec une impatience d'enfant. Les deux premières journées ne nous avaient pas laissé le moindre répit mais à la fin de notre troisième jour de travail, Emil avait proposé avec un sourire énigmatique :

— Allez, on y va !

Nous avions traversé la bande de terrain vague tout juste défrichée qui servait de terrain de sport derrière les baraquements. On venait d'y planter un poteau de bois coiffé d'un panier de basket. Schlesinger avait tenu à vérifier si sa hauteur était réglementaire. Son petit sourire suffisant m'exaspérait chaque jour un peu plus, mais je ne pouvais m'empêcher d'être fasciné par la prétention de ce type. Nous nous étions faufilés à la queue leu leu dans un enchevêtrement d'arbres et de lianes, puis parvenus à un petit escarpement, nous avions dévalé un sentier raide serpentant entre les rochers et les racines qui lacéraient la terre comme d'énormes doigts crochus. C'était le trajet que suivaient autrefois les mules alourdies de régimes de bananes pour rejoindre le quai de chargement. Emil portait Frederick sur ses épaules. Mon Leica ballottait contre ma poitrine. Almah se tordait les chevilles et riait d'excitation. Après cinq minutes de descente chaotique, ça avait été le miracle. Almah en resta bouche bée. La beauté de l'endroit nous cloua le bec. Nous nous tenions sur le côté oriental de la plage, près des ruines de l'ancien quai dont il ne restait que six piles de béton à demi immergées, rongées par la mer. C'était une anse immense en demi-cercle parfait, ombragée des vastes ramures des amandiers et des raisiniers. Le soleil déclinant dorait la plage, l'eau turquoise léchait la frange de sable blond avec un doux murmure. C'était un spectacle sublime et bouleversant. Nous vivions un instant magique. Plus tard, ce serait un souvenir chéri : la minute où nous avions découvert notre plage. Sûr de son effet, Emil nous observait en silence, réjoui.

— C'est notre plus belle récompense. Elle est à nous, rien qu'à nous ! dit-il avec une pointe de fierté dans la voix.

— C'est magnifique, dit Almah dans un souffle.

Frederick avait couru jusqu'à l'eau. Je me déchaussai et m'approchai du bord. Les vagues s'échouaient sur la grève en un bruit soyeux, la mer avait une odeur sucrée, mes orteils s'enfonçaient dans le sable tiède et doux, la brise marine caressait ma peau. Almah fit voltiger ses chaussures d'un coup de pied, rattrapa Frederick, le déshabilla, abandonna sa robe en un petit paquet désordonné sur le sable, et, sans même me jeter un regard, elle entra dans la mer en culotte et soutien-gorge, notre fils dans les bras. Dans le sable mouillé, ses pieds laissèrent de profondes empreintes que les vaguelettes qui venaient mourir sur la grève effacèrent lentement. Elle s'avança jusqu'à ce que l'eau atteigne sa poitrine et se retourna vers nous triomphante.

— Oh Wil, c'est une merveille. Viens !

Emil était déjà en maillot de bain, moi je n'avais que mon slip défraîchi et un reste de pudeur me retenait. Almah faisait tourner Frederick qui, ivre de plaisir, l'éclaboussait en battant des bras et des jambes en tous sens comme un pantin désarticulé. Leurs rires clairs m'appelaient. Emil s'éloignait du rivage dans un crawl impeccable. Je me déshabillai en un tourne-main et plongeai dans l'eau. Ce fut un instant de pur bonheur, comme si une onde bienfaitrice me lavait de toute la fatigue de la journée. À travers l'eau translucide, je voyais le sable sous mes pieds et une multitude de petits poissons de couleur qui nageaient autour de moi. Almah sautillait, se laissant caresser par l'eau tiède avec un sourire béat. D'un coup, elle s'immergea totalement avec Frederik pendant quelques secondes qui me parurent une éternité, pour ressurgir hors de l'eau dans une giclée d'écume, comme propulsée par un ressort. Surpris, le petit suffoquait et ne savait plus s'il devait rire ou pleurer. Le rire l'emporta.

Peu à peu d'autres colons apparaissaient en petits groupes. Certains se mirent à l'eau, d'autres se promenaient le long de la baie. De loin, je reconnus Else et Raimund qui marchaient côte à côte, de l'eau aux chevilles, leurs chaussures à la main. Ces deux-là ne se quittaient plus. J'escaladai la pile la plus proche du rivage et aidai Almah et Frederick à grimper. De là, le regard embrassait toute la baie puis filait droit vers l'horizon. Emil se saisit du Leica et nous visa tous les trois.

— Pas en sous-vêtements ! se récria Almah.

Mais Emil avait déjà appuyé sur le déclencheur. Il nous rejoignit sur le pilier. Le soleil avait pris une couleur orange, le ciel se zébrait de rose et de mauve. Nous contemplions le splendide spectacle. Emil tendit le bras loin à l'horizon où pointait un cône sombre.

— En face de nous, c'est le mont Isabel de Torres qui domine Puerto Plata. – Puis montrant le centre de la baie où se détachait une masse sombre dans l'eau turquoise : Il y a là un gros récif de corail, l'autre jour j'y ai vu une énorme tortue. Et là au fond, cette ligne de démarcation sombre, c'est la barrière de corail qui protège la plage des vagues ; c'est pour ça que l'eau est si calme dans la baie. C'est dangereux de nager au-delà à cause des requins. Et là en face, (il désignait quelques bicoques perchées sur un éperon rocheux symétrique à celui où étaient bâtis nos édifices,) c'est Los Charamicos, un village de tôle et de planches où vivent une poignée de familles dominicaines.

Almah ouvrait de grands yeux d'enfant émerveillée.

— Les barques sont à eux ? demandai-je.

Quelques bateaux colorés étaient tirés sur le sable, en contrebas du village, à l'autre extrémité de la plage.

— Oui, ils pêchent, ils récoltent des noix de coco et des plantains. Ils vivent de pas grand-chose. Ils espèrent que nous allons leur donner du travail, ce qui ne manquera pas si nous nous développons. De l'autre côté du village, il y a une autre plage et l'embouchure de la rivière Sosúa. Avec un peu de chance, on peut y voir des lamantins qui se cachent dans les palétuviers.

— On pourrait y aller un de ces jours, suggéra Almah.

— Franchement, il n'y a rien là-bas.

— C'est comme de ce côté-ci de la baie, alors ! rétorqua Almah qui ne se laissait jamais démonter. Moi, en tout cas, j'irai. À propos, je suis de corvée au réfectoire.

— De toute façon il faut rentrer si vous ne voulez pas vous faire dévorer par les moustiques et les jejenes[1]. La chair fraîche de colon est un mets de choix pour ces terribles insectes !

— C'est quoi les terribles infectes ?

La voix fluette de Frederick trahissait son inquiétude. Emil le rassura en riant. Nous nous rhabillâmes. Emil percha le petit sur ses épaules. Je pris la main d'Almah pour l'aider à remonter le sentier pentu. Sur le chemin du baraquement, je la regardais à la dérobée. Ses cheveux mouillés, collés à son crâne, dégoulinaient dans son cou, son hâle faisait ressortir le bleu de ses yeux, ses lèvres pleines étirées en doux sourire luisaient. Sa robe collait à son corps, plaquant le tissu sur ses fesses et sa poitrine, des grains de sable scintillaient sur sa joue. Je ressentis un tiraillement sans équivoque au creux du ventre. Je l'attirai contre moi et du bout de la langue, je récupérai une goutte d'eau salée à la pointe de ses cils. Nichant sa tête dans mon cou, elle décréta :

— Dès demain, je nous trouve des maillots de bain !

---

1. Puces de sable.

Je m'arrêtai sur la falaise, me retournai pour contempler la mer qui miroitait sous le feu du soleil déclinant, le ciel qui se teintait de mauve et d'orange, la frondaison vert tendre des amandiers… Tout était à sa place, en équilibre, et, à cet instant précis, la vie me parut infiniment douce et désirable. Je fus submergé par le sentiment enivrant d'avoir vécu un moment proche de la perfection. Ce soir-là, pour la première fois depuis des semaines, je vis Almah dévorer son repas d'un appétit d'ogresse.

*

Quelques mois plus tard, la cartographie de notre plage évoluerait. On construirait le *bañadero*, une œuvre architecturale approximative et discutable composée d'une rangée de bancs de ciment qui devinrent le haut lieu des rendez-vous en tous genres, y compris nocturnes. Le raisinier géant du milieu de la plage fut baptisé *la mata de uva* ; les enfants escaladaient ses grandes branches comme des chimpanzés. Le récif de corail recouvert d'algues grouillant de vie marine non loin du bord où l'on plongeait avec des masques devint *la islita* et le récif de corail affleurant à marée basse qui protégeait la baie des requins *los cabezos*.

6

Des clous plein la bouche

Mars 1940

— Inutile de te dire que mes accointances socialistes n'ont pas plaidé pour moi. Je n'étais le bienvenu ni à Cuba ni aux États-Unis.

— Hum !

Des clous plein la bouche, je ne pouvais répondre à Emil. Je me redressai sur les genoux et j'essuyai la sueur qui perlait à mon front d'un revers du bras. Nous étions perchés en équilibre sur la charpente d'un baraquement de chambres, à quatre mètres au-dessus du sol, sous un soleil impitoyable. De loin nous parvenait une aria. *Rigoletto*. Raimund chantait du Verdi en travaillant. Entre deux coups de marteau, Emil poursuivit :

— Je suis resté coincé trois semaines à Ellis Island avant d'être recruté. On ne savait pas quoi faire de moi, j'avais l'impression d'être un colis encombrant dont il fallait se débarrasser à n'importe quel prix !

Curieusement, il y avait une note d'orgueil dans sa voix.

— Bien vertical le marteau, Wil !

Je m'appliquais à fixer une latte sur un chevron de soutien pour le toit de zinc dans les règles de l'art. Emil approuva en branlant du chef.

— Même s'il comporte une bonne dose d'utopie, ce projet colle à mes aspirations politiques. Quand je suis arrivé, il n'y avait rien de rien, tout ce que tu vois là, précisa-t-il en balayant d'un grand geste l'air autour de nous, ça n'existait pas, à part les trois baraques délabrées abandonnées par la United et les ruines d'un réseau d'eau… Nous partons du néant absolu. Il y a tout à faire et c'est absolument exaltant.

Je m'assis sur mes talons en évitant soigneusement de regarder en bas.

— Tu aurais vécu au siècle dernier, tu serais parti en Californie ! En tout cas, moi, je ne suis pas très exalté ! Le pionnier qui sommeille en moi ne s'est pas encore réveillé ! C'est pour ça que je n'ai jamais envisagé la Palestine, en dehors du fait que je ne suis pas sioniste.

Emil s'esclaffa sans retenue :

— Y'a qu'à te regarder pour savoir que c'est vraiment pas ton truc !

— Parce que c'est le tien ?

— Ne t'en fais pas, une fois les constructions terminées, on passera à la phase agricole !

— Rien que d'y penser, je me sens pousser des ailes !

Emil avait l'oreille de Rosen et s'était débrouillé pour que nous soyons affectés à la même équipe. Il était médecin, il savait que ceux qui travaillaient au défrichage étaient plus exposés aux moustiques et la malaria était, selon lui, notre pire ennemie. Quant à l'atelier de menuiserie, on y déplorait pas mal d'accidents. Je pouvais donc me considérer comme un planqué. Pour ne pas passer pour une mauviette, je ne lui avais pas dit que j'avais le vertige. Je lui étais reconnaissant et je jouais de la scie et du marteau avec un enthousiasme qui compensait mon manque d'adresse.

*

Nous étions de plus en plus nombreux. Les dortoirs débordaient. La construction était l'urgence absolue et ne connaissait pas de répit. Nous avions besoin d'entrepôts, d'étables, de poulaillers, de garages, d'une école, d'un hôpital, et bien sûr d'une synagogue. Il fallait déboiser, défricher, terrasser, bâtir, électrifier, creuser des puits, créer un système de canalisations. Il fallait tailler le bois, assembler des meubles, confectionner des matelas, il y avait le réfectoire, la cuisine, la buanderie… Cela donnait tout simplement le vertige.

Pour ceux qui avaient un métier exploitable, c'était plus facile. Comme les médecins et le vétérinaire, Almah effectuait des permanences au dispensaire. Les ingénieurs et les architectes dirigeaient les chantiers. Schlesinger buvait du petit lait et jouait les petits chefs. La plupart, comme moi, n'avaient pas le choix. Mes talents de critique d'art n'intéressant personne, mes journées se passaient dans un concert assourdissant de coups de marteau et de bruits de scie ponctué de jurons et d'ordres en allemand. Nous travaillions d'arrache-pied dans une atmosphère de camp de vacances.

Nous n'avions pas une minute à nous. Nos soirées étaient aussi remplies que nos journées. Après le chantier, entre les cours d'espagnol, la formation agricole et les réunions plénières, nous jouions au football sous la houlette d'Eli qui arbitrait les matchs ou nous allions nager avec Emil et Almah. Il fallait trouver des parenthèses pour le courrier, les jeux avec Frederick et les promenades en amoureux. Je n'avais plus le temps de lire, à peine la force de faire l'amour. Les premiers jours, dès que ma tête touchait l'oreiller, je sombrais sans demander mon reste. J'apprenais les ampoules et les cals aux mains, le dos courbaturé, les épaules endolories, j'apprenais le corps devenu outil.

Je découvrais peu à peu ce que je n'avais pas soupçonné : le travail physique rend heureux. Non seulement cela vide la tête des pensées moroses et obsédantes, mais nos réalisations concrètes étaient immensément gratifiantes. Chaque pierre posée, chaque toit terminé, chaque mètre de route tracé, chaque puits creusé était une victoire sur la nature et le néant, un accomplissement total et totalement décisif, un pas en avant qui construisait notre nouvel univers. Notre rêve de bâtir une ville se concrétisait. C'était une aventure exaltante qui mobilisait la moindre parcelle de mon énergie. Au moment de glisser dans le sommeil, j'avais ce sentiment apaisant que la journée que je venais de vivre avait servi à quelque chose. Au fil des jours, mes épaules s'élargissaient et mon cuir se tannait. Mon organisme ne se rebiffait plus, j'étais même en train de vaincre le vertige, une petite victoire sur l'homme que j'étais avant.

Parfois je pensais à mon père et je nous revoyais face à face dans le petit café de Leopoldstadt le soir où il m'avait donné sa bénédiction à la seule condition que je réussisse ma carrière de journaliste. Je me demandais ce qu'il penserait de ce fils journaliste devenu charpentier, ce fils en salopette qui avait troqué sa machine à écrire contre un marteau, ce fils féru de philosophie et de poésie qui ne parlait plus que linteaux, entretoises et traverses. Il était bien loin l'esthète raffiné, poseur et nombriliste qui traînait ses guêtres dans les cafés viennois de l'entre-deux-guerres.

Bientôt, les colons ne suffisant pas à la tâche, la Dorsa embaucha des Dominicains. Ce fut la manne espérée pour ceux de Los Charamicos et l'occasion pour nous d'apprendre à les connaître.

Le premier accroc avec Rosen eut lieu avec la reculade au sujet des enfants. Il voulait ouvrir une maison des enfants où ils seraient élevés et dormiraient ensemble sous la garde d'un adulte, ainsi qu'on faisait depuis 1918 dans les kibboutzim palestiniens. Ce fut un tollé unanime contre ce déni de la cellule familiale : il était hors de question de nous réduire au rôle de géniteurs et de limiter les contacts avec nos enfants à la portion congrue. Rosen céda sans même batailler. Cette première brèche dans l'idéal socialo-sioniste en préfigurait bien d'autres.

7

Tout le confort moderne

Avril 1940

— Sur votre droite, face à la magnifique baie de Sosúa, notre dernière réalisation immobilière : six grandes cases en bois, notre tout nouveau modèle de dortoirs pour réfugiés juifs. Je devine ce que vous pensez tout bas : « Ça ressemble à une prison. » Eh bien, détrompez-vous, ces superbes demeures bénéficient de tout le confort moderne : sanitaires collectifs, douches froides et toilettes naturelles. Les chambres sont équipées d'un mobilier simple mais fonctionnel : lits en bois grinçants avec matelas maigrichons et moustiquaires branlantes, étagères de bois brut dernier cri, le tout sorti de nos ateliers. Dans chacun de ces merveilleux bâtiments, nous hébergeons jusqu'à soixante colons qui profitent des ronflements, éternuements, quintes de toux, soupirs, halètements, cauchemars, rots et pets de tous les autres ! C'est vraiment le baraquement idéal pour le kibboutz d'aujourd'hui !

En gloussant, Almah embrassait d'un geste théâtral l'espace autour de nous, désignant du bras tendu les baraquements qui composaient désormais notre univers. Nous avions pris une pause avant le repas du soir pour échapper un instant à la promiscuité permanente. C'était la même cohabitation sans intimité qu'en Suisse mais curieusement elle n'était plus pesante. Nous nous promenions avec Frederick sur la piste poussiéreuse qui tenait lieu de route côtière sous les derniers rayons du soleil couchant. Derrière nous, à la limite des terres défrichées, la forêt tropicale avait des allures fouillis, une barrière dense et infranchissable, une muraille de racines, de branches, de troncs et de feuilles dans laquelle on ne pouvait se frayer un chemin qu'à coups de machette. Elle exhalait une haleine moite, un arôme dense, indéfinissable, composé d'une variété infinie d'odeurs chaudes qui étourdissaient les sens. Des odeurs fortes et grasses qui emplissaient les narines et tapissaient le palais. Cette nature n'était que profusion, exubérance, liberté et générosité. Je ne pus m'empêcher de rire.

— Almah, tu exagères… Si on t'entendait !

— Les autres pensent comme moi ! Je ne crois pas qu'il y en ait beaucoup qui apprécient la vie en kibboutz, à part peut-être quelques idéalistes, nuança-t-elle. Après tout, aucun d'entre nous n'était préparé à ça. Ce n'est pas comme si nous avions choisi cette vie-là !

— C'est sûr que comme nid douillet, on peut mieux faire ! Mais on a connu pire toi et moi, n'est-ce pas, mon amour ?

— C'est vrai qu'on n'est pas si mal au fond. Frederick, reste sur le chemin, mon cœur !

Almah courut pour rattraper notre fils qui gambadait allègrement dans un champ aux herbes hautes. Je ne pouvais pas lui reprocher de prendre des précautions excessives car la nature était pleine de pièges et regorgeait d'insectes et d'animaux étranges. Les serpents, les crapauds-buffles, les crabes de terre étaient inoffensifs, mais les scolopendres et les mygales terrorisaient Almah.

— À la prochaine séance plénière je vais proposer qu'on construise une aire de jeux avec un toboggan et des balançoires, qu'est-ce que tu en penses ?

— Excellente idée. Comment s'est passée ta journée ? demanda-t-elle en tirant le petit par le bras.

— Bah, c'est la routine ! Nous sommes en train de fixer les dernières poutrelles de la toiture de la synagogue. Nous devons la finir avant de nous attaquer à un autre chantier.

— À vrai dire, j'ai du mal à comprendre qu'ils considèrent la synagogue comme une priorité. Personne n'est véritablement religieux.

— Certains sont en train de devenir plus juifs que les Juifs les plus orthodoxes. Ils s'identifient de manière maladive aux traditions. C'est vrai que la religion nous soude dans une identité commune. La synagogue, c'est symbolique. C'est la Dorsa qui gère le planning des chantiers, on n'a pas vraiment notre mot à dire.

Nous ne vivions pas dans une démocratie, malgré les séances plénières et les votes à main levée qui organisaient notre quotidien. Almah haussa les épaules.

— Pfft ! On pourrait continuer à donner les services dans le premier baraquement, puisque nous avons notre rabbin, cela suffit amplement. Franchement, il y a d'autres urgences, un vrai hôpital par exemple !

— Tu ne crois pas si bien dire. Aujourd'hui, Günther, tu sais le petit rouquin malingre qui travaille dans mon équipe, s'est fracassé deux doigts avec son marteau.

— Vous êtes de bien piètres charpentiers ! Manier le marteau et le rabot, c'est comme le droit ou la philosophie, ça s'apprend !

— Nous faisons des progrès chaque jour.

— À propos, je vais laisser tomber les cours de dessin, je suis totalement dénuée de talent. Mais Kurt m'a proposé de poser pour les autres.

Almah me jeta un regard triomphant. Je ne pus empêcher un sentiment de fierté masculine de m'envahir. Kurt Edelstein, ancien professeur de l'École des beaux-arts de Vienne, avait bien raison de prendre ma femme comme modèle. Tandis que nous marchions, la lumière déclinait rapidement et la nuit tomba comme un rideau tiré sur la journée. Nous nous arrêtâmes pour contempler la baie qui s'étendait au loin, au-delà des baraquements. Almah avait le regard fixé sur la mer.

— Dimanche, pas de football, nous irons à la plage, promets-le-moi !

— C'est promis, dimanche, plage et baignade, c'est d'accord, Frederick ?

Notre fils me regarda et branla du chef avec enthousiasme, les yeux brillants de plaisir.

— Oui, il dit oui ! N'est-ce pas, mon chéri ! rit Almah en le prenant dans ses bras. Allons-y, je dois reprendre mon service !

Nous reprîmes le chemin des baraques. J'étais heureux. J'avais retrouvé l'Almah des beaux jours du bonheur. Elle embellissait chaque jour, hâlée, blondie ; ses joues avaient leur rondeur d'autrefois, ses cheveux avaient repoussé et bouclaient sur ses épaules. Elle faisait preuve d'une énergie farouche, s'acquittait avec entrain du travail ingrat du réfectoire et ne rechignait jamais devant une corvée. Le matin, son sourire illuminait ma journée.

Ce soir, j'endormirais Frederick en lui racontant une histoire car Almah était de corvée. Les femmes étaient réparties en plusieurs équipes responsables du service, de la vaisselle et de la préparation des repas selon un menu établi chaque semaine. Cette subsistance de machisme ancestral faisait enrager Almah, même si elle reconnaissait volontiers que la plupart des hommes abattaient un travail physique éreintant. Nous pressâmes le pas vers la salle à manger où nous prenions tous nos repas dans une ambiance de cantine universitaire.

Après le dîner, il y aurait la grande réunion bihebdomadaire. Presque tous les colons y assistaient, sauf ceux qui profiteraient des dortoirs désertés pour fricoter, comme disait Almah. On ferait un bilan de l'avancement des chantiers, on envisagerait les étapes ultérieures, on déciderait de l'affectation et de la rotation des équipes. On échangerait aussi des idées, on évaluerait des projets, on discuterait des suggestions des uns et des autres, on trouverait des solutions aux petits problèmes du quotidien. On ferait également un point sur la situation en Europe. Le tout sous la houlette de Joseph Rosen qui mènerait les débats.

Notre vie s'organisait peu à peu dans une routine rassurante pour donner forme au projet de colonie agricole de la Dorsa. Et chaque jour était une nouvelle aventure.

8

Des rudiments d'espagnol

Avril 1940

C'était au tour d'Almah.

— *¿ Como te llamas ?*[1]

— *¡ Me yamo Almah !*[2]

— *Me L-I-A-MO Almah*, corrigea José, en détachant avec patience chacune des lettres.

— *Me llamo Almah*, répéta docilement Almah.

José inscrivit le prénom d'Almah sur le tableau noir en l'orthographiant à l'espagnole, comme sur sa *cedula* : Alma. Il se retourna et le lui traduisit : « *Seele.* » Almah ouvrit de grands yeux. Quand elle comprit, elle se tourna vers moi triomphante. José poursuivait :

— *Soy A-O-STRI-A-CA...*[3]

Almah répéta les mots et prit des notes dans son cahier avec la mine d'une écolière zélée. Elle releva la tête et adressa un grand sourire à José. De tous ses

1. Comment t'appelles-tu ?
2. Je m'appelle Almah.
3. Je suis autrichienne.

élèves, c'était manifestement sa préférée. Rien d'étonnant à cela. Non seulement Almah était la plus jolie, mais elle était aussi la plus studieuse du groupe, et les professeurs aiment les élèves appliqués, c'est bien connu ! Tandis que les cancres comme moi…

Nous assistions à notre cours quotidien d'espagnol. José, un jeune instituteur, faisait le trajet depuis Puerto Plata, la capitale de la province située à 25 kilomètres de Sosúa, pour nous donner les premiers rudiments d'espagnol. J'espérais que la Dorsa le rétribuait généreusement pour tant d'abnégation car c'était plus d'une heure de trajet par une piste pleine de nids de poule.

Les cours n'étaient pas obligatoires mais beaucoup d'entre nous les suivaient. Aucun n'avait étudié cette langue, quelques rares l'avaient pratiquée avant leur arrivée à Sosúa, ceux qui avaient transité par l'Espagne, ceux qui avaient séjourné à Ciudad Trujillo. Les cours avaient théoriquement lieu dans la salle de réunion de la Casa Grande, mais nous préférions nous installer sous la ramure d'un flamboyant ou sous un auvent de palmes.

Trois semaines depuis que le cours avait débuté et je devais reconnaître qu'Almah m'épatait. Elle était bien plus talentueuse que moi. Plus studieuse aussi. Et très déterminée.

— C'est important de maîtriser la langue du pays dans lequel on vit, indispensable même, si on veut comprendre ces gens si différents de nous et se faire aimer d'eux.

— Bah ! Ici tout le monde parle allemand…

— Tu veux dire que tu n'as pas l'intention de sortir de ce ghetto ? Allons Wil, je pense que tu es un gros *foiler* tout simplement !

Almah assaisonnait de temps à autre la conversation d'un mot yiddish pour me taquiner.

— Tu as raison, je suis un peu flemmard et surtout je n'ai plus l'âge de retourner à l'école, j'ai du mal à rester assis face à un professeur pendant une heure.

— De toute façon, tu n'as pas le choix, pour lire les journaux, pour parler avec les Dominicains, tu dois maîtriser l'espagnol ! Avec tes souvenirs du latin, ça ne devrait pas être si compliqué. Prends exemple sur Frederick, il sait déjà plein de petits mots !

— Cet enfant est doué, comme sa mère.

Pour l'instant, j'observais Almah avec amusement. Elle s'appliquait à plier sa langue contre son palais pour rouler correctement les R, sans racler sa gorge comme dans notre langue, tout en mettant bien l'accent tonique sur la quatrième syllabe. A-O-STRI-A-CA. Elle fut obligée de s'y reprendre à plusieurs fois et j'avais du mal à réprimer mon envie de rire. Ma voisine, Krimhilde, une institutrice de Berlin au physique un peu hommasse à mon goût, me fit les gros yeux derrière ses lunettes de myope à verres épais. Elle s'y connaissait en élèves ricaneurs et récalcitrants, elle avait dû en faire plier plus d'un. Je me penchai sur mon cahier et griffonnai quelques mots pour donner le change.

18 h 30. Fin du cours. La nuit tombait, apportant une relative fraîcheur. Nous pliâmes nos chaises que nous rangeâmes docilement dans la salle de réunion. Le soir dans notre lit, la chouchoute du professeur révisa ses cours.

— *Mi amor, te quiero*[1], me souffla-t-elle à l'oreille, les R impeccablement roulés.

---

1. Mon amour, je t'aime.

Sa voix se mettait à chanter quand elle parlait espagnol. Je lui répondis en allemand pour la provoquer et aussi parce que les mots ne me venaient pas naturellement dans cette nouvelle langue.

— *Ich auch, mein Liebling*[1] !

— *Yo también*[2], me corrigea-t-elle.

— *¡Yo también !* répétai-je docile, tout en lui fermant la bouche sous mes baisers.

— Et rappelle-toi que désormais je suis Alma sans H, une âme, ton âme.

— Oh, ça, inutile de me le rappeler !

---

1. Moi aussi, ma chérie.
2. Moi aussi.

9

Dopés par le bonheur

Avril 1940

Ils avaient vécu les premiers jours dans un sentiment d'irréalité. Mais au bout de quelques semaines, Wil sentit que l'angoisse et la tension se dissolvaient dans son cœur, pour laisser place à une sorte d'apaisement. Était-ce le soleil, chaque matin fidèle au rendez-vous, la bonne humeur permanente et l'esprit potache qui régnaient dans le camp, la saine fatigue des efforts physiques, le plaisir de savoir que la journée n'avait pas été vaine, l'étincelle du bonheur retrouvée dans les yeux d'Almah ? Quelque chose se débloqua aussi dans son corps, comme s'il reprenait de la substance. Pour la première fois depuis de longs mois, il se sentait plein d'une énergie à laquelle rien ne pouvait résister, en harmonie avec l'espace et les gens qui l'entouraient. À sa place. C'était une sensation nouvelle qu'il n'avait plus ressentie depuis des années. Et il sentait intuitivement qu'il en était de même pour Almah.

Ils vivaient une nouvelle lune de miel, redécouvrant avec étonnement la faim permanente de l'autre. Leur désir était aiguisé par le manque d'intimité de la vie communautaire. Ils se croisaient dans la journée sans pouvoir s'approcher, absorbés par leurs tâches respectives. Quand ils se retrouvaient assis l'un à côté de l'autre dans le réfectoire, ils mangeaient cuisses et jambes soudées, puis ils se séparaient de nouveau. Ils avaient retrouvé une urgence oubliée, celle des premiers mois de leur amour. Chaque nuit, leurs corps rompus de fatigue renaissaient au contact l'un de l'autre. Ils attendaient longtemps, allongés l'un contre l'autre, leurs corps moites de chaleur et de désir, que Frederick et les femmes du dortoir voisin soient endormis. Ils reculaient le moment jusqu'à n'en plus pouvoir et se jetaient l'un sur l'autre avec voracité. Ils étouffaient leurs râles comme des adolescents obligés de se cacher et cela donnait à l'amour une saveur particulière. Quand leur lit de bois grinçait trop fort, ils ralentissaient leurs mouvements, au bord de la jouissance. Almah avait l'orgasme triomphant et Wilhelm couvrait sa bouche de sa main quand elle jouissait. Ensuite, bercés par le concert nocturne des insectes, ils s'endormaient enlacés. Aux premières heures du jour, quand les oiseaux annonçaient le lever du soleil, ils refaisaient l'amour avec des gestes lents. Après un moment d'abandon, ils reprenaient pied dans la réalité. Le camp s'éveillait et c'était une nouvelle journée sous le soleil.

Certains soirs, ils s'éclipsaient dès la fin du repas. Main dans la main ils descendaient jusqu'à la plage. Wilhelm, qui avait toujours aimé les constellations, était fasciné par les myriades d'étoiles qui illuminaient le ciel. Il y en avait infiniment plus que dans le plus beau ciel du Tyrol par un soir d'été et les constellations s'orchestraient différemment. Ils se sentaient insignifiants devant ce spectacle et pourtant tellement vivants. C'étaient des moments de paix comme ils n'en avaient plus connu depuis longtemps. Ils laissaient tomber leurs vêtements sur le sable et, euphoriques, couraient dans l'eau. Ils s'ébrouaient, s'éclaboussaient comme des enfants, barbotaient, nageaient et faisaient l'amour sous les étoiles. C'était une sensation nouvelle et exquise de légèreté et de liberté qui les enivrait. Ils se sentaient euphoriques, dopés par le bonheur.

10

Svenja
Mai 1940

— Je l'ai trouvée ! exulta Almah les yeux pétillants d'excitation.

Je rentrais du chantier, exténué d'avoir passé huit heures à fixer une charpente sous un soleil de plomb. Je m'écroulai dans le fauteuil à bascule – la *mecedora* comme l'appelait Almah qui enrichissait chaque jour son vocabulaire – que j'avais tiré sur la varangue qui courait le long du baraquement. J'allumai une cigarette dont je tirai goulûment la première bouffée.

— Tu as trouvé quoi ?

— Celle qui sera mon amie ! Dans le groupe des nouveaux, il y a ma nouvelle amie !

Almah affichait un sourire de petite fille comblée.

— Et comment le sais-tu ?

— Comment je le sais ? Je le sais, c'est tout !

— Almah, voyons, on dirait une enfant !

— Je le sais, exactement comme j'ai su, à la minute où je t'ai vu, que tu serais l'homme de ma vie. Quelque chose dans le regard, un fil imperceptible tendu entre nous, une aura… En fait, il n'y a aucun signe tangible, cela ne s'explique pas, c'est comme ça !

L'argument de ma femme coupa court à la discussion. J'étais bien placé pour savoir que le coup de foudre existait.

— Et elle le sait ? Celle qui est ta nouvelle amie ? Tu l'as mise au courant ?

— Moque-toi, tu verras bien. Et la réponse à ta question, c'est non, elle ne le sait pas encore. Je l'ai juste aperçue à sa descente du car, au milieu des autres colons. Pour l'instant, ils sont en train de s'installer, mais tout à l'heure, au verre de l'amitié, nous ferons connaissance.

Le verre de l'amitié, c'était comme ça qu'on appelait le pot d'accueil que nous organisions pour chaque nouvelle arrivée d'un groupe. Celui de ce soir était le deuxième que nous accueillions.

— Aurais-tu, par hasard, repéré dans le lot un ami pour moi ?

J'étais devenu très complice avec Emil, nous nous entendions bien, mais il ne remplaçait pas l'ami de cœur que j'avais perdu quand Bernd avait quitté l'Autriche. J'étais en manque d'une amitié telle que celle-là, une amitié qui touche mon âme et remplisse mon cœur. Almah haussa les épaules en riant.

— C'est ça, continue à te moquer ! En attendant, je vais me préparer pour la petite fête de tout à l'heure. Toi, tu ferais bien de songer à prendre une douche et à te changer !

Almah tourna les talons en chantonnant et alla s'enfermer dans notre chambre, me laissant seul avec Frederick. Je l'entendais fredonner gaiement une vieille rengaine autrichienne, tandis que mon fils, assis sur mes genoux, m'apprenait des mots d'espagnol et s'amusait à corriger mon accent. Almah passa la tête dans l'entrebâillement de la porte :

— Robe ou pantalon ?

— Robe, tu es toujours en pantalon. J'ai envie de voir tes jambes !

— La robe bleue ou… la robe bleue ?

J'essayai de décoder : subtil reproche ou note d'humour ? Au ton de sa voix, je penchai pour la seconde hypothèse. Dans les deux cas cependant, Almah soulignait l'étroitesse de sa garde-robe que je connaissais par cœur : deux pantalons, quatre chemisiers, une jupe, une robe d'été, une d'hiver et un tailleur beaucoup trop chaud pour ce pays, un gilet, plus deux tabliers et le grand chapeau de paille fournis par la Dorsa, sans oublier le fameux loden qui dormait désormais au fond d'une valise perchée en haut de notre armoire. Je rentrai dans son jeu :

— Après mûre réflexion, je préférerais la bleue.

Almah sourit franchement en s'engouffrant dans la chambre. Il n'y avait donc pas d'arrière-pensée dans sa question. Quand elle ressortit, elle était habillée et légèrement maquillée. Je la trouvai épanouie. Son visage avait retrouvé des rondeurs d'enfance, elle s'était vite remplumée depuis notre arrivée, elle avait repris de la poitrine et des hanches. L'encolure carrée de sa robe de cotonnade découvrait ses clavicules saillantes, un détail qui me troublait à chaque fois. De minuscules rides commençaient à dessiner un éventail autour de ses yeux. Elle avait le teint hâlé, un hâle qui lui donnait une belle couleur d'abricot mûr et faisait ressortir ses yeux bleus. Le grand chapeau de paille qu'on nous avait distribué à notre arrivée ne suffisait pas à la protéger du soleil implacable. Des taches de son parsemaient son nez, légèrement rougi par le soleil. Elle était belle à mourir et ce soir j'allais encore faire des envieux. Un rien l'habillait, elle savait très bien ce qui lui allait. Pour faire ressortir sa taille, elle avait resserré sa robe avec une ceinture à rayures noires et bleues que je n'identifiai pas au premier coup d'œil. Puis je réalisai :

— Almah, tu as pris ma cravate de soie pour te faire une ceinture !

Elle resta la main en l'air, son bâton de rouge à lèvres en suspens.

— C'est joli, n'est-ce pas ?

— C'est ma cravate préférée !

— Ne t'en fais pas ! Demain, j'irai la repasser avec beaucoup de soin, c'est promis. D'ailleurs tu n'en as pas vraiment besoin ici, pas vrai ? À ton tour de te préparer, prends ton temps, nous sommes en avance. J'habille Frederick en t'attendant.

Quarante minutes plus tard, la nuit tombait quand nous quittâmes la baraque des appartements pour rejoindre la Casa Grande, le haut lieu de notre vie sociale. Rosen avait étoffé la décoration. Le portrait de Trujillo en bicorne emplumé et grand uniforme, le poitrail « couvert de merdailles » comme disait Almah, qui proclamait « Dieu, Patrie et Liberté » était encadré de deux panneaux manuscrits, des mots de Herzl : « Si vous le voulez, ce ne sera pas une légende » ; et de Baal Shem Tov : « Tout Juif est une lettre, toute famille un mot et toute communauté une phrase. » Un buffet avait été organisé pour accueillir le nouvel arrivage. Ils étaient trente-neuf, annoncés depuis une semaine, et nous les attendions avec impatience. La Dorsa attendait des compétences dont nous ne disposions pas encore. Les hommes attendaient des recrues féminines avec de préférence un physique de gravure de mode. Eli Schoen attendait des attaquants et un gardien de but pour compléter son équipe de football. Raimund attendait des musiciens pour son orchestre et Almah attendait une amie.

Dès notre arrivée, elle se dressa sur la pointe des pieds pour scruter l'assemblée jusqu'à ce qu'elle la repère. D'un geste entendu du menton, elle me désigna le groupe de nouvelles têtes où deux femmes pouvaient prétendre au titre de nouvelle amie d'Almah : une blonde, petite et grassouillette, au visage mou et poupin, et une grande brune à queue de cheval, bien faite, dont je ne voyais que le dos. Je pariai sur la grande brune. Joseph Rosen se racla la gorge et commença son allocution de bienvenue dans un silence tout relatif. Les nouveaux venus se tenaient massés près de lui. Ils se présentèrent à tour de rôle, en commençant par les femmes qui énonçaient simplement leur prénom. « Svenja » annonça la grande brune d'une voix chaude et assurée, en précisant « sœur de Mirawek ». Aussitôt un jeune homme brun de petite taille à l'air renfrogné leva la main. Des Polonais d'après leurs prénoms. Almah me pinça aussitôt le bras et relâcha son attention. Le reste du groupe ne l'intéressait plus. Pari gagné. La nouvelle venue semblait un peu perdue. Ses regards perplexes balayaient notre assemblée hétéroclite : des hommes déguisés en paysans, quelques-uns endimanchés en costume démodé trop épais pour le climat, une poignée de femmes mal fagotées, mis à part la mienne, un quarteron de militaires dominicains en grand uniforme, deux policiers, trois officiels tirés à quatre épingles représentant le gouvernement et quelques enfants chahutant au milieu des adultes…

Un instant mon esprit s'évada. Une sensation d'irréalité s'empara de moi et je me demandai comment nous avions atterri ici. Moi qui m'étais imaginé dans des soirées d'intellectuels new-yorkais… Nous étions à des années-lumière de mon rêve. Almah me ramena à la réalité. Rosen avait terminé son discours. Elle manœuvra et m'entraîna vers celle qui allait devenir sa nouvelle amie et qui ne le savait pas encore. Elle se planta, charmeuse, en face de Svenja.

— Bonjour et bienvenue parmi nous ! Je suis Almah, voici mon mari Wilhelm, et notre fils Frederick.

— Bonjour Almah, bonjour Wilhelm.

Un regard vif et intelligent, un grand sourire franc qui dévoilait une dentition parfaite, une poignée de main ferme et un accent autrichien.

— Bonjour Frederick, dit-elle en se baissant pour déposer un baiser sur la joue de mon fils. Tu as un joli prénom, ajouta-t-elle. Le mien, c'est Svenja !

— Svenja, répéta Frederick enchanté.

Svenja s'était accroupie pour se mettre à sa hauteur au lieu de simplement se pencher. Son visage au niveau de celui de mon fils, elle s'adressa à lui en le regardant droit dans les yeux. Elle ne lui parlait pas comme à un bébé, en employant des mots ridicules. Il lui rendit son baiser avec spontanéité, lui qui rechignait à embrasser les adultes.

Svenja était belle, très différente d'Almah. Une brune aux généreuses proportions, mollets bien galbés et croupe avenante, probablement sportive, cheveux aux épaules retenus en queue de cheval par un élastique rouge, yeux noisette étirés en amande vers les tempes, pommettes hautes et bien dessinées, bouche large et sensuelle. Elle devait avoir le même âge qu'Almah. Pour l'heure, elle avait les traits tirés et semblait fatiguée, rien d'étonnant pour qui connaissait les conditions de voyage dans ce pays. Le nouvel arrivage de colons, loin de rétablir la parité, avait encore creusé la disproportion hommes-femmes. J'étais prêt à parier que Svenja allait vite devenir un objet de convoitise. Je notai déjà quelques regards masculins concupiscents qui glissaient sur le postérieur musclé que dessinait l'étoffe tendue de sa jupe. La chasse était ouverte ! Mais, plus rapide que les mâles, Almah avait jeté son dévolu sur Svenja. Je l'aidai :

— Je vous apporte une bière ?

Almah déclina :

— Non merci, pas d'alcool pour moi, je préfère un jus de fruits. Viens Svenja, je vais te raconter où tu as atterri. On vous laisse entre hommes, dit-elle en tournant les talons.

Almah prit d'autorité le bras de celle qui ne savait pas encore qu'elle était sa nouvelle amie et l'entraîna vers la table sur laquelle on avait disposé des jus de fruits, des bières et des assiettes de cacahuètes, de fruits coupés en morceaux et de rondelles de plantains frites. Insensibles au taux de testostérone qui grimpait en flèche dans leur sillage, les deux femmes se frayèrent un chemin bras dessus bras dessous vers le fond de la salle. Je me fis happer dans une conversation masculine sur la nécessité de développer un service de transport à destination de Puerto Plata,

Santiago et Ciudad Trujillo. Lothar, un ingénieur en mécanique, se proposait de construire un bus sur une carcasse de camion.

Malgré les portes et les persiennes grandes ouvertes, il n'y avait pas un souffle d'air dans la grande salle et nous étions tous moites de chaleur. Un éclat de rire haut perché retentit, couvrant quelques secondes le brouhaha des conversations. Svenja riait sans retenue en s'éventant d'une feuille de papier, tandis qu'Almah, le visage déformé par une grimace grotesque, mimait je ne sais quoi.

Une demi-heure plus tard, Frederick donna des signes de fatigue, tout comme les nouveaux. La soirée tourna court, chacun ayant hâte de retrouver son lit. Nous regagnâmes notre chambre. Je portais Frederick sur un bras et, de l'autre, je tenais Almah par les épaules. Nous marchions à pas lents, dans le concert crépitant de la nuit tropicale. La brise tiède et odorante qui montait de l'océan nous caressait doucement. Ça sentait la terre rouge, l'herbe grasse et le bétail. Le ciel était illuminé par des centaines d'étoiles et un croissant de lune horizontal nous souriait. C'était un de ces moments de paix que j'avais appris à apprécier. Je jetai un coup d'œil de biais à Almah. Ses narines frémissaient. On aurait dit un petit animal aux aguets. Elle respirait l'air chargé de parfums comme elle buvait son vin. À grands traits avides avec une mine gourmande. Elle brisa le silence :

— J'aime l'odeur de cette terre, me dit-elle à mi-voix dans un sourire.

Puis sans transition :

— Alors, comment tu la trouves ?

— Svenja ? Tu l'as accaparée sans vergogne ! J'en ai vu plus d'un te maudire et piaffer d'impatience pour lui adresser la parole !

— Ça ne m'étonne pas, c'est de loin la plus belle des nouvelles. Elle est d'origine polonaise, mais elle a été élevée à Linz.

— J'avais remarqué son accent…

— Elle est arrivée avec son frère, Mirawek. Ils voulaient partir en Palestine. À Zurich, on les a fait lanterner et finalement ils ont été recrutés par la Dorsa.

— Et qu'est-ce qu'ils comptent faire ici ?

— Comme nous tous, attendre des jours meilleurs pour plier bagage… Mirawek a fait des études de droit, il aura sans doute un emploi dans les bureaux, il n'a pas l'air taillé pour les travaux physiques ! Svenja est psychologue. Elle aimerait travailler avec les enfants.

Voilà qui confirmait mes observations de la soirée.

— Ça tombe bien, nous avons besoin d'une deuxième institutrice maintenant que les enfants sont plus nombreux. Espérons que ta nouvelle amie obtiendra gain de cause !

— En tout cas, je suis sûre que nous allons très bien nous entendre !

Almah était si enthousiaste que je me gardai bien d'émettre la moindre réserve.

— Je l'espère de tout mon cœur, mon amour. Quant à moi, ce soir je ne vais pas faire de vieux os, je suis littéralement épuisé.

C'est ainsi qu'Almah fit la connaissance de Svenja. Moins de deux semaines plus tard, elles étaient inséparables.

11

Un vrai lupanar

Mai 1940

Cela devenait intenable. Ça fricotait dur dans les dortoirs des célibataires devenus de joyeux foutoirs. Les frasques sexuelles des uns et des autres n'étaient plus supportables. L'isolation phonique n'avait pas été la préoccupation principale des apprentis charpentiers de Sosúa. De l'autre côté de la cloison qui séparait notre chambre du dortoir des filles, montait chaque nuit un véritable pot-pourri de bruits nocturnes, craquements, grincements, gémissements étouffés, râles rauques, halètements, rires et gloussements, sans compter ceux qui parlaient dans leur sommeil. Nous n'étions pas bégueules mais ce qui dans un premier temps nous avait amusés devenait franchement gênant. Des hommes sortaient au petit matin du dortoir des filles, le regard en biais et une odeur de sexe sur la peau. D'autres plus discrets trouvaient un refuge nocturne dans un coin de nature, contre un arbre, à l'abri d'une ramure basse ou dans un recoin des installations.

Quant à la plage, elle restait l'endroit favori des amoureux en quête de romantisme. Certains, Hilda Pinsker en tête, s'offusquaient ouvertement de ces ébats à tout-va. Au réfectoire, elle inspectait les rangs en tournant son cou à droite et à gauche, dardant ses petits yeux comme une poule curieuse, pour savoir qui était assis à côté de qui. Elle s'étouffait d'indignation.

— On s'embrasse en public au détriment de la bienséance, sans parler de ce qui se passe la nuit ! Pire que des animaux ! crachait-elle en pinçant les lèvres avec dégoût. Sosúa est devenu un vrai lupanar, c'est intolérable ! ajoutait-elle en brandissant un index réprobateur.

— Quel cul serré ! Elle devrait en prendre de la graine et s'occuper de son Dariusz plutôt que des fesses des autres ! se moquait Svenja en papillotant des yeux de façon comique.

La Pinsker n'avait pas tout à fait tort : les colons étaient devenus de chauds lapins et c'était l'enfer. La Dorsa ne maîtrisait pas du tout la situation. Une magie inattendue engendrée par le soleil, la mer, la chaleur, les corps dénudés avivait les ardeurs, c'était l'ivresse joyeuse des sens. Les jeunes femmes, devenues des proies très courues, faisaient les difficiles et tenaient la dragée haute aux hommes. Une belle revanche sur ces coureurs machos, selon Almah. Les supputations allaient bon train et dans notre microcosme il était bien difficile de garder le secret. Au jeu, qu'Almah avait baptisé « la loterie des couples mystères », qui consistait à deviner qui était avec qui, Svenja, qui n'était pas en reste pour ce que j'en savais, était une informatrice de premier ordre. Elles gloussaient toutes les deux en faisant des paris : ce couple va-t-il durer, qui va gagner les faveurs d'Unetelle ou de telle autre, Untel était-il vraiment amoureux, celui-là était un vrai bouc, les sœurs Discher faisaient les mijaurées, Eli était un vrai coq qui collectionnait les conquêtes féminines sans lendemain… Almah me rapportait les potins avec des airs de conspiratrice. Elle me pressait de lui livrer les confidences de mes amis.

— Allez Wil, raconte !

Je me contentais de hausser les épaules.

— De vraies gamines !

— Au moins, on rigole !

— Au fond, ce n'est pas drôle, c'est même très sérieux. Les recruteurs ont voulu des pionniers jeunes, des célibataires de préférence, eh bien voilà, le résultat est là ! Entre nous, il ne fallait pas être grand clerc pour le prévoir. Il va falloir qu'ils trouvent une solution, et rapidement. C'est romantique un moment, après ça vire au scabreux.

— Oh Wil, toi qui fustiges les petits bourgeois étriqués je te trouve bien conformiste tout à coup ! Je ne vois pas pourquoi ils n'auraient pas le droit de faire ce que nous pouvons faire à notre guise, sous prétexte qu'ils ne sont pas mariés.

— Je suis bien d'accord avec toi, ils ont tous droit à une vie sexuelle, mais dans des conditions décentes et qui ne gênent pas les autres.

— Demande une plénière pour défendre leur droit à une sexualité épanouie !

Almah se moquait de nos réunions qui étaient devenues une joyeuse foire d'empoigne.

Il fallait trouver des solutions. On accéléra la construction de logements. On décida de consacrer un baraquement exclusivement aux couples mariés, qui allaient disposer de petits appartements, deux pièces, salle de douche, véranda commune. Des cloisons furent montées dans les dortoirs des célibataires pour former des chambres individuelles. Mais on envisageait des solutions plus drastiques.

12

Mi'ja

Mai 1940

— *¡ Mi'ja ! ¿ Como tu ta ? ¡ Y ese papacito !*[1]

— Bien, Carmela, bien.

La vieille dame prenait le frais en se balançant sur le pas de la porte de sa case, en bordure du chemin terreux qui tenait lieu de rue principale à Los Charamicos. Elle se pencha et déposa un baiser sur la joue de Frederick tandis qu'Almah se laissait tomber sur une *mecedora* et commençait à se bercer mollement face à elle. Frederick se précipita sur la chatte efflanquée qui se réfugia sous un lit.

Almah avait pris l'habitude de rendre visite à Carmela, la vieille dame dont elle avait fait la connaissance quelques semaines auparavant, au cours d'une promenade de fin d'après-midi. Ce jour-là, elle était descendue sur la plage, mais elle n'avait pas envie de

1. Ma fille, comment vas-tu ? Et ce pépère !

se baigner. Elle avait voulu se promener seule, non que la présence des autres lui pesât, mais elle avait envie d'un moment juste pour elle. Elle avait marché longtemps, de l'eau aux chevilles, ses sandales à la main. Au fil de ses pas, elle faisait le bilan de ces premiers mois à Sosúa. Le travail omniprésent, l'ampleur de la tâche, la solidarité et la chaleur des relations entre colons, Frederick qui n'avait jamais été aussi joyeux, Wilhelm qui ne faisait plus de cauchemars et devenait chaque jour plus séduisant, ce qu'elle ne lui avait pas encore révélé, la mer spectaculaire, le soleil bienfaisant… Oui, cette île leur faisait du bien. Mais cela faisait beaucoup de bouleversements en si peu de temps et son cœur débordait. Elle éprouvait parfois le besoin de s'isoler pour digérer le trop-plein de ses émotions.

Perdue dans ses pensées, elle ne s'était rendu compte qu'elle avait traversé la baie qu'une fois arrivée à la pointe est de la plage. Quelques barques de bois étaient tirées sur le sable et des filets de pêche pendaient aux branches basses d'un raisinier. Un sentier tortueux grimpait vers le village dominicain. Puisqu'elle était là, autant y aller. Ce serait amusant de le découvrir, Almah y avait songé à plusieurs reprises mais n'en avait pas trouvé le temps. Elle remit ses sandales et commença à gravir le chemin. Elle peinait à avancer, des cailloux roulaient sous ses pieds. Un corniaud pelé d'une couleur indéfinissable, plus bruyant que méchant, se mit à aboyer sur son passage. Elle se retrouva sur un chemin poussiéreux bordé d'une double rangée de cases en bois coiffées de toits de palmes. Des enfants en culotte jouaient au ballon, des plus petits tout nus couraient ici et là. Attaché à un piquet, un mulet attelé à une charrette vide émit un braiement rauque ; deux poules étiques, l'œil vif et la crête rouge, se disputaient un ver ; des chats se poursuivaient ; un cochon noir fouillait la terre en couinant. Sur le pas des portes, sous les vérandas, des femmes et des hommes se balançaient, indolents dans leurs fauteuils à bascule, papotant entre eux.

Dans ce décor paisible, Almah aimantait les regards. Elle ralentit l'allure mais continua à marcher. Rebrousser chemin aurait eu l'air de quoi ? Elle se rendit vite à l'évidence, les regards et les sourires qu'on lui adressait n'étaient ni agressifs, ni hostiles, ni même étonnés. Au fur et à mesure qu'elle avançait, on la hélait, on l'apostrophait, les hommes surtout : « *Hola gringa… ¡Rubia ! ¡Guapa !* » Elle répondait en hochant la tête timidement de-ci de-là, tout en continuant lentement sa progression au cœur du village qui se résumait à cette longue enfilade de cases. Elle passa devant une épicerie d'où s'échappaient des flots de musique ; un panneau de bois annonçait « *colmado Yulissa* » ; des chaises en bois avaient été tirées sur le chemin et deux hommes jouaient aux dames, le plateau calé sur leurs genoux et des capsules de bière en guise de pions. Elle dépassa un homme qui broyait des tiges de canne gorgées de jus avec un moulin rudimentaire fixé sur des roulettes. Plus loin, quatre hommes vociféraient en faisant claquer bruyamment des dominos sur une table bancale. Almah s'apprêtait à faire demi-tour quand une vieille femme aux cheveux gris et à la peau claire lui sourit et tapota la chaise vide, l'invitant à venir s'asseoir à côté d'elle.

— *Siéntese mi'ja.*

Almah hésita et se dit que oui, elle allait s'asseoir. Elle s'avança en souriant vers la femme et se laissa choir sur la chaise, pas mécontente de se reposer après sa longue marche. C'était le moment de mettre à l'épreuve les enseignements de José.

— *Me llamo Almah*, articula-t-elle avec application en appuyant une main sur sa poitrine.

— *¡ Alma ! ¡ Que bonito nombre ! Yo soy Carmela.*

— *Encantada, Carmela.*

— *¿ Vienes de alla ?*

— *Sí.*

Oui, elle venait de là-bas ! Almah comprenait mais elle avait quasiment épuisé les ressources de son vocabulaire, ce qui n'allait pas faciliter les choses. Carmela lui offrit un verre d'eau, qu'elle refusa malgré sa soif par souci d'hygiène, et une banane qu'elle accepta. Almah parvint à saisir que Carmela vivait seule avec son dernier fils, ses chats et ses poules, qu'elle avait sept autres enfants, et quinze petits-enfants, tous à la capitale. Almah expliqua qu'elle avait un petit garçon. Quand elle se leva, Carmela lui fit promettre de revenir avec lui et lui offrit quelques bananes.

Almah revint avec Frederick, puis elle prit l'habitude de se rendre au village pour passer un moment avec Carmela qui lui ouvrait la porte de sa pauvre case avec une générosité inconditionnelle. Almah était devenue « la Rubia » et tout le monde la saluait quand elle arrivait. Elle apprit à connaître les gens du village : il y avait Jacobo, le fils de Carmela, Moreno (le brun), Flaca (la maigre), el gordo (le gros), el cojo (le boiteux), el ciego (l'aveugle), Francisco, Yesenia, Maribel, Yunior, Isaac… Carmela devint vite une sorte de vieille tante affectueuse et pleine de sagesse, auprès de qui Almah aimait se réfugier.

Quand Wilhelm s'étonnait de ses escapades, elle lui expliquait que c'était son jardin secret. Un jour, s'il était sage, elle l'emmènerait là-bas. Elle lui racontait avec euphorie ses découvertes et les curiosités de la culture dominicaine. Comme c'était facile de faire connaissance, facile de s'asseoir avec eux, facile de leur parler, facile de devenir leur amie. Leur sens de l'hospitalité était comme un baume sur sa nostalgie. Personne en Autriche ne lui avait jamais souri avec une telle jovialité, ne l'avait accueillie avec une telle gentillesse. Ils vivaient paisiblement, c'étaient des gens simples, affables, solidaires, foncièrement bons et ouverts, généreux, doux et pacifiques. Ils étaient catholiques, un catholicisme mâtiné de croyances populaires et de fantaisies vaudoues que tolérait le *padre* qui les visitait une fois par semaine. Ils étaient fatalistes et se retranchaient volontiers derrière la volonté divine. « *¡Si Dios quiere !* » était dans toutes les bouches, même pour dire au revoir. Almah aimait leur façon de tout rendre petit et mignon : elle était devenue Almita, Frederick était un *diablito*, Carmela lui offrait un *cafecito,* un *jugito* ou une *aguita* ou encore un *guineito* et Almah restait un *momentico*. Elle avait compris que la ponctualité était pour eux un concept élastique : maintenant se disait *ahora*, *ahorita*, *ahoritica*, selon que c'était maintenant tout de suite, maintenant dans un petit instant, ou maintenant plus tard.

Carmela riait en évoquant la *ciguapa*, une femme sublime aux pieds retournés à l'envers qui vivait au cœur de la forêt et entraînait les hommes loin de leur femme durant les nuits de pleine lune. Une bonne excuse pour leurs infidélités ! En cas de problème, on pouvait toujours prendre conseil auprès du cacique taïno qui vivait caché dans le lit du río Yaque. Contre un mur de la case, sur un autel, Carmela avait disposé des Santos de Palo, des figurines naïves sculptées dans le bois, qui la reliaient à ses ancêtres. Elle apprenait à Almah une langue populaire que José aurait réprouvée. Celle-ci pouvait désormais jurer en dominicain « *coño, que vaina, pendejo* », envoyer quelqu'un au diable « *¡Ve te al carajo !* », déclarer qu'elle n'avait plus faim « *estoy jarta* », s'étonner les poings sur les hanches « *¡Dios mío, no me digas !* », hocher la tête devant l'évidence « *¡Claro que sí !* ». Elle connaissait les *putas de noche*, ces fleurs qui s'ouvraient la nuit et enivraient de leur parfum musqué, les *guaguas*, ces camionnettes à bout de souffle qui sillonnaient tout le pays en s'arrêtant à la demande des passagers, le fric, la *plata* et les *cheles* comme on appelait les *centavos*, le *conuco* où la vieille dame cultivait ses ignames qui poussaient à plat dans un enchevêtrement de racines, la *palapa* sous laquelle elle s'abritait. Almah apprit l'origine du nom du village : *los charamicos*, c'étaient les petits bouts de bois dont il était construit. Le Batey, comme on appelait désormais la partie de Sosúa où vivaient les colons, signifiait « le village » en taïno. Quant à « Sosúa », la rivière qui débouchait au pied de Los Charamicos, ce n'était pas un joli nom puisqu'il signifiait « ver » dans la langue d'une ancienne tribu indigène.

Carmela lui avait raconté les beaux jours de la United Fruit, quand le Batey comptait une vingtaine de maisons et des entrepôts. Beaucoup de Dominicains s'étaient établis dans la région pour travailler à la plantation.

Chaque mois un bateau mouillait dans la baie et des barges transportaient la récolte de bananes dans son ventre. En 1907, on avait compté dix-sept bateaux, un record ! Mais le mauvais temps, le sol et l'eau gorgés de sel avaient eu raison de la bananeraie. La United avait plié bagage en 1916, emportant avec ses équipements l'espoir d'un développement économique de la région. Abandonnés à leur sort, les Dominicains n'avaient eu d'autre choix que de devenir pêcheurs. Trujillo avait racheté la propriété en 1938. La suite, elle ne la connaissait pas. La Dorsa n'avait pas pris la peine d'informer les Dominicains, qui ne savaient rien de leur histoire. Almah mit un point d'honneur à raconter le projet de colonie, la vie communautaire et leurs progrès de l'autre côté de la baie.

— Nous n'avons pas eu le choix, nous étions rejetés à cause de nos origines, de notre religion.

La vieille dame eut cette sentence laconique :

— Comme les Haïtiens ici ! On ne les aime pas car ils sont trop noirs, avoua-t-elle naïvement.

Carmela devinait la pluie et le vent dans le ciel, et connaissait la forêt et ses plantes. Elle apprit à Almah à soulager ses piqûres de moustiques avec de l'aloe et à masser son ventre avec de l'huile de coco, à parfumer ses armoires à linge avec des clous de girofle, à faire tomber la fièvre avec une décoction de feuilles de bois de campêche. Almah apprit la recette du *sancocho* et du *mangù*. Elle apportait des tomates et des carottes, des légumes que les Dominicains ne consommaient pas, et ne repartait jamais les mains vides. Carmela qui vivait dans le dénuement avait toujours un petit cadeau pour elle, une mangue, une carambole, une goyave, une papaye dodue, une poignée de gombos, de longs cônes verts qui devenaient gluants une fois cuits, un petit pot de *dulce de habichuelas*, un morceau de *casabe*[1], une bouteille de jus noir de noni pour la fortifier, des fleurs de *guanábana* pour une infusion apaisante, une balle de caoutchouc pour Frederick.

Carmela ouvrit à Almah une porte sur le monde du *campo* dominicain. Elle conquit définitivement le cœur de Frederick le jour où elle lui promit un *gatico* dès que sa chatte aurait mis bas.

Après sa rencontre avec Carmela, Almah se mit à lire tout ce qui lui tombait sous la main concernant le pays. À sa demande, José, dont le père était professeur d'histoire, lui avait procuré des manuels scolaires qu'elle déchiffrait avec application. Elle se mit aussi à bûcher avec assiduité son espagnol et fut bientôt capable de tenir de longues conversations.

1. Galette de manioc.

13

Dormeur

Mai 1940

— Heili Heilo, on rentre du boulot ! Alors Grincheux ou Joyeux ?

— Plutôt Dormeur ! Je suis mort !

Almah, qui arrivait toujours avant moi à la chambre, après avoir récupéré Frederick à la garderie, avait pris l'habitude de m'accueillir en chantonnant l'air des nains de Blanche-Neige, que nous avions vu en projection à Ellis Island, une aumône des Américains. Certains soirs, ivre de fatigue, je tenais à peine le coup au dîner et je m'endormais comme une pierre dès que ma tête avait touché l'oreiller.

Ce soir-là, j'étais allongé, les muscles endoloris, prêt à m'assoupir. Almah avait posé sa tête sur mon torse et s'était mise à ronronner. Quand Almah faisait le chat, c'était qu'elle avait une confidence à me faire. Je caressai doucement ses cheveux.

— Il va falloir que tu prennes un rendez-vous avec Rosen…

— ????

Elle releva la tête et posa le menton sur ma poitrine. Dans la pâle lueur de la lune qui filtrait par les jalousies, je devinai ses yeux brillants et le sourire qui étirait ses lèvres.

— Nous allons bientôt avoir besoin d'un peu plus de mobilier…

L'esprit brumeux, je mis quelques secondes à réaliser. C'était donc ça, ces petits désordres intestinaux, cet appétit de lionne, cet air de plénitude heureuse ! Almah ne s'était pas remplumée comme je m'en félicitais naïvement, elle était enceinte. Ma poitrine se dilata et des larmes me montèrent aux yeux. Je poussai un profond soupir. J'étais ému et je n'avais pas de mots. J'étais heureux et triste à la fois. Je repensais à la fausse couche d'Almah, à cet enfant qui n'avait pas voulu naître sous le régime nazi, à cet enfant qui allait naître dans une terre qui n'était pas la nôtre. J'espérai qu'elle n'avait pas perçu mon trouble.

— Je suis tellement heureuse ! me souffla-t-elle en haussant son visage à la hauteur du mien.

Ses paroles et la caresse de ses lèvres contre mon oreille chassèrent la vague tristesse pour ne laisser place qu'au bonheur. Je resserrai mes bras autour d'elle et embrassai ses lèvres, ses yeux, son nez. Je n'avais pas assez de baisers pour lui dire combien moi aussi j'étais heureux.

— C'est une merveilleuse nouvelle mon amour ! Tu dois penser que je suis un vrai balourd de ne rien avoir remarqué !

— Bah, tu es tellement occupé, tu n'a pas une minute pour souffler ! Tu n'as même plus le temps de me regarder !

— Bien sûr que si je te regarde, et je te trouve plus belle que jamais. Le soleil te va bien, la mer te va bien, le grand air te va bien, un bébé te va bien !

Je riais maintenant, tout excité par la nouvelle extraordinaire : nous allions avoir un deuxième enfant.

— J'aimerais bien une petite fille…

— Dans ce cas nous l'appellerons Elisa ! Et si c'est un garçon Elias !

— Tu as déjà choisi le prénom ?

En prononçant ces paroles, je me rendis compte qu'Almah allait plus vite que moi. Elisa ? Elias ?

— Tu veux dire que…

Elle se mit à glousser doucement.

— Si ce n'est pas à Ellis Island, c'est sur le bateau… Enfin bref, ça colle pour les dates d'après le médecin.

— Parce que tu as déjà vu le médecin ?

— Pas Emil, non, c'est ton ami, c'était un peu délicat. L'autre, Gerold.

— Donc si je calcule bien…

— … c'est pour octobre !

Puis la tête d'Almah s'était faite plus pesante sur mon torse. Elle s'était endormie en quelques minutes. Je sentais sa poitrine se soulever régulièrement à chaque respiration. J'avais posé doucement ma main sur sa hanche. Je sentais son ventre légèrement bombé. Il était chaud, vivant. Je m'étais endormi en paix.

*

Quelques semaines plus tard, on nous attribua un deux pièces dans le baraquement des couples flambant neuf. C'était une amélioration notable dans notre quotidien, nous avions plus d'intimité et l'impression de retrouver un semblant de vie de famille. C'était d'autant plus appréciable que, loin de calmer notre fringale sexuelle, la grossesse d'Almah l'avait décuplée.

La rumeur avait couru. À Sosúa on ne pouvait pas garder un secret bien longtemps. La grossesse d'Almah eut une résonance particulière au sein de la communauté. Elle était devenue la dépositaire d'un trésor commun. Cet enfant serait le premier à naître ici, un véritable symbole.

Exemptée de tâches trop physiques, Almah se partageait désormais entre les bureaux et ses permanences dans une caravane aménagée derrière le dispensaire. Plus elle enflait, plus elle resplendissait. Son état lui conférait une nouvelle maturité, un regard plus serein sur les choses. Elle promenait son gros ventre avec un air de reine dans son palais, l'exhibait comme un trophée, une victoire collective, comme si elle avait arraché cette grossesse au malheur. Almah devint rapidement l'objet de toutes les attentions et son ventre celui de toutes les conjectures. Certaines femmes la regardaient avec envie. Les témoignages de gentillesse se multipliaient. Almah faisait cet effet-là sur les gens. Je me rendais compte que tout le monde l'aimait. C'était facile de l'aimer. Elle était ma meilleure qualité.

14

Un pas de plus

Juin 1940

« Notre exil a une signification profonde et durable. Le judaïsme peut vivre en communauté ailleurs que sur sa propre terre. Du moment que les Juifs sont munis du Livre, qu'ils en suivent autant qu'ils le peuvent les préceptes, leur judaïsme demeure en vie… »

Le rabbin Steinmetz termina son prêche et nous sortîmes de la cérémonie d'inauguration de notre synagogue.

— C'était très émouvant, même si je ne partage pas ses idées, me souffla Almah en me prenant le bras.

J'avais un nœud dans la gorge. En jetant des regards furtifs aux autres, j'ai vu qu'eux aussi étaient émus. J'étais d'autant plus fier que j'avais participé à cette construction. On ne pouvait pas faire plus simple. C'était une grande case de bois qui s'ouvrait à l'est, en direction de Jérusalem. Un toit de tôle, huit mètres de large sur quinze de long, six fenêtres de chaque côté, montée sur de courts pilotis rattrapant la légère déclivité du terrain. À l'intérieur, deux allées de bancs pour les hommes et les femmes et un chapiteau d'ébène pour abriter les Torah. Nous avions hérité d'un manuscrit ancien, une Sefer Torah offerte par le rabbin de Gênes au groupe des trente-trois « Génois » arrivés en mai. Dorénavant le rabbin Steinmetz n'aurait plus à venir de la capitale pour assurer les services religieux. Ernst Fialla, un fermier tchèque, s'était porté volontaire pour prendre en charge la célébration des offices et des rites. C'était un pas de plus vers notre indépendance.

*

Mazel Tov !

Else et Raimund officialisaient leur liaison qui était depuis belle lurette un secret de polichinelle. C'était notre premier mariage.

Ce fut une merveilleuse journée, nous avions beaucoup bu, certains trop, peu habitués au rhum et à ses conséquences, et beaucoup dansé. La mariée était radieuse dans sa robe blanche confectionnée par l'atelier de couture, Raimund arborait une orchidée à la boutonnière de son costume gris. Ils devaient emménager dans une baraque pour les couples et avaient reçu une armoire sculptée, un couple de *mecedoras* et un bon à échanger dans le magasin général. Les sœurs Discher, très en verve, avaient fanfaronné en annonçant leur double mariage pour bientôt.

— Il ne nous manque que les maris, avait rigolé Kaethe.

— Avis aux amateurs, avait lancé Erica avec enthousiasme.

— C’est une proposition ? avait demandé Emil, une lueur égrillarde dans l’œil.

15

Le potager

Juillet 1940

À genoux entre deux rangées de carottes, les fesses sur les talons et les mains dans la terre, Svenja aidait une fillette à sarcler les plants. À côté d'elle, un petit garçon plantait des étiquettes soigneusement manuscrites devant les rangs. D'autres ratissaient, arrosaient, retiraient les cailloux. C'était Svenja qui avait eu l'idée de monter le potager des enfants. Elle était fière de la belle ordonnance des plantations.

— Je viens chercher Frederick !

Svenja se redressa en entendant Almah. Elle essuya ses mains sur sa salopette de toile puis son front, laissant une trace de terre à la racine de ses cheveux.

— Frizzie ! appela Svenja.

Elle avait donné un surnom à chaque gamin : Benjamin était Benjie, Suzanne Suzie, Natalia Natie, Dorothea Dotie, Samuel Samy, Otmar Otie, et donc Frederik était Frizzie. Les enfants qui n'avaient pas encore de prénom en « i » la tannaient pour qu'elle leur en invente un. Svenja avait des idées plein la tête pour occuper les petits et les enfants adoraient tout ce qu'elle inventait pour eux. Et bien sûr, ils l'adoraient, elle.

Ce qui n'était pas le cas de tous les parents que ses incartades et ses flirts à répétition assommaient. Il ne lui avait pas fallu deux mois pour défrayer la chronique et se mettre à dos une bonne partie de la communauté. Svenja était un esprit libre. Trop libre. Son franc-parler, ses tenues et son comportement la singularisaient. Les règles et les principes en vigueur ne l'intéressaient guère. Rien n'entamait ses audaces, elle n'en faisait qu'à sa tête et se moquait des ragots. Mais, plus grave, elle attirait les hommes comme le miel les ours. À vrai dire, elle était l'une des rares femmes à ne pas avoir laissé sa féminité au vestiaire, et elle usait et abusait de son pouvoir de séduction. Ainsi, sans la moindre inhibition, elle s'amusait à imiter le feulement d'une chatte en rut après le passage d'un bellâtre. Cela faisait rire Almah. Mais pas les autres, et surtout pas son frère Mirawek qui réprouvait le comportement de son aînée. Il y avait celles qui trouvaient cela immoral, celles qui pensaient que c'était un mauvais exemple et qu'on n'aurait pas dû confier des enfants à une femme aussi légère, pour ne pas dire facile. D'autres craignaient pour leur mari. Mais Svenja s'en sortait bien car elle ne s'attaquait pas aux hommes mariés et gardait toujours le sourire, certes effronté, sous l'opprobre. Il y avait toujours de la rigolade dans l'air quand Svenja racontait ses frasques. Provoquant des crises de fous rires incontrôlables, elle réservait ses confidences, ses commentaires crus et ses jugements à la serpe à Almah dont on ne se gênait pas pour désapprouver son amitié avec la responsable du jardin d'enfants.

— Certaines commères l'appellent la cocotte et on dit que tu es sous sa coupe ! la sermonnait Wilhelm.

— Pfft ! Ce que tu peux être rabat-joie et conformiste parfois ! rétorquait Almah dans un haussement d'épaules.

Almah attendait Frederick qui restait accroupi sur le sol.

— Il est en train d'arracher les mauvaises herbes… expliqua Svenja.

— Pour pas étouffer nos bébés légumes, expliqua Frederick fier de sa mission. J'ai pas encore fini.

— Il prend son travail très au sérieux ! Tu peux y aller, Frizzie, Benjie terminera tes rangs.

Mais Frederick n'était pas d'accord.

— Je veux finir tout seul !

— D'accord Frederick, encore cinq minutes, mais après on y va, Carmela nous attend. N'oublie pas que tu dois choisir ton petit chat.

Frederick se redressa irrésolu. Finir son rang ou aller chercher son chaton, deux perspectives aussi séduisantes l'une que l'autre. Svenja en profita pour se donner un répit et rejoignit Almah de l'autre côté de la petite clôture qui cernait le potager miniature.

— Je t'accompagnerais bien, une balade me ferait le plus grand bien. Mais je dois les occuper jusqu'à 5 heures.

— On ira déjeuner là-bas un de ces dimanches.

— Il faut en profiter, parce que quand le bébé sera là, Svenja désigna du doigt le ventre d'Almah qui pointait sous le coton tendu de sa robe, tu n'auras plus de temps pour toi.

— Ce n'est pas pour tout de suite. À propos du bébé, tu as réfléchi ?

Svenja eut un doux sourire.

— Tu sais bien que c'est oui ! Je serai sa marraine !

— Parlons de choses sérieuses, tu progresses avec Eli ?

— Ah ! Eli Schoen, le bien nommé ! Ça t'intéresse, hein, petite curieuse !

Svenja s'était mis en tête de séduire le fringant capitaine de l'équipe de football, sans aucun doute le plus bel homme du village. Mais celui-ci avait une aventure avec Ilse Bloch qui travaillait à l'atelier de matelas.

— Pour ta gouverne, sache que c'est en bonne voie. Je ne voulais pas marcher sur les platebandes de Ilse, mais je crois qu'elle va le laisser tomber. Elle a Walter dans le collimateur.

— Pas possible, celui de la menuiserie. Mais il est moche ! Il a les oreilles décollées ! Et c'est un rustre mal léché !

Une série de gloussements fit tressauter ses épaules.

— Oui, mais il est drôle. Ça m'inquiète d'ailleurs, car Eli a beau être un Apollon, j'ai peur qu'il ne soit très ennuyeux. Enfin, on verra bien.

— Tu me raconteras, tu promets ?

— D'où l'intérêt du dortoir des filles. Avec ta vie de mère de famille, tu n'es au courant de rien de croustillant ! Et ce n'est pas à toi qu'on va se confier, Madame parfaite !

Almah haussa les épaules et leva les yeux au ciel.

— Heureusement que j'ai une espionne dans la place ! Allez Frederick, on y va !

Le petit garçon sortit précautionneusement du potager, ravi à la perspective d'aller chez Carmela. Almah le prit par la main et ils se dirigèrent vers la plage. Il lui parla avec enthousiasme de son costume tyrolien avec sa culotte de feutre à bretelles que Svenja avait fait confectionner pour le ballet folklorique qu'elle préparait. Almah sourit avec tendresse en imaginant la mise en scène pastorale qu'elle allait leur infliger.

— Ah, et je veux qu'on m'appelle Frizzie, à partir de tout de suite.

Frederick devint Frizzie, un diminutif qui n'allait plus jamais le quitter. Il choisit un chaton noir qu'il baptisa Negro.

16

Extraits des carnets de Wil

Août 1940

10 août

Il pleut, il pleut, il pleut. C'est la saison des grosses chaleurs et, avec elles, des pluies tropicales. Ce sont des épisodes de jours maussades, des temps de ciels gris et bas avec des averses et des orages violents. Un vent mouillé a ouvert le bal. Nous sommes noyés sous un déluge qui semble ne jamais devoir prendre fin. De grosses gouttes chaudes qui mouillent. La pluie et la mer se noient l'une dans l'autre. Le déluge ininterrompu nous cloître dans l'inactivité et grignote notre bonne humeur. Une drôle de pesanteur a envahi l'atmosphère. La pluie tambourine sur les toits de tôle, aiguisant les nerfs. On se sent trempé jusqu'au plus profond de l'âme. Des effluves de pourriture flottent dans l'air.

Mais cela ne dure jamais très longtemps. D'un coup, c'est de nouveau le triomphe du soleil dans un ciel limpide. Après la pluie, le parfum puissant de la terre est enivrant. Ne restent que le bourbier des chemins et les mares dans lesquelles vont éclore des centaines de têtards. Jamais en retard d'une bonne idée, Frederick fait des élevages de grenouilles.

Les moustiques sont nos pires ennemis. À cette période ils pullulent. Devant les ravages de la malaria, qui a déjà mis hors combat une dizaine de colons, Emil a demandé qu'une campagne d'éradication des moustiques soit organisée. Je me suis porté volontaire pour travailler avec lui. D'ici quelques jours nous allons sillonner tout le domaine dans une Jeep équipée de pulvérisateurs.

Emil a également lancé une campagne de vaccination contre la variole et la typhoïde. Le pauvre en voit de toutes les couleurs, entre les angoissés, les hypocondriaques, les déprimés, les insomniaques, les neurasthéniques. « Je suis en train de devenir un spécialiste du traumatisme de l'exil », m'a-t-il confié.

Les premiers Tchèques sont arrivés. Cela fait de nous une société bien hétéroclite. Nous sommes des pionniers de bric et de broc, les retoqués de Cuba et les refoulés des États-Unis. Sosúa n'est jamais un premier choix, on atterrit ici par défaut. Nous sommes un paradoxe. Un observateur étranger serait étonné de voir des paysans au cuir tanné par le soleil et aux mains abîmées par les travaux de la ferme discuter de Nietzsche, analyser les erreurs politiques de Dollfuss, débattre des thèses de Herzl.

Je me souviens de ces romans de science-fiction que dévorait Bernd. Une réalité se substitue à une autre, une brèche dans le temps projette le héros dans un univers parallèle. J'ai parfois l'impression de vivre ça. Le temps va se recoller, je vais sortir de mon rêve et atterrir à Vienne. Je me réveille à Sosúa.

18 août

En état de grâce, Almah s'autorise toutes les audaces. Hier, en séance plénière, elle a pris la parole.

— Des Singer ici, ça c'est un comble ! Vous l'ignorez sans doute, Joseph, mais ils avaient pavoisé la façade de leurs bureaux viennois de drapeaux nazis lors de l'Anschluss. Alors vous permettrez que je m'étonne de voir qu'on leur achète leurs machines à coudre.

Rosen s'est dandiné, vaguement gêné aux entournures. Il s'est empêtré dans des justifications embrouillées. Almah a pris un air de commisération amusée en se rasseyant.

— J'imagine qu'il nous faudra avaler bien d'autres couleuvres, pas vrai ? C'est sans doute le prix à payer pour l'aide des Américains.

Rosen a approuvé en silence car lui seul connaît toute l'étendue des compromissions que nous devons encaisser.

17

Feuille de chou

Septembre 1940

J'étais le seul à posséder un bon appareil photo. Rosen avait fait appel à moi pour réaliser un court reportage sur notre communauté avec des photographies, des articles sur nos projets et des interviews de colons. La brochure servirait aux recruteurs qui continuaient à opérer en Europe.

Cette mission était ce qui se rapprochait le plus de mon ancien métier. Dans la foulée, profitant de l'ouverture offerte, j'avais proposé la création d'une feuille d'information. Nous étions trop nombreux maintenant, nous ne pouvions organiser des réunions à tout bout de champ, et, en dehors du travail, chacun avait ses propres activités. Ce serait un petit journal gratuit qui ferait le point sur les chantiers, sur les activités sportives et culturelles, il y aurait un carnet social, des annonces pour des échanges de services… Bref, on pouvait créer encore plus de lien à peu de frais. Rosen avait accepté de me laisser prendre les choses en main à condition que cela n'empiétât pas sur mon travail. Voilà comment je m'étais retrouvé à la tête du projet de feuille de chou locale.

— Tu crois vraiment que tu avais besoin d'un surcroît d'activité ? me demanda Almah mi-figue mi-raisin quand je lui annonçai la nouvelle. On a déjà si peu de temps à nous.

— Je me doutais que tu allais dire ça. Mais tout ce qui me rapproche de près ou de loin du journalisme est le bienvenu, je ne veux pas perdre la main. En fait, je l'ai déjà perdue. Il s'agirait plutôt de me refaire la main. Et tant pis si ça demande un sacrifice sur mon temps libre !

Almah fit une moue qui disait assez ce qu'elle pensait de ce débordement sur le peu de vie privée dont nous jouissions. J'insistai.

— Toi, tu peux exercer ton métier, moi je n'ai que…

Elle me coupa d'un geste de la main.

— Si c'est important pour toi, fais-le. Il a un nom ce journal ?

— Pas encore. À ce stade, ce n'est qu'un projet.

— Organise une réunion pour trouver un titre, ce sera amusant.

*

Une réunion plénière et ce serait la foire d'empoigne, comme d'habitude. Nous allions donc décider en comité restreint. Nous étions réunis dans la salle de lecture, Almah, Emil, Svenja, Mirawek, Erica Discher, Kurt Edelstein, Otto Solniks. Ayant eu vent de l'affaire, Schlesinger s'était présenté sans avoir été invité. Ne pouvant l'évincer, je me contentais de grincer des dents. J'avais présenté le projet en deux mots et me tenais au tableau noir craie en main, prêt à noter toutes les suggestions. Almah ouvrit le bal :

— *La Chronique de Sosúa* !

— *Tout sur le Batey* ! suggéra Kurt.

— *Les Dessous de Sosúa*, non : trop d'allitérations, s'autocensura Emil.

— *Sosúa interdit*, gloussa Svenja, on racontera le moindre potin !

Schlesinger leva les yeux au ciel.

— Si on ne peut pas rigoler… soupira Svenja.

— *Le Journal de Sosúa* !

— *Le Batey news* !

— Il faudrait se mettre d'accord, c'est Sosúa ou le Batey ? demanda Mirawek dans un souci de clarification.

— Le Batey c'est restrictif. Ce serait plus judicieux de parler de Sosúa, arbitra Schlesinger.

— C'est juste, concédai-je.

— *Sosúa news*, alors, proposa Emil.

— Pas d'anglais ! gronda Schlesinger.

— Pas de censure ! riposta Svenja.

— *Les Échos*, jeta Mirawek.

— *L'Agenda de Sosúa*, lança Erica.

— Tu veux faire un carnet mondain ? la toisa Schlesinger.

— Ben pourquoi pas ? Je suis volontaire pour tenir la rubrique !

— *La Voix de Sosúa*, proposa Almah.

— *La Vie intime de Sosúa*, gloussa Svenja, commérages et cancans !

— Svenja, si tu continues comme ça, tu ne seras pas conviée à la prochaine réunion, gronda gentiment Almah qui était la seule à pouvoir lui faire des remarques sans qu'elle s'en offusque.

— Wil a dit pas de censure ! *Les Dessous de Sosúa* ! Et toc !

Ce ne fut pas très long. Au bout d'une trentaine de minutes nous avions établi la liste des quatre titres finalistes : *La Chronique de Sosúa*, *Le Journal de Sosúa*, *Sosúa info*, *La Voix de Sosúa.*

Je n'échappai pas au vote en assemblée plénière où *La Voix de Sosúa*[1] l'emporta largement. Ce serait une parution hebdomadaire. Quatre pages dont il me fallait maintenant travailler le contenu.

— Je suis contente, c'est moi qui ai proposé ce nom, conclut Almah en sortant de la réunion. Je crois que c'est un bon signe pour ton journal.

— Ce n'est pas « mon » journal, Almah, c'est la feuille de chou de la communauté.

— Pfttt ! À d'autres ! Je sais bien qu'à partir de maintenant, ça va être ton bébé.

Almah ne croyait pas si bien dire. *La Voix de Sosúa* allait devenir bien plus que mon bébé. Kurt, notre professeur de dessin, en stylisa le titre. Le lancement officiel eut lieu trois semaines plus tard à l'Oasis dans l'enthousiasme général. Le premier numéro, quatre pages en noir et blanc, avait été tiré à 600 exemplaires. À la fin de la soirée, il n'en restait plus un.

---

1. Le journal s'appelait le *Sosúa Stimme*.

18

Un berceau en osier

Octobre 1940

« Ruth : 48 centimètres, 2,9 kilogrammes. »

Le 8 octobre 1940 Ruth et Almah firent la une de *La Voix de Sosúa* en inaugurant le service maternité de notre petit hôpital. Ernst, notre rabbin autoproclamé, avait tenu à faire une fête, initiative soutenue par Rosen qui avait ouvert les portes de la Casa Grande. « Pour la portée du symbole. » Ça avait eu lieu le dimanche suivant, quatre jours après la naissance de Ruth.

J'avais déposé le bébé avec délicatesse dans les bras de sa marraine, Svenja, qui l'avait aussitôt baptisé Ruthie. Ernst s'était fendu d'un discours et d'une bénédiction rituelle que je n'avais pas écoutés, occupé à observer les autres autour de moi. Ici et là des ventres pointaient sous les robes. Nous avions fait des émules. J'observais avec attendrissement ma minuscule fille qui portait une perle d'ambre jaune qu'Almah lui avait nouée au cou dès sa naissance.

— Ça la protégera du *mal de ojo* et des mauvaises énergies, avait-elle soutenu impassible tandis que je la regardais faire, pince-sans-rire. Tu peux te moquer, c'est une tradition très ancienne et ça ne peut pas lui faire de mal. Et puis c'est le cadeau de Carmela, il n'est pas question de le refuser.

Carmela avait traversé la baie à pied, toute de blanc vêtue, pour assister à la fête. J'avais essayé de dissuader Almah de l'inviter, prétextant qu'elle se sentirait mal à l'aise parmi nous, qu'on ne pourrait pas communiquer ou si peu, mais elle avait tenu bon. « Tu ne comprends rien à ces gens, on dirait. Ils sont à l'aise partout et foncièrement gentils. Ça lui ferait de la peine de ne pas être de la fête. C'est mon amie et cela me fait plaisir qu'elle vienne. »

Effectivement, Carmela, seule Dominicaine parmi nous avec José, était parfaitement détendue. Elle compensait par de grands sourires le fait qu'elle ne comprenait pas un traître mot de ce qui se disait autour d'elle. En regardant son visage lisse, sa peau claire, son nez camus, ses lèvres charnues, ses yeux couleur de miel, ses cheveux gris impeccablement tirés en arrière, je me disais qu'elle avait dû être très belle dans sa jeunesse. Certains lui décochaient des regards en biais, s'étonnant de la présence parmi nous d'une vieille Dominicaine endimanchée que personne ne connaissait.

— Elle comprend l'idée générale et c'est tout ce qui compte, décida Almah en entourant les frêles épaules de la vieille dame de son bras.

Nous avions été gâtés : un joli berceau en osier souple avec des poignées, pratique pour la plage, dont le matelas et la couverture avaient été confectionnés à l'atelier de matelasserie, comme l'ours en patchwork ; un petit meuble de bois laqué blanc pour ranger les affaires du bébé, sorti de l'atelier de menuiserie. La Dorsa s'était fendue d'un bon de 10 dollars à dépenser au magasin général. Carmela nous avait apporté une bouteille contenant un liquide rougeâtre dans lequel flottaient des bouts de bois, des racines et des feuilles. Après avoir ouvert la bouteille, elle en avait versé une goutte sur le sol « *Pa lo muerto* » et m'avait servi un fond de verre. C'était fort en alcool et sirupeux à souhait. Pas mauvais.

— *Mamajuana*, avait-elle expliqué avec un sourire entendu en fermant son poing.

— C'est un mélange de sorcière, m'expliqua Almah. Du rhum, du miel, des herbes et des racines. Aphrodisiaque, en fait. À consommer avec modération, ajouta-t-elle avec une grimace lourde de sens. À éviter dans les jours qui viennent. Mais rassure-toi, ça se conserve très bien !

Quelques jours plus tard, un énorme colis arriva de New York, Myriam avait dévalisé les boutiques pour enfants de la Cinquième Avenue.

Ruth était un bébé doux et placide, toujours souriant, qui ne pleurait jamais. Almah se laissait absorber tout entière par sa fille. Elle la câlinait, guettait ses mimiques, lui chantonnait des berceuses à l'oreille, lui chatouillait le menton pour provoquer des sourires. Puis elle cherchait du regard Frederick. Plein de vitalité, il était devenu indépendant et préférait cavaler avec les autres petits garçons plutôt que de se faire cajoler par sa mère. Il accomplissait des exploits, revenait se vanter et repartait au trot. Elle ne retrouvait son petit garçon que le soir à l'heure où elle piochait un conte dans le livre des Grimm offert par Myriam. Le préféré de Frederick était *Hansel et Gretel* dont il ne se lassait pas, pressé que Ruth devienne sa Gretel. Dès l'instant où il avait tenu dans ses bras cette poupée poids plume qui sentait le talc et miaulait comme un chaton, Frederick l'avait adorée. Il s'était senti investi d'une grande responsabilité : la protéger et la défendre envers et contre tout. Depuis que nous avions étrenné notre deux pièces, Frederick faisait des cauchemars. Il avait pris l'habitude de s'inviter dans notre lit toutes les nuits. Bravant les « infectes » et les monstres, il poussait la porte de sa chambre en murmurant : « J'ai fait un rêve qui fait peur » et s'insinuait entre nous avec une assurance éhontée. Nous n'osions pas le déloger. À partir de la nuit où j'installai le berceau de Ruth dans sa chambre, Frederick ne fit plus de cauchemars.

Ce dimanche-là, j'avais un sourire béat en serrant ma petite fille dans mes bras. Ce minuscule paquet vagissant m'ancrait plus profondément dans le paysage. J'avais l'impression d'avoir grandi, encore un peu, de prendre du poids dans l'existence, d'être plus en harmonie avec mes compagnons, avec ce décor de camp de vacances, avec moi-même. Car Ruth était beaucoup plus qu'un nourrisson. Elle était tout à la fois un symbole, un antidote à nos démons, la preuve de notre formidable vitalité, la première racine qui germait à Sosúa. Elle allait devenir la coqueluche de la colonie, une vraie mascotte. Elle grandirait avec cette aura qui jamais ne la quitterait. On lui pardonnerait beaucoup, on serait plus indulgent avec elle qu'avec aucun autre enfant de la communauté. Ruth était comme investie d'une mission, porteuse d'un message. Je commençais à me dire qu'il était possible d'écrire une histoire heureuse sur un passé douloureux.

19

Extraits des carnets de Wil

Décembre 1940

Je renoue avec mes carnets abandonnés depuis la naissance de Ruth. L'écriture est un moment d'intimité, un bon dérivatif au travail physique éreintant et à la vie en communauté.

Je continue à esquisser des portraits. C'est une manne pour l'écrivain que j'ambitionne secrètement de devenir. Chacun a son histoire, aussi dramatique que celle des autres, et il est difficile de la raconter. Sous ce climat de bienveillance et de solidarité, une sorte de pudeur nous retient.

Notre communauté est un volapük drôlatique avec ses personnages hauts en couleur, une espèce de huis clos, mélange de puritanisme et de tolérance où les affaires de cœur prennent beaucoup de place (« Les affaires de cul ! » corrige Svenja, rejoignant en cela la Pinsker).

Israël, le pessimiste, nous assomme de ses idées noires, Franz est le bouffon de service et George, le béni-oui-oui d'un optimisme béat.

Schlesinger cultive l'autosatisfaction et pense sans doute que sa prétention lui donne un air viril. Il essaie de jouer les don juans sans grand succès. Il s'est acquis une réputation d'emmerdeur.

La grincheuse jamais contente, c'est la Pinsker. D'humeur revêche, teint rouge brique couperosé et gros postérieur, elle rouspète à longueur de journée et terrifie les enfants. Son Dariusz essaie d'arranger les choses, en vain.

Svenja assume crânement sa sensualité presque arrogante et son image de femme légère, voire de nymphomane, en balayant d'un haussement d'épaules les commérages. Elle aime les regards des hommes sur elle. Quand elle jette son dévolu sur l'un d'eux, le malheureux n'a aucune chance.

Eli est son alter ego masculin, le coureur du village fort en gueule, un vrai tombeur qui collectionne les conquêtes et brise les cœurs. Acharné de sport, il expose sa musculature comme un trophée et parade dans un tricot sans manches en prenant des poses d'acteur d'Hollywood.

Ernst, notre rabbin, gardien du temple empêtré dans le carcan d'un vieil ordre moral, va devoir mettre de l'eau dans son vin.

Les sœurs Discher sont les coquettes de service. Elles jouent les princesses et font les difficiles devant les prétendants qui se bousculent.

Le jeune Dieter est un buveur impénitent, paresseux et chahuteur. On l'a récupéré plus d'une fois dans un fossé en train de cuver son rhum. Succombe-t-il à un penchant naturel ou cherche-t-il à noyer sa culpabilité d'un sentiment de trahison ?

Mirawek est le sioniste de service. Exalté et intransigeant, il prône les théories de Herzl et revendique son identité, soutenant que le judaïsme n'est pas seulement une religion mais une sorte d'ADN spirituel et intellectuel. Il nous fait la morale : « Bien que je sois aussi peu religieux que vous, je n'ai jamais perdu le sentiment d'appartenance et de solidarité avec mon peuple, contrairement à certains ici. La création d'un État juif est une nécessité, mais je laisse le yiddish à Birnbaum[1] tout de même ! » nuance-t-il avec un sourire. C'est un jeune homme attachant, plein de convictions, cultivé et ambitieux, et je pense qu'il ira très loin s'il en a l'opportunité.

Almah est la déesse, la femme idéale que chacun voudrait avoir. Elle n'est pas la plus jeune, mais de loin la plus belle. Même dans ses tenues de paysanne, un fichu sur la tête, sa beauté pure apparaît dans toute

1. Nathan Birnbaum (1864-1937), un des pionniers du mouvement sioniste, prône l'installation en terre d'Israël et le yiddish comme langue nationale du peuple juif.

sa splendeur. Je ne suis certes pas objectif mais il suffit de voir comment les hommes la guignent.

Notre kibboutz est un condensé d'humanité, une université exceptionnelle sur la nature de l'homme, où l'idéal pionnier menace de voler en éclats.

20

Un lent apprivoisement

Mars 1941

Ce ne fut pas un coup de foudre, plutôt un lent apprivoisement réciproque. Markus Ulman était autrichien, il avait trente-deux ans. Il était arrivé seul, vêtu d'hiver, avec un petit groupe, en mars 1941. Il ne faisait pas mystère de son histoire ni ne la confiait à tout vent. Markus portait en lui une blessure qu'il taisait : ses parents avaient été raflés par une nuit froide de novembre 1940 et exécutés quelques jours après leur arrivée au camp de Dachau. À partir de là, le reste de sa famille s'était éparpillé en Europe du Nord. Lui voulait mettre un océan entre lui et l'horreur et tenter sa chance plus loin. Il avait poireauté deux bonnes semaines à Lisbonne avant d'embarquer. Après trois semaines de mer épouvantables, des journées confinés dans le salon des troisièmes classes et des nuits glaciales surveillés par les matelots dans des lits superposés montés dans la cale à bagages, ses compagnons et lui avaient débarqué à Puerto Plata.

Markus avait dirigé les finances et le département juridique d'une grosse entreprise de négoce de matériaux de construction. C'était un homme cultivé qui aimait les arts et les lettres et il avait un jugement affûté et toujours frappé au coin du bon sens sur toute chose. Markus était grand, brun, il avait un physique passe-partout, un homme ni beau ni laid et pourtant singulièrement attirant. Il gardait son calme en toute circonstance. Il dégageait une aura de bienveillance rassurante, son regard profond et doux était celui d'un homme d'une grande bonté. On avait l'impression qu'avec Markus à vos côtés, rien de mauvais ne pouvait vous arriver. Il ne faisait pas de vagues, restait discret, arrondissait les angles et il devint assez vite populaire.

*

La bibliothèque était plutôt exsangue. Wilhelm s'était mis en tête d'en organiser une digne de ce nom. Il avait été stimulé par l'intérêt suscité par son initiative. Des listes manuscrites lui étaient parvenues mais ils n'étaient pas une dizaine à être venus à sa réunion. Quand Markus avait proposé *L'Homme sans postérité* et *Brigitta*, de Stifter, Wilhelm avait dressé l'oreille : Stifter, qu'il trouvait terriblement ennuyeux, n'aurait certes pas été son premier choix. Il avait écouté avec intérêt Markus plaider pour l'auteur autrichien. Ils avaient établi une liste de 700 titres d'auteurs allemands, russes, français, américains, des romans, du théâtre, de la poésie, des livres de cuisine, des ouvrages sur les constellations, sur la flore tropicale, sur l'histoire du Nouveau Monde. José avait suggéré une liste des romanciers et des poètes dominicains dont ils auraient sans doute le plus grand mal à trouver des traductions. Quelques semaines plus tard, une malle arriverait des États-Unis.

— Ça te dirait de prendre une bière ? proposa Wilhelm à Markus comme ils sortaient de la salle.

Ils s'étaient installés sur la véranda devant l'appartement. Et là, Wilhelm avait asticoté Markus.

— Alors comme ça, tu es un inconditionnel de Stifter ?

Markus fonça les sourcils. Manifestement, il ne s'attendait pas à ça.

— C'est un défaut ?

— Une faiblesse plutôt, sourit Wilhelm. Son style est mièvre et d'une lourdeur très petite-bourgeoise, quant à sa peinture, c'était un véritable désastre.

— Je te l'accorde, c'est un peintre médiocre.

— Exécrable !

— Mais c'est un conteur remarquable, sa prose est pure et ciselée. D'ailleurs Thomas Mann l'encensait !

La voix de Markus était chaude et posée, son sourire chaleureux. Un souvenir s'imposa à Wilhelm, un souvenir tapi au fond de sa mémoire comme un chat assoupi que l'on ne veut pas tirer de son sommeil. Le café Reichsrat, face à l'université, où son amitié avec Bernd était née d'une polémique à propos de Schiller. Markus défendit Stifter bec et ongles. Et leur amitié prit racine là, dans une autre dispute littéraire.

Markus devint petit à petit cet ami de cœur que Wilhelm n'espérait plus. Il aimait l'acuité et l'humour pince-sans-rire de Markus qui appréciait son acidité. L'esprit positif de l'un contrebalançait la mauvaise foi de l'autre. Ils discutaient de tout, n'étaient d'accord sur rien, et finissaient toujours, à force d'arguments, par se ranger aux vues de l'un ou de l'autre. Markus avait cette retenue qui faisait défaut à Wilhelm et des convictions fermement enracinées. Par exemple, il était convaincu que la création de l'État d'Israël n'était qu'une question de mois, que le conflit ne se réglerait qu'avec une intervention américaine sur le sol européen, qu'il était de leur devoir de faire perdurer la tradition juive dans le contexte de Sosúa où les assauts de la culture locale risquaient de saper les bases de leur propre culture, que le Bauhaus était une hérésie esthétique, et, il n'en démordait pas, que Stifter était un merveilleux écrivain. Wilhelm raillait gentiment ses goûts peu avant-gardistes et tentait de le convertir à des auteurs plus consistants. Markus devint un des rédacteurs les plus assidus de *La Voix de Sosúa*. Avec Emil, ils formaient un trio inséparable. Ils nageaient, pêchaient ensemble, ils apprirent à reconnaître les poissons, ils partaient pour de longues chevauchées dans la campagne dont ils rentraient fourbus et ils passaient des soirées à refaire interminablement le monde. Mais entre Wilhelm et Markus, c'était incomparable. En quelques semaines, Markus faisait partie de la famille Rosenheck.

21

L'essence de nos âmes

Avril 1941

L'improvisation des premiers mois avait cédé le terrain à une organisation rigoureuse à laquelle nous devions nous soumettre. Nous vivions dans la frugalité. Une chaise pour s'asseoir, un matelas pour dormir, un chapeau de paille pour se protéger du soleil, des bottes en caoutchouc pour marcher dans la boue, une tringle en bois pour suspendre nos vêtements… Étions-nous en train de vivre au rabais ? Quand je considérais notre cadre de vie, je me disais que le beau s'était envolé. En fermant les yeux, je revoyais la marqueterie complexe d'une commode, la volute d'un dossier, la soie d'un rideau. Paradoxalement l'Autriche prenait des allures de paradis perdu. Mais tout cela appartenait à un autre monde. L'écho de la vie qui avait été la nôtre s'effaçait lentement et, peu à peu, j'oubliais ce qu'étaient les choses là-bas. Ici, la beauté était dans la forme délicate des pétales d'une orchidée, dans la soie rouge d'une fleur de Pâques, dans le poli rose d'un coquillage de lambi, dans les infinies nuances du bleu de la mer, dans l'immensité du ciel nocturne piqueté de milliers d'étoiles, dans les couchers de soleil incandescents.

La plupart d'entre nous avaient connu des conditions de vie plus que rudes dans les camps, pourtant nous étions restés d'indécrottables citadins, persuadés que notre exil nous amènerait à vivre une vie proche de celle que nous avions connue. Sans en être conscients, nous avions idéalisé notre terre d'accueil. Nous n'avions pas prévu de nous retrouver propulsés dans les travaux agricoles et la vie communautaire. Comme notre dénuement, cette plongée dans une réalité brute était un révélateur de l'essence de nos âmes mises à nu. Délestés des fardeaux matériels, sans apprêt, sans faux-semblants, nous atteignions la vérité profonde de nos êtres. Parfois revenait me hanter une phrase de Nietzsche : « Toute communauté – un jour, quelque part, d'une manière ou d'une autre – rend commun. » Je crois qu'ici c'est juste le contraire.

Unis par les épreuves, l'exil et l'abandon de nos vies, nous vivions dans une atmosphère de gaieté des relations saines, faites de complicité, de partage, de franche camaraderie, d'une compréhension mutuelle qui se passait de mots. Nous menions une vie simple et paisiblement harmonieuse. Aux privations et à l'inconfort, nous opposions une joie bruyante, parfois un peu forcée. Le sentiment de précarité laissait peu à peu la place à un sentiment de bien-être. C'en était fini de baisser les yeux, d'essayer de passer inaperçus, de nous fondre dans le décor, de perdre de la substance. Nous n'étions plus ces mendiants gris. Nous avions retrouvé notre dignité, nous avions une nouvelle terre et une nouvelle famille, et c'était vertigineux. Nous savions que nous vivions un moment unique suspendu dans le cours de nos vies ; c'était à la fois enivrant, exaltant et émouvant. Je me sentais en sécurité dans cette existence de pionnier à laquelle rien ne m'avait préparé. Un puissant sentiment de liberté m'habitait.

Petit à petit nous apprenions. Le goût des fruits, les couleurs de la mer, les chants des oiseaux, les colères du ciel, les caresses du soleil, les odeurs de la terre, les frondaisons des arbres, les bienfaits des plantes, le nom des poissons, la beauté des fleurs, les bruits de la nuit, les chaises berceuses, les hamacs, les machettes, les ventilateurs, les lampes à huile…

Nous avions changé de paradigme, renonçant à tout le superflu mais à rien d'essentiel.

Peut-être touchions-nous au bonheur ?

22

Un révélateur

Mai 1941

— *¡Grrracias mi amorrr !*

Ça sonnait mal.

— Tu maltraites l'espagnol !

Almah se moquait des aspérités rocailleuses de mon accent autrichien en me tendant un briquet. C'était une fin de journée comme les autres, le repos des guerriers, un moment de paix bien mérité après le rude labeur de la journée. Nous étions attablés avec Markus et Emil dans le jardin de l'Oasis. Toutes les tables étaient occupées. Certains jouaient aux échecs, d'autres à la canasta ou à la belote, un groupe bruyant étrennait le nouveau jeu de quilles sur la piste de bowling récemment aménagée. J'étais d'humeur morose. Il me semblait qu'outre ses dispositions linguistiques, Almah avait moins de réticences que moi à adopter cette nouvelle langue.

— Je fais des efforts, contrairement à certains qui s'entêtent à ne parler qu'allemand, mais l'espagnol perturbe ma manière de penser.

— Toutes les amarres qui ancraient notre identité ont été coupées, il ne nous reste plus que la langue et la religion. Pas étonnant que certains veuillent à tout prix maintenir les traditions et refusent de faire le moindre effort pour parler espagnol, déclara Markus en hochant la tête

— Au bout de l'exil, il y a le risque de l'oubli qui s'installe, de la soumission à la loi du nombre, de l'assimilation et finalement de la perte de soi, lâchai-je maussade.

— Arrête de faire ton von Saar ! ironisa Markus. Nous ne nous sommes pas condamnés à un reniement de nous-mêmes.

— Ce n'est pas en regrettant le passé qu'on le fait revivre, intervint Emil. Il n'y a que le présent qui se construit et il se réinvente à mesure que le passé lui cède la place.

— Je suis d'accord, intervint Almah. Nous pouvons nous réinventer et nous enrichir ici si nous avons la force et la lucidité de vivre dans le présent. Moi, je refuse d'être emmurée dans la nostalgie, notre exil peut aboutir à une nouvelle forme d'enracinement.

— C'est juste une épreuve qui a cela de positif qu'elle nous permet de révéler une facette de nous que nous ignorions jusque-là, ajouta Markus.

Almah inclina la tête dans un petit mouvement de gratitude en direction de Markus.

— C'est exactement ce que je pense. C'est un révélateur. Nous sommes arrivés sans illusions et maintenant nous partageons un rêve. Mais nous ne pouvons pas vivre dans ce pays comme une verrue, même si ce n'est qu'une escale. Si nous voulons que le greffon prenne, il faut parler leur langue, connaître leur histoire et les coutumes.

Je hochai la tête, modérement convaincu.

— J'ai bien du mal à me projeter dans un avenir ici. Il faut sans cesse que je m'agrippe au présent, sans me laisser contaminer par la nostalgie.

— Et si nous nous appliquions à être heureux, tout simplement ? suggéra Emil en aspirant goulûment une bouffée de son cigare.

— Sans nous laisser ronger l'âme jusqu'à la moelle par cette maladie qui s'appelle la culpabilité, ajouta Markus. C'est en s'attachant à ceux que l'on rencontre là où l'on refait sa vie, c'est à travers eux qu'on accède à une nouvelle identité.

Il dit cela en me regardant au fond des yeux et je sentis que c'était un encouragement intime. Je regardais Frederick qui gratouillait dans la terre en compagnie d'un autre petit garçon, Ruth qui dormait dans son couffin. C'était le meilleur antidote aux souvenirs douloureux. Rien de tel que l'image de mes enfants pour renforcer ma détermination à être heureux malgré tout.

Mirawek nous rejoignit. Markus m'adressa un clin d'œil complice. Avant qu'il n'ouvrît la bouche, Markus attaqua :

— Comment expliques-tu que nous soyons si peu nombreux ici, Mirawek ? Je me demande si le mouvement sioniste n'est pas de mèche avec l'Agence juive pour saboter les tentatives de sauvetage basées sur l'émigration des Juifs en dehors de la Palestine.

Mirawek se cala dans une chaise et prit une grande inspiration. C'était parti. Il allait nous infliger une de ses harangues dont il était coutumier.

—

23

La Paramount

Septembre 1941

— Je n'avais pas tort quand je disais que nous ressemblions aux pionniers du Far West !

Tout juste rentrée de son après-midi passé dans les bureaux, Almah me regardait avec cet air de provocation enfantine qu'elle prenait quand elle était au bord d'une révélation amusante, cet air qui disait : « Demande-moi, Wil, pose-moi la question ! » Je me pliai de bonne grâce à son jeu :

— Et pourquoi ça ?

Ses yeux se mirent à pétiller d'excitation.

— Figure-toi que nous allons jouer les premiers rôles dans une production hollywoodienne !

— Qu'est-ce que c'est encore que cette histoire ?

— Hum, j'ai eu des informations et j'imagine que je ne suis pas tenue au secret…

Elle commençait bel et bien à aiguiser ma curiosité.

— Bon, ça va, tu m'as assez fait languir. De quoi s'agit-il ?

— Une équipe de tournage de la Paramount débarque dans deux semaines pour faire un film sur Sosúa !

Les bras m'en tombaient. Je ne doutai pas qu'elle disait la vérité et ne songeai pas non plus à lui demander d'où elle tenait cette information.

— Un film documentaire pour les actualités ?

— Disons plutôt un film de propagande qui montrera la magnifique réussite et le véritable paradis sur terre qu'est Sosúa et comment les pionniers modèles que nous sommes préfigurent l'homme nouveau. Je suppose que ça va les aider à lever des fonds. Et ce n'est pas tout, j'ai aussi vu des courriers. Rosen doit faire un rapport en vue d'une rencontre programmée en octobre à l'hôtel Waldorf Astoria à New York[1] avec des représentants du Pérou et du Venezuela. Tu te souviens de Trone, celui qui nous a recrutés ? Il est aussi invité. J'espère qu'il ne va pas parler du mauvais tour que nous lui avons joué en voulant leur fausser compagnie !

— Je serais très surpris qu'il s'en souvienne, c'est de l'histoire ancienne !

— En tout cas, si j'en crois ce que j'ai lu, Sosúa va faire des petits ! Nous sommes, je cite, « une initiative significative qui doit être largement soutenue ».

— Ma parole, une vraie Mata Hari ! Tu devrais te faire engager dans les services secrets !

— Pfft, on m'a demandé de classer des courriers, pas de fermer les yeux. Je suis impliquée dans mon travail, c'est tout. Je suppose que ce n'est pas un secret. Ah, et il semblerait aussi que notre histoire

1. Cette rencontre eut lieu le 20 octobre 1941.

va voyager jusqu'au Vatican. À ce propos, je vais me faire confectionner une nouvelle robe par Ursula, des fois qu'ils feraient des plans sur moi. On ne sait jamais, un impresario pourrait me remarquer ! C'est peut-être l'occasion inespérée de devenir la prochaine Marlene, à défaut de Mata Hari !

Les informations d'Almah me donnaient à réfléchir. Sosúa était ni plus ni moins une vitrine. Nous étions devenus à notre insu des pions dociles et performants sur l'échiquier de la politique internationale du Joint. Nous n'étions pas autosuffisants et nous coûtions cher, mais étions-nous un investissement rentable ?

Deux semaines plus tard, un petit biplan se posa sur la piste de terre qui jouxtait la synagogue et l'équipe de la Paramount s'en extirpa, deux opérateurs, un preneur de son, un technicien. Entre-temps, nous avions soigneusement tondu les pelouses, repeint les façades défraîchies, planté des fleurs, nettoyé nos étables à la perfection, étrillé nos bêtes, répété un spectacle… Je n'étais pas loin de trouver cela humiliant, mais j'étais un des rares à oser l'exprimer.

Ils restèrent cinq jours pendant lesquels ils filmèrent des kilomètres de pellicule dont un montage efficace serait exhibé aux généreux mécènes du Joint et aux pays candidats à l'ouverture de kibboutzim dans le genre du nôtre. Almah arbora pendant toute la durée du tournage une robe rouge sans manches qui lui allait à ravir avec un bandeau assorti qui retenait ses cheveux. Nous ne vîmes jamais le film et aucun impresario hollywoodien ne lui fit de proposition.

24

La face émergée de l'iceberg

Décembre 1941

Et si nous n'étions que des pions dans un jeu qui nous dépasse ? Si notre exil et le choix de notre terre d'accueil répondait moins à des préoccupations humanitaires que géopolitiques et économiques ? S'il ne s'agissait pas de sauver des gens menacés d'extermination mais de fonder un projet pilote ? Après le tournage de la Paramount, ces questions se mirent à tourner en boucle dans ma tête.

Pendant les premiers temps, j'avais voulu croire aux objectifs altruistes du Joint. Désormais, je les mettais sérieusement en doute. J'observais et je recoupais des informations glanées ici et là. J'entrevoyais que la colonie dominicaine était assez loin d'être une œuvre charitable désintéressée. La philanthropie, c'était la face émergée de l'iceberg Sosúa. Sans le savoir, une population fragilisée de Juifs apatrides dont aucun État ne voulait se prêtait à une expérimentation sociologique d'envergure. Sosúa n'était ni plus ni moins qu'un laboratoire grandeur nature dans la perspective de la création de l'État d'Israël ou de sa faillite ; ça marchait dans les deux cas de figure. Les têtes pensantes du sionisme préparaient une immigration massive et se posaient une question fondamentale : pouvait-on sans casse transformer de jeunes intellectuels citadins habitués à une vie confortable en pionniers bâtisseurs et paysans ? Avec ses corollaires : quels ajustements, quelles concessions à l'idéal pionnier ? Étions-nous une espèce de brouillon, de test à l'implantation en terre vierge des Juifs urbains ? Je doutais que l'expérience Sosúa soit tout à fait concluante et je me demandais si notre kibboutz allait faire long feu.

Mais je soupçonnais autre chose. Nos piètres résultats agricoles étaient alarmants. Au bout de deux ans, nous n'arrivions ni à être autosuffisants, ni à tirer suffisamment de profits de la vente de nos maigres récoltes pour être rentables. Nous avions tenté toutes sortes de plantations sans succès, des agrumes, du tabac, des fruits tropicaux, des plantes potagères, du cacao, du café, des céréales, des cacahuètes, dans une terre arrachée aux cailloux. Nous avions même envisagé un élevage de poulets. C'était un désastre, rien ne fonctionnait à grande échelle et les Dominicains, qui ne consommaient que des haricots noirs, du riz et du manioc, ne voulaient pas de nos tomates ni de nos carottes. Nos petits potagers domestiques ne survivaient qu'à force d'engrais et au prix d'efforts considérables. Ça avait été une gageure audacieuse de la part du Joint de vouloir faire de nous des agriculteurs, c'en était une bien plus aventureuse que d'essayer de transformer ce sol pierreux et sec en terres agricoles, alors que c'était la raison même pour laquelle la United Fruit avait laissé tomber sa plantation. Pourquoi, sachant nos terres impropres à l'agriculture, le Joint et son bras armé, la Dorsa, nous avaient-ils conduits dans cette impasse ? Était-ce une simple erreur ou une volonté délibérée ?

L'erreur me paraissait peu probable car il y avait des cadres techniques et des gestionnaires compétents dans cette organisation. Alors, dans ce cas, de quel genre de tests le Joint se rendait-il complice ?

La réponse me semblait être là, sous nos yeux, évidente.

Écrite en lettres noires sur les étiquettes des produits que nous utilisions.

Et cette réponse ne laissait pas d'être inquiétante.

Toutes nos semences, tous nos engrais, tous nos insecticides venaient d'une unique entreprise, un géant américain. Monsanto. Pourquoi le Joint, avec l'aide de Monsanto, s'acharnait-il à nous faire planter des semences qui ne donnaient rien ? Je me disais qu'un territoire comme le nôtre, clairement circonscrit, dans un pays satellite des États-Unis, constituait un terrain d'investigation idéal pour une entreprise dont le terrain de jeu s'étendait au monde entier. À moins que Monsanto ne se contentât de revendre au Joint des produits qu'il ne pouvait vendre dans des pays plus regardants ? Toujours est-il que nous n'étions pas consultés et que nous n'avions aucun pouvoir de décision ni sur les essais agricoles, ni sur les produits que nous utilisions et consommions. Nous étions tributaires des accords passés par le Joint. Il ne fallait pas être grand clerc pour subodorer une collusion avec les puissances financières américaines, et Monsanto n'était pas la moindre d'entre elles.

Les doutes pouvaient s'étendre à Bayer, qui nous fournissait l'essentiel de nos vaccins, de nos médicaments et les traitements antipaludéens.

Et cerise sur le gâteau, on pouvait ajouter à cela l'évidente compromission du Joint avec le régime pourri de Trujillo, une question que Rosen préférait éluder pudiquement quand le sujet venait sur le tapis.

L'histoire était donc loin d'être aussi lisse qu'elle le paraissait de prime abord. Mais il eût été criminel d'ébranler les certitudes et de dessiller les yeux de mes compagnons qui, pour la plupart, vivaient dans une bienheureuse innocence avec pour seules préoccupations des questions matérielles. D'autre part, il eût été dangereux pour moi d'étaler des états d'âme et des questionnements qui pouvaient ébranler l'équilibre précaire de Sosúa. Et puis, je ne pouvais pas prendre de risques : Rosen avait déjà renvoyé deux fauteurs de troubles à Ciudad Trujillo avec pertes et fracas. Certes, ce n'étaient que des chenapans, de déplaisants personnages, bagarreurs, qui tiraient au flanc, buvaient comme des trous et cherchaient des noises à tout le monde, une erreur de recrutement manifeste. À Sosúa, on jouait le jeu ou pas. Dans les moments de doute, je regrettais d'avoir cédé aux sirènes de la Dorsa et de son projet pour le moins sujet à caution. Je m'en voulais d'avoir été aussi naïf.

J'essayais d'enfouir mes soupçons au plus profond de mon cœur, pourtant les métastases du doute me pourrissaient la vie et menaçaient de m'empoisonner. Un jour, n'y tenant plus, je m'en ouvris aux deux seuls êtres en qui j'avais une confiance absolue, Almah et Markus.

C'était un vendredi soir, veille du shabbat. Nous pouvions veiller tard. Nous avions dîné tous les trois sur notre terrasse. Le repas était terminé et nous sirotions un rhum au citron. C'était sorti. Je leur avais tout balancé.

— Tu es sûr de ce que tu avances ? demanda Almah d'une voix sourde, les yeux écarquillés. Je suis déçue, j'étais ravie de vivre dans une utopie… C'est vrai que la générosité cache parfois des desseins moins nobles.

J'observais l'effet de mes révélations sur Markus qui se caressait la lèvre supérieure d'un glissement de l'index et du pouce, un tic que j'avais appris à connaître et qui signifiait qu'il réfléchissait.

— Comment pourrais-je en être sûr à 100 % ? Mais ça ne te paraît pas sensé ?

Markus intervint du ton tranquille et mesuré qui était sa marque de fabrique :

— Non seulement c'est sensé, mais il y a sans doute une part de vérité dans ce que tu dis. Ce n'est pas la première fois que je me fais ce genre de réflexion, figure-toi.

Encouragé, je me resservis un verre de rhum, le vidai d'un trait, et j'en rajoutai une couche en mentionnant Bayer et les campagnes de traitement antipaludéen. Là, Markus s'indigna :

— Tu ne crois pas que tu y vas un peu fort tout de même ? Pourquoi pas John Deere et Caterpillar pendant que tu y es ? Serais-tu victime d'une obsession atavique, la théorie d'un complot contre les Juifs ? ajouta-t-il en riant.

Almah ne voulait pas demeurer en reste.

— Finalement, si je te suis bien, toute cette histoire n'était qu'un leurre et la Dorsa un écran de fumée !

Nous avons été une transaction financière juteuse pour le vieux bouc, des cobayes pour le Joint et des rats de laboratoire pour Monsanto. On pourrait même se demander si cette démarche n'est pas foncièrement antisémite. Car finalement, sous couvert de nous sauver des nazis, on nous a expédiés dans un misérable ghetto tropical, ajouta-t-elle sur un ton ironique. Franchement Wil, tu vois le mal partout ! Quoi qu'il en soit, moi je suis très bien ici, conclut-elle avec un sourire satisfait.

Le rhum me montait à la tête, embrumait mon cerveau, me rendait entêté et agressif.

— Et pourquoi pas ? Toi, tu ne vois le mal nulle part. Pourtant en matière de cynisme politique, nous avons été à bonne école !

Markus se récria :

— Tu délires, Wil ! Il faut que tu te sortes ces idées de la tête. Tu risques de devenir amer. Tu peux choisir de te torturer ou tu peux choisir de vivre au mieux cette expérience et de tirer ton épingle du jeu. Ce serait ta meilleure victoire ! À toi de voir, mon vieux !

— Un jour, j'écrirai l'histoire interdite de Sosúa ! Un jour, quand je serai très vieux et que tout cela sera loin derrière nous !

Ce fut Almah qui eut le dernier mot :

— Et on te décernera le prix Pulitzer, mon chéri, pour ton magnifique roman si perspicace !

25

Extraits des carnets de Wil

1941

Octobre 1941

Nous sommes suspendus aux nouvelles chaque jour plus confuses et plus dramatiques d'Europe où la guerre se déchaîne comme une apocalypse tandis que nos vies suivent un cours paisible. Le village prospère dans un climat de quiétude, une bulle suspendue en dehors des contingences politiques. Nous sommes conscients que nous avons une chance inouïe. Nous vivons en sécurité dans un cadre paradisiaque, nos enfants grandissent loin des privations qu'endurent ceux qui furent nos compatriotes.

Il devient de plus en plus difficile de communiquer avec ceux que nous avons laissés derrière nous. Nous craignons le pire, mais personne n'en parle.

5 décembre

Les nouvelles nous parviennent comme amorties par la distance. Elles ne sont pas bonnes. Le Japon se prépare à entrer en guerre contre l'Amérique. Sur le front de l'Est, le rouleau compresseur des troupes de l'opération *Barbarossa* a fait tomber la Lituanie, l'Ukraine et la Crimée. Les chars de von Bock sont aux portes de Moscou et les U-Boote de Dönitz font régner la terreur sur les océans.

8 décembre

WAR ! La guerre en lettres capitales à la une de tous les quotidiens. Hier, les Japonais ont bombardé la base de Pearl Harbor. Bilan : plus de 2 000 morts, près de 200 avions et une bonne partie de la flotte américaine détruits.

L'entrée en guerre des États-Unis est accueillie ici avec fatalité mais aussi comme un soulagement.

— Le Reich de 1 000 ans ! Foutaises ! s'est emballé Markus avec un enthousiasme qui ne lui ressemble pas, lui qui a toujours du recul sur les événements.

Pour lui c'est le début de la fin de cette guerre. Je ne suis pas de cet avis. Mais l'optimisme n'est pas ce qui me caractérise.

10 décembre

Nous allons être très isolés. Il sera maintenant impossible de traverser l'Atlantique en sécurité et le flux des arrivées va se tarir. Almah craint que la communication avec Myriam ne devienne difficile. Nous nous recroquevillons dans la sécurité de notre petit cocon tropical.

26

Bienvenue au moshav

Janvier 1942

Quelque chose couvait. Depuis quelques semaines les rumeurs enflaient. Des changements drastiques étaient sur le point de se produire, mais nous l'ignorions encore. Rosen avait convoqué une nouvelle séance plénière. L'assistance était nombreuse, on sentait de l'électricité dans l'air, de celle qui précède les événements majeurs.

Rosen n'y alla pas par quatre chemins. Après vingt mois d'existence, on pouvait tirer des enseignements très instructifs de notre expérience. Et forte de ces conclusions, la Dorsa avait revu sa copie. Un concert de murmures inquiets accueillit ces propos. Rosen se racla la gorge bruyamment pour ramener le silence et s'expliqua.

Notre communauté allait se transformer. L'esprit coopératif qui nous gouvernait subsistait mais les structures évoluaient. Notre communauté agricole, notre pseudo-kibboutz, où le collectivisme était le maître mot, allait se muer en moshav. Beaucoup d'entre nous entendaient ce mot pour la première fois. Moi-même, je n'étais pas familiarisé avec les subtilités du concept. Pourtant la différence était de taille. Notre village serait bientôt composé de fermes, d'entreprises et de commerces individuels…

À ces mots, un brouhaha se déchaîna. Rosen se racla de nouveau la gorge et tendit une main devant lui, face à l'assistance, en signe d'apaisement.

… couplés avec une coopérative à fonctions multiples qui commercialiserait nos diverses productions, le profit bénéficiant à l'ensemble du groupe. Tous les habitants seraient membres de la coopérative et les décisions sur le fonctionnement du village et des organismes coopératifs seraient prises collectivement, de façon démocratique. Nous conserverions de nombreux services collectifs comme la mise à disposition de matériel agricole, la commercialisation de nos produits, les services sociaux, les centres de loisirs, les activités culturelles. Mais chacun des membres du moshav pourrait décider de posséder sa propre ferme ou son propre commerce avec l'appui financier de la Dorsa. En contrepartie nous devrions désormais payer l'eau et l'électricité.

C'était un raz de marée. Par la décision unilatérale de notre tout-puissant organisme de tutelle, nous récupérions une part de notre libre arbitre. Fini le modèle socialo-communautaire du kibboutz, finie l'exploitation collective des terres agricoles, finis les repas en commun, les équipes de travail, les dortoirs… Nous allions renouer avec une vie de famille classique, la liberté d'exploiter nos terres et nos talents et d'entreprendre comme nous le souhaitions. Chacun pourrait enfin exercer un métier selon son cœur, ses compétences ou sa formation. Il y eut bien quelques voix pour s'élever contre cette annonce, celles des militants socialistes et des quelques sionistes convaincus, dont Mirawek qui maugréait « Jérusalem au rabais… », mais leurs protestations furent noyées sous le flot des questions qui s'entrechoquaient. De toute façon, il n'y avait pas de marche en arrière possible, les décisions avaient été prises en haut lieu par le Joint et la Dorsa n'était qu'une courroie de transmission.

Ainsi, malgré toute notre bonne volonté, nous n'avions pas l'étoffe des vrais kibboutzniks. Trop individualistes. Trop égocentrés. Trop imprégnés de nos modes de vie urbains. Trop noceurs. Trop peu engagés politiquement. Trop peu religieux. Trop peu sionistes… Une preuve s'il en fallait : nous avions refusé que nos enfants dorment tous ensemble dans une maison familiale. Étions-nous de mauvais élèves, de la mauvaise graine de colons ? Le projet utopiste de la Dorsa, bien qu'intellectuellement séduisant de prime abord, avait implosé de lui-même. Il allait vite être relégué au rang de souvenir. Désormais, nous allions vers un mode de société plus proche de celle que nous avions connue en Europe. Et tant pis pour les quelques idéalistes déçus. Nous laissions volontiers les kibboutzim aux sionistes de Palestine.

— Bienvenue dans le capitalisme revu à la sauce Dorsa, me souffla Almah un franc sourire aux lèvres.

Comme elle, comme toutes les familles et les couples, j'étais enchanté de cette nouvelle orientation qui finalement corroborait ma propre analyse et rejoignait mes prédictions.

*

Et comme une bonne nouvelle n'arrive jamais seule, il y avait un autre changement de taille dans l'air. Il se concrétisa quelques semaines plus tard avec l'arrivée d'une équipe d'ingénieurs américains du Joint.

Confronté à nos échecs agricoles à répétition, le Joint n'avait eu d'autre choix que de mandater de nouveaux experts. Cette fois, c'étaient des spécialistes de l'élevage. Ils s'installèrent à l'hôtel Garden City et menèrent leurs études durant une semaine à l'issue de laquelle leur verdict tomba : nous allions laisser tomber l'agriculture et nous lancer dans l'élevage de vaches laitières. Notre population de paysans d'opérette se récria : nous avions reçu une formation à l'agriculture, nous commencions tout juste à nous en sortir, il nous fallait plus de temps pour faire nos preuves.

Les experts furent inflexibles : il fallait que Sosúa devienne enfin rentable, et rapidement. Le Joint avait bien d'autres priorités que de continuer à financer une expérience déficitaire. L'issue, c'était l'élevage.

Nous étions conscients de notre chance immense d'avoir échappé au conflit qui détruisait l'Europe et décimait les nôtres. Et de cela nous devions être reconnaissants. Par ailleurs, n'importe quel idiot aurait pu constater que notre colonie agricole était loin d'être florissante. Nous n'existions que grâce aux subsides du Joint. Nous ne pouvions que nous soumettre. Nous ne connaissions rien au bétail ni à l'élevage. Nos quelques vaches, généreuse dot de Trujillo, ne servaient qu'à nous fournir en lait.

C'était reparti pour un tour. Les Américains se mirent en devoir de nous enseigner les bases de l'élevage. Ils nous laissèrent surtout une copieuse documentation technique, et débrouillez-vous avec ça ! Et moins de deux mois après, nous ouvrions une nouvelle page de l'histoire de Sosúa avec l'arrivée d'un premier troupeau, de grosses vaches Holstein et des Guernesey, de bonnes laitières, que nous avions mission de croiser avec les vaches créoles. Entre-temps, il avait fallu construire les enclos, les étables, les abreuvoirs et préparer les aires de pâturage.

Après la faillite de notre agriculture, allions-nous être sauvés par l'élevage ?

*

Sosúa entra en effervescence. Ce fut une période exaltante. Nous nous sentions libres et créatifs. Nous voulions tous tenter quelque chose, chacun à sa façon. Les projets fusaient de toute part. Il y en avait beaucoup dont les fonctions n'étaient pas affectées par ce tournant. Les ingénieurs, les architectes, les médecins, les infirmières, le pharmacien, le vétérinaire, les instituteurs continueraient à dépendre directement de la Dorsa. Pour autant, chacun aurait droit à sa propre maison ou à son appartement.

J'avais obtenu de faire de *La Voix de Sosúa* un véritable journal dont je serais actionnaire ainsi que Markus et Almah. Nous voulions aussi monter un studio de photographie doté d'une chambre de développement.

Avec Markus, j'investirais dans une boutique et du matériel professionnel. Almah et moi allions acheter une maison dans le village.

On divisa la propriété en quartiers, Atravesada et La Mulata en hauteur pour les Autrichiens, Laguna et Bombita en bordure de mer pour les Allemands. Les 20 kilomètres de la bande côtière, collines comprises, étaient devenus un immense chantier. Découpage des terrains en parcelles de 2 500 mètres carrés, défrichage, construction des fermes, tracé des voies de communication, creusement de puits, électrification… Il fallait redoubler d'efficacité. La Dorsa concocta des formules de crédit et proposa des conditions d'achat particulièrement attractives.

Ce fut alors qu'Almah me prit de court. Elle voulait acheter une ferme. Elle voulait s'extraire de la vie du village, vivre en pleine campagne, profiter de la nature, et oui, pourquoi pas, se transformer en fermière. Elle voulait des vaches et aussi des chevaux. Elle n'en démordait pas. Je luttais pied à pied, fourbissant chaque jour de nouveaux arguments pour la fléchir, mais c'était peine perdue. Et quand je lui demandai comment elle comptait exploiter un élevage, avec son emploi de dentiste, le mien au journal, notre potager familial et notre poulailler, elle me répondit placidement que puisqu'on tournait la page du socialisme, il nous suffirait d'embaucher un employé. Je finis par me plier à sa décision et nous nous portâmes candidats pour acheter un lot de terre et une ferme sur les collines d'Atravesada, à 6 kilomètres du centre du village.

27

Autopsie d'un suicide

23 février 1942

Quelque chose dans son attitude alerta Almah dès qu'il franchit le seuil. Wilhelm avait son air des mauvais jours, celui des fâcheuses nouvelles, celui des défaites. Il passa devant elle sans la voir et se laissa tomber dans le fauteuil à bascule, le regard fixe. Il semblait absent. Almah s'approcha de lui silencieusement. Elle n'osait pas poser de question, paralysée par ce qu'elle redoutait d'apprendre.

— Zweig s'est suicidé hier à Rio de Janeiro, laissa tomber Wilhelm d'une voix sourde et atone.

Almah sentit le nœud dans sa gorge se dénouer et elle laissa échapper un soupir discret. Ce n'était que cela ! Elle avait craint quelque chose de bien pire. Elle s'en voulut aussitôt car elle connaissait la passion maladive que Wilhelm nourrissait pour l'écrivain autrichien qu'il avait interviewé avec tant de fierté autrefois. C'était lui qui lui avait donné le goût de la littérature et qui l'avait inspiré par son mode de vie.

Elle posa sa main sur l'épaule de son mari qui avait l'air dévasté.

— Comment est-ce arrivé ?

Il n'entendit pas sa question, perdu dans son désarroi.

— C'est une perte immense ! Personne ne lui arrive à la cheville. Et ce n'est pas très difficile d'en imaginer les causes.

— Comment l'as-tu appris ?

Sans un mot, Wilhelm lui tendit le journal qu'il avait apporté, *La Nación* de la veille. C'était une nouvelle de rien du tout, un tout petit article qui n'occupait même pas une demi-colonne dans la rubrique culture sous le titre « L'écrivain Stefan Zweig se suicide au Brésil ». L'article détaillait les circonstances du suicide :

> *« L'écrivain juif Stefan Zweig et sa femme se sont suicidés dimanche à Rio de Janeiro en absorbant du poison... »*

Almah, qui sentait bien que cette nouvelle avait atteint Wilhelm en plein cœur, s'assit sur ses genoux et le prit dans ses bras. Il leva sur elle des yeux humides. Lui qui n'avait pas eu de larmes à la mort de Julius qu'il adorait, qui hurlait en silence son désespoir de ne plus avoir aucune nouvelle de ses parents, se mit à sangloter dans ses bras comme un enfant perdu. Personne n'aurait pu comprendre qu'il pleure de vraies larmes pour Zweig.

Personne sauf Almah.

Il ne pleurait pas la mort de la plus grande gloire littéraire de l'Autriche, mais celle d'un homme qui symbolisait à lui seul tout ce que sa ville et son pays avaient représenté pour lui, les élans de sa jeunesse envolée, les rêves et les illusions perdus, les disparus, ceux qu'il avait laissés sur son chemin, ceux dont il ne savait plus rien. Sa passion pour Zweig n'avait rien à voir avec la raison.

Et ce n'était pas seulement un fragment de son âme qui s'envolait. Non seulement ce suicide le renvoyait à un autre suicide sur lequel il avait soigneusement tiré un rideau pudique, mais il faisait aussi renaître ses vieux démons dont le moindre n'était pas la culpabilité d'avoir fui l'Autriche et le cauchemar du nazisme en abandonnant derrière lui Jacob et Esther. Wilhelm se demandait s'il se laverait jamais de cette tache.

Almah sentait ses larmes tremper son cou et les tressautements de ses épaules se répercuter dans tout son corps. Il s'agrippait à elle comme un naufragé incapable de lâcher le tronc d'arbre qui peut-être le ramènerait au rivage. Ils restèrent longtemps enlacés.

Puis lentement Wilhelm dénoua leur étreinte et releva la tête. Les mains en coupe autour de son visage, Almah embrassa l'un après l'autre ses yeux rougis. En silence, Wilhelm gagna leur chambre. Il en ressortit avec un paquet de feuilles et le Waterman des grandes occasions offert par Myriam. Il s'installa à la table de la véranda devant une feuille blanche et commença à écrire l'article qu'il publierait dans *La Voix de Sosúa.*

*

Après avoir noirci et froissé de nombreuses pages, Wilhelm renonça. Il sentait une telle proximité spirituelle avec l'écrivain qu'il avait l'impression d'écrire sa propre épitaphe.

Zweig avait-il failli à sa mission d'intellectuel en jetant l'éponge et en les privant de ce qu'il aurait pu encore écrire ? Il jugea que non et lui pardonna. Il ne voyait pas son suicide comme une preuve de lâcheté et de désespoir mais comme la prise en main de son destin, un acte ultime de rébellion. Il comprenait qu'après avoir vu tous ses idéaux anéantis, on puisse être déçu par les hommes, leurs instincts de haine et de destruction et leur incapacité à se comprendre, au point de se donner la mort. La guerre avait fait de Zweig un Juif errant mais il n'avait pas accepté d'être dépossédé de sa germanité et d'être réduit à sa seule identité juive. Il n'avait supporté ni le sort fait aux Juifs, ni son impuissance face à la destruction de son monde.

Sa lettre d'adieu qu'il avait lue et relue jusqu'à pouvoir la réciter les yeux fermés, Wilhelm se disait qu'elle aurait pu être la sienne à quelques mots près. En pensant à Almah et à ses enfants, une bouffée de honte l'envahit et il chassa ses pensées morbides. Non, il n'arriverait pas à exprimer mieux que Zweig lui-même l'essence de ce départ. Il décida de ne pas changer une virgule et recopia la lettre d'adieu de l'écrivain :

Avant de quitter la vie de ma propre volonté et avec lucidité, j'éprouve le besoin de remplir un dernier devoir : adresser de profonds remerciements au Brésil, ce merveilleux pays qui m'a procuré, ainsi qu'à mon travail, un repos si amical et si hospitalier.

De jour en jour, j'ai appris à l'aimer davantage et nulle part ailleurs je n'aurais préféré édifier une nouvelle existence, maintenant que le monde de mon langage a disparu pour moi et que ma patrie spirituelle, l'Europe, s'est détruite elle-même.

Mais, à soixante ans passés, il faudrait avoir des forces particulières pour recommencer sa vie de fond en comble. Et les miennes sont épuisées par les longues années d'errance. Aussi, je pense qu'il vaut mieux mettre fin à temps, et la tête haute, à une existence où le travail intellectuel a toujours été la joie la plus pure et la liberté individuelle le bien suprême de ce monde.

Je salue tous mes amis. Puissent-ils voir encore l'aurore après la longue nuit ! Moi je suis trop impatient, je pars avant eux.

28

La ferme d'Atravesada

Avril 1942

Wilhelm coupa le contact. Le moteur de la Jeep qu'il avait empruntée au garage communautaire s'arrêta dans un hoquet. Il se laissa aller contre le dossier de son siège et regarda Almah assise à côté de lui avec un air triomphal. Ruth gazouillait sur les genoux de sa mère. À l'arrière, cramponné au dossier, Frederick trépignait d'excitation. Sur le siège à côté de lui, Chiquito, son perroquet, jabotait dans sa cage et Negro s'impatientait dans son panier. Wilhelm descendit et fit le tour de la voiture pour ouvrir la porte du côté passager.

— Bienvenue chez vous, Frau Rosenheck !

Une camionnette se rangea à côté d'eux. Sur le plateau arrière des valises, une malle, quelques meubles de bois, leur déménagement.

— On était tassés comme des sardines là-dedans ! s'écria Svenja en bondissant de la banquette avant.

Les autres passagers, Markus, Emil et Mirawek, s'extirpaient de la camionnette. Almah se dirigea vers la maison avec Ruth. Wilhelm se précipita et se posta devant l'escalier de bois. Il les fit basculer toutes deux dans ses bras et monta les marches du perron en les portant.

— Il faut faire cela dans les règles de l'art !

Dans ses bras, Almah, Ruth tassée contre sa poitrine, était rouge de plaisir. Passé la porte d'entrée, il les déposa au centre d'une grande pièce où quelques meubles se battaient en duel. Rayonnante, Almah fit le tour des quatre pièces, inspecta la cuisine, bientôt rejointe par Svenja ; Frederick sur ses talons. Leurs pas claquaient sur le sol en ciment poli teinté de rouge. L'odeur de la peinture fraîche piquait les narines. Almah revint sur la véranda et se jeta dans les bras de Wilhelm qui la serra contre lui.

— Nous allons être merveilleusement bien ici !

C'était une maison toute simple, en bois, avec un toit de tôle, construite, comme toutes les autres, selon le plan classique en L des cases dominicaines. Elle était juchée sur une petite butte dominant un océan de verdure qui descendait en pente douce jusqu'au village. Seul rescapé de l'abattage, un arbre centenaire était posté à l'entrée de la ferme telle une sentinelle. La terrasse donnait au nord. La main en visière sur le front, Almah balaya du regard les toits du Batey où les maisons poussaient comme des champignons, Los Charamicos au loin sur la gauche, puis le vert cédait au bleu et la mer se déployait à l'infini au-delà de la ligne émeraude du faîte des arbres. Se retournant, elle fit un tour d'horizon sur les collines environnantes.

Non loin, on voyait d'autres fermes où peu à peu emménageaient les familles. Son regard se perdit dans la frondaison écarlate d'un flamboyant, sur la crête des cocotiers, puis revint se poser sur son amie. Doux et confiant.

— C'est ce qu'on appelle une vue pa-no-ra-mi-que, commenta Svenja en les rejoignant.

— C'est exactement ce que je voulais, répondit Almah. Me lever chaque matin avec ce spectacle-là.

Les hommes s'activaient à vider la camionnette des restes du déménagement. Almah et Svenja déballèrent des provisions et les plats préparés à l'avance sur la table qu'elles avaient disposée sur la terrasse. Sous le regard attentif de son fils, Wilhelm suspendit la cage du perroquet à un crochet planté sur une colonne de la véranda.

— Tu crois que Chiquito sera bien là ?

— Oui, il pourra avoir la vue pa-no-ra-mi-que, répondit Frederick singeant Svenja qui se mit à lui courir après en riant.

— Wil, tu n'aurais pas omis quelque chose ? demanda Mirawek avec sérieux.

— Non, je ne crois pas… Ah si ! Le cadeau d'Ernst, se reprit Wilhelm en repensant à la mezouzah offerte par le rabbin et oubliée au fond d'une valise.

Markus lui jeta un regard circonspect auquel il répondit par un haussement d'épaules.

— Ce n'est pas qu'on y tienne absolument, mais ça fait plaisir à Ernst. Tu veux la fixer sur le linteau ? demanda Wilhelm à Mirawek. Je vais la chercher.

— Non, c'est à toi de le faire.

Wilhelm alla explorer les valises et revint avec la mezouzah et un marteau. Les autres se regroupèrent autour de lui pendant qu'il la fixait. Ils se regardèrent émus.

— Finalement, c'est une bonne idée, conclut Wilhelm sur un dernier coup de marteau.

Le déjeuner fut joyeux et animé. Comme il n'y avait pas assez de chaises, ils s'étaient assis sur les marches de l'entrée. Ils terminèrent par un café clair, passé dans un filtre de toile monté sur une armature de fer, à la dominicaine, que les hommes allongèrent d'un doigt de rhum. Le soleil était encore haut, il n'y avait pas un souffle d'air.

— Il fait vraiment chaud. Si nous allions nous baigner ? suggéra Svenja.

Frederick se mit à piaffer sur place :

— Oui ! oui ! À la plage !

Depuis qu'Emil lui avait appris à nager, il n'avait plus que la plage en tête. Ils s'entassèrent joyeusement dans les véhicules et descendirent en cahotant la piste étroite, laissant un panache de poussière derrière eux.

Ils avaient décliné la soirée dansante à l'Oasis. Ce soir, ils voulaient rester chez eux. Wilhelm fumait une cigarette, assis dans la *mecedora* sur la véranda, les yeux perdus au loin. Almah avait couché les enfants. Elle s'était assise entre ses jambes, le dos appuyé contre son torse, la tête au creux de son épaule. Ils se balançaient mollement. La chaise grinçait doucement. Face à eux, c'était le grand trou noir de la nuit. Dans l'obscurité, quelques faibles lumières signalaient çà et là des maisons éparpillées au loin. Ils se laissaient bercer par le lancinant concert nocturne des grenouilles lilliputiennes, entrecoupé des petits chocs secs des insectes qui heurtaient le verre brûlant de la lampe à huile et grillaient dans un bruit de froissement d'ailes.

Ils étaient en paix.

C'était leur première soirée dans la maison d'Atravesada.

*

Au fur et à mesure que les maisons se terminaient, les baraquements se vidaient. Ce fut une période très joyeuse de pendaisons de crémaillère. On empruntait des gamelles, des assiettes et des chaises à la cuisine commune, le gramophone, des disques et c'était parti pour la fête. On se déplaçait à cheval, en charrette, en Jeep, comme au Far West ! Pendant un temps, les colons avaient continué à prendre leur déjeuner tous ensemble, puis peu à peu les habitudes s'étaient dissoutes. Dorénavant, c'était chacun chez soi.

On avait attribué à chaque fermier dix vaches, plus une pour les couples et deux supplémentaires par enfant, un cheval, une mule et un prêt pour acheter des cochons. Très vite, l'hybridation préconisée par les experts américains porta ses fruits : les vaches des fermiers de Sosúa donnaient deux fois plus de lait que la moyenne nationale. Deux fois par jour des charrettes équipées de grands bidons de métal, tirées par une mule, collectaient le lait. La production de beurre et de fromages s'accéléra.

En quelques années, la CILCA[1] allait devenir la première coopérative laitière du pays.

---

1. Cooperativa Industrial Lechera C. por A.

29

Premiers tessons

Mai 1942

L'apprentissage de la vie de fermier était rude, surtout pour moi, l'intello citadin qui n'avais pas un amour inné pour la nature. Cependant je trouvais une joie saine à m'abrutir dans le travail, une manière de conjurer les mauvais souvenirs, de tenir à distance les hordes de pensées nuisibles et destructrices qui parfois s'imposaient. Dans ce paysage généreux, la neurasthénie paraissait incongrue et j'étais en train de retrouver le goût de l'hédonisme.

Un soir, Almah m'avait surpris dans un consternant rituel nocturne. Debout dans la prairie sous les étoiles, j'étais en train de tourner sur moi-même, en agitant lentement mes bras dépliés comme les ailes d'un oiseau. Une expérience presque mystique.

— Wil qu'est-ce que tu fais ? Tu essaies de t'envoler ?

J'avais arrêté ma danse. J'avais très perceptiblement entendu sa voix hésiter entre l'inquiétude et la moquerie. Mes explications l'avaient fait sourire.

— Ni froid ni chaud, juste une parfaite harmonie avec l'air. Je n'ai jamais ressenti ça nulle part ailleurs. Comme une conviction intime que mon corps a trouvé sa place !

Elle avait posé sa tête contre mon dos et refermé ses bras sur mon torse.

— Moi aussi, Wil, je suis bien ici.

Cette île avait quelque chose de subtil et d'immensément simple et évident. Je ne trouvais pas d'autres mots que l'exultation du corps. Oui c'est ça, ici le corps exultait. J'avais l'impression de vivre dans un monde de sensations augmentées. Insidieusement, ce pays était en train de m'apprivoiser.

*

Ce n'étaient pas des cailloux ordinaires que j'avais trouvés ce jour-là, en défrichant notre futur potager. Manifestement ces tessons ne devaient rien à la nature et tout à la main de l'homme. Stimulé par ma découverte, j'avais continué à retourner la terre fébrilement avec une délicatesse d'archéologue. Quand j'exhumai un cône représentant un visage aux contours enfantins, mon cœur rata un battement : je tenais un fragment de poterie d'une ancienne civilisation, sans doute les Taïnos. Armé d'un pinceau, je nettoyai délicatement mes découvertes comme je l'avais vu faire dans les documentaires qui présentaient les fouilles archéologiques en Égypte.

Vers 17 heures, j'entendis les « Hue » joyeux de Frederick. Depuis la véranda, je les vis arriver. Une image d'un autre siècle : Almah et les enfants dans la charrette cahotant sur la piste de terre, Frederick les rênes en main guidant Louna, notre mule. Penchée sur mes trouvailles poussiéreuses étalées sur la table, Almah déclara la voix vibrante d'excitation :

— Ça a l'air très ancien ! Tu crois que ça date des Indiens ?

— J'en suis presque sûr. Nous sommes sur leurs terres après tout.

Nous avions précautionneusement disposé les tessons sur une étagère.

Le lendemain, je montrai mes trouvailles à José.

— C'est monnaie courante dans la région, les paysans trouvent même parfois des céramiques entières, sans y attacher grande importance.

— Personne ne s'en soucie ?

— Dans un pays où peu d'enfants ont accès à l'éducation, où le système de santé est indigent, où les routes n'existent pas, l'archéologie n'est pas une préoccupation, laissa-t-il tomber avec amertume. Atravesada est probablement le lieu d'un ancien *batey*, c'est ainsi que les Taïnos appelaient leur village. Je parie que tu vas en trouver d'autres.

Depuis ce jour, je regardais la terre autrement. C'était un écrin précieux, un gisement d'histoire. Par l'entremise de José, un professeur d'histoire de Puerto Plata me prêta des livres sur les Taïnos. Peu à peu, j'enrichis ma collection et je devins un as du puzzle en trois dimensions. Je fis construire une vitrine où j'entassai beaucoup de débris insignifiants, quelques poteries quasiment entières, des pierres taillées et des petits os sculptés et évidés dont José m'avait dit qu'ils servaient d'inhalateurs pour les poudres hallucinogènes absorbées lors de la Cohoba, un rituel taïno d'invocation des esprits. Ma pièce maîtresse était un siège de bois à dossier parfaitement conservé, un *duho*, autrefois réservé au cacique ou au chaman.

— À quand l'ouverture d'un musée ? me taquinait Almah.

Je n'en dis rien mais l'idée me séduisait.

30

Un pavé dans la mare

Juin 1942

— « Les endroits les plus chauds de l'enfer sont réservés à ceux qui restent neutres en temps de crise morale. »

Un sourire cynique aux lèvres, Mirawek se rencogna dans son fauteuil et contempla ses amis, content de sa saillie.

— Tu vises qui exactement ? demanda Wilhelm sur ses gardes.

Les poses intellectuelles du jeune homme, son dogmatisme et ses provocations l'agaçaient souvent.

— Personne en particulier. C'est juste une réflexion de Dante, et, ma foi, je la trouve sensée !

— Un pavé dans la mare ! s'amusa Markus en haussant les épaules avec flegme.

— Nous vivons dans une des pires dictatures d'Amérique latine ! Il faut avoir le courage d'appeler un chat un chat et un tyran un tyran !

— La neutralité, c'est un de nos engagements, si ma mémoire est exacte, dit Emil en tirant avidement sur son cigare. Pas question de mordre la main qui nous a secourus, même si elle est sale.

— Devant les dérives caractérisées du régime, personne ne peut nous empêcher, un de réfléchir, deux d'agir, riposta Mirawek avec exaltation. Si Trujillo a exigé notre neutralité, c'est parce qu'il savait foutrement bien à quel point il était condamnable. Nous ne sommes qu'une monnaie d'échange contre de bonnes relations avec Washington. Se dédouaner des 15 000 morts du río Massacre en nous refourguant quelques hectares de terres impropres à la culture et soixante-dix vaches, c'est un peu facile, non ? Il nous a accueillis contre monnaie sonnante et trébuchante. Il se murmure même qu'au moment de la signature de l'accord, la communauté juive de New York lui aurait offert 5 000 dollars or par tête juive ! Sans compter ses motivations raciales, un comble…

— Savoureux paradoxe que d'avoir été recrutés pour notre sang alors que ce même sang nous a ostracisés, souligna Emil avec un sourire amer en dessinant une volute de fumée avec son cigare.

— Qu'est-ce que tu proposes ? demanda Wilhelm à Mirawek. De louvoyer dans la politique, de rejoindre les rangs de la résistance antitrujilliste ? Pour finir expulsé ou au fond d'une geôle ?

Le souvenir de son internement à Dachau revint lui mordre le cœur.

— En ce qui me concerne, je n'ai pas l'étoffe d'un héros, avoua Emil. Je n'en suis pas fier mais si je n'ai rien fait en Autriche, que puis-je faire ici ?

— Nous pouvons au moins rester pleinement conscients de ce qui se passe dans ce pays, ne pas vivre dans une béatitude coupable dans notre bulle en dehors de la réalité !

— Le dictateur des autres est toujours moins dérangeant ! risqua Emil.

— C'est le nôtre maintenant. Et ce n'est pas juste une lutte contre le communisme qu'il mène comme il le prétend, insista Mirawek avec des accents enflammés. C'est une dictature cruelle et mégalomane ! Il impose un parti unique, truque les élections, spolie son peuple, s'approprie les richesses du pays dont il est le plus gros propriétaire terrien, s'attribue des monopoles de fabrication, muselle la presse, élimine ses opposants, contrôle les institutions et la façon dont les gens pensent, gouverne à travers des présidents fantoches. Le culte de la personnalité est une religion d'État, jusqu'aux plaques d'égout qui portent son nom, ricana Mirawek. Peut-être qu'à certains ça ne pose pas de problème, mais à moi si ! Pas question que je perdre mon sens critique !

— Mon cher, tu prêches des convaincus, mais nous avons les mains liées ! rétorqua Markus. On observe une neutralité… vigilante. Mais, ajouta-t-il avec un sourire narquois, y a-t-il culpabilité sans libre arbitre ?

— Ma parole, il nous la joue vieille Europe ! Il se croit dans un café du Ring et va lancer une discussion philosophique ! ironisa Wilhelm. J'ai une info qui va te plaire, Mirawek : Almah m'a appris qu'on va ériger un monument à la gloire de Trujillo dans le jardin face aux bureaux de la Dorsa[1].

---

1. Un petit parc planté d'arbres fut inauguré le 28 février 1944. Il était cerné d'un muret portant une inscription à la gloire de

Mirawek eut un hoquet de surprise et haussa les sourcils l'air incrédule.

— Merde alors !

— Pas de réunion plénière pour nous demander notre avis ? ironisa Markus qui ne pouvait s'empêcher de tourner les événements en dérision.

C'était un dimanche gris, ils étaient attablés à l'Oasis et fumaient en sirotant leur café. En général, ils évitaient les discussions politiques car cela finissait en pugilat. Mirawek, qui était souvent l'instigateur des affrontements, adorait mettre de l'huile sur le feu et son entêtement forcené finissait par forcer le respect, à défaut de l'adhésion. Ses préoccupations bien légitimes rejoignaient celles de Wilhelm qui se torturait depuis toujours en vains questionnements. Avaient-ils le droit de critiquer Trujillo ? Certes c'était un dictateur d'opérette qui poudrait son visage pour effacer toute trace de négritude, paradait avec son uniforme, ses médailles en chocolat et sa fourragère à la mode des dragons autrichiens, mais il était le dirigeant du pays auquel ils devaient leur salut. Pouvaient-ils fermer les yeux devant les abus et les exactions du régime ? Comment vivre la conscience tranquille quand ils devaient leur place au paradis au génocide des Haïtiens ? Pouvaient-ils vivre heureux dans un pays où régnaient la censure et la torture ? Étaient-ils le dernier bastion de démocratie du pays ?

À Sosúa, il y avait clairement trois camps. La position de ceux qui soutenaient le pouvoir, au prétexte de leur reconnaissance, était d'autant plus ambiguë qu'ils avaient tous fui un régime totalitaire. Le deuxième

---

Trujillo et, entre les deux bancs en ciment de l'entrée, s'élevait un buste du dictateur.

camp était celui des libéraux auxquels Wilhelm appartenait. Ils avaient appris à rester discrets et à mesurer leurs opinions car la délation était monnaie courante dans le pays et les agents de la police secrète, omniprésents. Le troisième bloc, celui des indifférents qui avaient opté pour la politique de l'autruche, était le plus important.

Mirawek, très en verve, ne lâchait pas prise. Il s'en prit à Wilhelm :

— Il s'est affublé du titre de premier journaliste et la presse est entièrement à sa botte ! Il vient même de fermer le *Listín*, pourtant réputé à droite. Toi qui es journaliste, tu devrais compatir au sort de tes confrères emprisonnés ou qui fuient le pays !

— Non seulement je compatis, mon cher, mais j'enrage, riposta Wilhelm qui se sentait couard de ne pas mettre ses actions en ligne avec ses opinions. En même temps, j'estime que nous méritons le repos et que nous ne pouvons mettre en danger le futur de la communauté pour défendre nos idées.

— N'avons-nous pas toujours été les rois des compromis, nous les Autrichiens ? releva Markus avec un brin d'autodérision.

— Hum, la légendaire désinvolture autrichienne… renchérit Emil.

— Une chose est sûre, nous avons signé un pacte avec le diable. Mais notre marge de manœuvre est réduite, pour ne pas dire inexistante, temporisa Markus.

— Notre meilleure riposte ne serait-elle pas de faire de notre modèle communautaire socialiste un succès ? suggéra Emil qui, comme les tout premiers colons, était très attaché au projet Dorsa.

— Pseudo-socialiste, corrigea Mirawek qui ne laissait rien passer. Enfin, nous les Juifs, n'avons-nous pas pour coutume d'observer cette règle sacro-sainte qui consiste à ne jamais s'immiscer dans les affaires politiques des princes qui nous gouvernent ? ajouta-t-il avec une nuance de défaitisme.

— Ton cynisme finira par te rendre amer si tu n'y prêtes pas garde, le taquina Emil. Mais tu as raison, un despote reste un despote ! Je ne me mêle pas de politique, mais j'en suis bien conscient. Cela dit, les dictateurs ne sont pas éternels, ils meurent aussi !

— Savez-vous ce que j'ai découvert grâce à José ? demanda Wilhelm, pour faire diversion. En imaginant Sosúa, Trujillo n'a fait que reprendre une vieille proposition d'un établissement agricole juif en République dominicaine faite à l'Alliance israélite universelle en 1882 par le général Luperón qui était un ami des Rothschild !

— Il ne pille pas que son pays, il recycle les idées ! marmonna Emil.

— Tiens, voilà Schlesinger ! annonça Wilhelm. Un cliché colonial ! ajouta-t-il à mi-voix.

En chemisette blanche, jodhpur et bottes de cuir rutilantes qu'il estimait sans doute être le summum de l'élégance décontractée, Schlesinger fondait sur eux.

— Crois-tu qu'il devrait rôtir en enfer ? demanda Markus à Mirawek.

— Pfft, sur le plan politique il est aussi éveillé qu'une courge, riposta Mirawek.

Schlesinger s'installa d'autorité à leur table et commanda un café.

— Nous discutions politique. Qu'en penses-tu, toi, de ce dictateur ? demanda Emil avec l'air de ne pas y toucher.

— Je lui suis très reconnaissant de nous avoir offert un refuge, rien ne l'y obligeait, répondit placidement Schlesinger. Je pense que nous devrions témoigner de la reconnaissance pour chaque bouffée d'air que nous respirons. Nous vivons en marge du pays, Sosúa est une enclave que les abus du pouvoir n'atteignent pas. Et d'ailleurs, qu'il soit un dictateur c'est discutable, et puis ce ne sont pas nos affaires après tout !

Markus coupa court à la conversation :

— Bon les gars, Eli compte bien que nous gagnions contre Los Charamicos ! Il est temps d'y aller !

Abandonnant Schlesinger à son café, les quatre amis se levèrent comme un seul homme pour gagner le terrain de football où s'échauffaient déjà les deux équipes qui allaient s'affronter sous les encouragements du tout Sosúa.

— Quel imbécile ! grinça Mirawek qui décidément ne portait pas l'ingénieur dans son cœur.

Ce fut ce dimanche-là que Mirawek gagna son surnom d'El Tanque[1]. Dopé par leur échange, remonté contre la dictature, il se faufila dans la défense de Los Charamicos et marqua deux buts dont l'un fut décisif. Petit à petit, la réputation de l'équipe des Sosúaners enfla et bientôt plus aucune équipe locale ne voulut les affronter de crainte de perdre.

1. Le char.

31

Extrait des carnets de Wil

Juillet 1942

J'ai reçu une lettre de Myriam. Une lettre porteuse de mauvaises nouvelles envoyée par des amis viennois. En mars de l'année dernière, les nazis ont confisqué l'imprimerie et tout ce qu'elle contenait. Jutta a été envoyée dans un camp de travail. Nos parents ont été contraints de quitter l'appartement de Döbling pour s'installer dans un deux pièces désaffecté. Je les imagine privés de radio, de téléphone, forcés à coudre une étoile jaune sur leurs vêtements… Ces images m'obsèdent. Malgré tout, ils se pensent encore protégés par leur âge, car ils sont trop vieux pour les camps de travail et inoffensifs. Ils croient qu'en vivant discrètement, en faisant profil bas, ils échapperont à la déportation. J'en doute et je suis très inquiet pour leur sort.

32

Une colère de Huracán

5 au 13 novembre 1942

Les anciens de Los Charamicos craignaient les colères terrifiantes et meurtrières de Huracán. Toute la côte nord était en état d'alerte. Confinés dans la maison, nous scrutions anxieusement le ciel et la mer depuis la galerie. Nous avions enfermé les animaux, consolidé portes et fenêtres, rentré tout ce qui pouvait s'envoler, bâché nos machines en prévision du cyclone annoncé.

Au loin, la mer couleur ardoise moutonnait, hérissée de crêtes d'écume blanche. Venue du sud, une cohorte de nuages anthracite, massifs comme des montagnes, progressait lentement, une armée menaçante qui chassa le jour. L'air devint oppressant, une pesanteur que nous n'avions encore jamais ressentie. Chiquito arpentait nerveusement son perchoir en ébouriffant ses plumes, le chat s'était caché sous un lit. D'un coup les cris d'insectes s'arrêtèrent, les oiseaux se turent, et ce fut le silence aussi profond qu'angoissant. Un silence moite qui étouffait les corps et engluait les âmes. Le paysage était immobile. Commença une attente qui irritait les nerfs.

Le vent se mit à souffler, doucement d'abord, puis avec véhémence, faisant voler les feuilles et siffler la cime des cocotiers. Une entrée en matière, un avertissement. Il enfla rapidement, des bourrasques à vous soulever du sol. Bientôt il pulsait d'une sourde colère, rameutant dans sa course une armée d'épais nuages noirs dentelés des liserés bleus et blancs des éclairs. Des gouttes larges comme des pièces d'un peso se mirent à crépiter sur le toit de tôle, un concert qui s'accentua dramatiquement. Puis soudain, le vent se déchaîna en bourrasques d'une violence inouïe en hurlant, le jour abdiqua et un épais rideau liquide fut tiré sur le paysage. Nous étions plongés dans une pénombre de fin de journée. La pluie tombait à l'oblique, fouettant la nature, comme une punition. Le vent furieux léchait la terre de rafales impitoyables, faisait osciller dangereusement les troncs frêles des cocotiers et arrachait les palmes dans de sinistres craquements avant de les projeter au sol.

La succession de jours sans nuages et même la saison des pluies ne nous avaient pas préparés à un tel châtiment, une tempête d'une telle force avec des vents aussi violents et des pluies aussi vigoureuses. Enfermés dans nos maisons, nous assistions effarés et impuissants à la destruction de notre éden tropical.

*

Huracán décida de nous épargner. L'ouragan tourna court et se transforma en une sévère dépression tropicale. Une cataracte de pluies torrentielles s'abattit sans discontinuer une semaine durant. Il nous semblait que jamais nous ne reverrions le soleil. Privés d'électricité, isolés du monde, nous circulions avec difficulté. La pluie s'infiltrait par la moindre ouverture ; nos vêtements étaient humides et poisseux. Livrés à nous-mêmes, nous canalisions notre angoisse en lisant, en faisant notre courrier, en jouant à la canasta. Privés de leur terrain de jeu, les enfants s'enfermèrent dans une morosité lugubre. Nous dormions mal, grelottant dans nos draps trempés. La terre gorgée d'eau ne pouvait plus rien absorber. Les latrines refoulaient, d'immenses lacs apparurent partout. Notre village n'était plus qu'un cloaque boueux. Beaucoup de nos jeunes arbres avaient abdiqué ; déracinés, ils gisaient en travers des chemins devenus des torrents de fange. Dans toute la région nord, les *ríos* avaient débordé, roulant une eau brune pleine d'immondices, inondant les terres cultivables. Les routes étaient coupées, les pistes impraticables, des ponts s'étaient effondrés, des poteaux électriques étaient tombés. La plage avait disparu sous l'assaut des vagues. En mer, c'était la tempête. Devenue brune, elle avait rejeté dans la nasse de la baie tout ce que le vent avait entraîné dans sa danse meurtrière, ordures, branches, volets, tôles, pneus, ustensiles ménagers, bidons, débris de meubles, bouts de portes et de fenêtres charriés par les rivières. Dans le village dominicain les dégâts étaient énormes, les maisons envahies de boue, les pauvres intérieurs dévastés. Pourtant les Dominicains faisaient face avec le fatalisme et la solidarité qui les caractérisaient : c'était la volonté de Dieu et ils faisaient avec.

*

Un mugissement lugubre nous tira de notre sommeil.

— C'est Uta ! murmura Almah en se redressant sur le lit.

Uta, notre vache sur le point de vêler. Dehors le vent fouettait et la pluie formait une barrière liquide infranchissable. Je jetai un coup d'œil à ma montre. 3 heures.

— Elle appelle, il faut aller voir ce qui se passe !

— Les animaux se débrouillent très bien tout seuls !

— Sauf quand ça se passe mal. Wil, il faut y aller !

— C'est dangereux de sortir avec cette tempête !

Les mugissements se firent pressants, des appels au secours qui faisaient froid dans le dos.

— J'y vais, décida Almah, une détermination mêlée d'urgence dans la voix.

Je me levai de mauvaise grâce, je n'avais pas envie de quitter le cocon de notre lit pour affronter la tempête en pleine nuit. Almah enfila un ciré à capuche sur sa chemise de nuit et des bottes. J'allumai deux lampes tempête. À la lueur tremblotante des flammes, deux petits corps en pyjama se dessinèrent dans l'ombre. Sanglée dans sa couche, Ruth sanglotait, cramponnée à son frère qui n'en menait pas large. Almah les remit au lit, le plastique du ciré crissait à chacun de ses gestes. La scène m'aurait fait rire en d'autres circonstances.

— Rendormez-vous, mes chéris. Nous allons nous occuper d'Uta.

Je la précédai dehors. Il fallait s'arc-bouter contre les bourrasques pour tenir debout. Pliés en deux, nous peinions à garder notre équilibre et laissions de profondes empreintes dans le champ de boue de la pelouse. Sous l'auvent de l'étable, les bêtes mal protégées étaient agitées. De la vapeur et de lourds effluves terreux montaient du sol. Les plaintes d'Uta étaient déchirantes. Je réglai les lampes au maximum. Almah avait raison : debout, le souffle court, Uta appelait lamentablement à l'aide.

— Il a fallu qu'elle choisisse justement cette nuit, maugréai-je.

— Je ne crois pas qu'elle ait choisi, me tança sèchement Almah. Passe-moi une lampe.

Elle éclaira la vache et je vis avec dégoût deux petits sabots pointer hors de sa vulve gluante. J'avais appris à traire les vaches, mais ça, c'était trop. Dehors le vent et la pluie redoublaient de violence. La vache poussa dans un mugissement sinistre et les sabots apparurent en entier. Un haut-le-cœur me secoua. J'étais à deux doigts de vomir, blême et tremblant dans mon ciré. J'étais lamentable. Almah se retourna vers moi et me considéra avec ce qui ressemblait à de la pitié.

— Je vais m'y coller toute seule, après tout je viens d'une famille de chirurgiens… Tu vas tenir les lampes et je vais l'aider en tirant sur les pattes du veau.

Je déglutis avec difficulté.

— Tu ne vas pas…

— Tu vois une autre solution ? C'est notre plus jeune vache, elle n'a jamais vêlé. Il n'est pas question de perdre notre premier veau, ajouta-t-elle en enlevant son ciré.

Je restais planté, les deux lampes au bout des bras, pendant qu'Almah cherchait une corde dans l'étable. Elle l'attacha autour des sabots et se mit en devoir de tirer, s'arc-boutant à chaque contraction de la génisse. Effaré, je la regardais lutter comme un homme pour aider un veau à venir au monde. Je me sentais mortifié, tellement pleutre et inutile que j'en aurais pleuré. Une heure et demie plus tard, dans la lumière blême du jour naissant, Uta nettoyait le veau allongé entre ses pattes. Le visage rouge, les cheveux collés au crâne par la sueur, sa chemise de nuit tachée, ses bottes maculées de boue, Almah me lança un regard victorieux où je lus une immense fierté. Arrivée au centre du terre-plein devant la maison, elle enleva sa chemise souillée et se mit à tournoyer toute nue sous la pluie battante. Je la regardai médusé. Almah était comme ça, capable de mettre au monde un veau sans sourciller et de danser en tenue d'Ève sous la pluie un jour de tempête.

— Rien de tel qu'une bonne douche après une telle aventure. Et comme l'électricité est coupée…

Elle rentra trempée à la maison et s'endormit sans demander son reste. Au matin, les enfants s'invitèrent dans notre chambre.

— Nous avons un petit veau, un bébé vache, leur annonça joyeusement Almah. Comment allons-nous l'appeler ?

Tandis que Ruth se faufilait entre nous en rampant, Frederick, à qui revenait la responsabilité de baptiser chacun des animaux de notre ménagerie, prit un air concentré.

— Il est de quelle couleur ?

— Blanc avec des taches marron.

Les poings sur les hanches, les yeux au ciel, il réfléchit puis lança avec enthousiasme :

— Nougat !

Ce matin-là, nous décidâmes d'embaucher un régisseur. Le choix se porta sans discussion sur Jacobo, le cadet de Carmela, honnête et consciencieux, qui vivotait de petits emplois.

— Nous redevenons d'affreux capitalistes, ironisa Almah. Si Trone nous voyait, il en avalerait sa langue.

Au matin du neuvième jour, le soleil brillait dans un ciel limpide. Deux semaines après le passage de Huracán, Sosúa avait retrouvé son visage heureux. Le concert nocturne du chant des grenouilles était plus assourdissant que jamais. Les enfants pêchaient des chapelets de leurs œufs et les têtards avaient éclos par milliers. Et Nougat devint Nougatine.

33

Une proposition

Décembre 1942

Malgré les mises en garde d'Emil, Almah avait accepté l'invitation de Jacobo. Le fils de Carmela les avait invités à assister à un combat de coqs. Wilhelm et elle étaient donc là, ce dimanche après-midi, à patienter dans la *gallera* de Puerto Plata, une petite arène circulaire coiffée d'un toit de palmes. L'ambiance était survoltée, les Dominicains d'habitude si nonchalants étaient pris de frénésie, le verbe haut et les gestes démonstratifs.

Almah observait d'un œil attentif le cérémonial. Chaque *gallero* sortait précautionneusement son coq de son sac de toile sombre et le brandissait haut pour que toute l'assemblée puisse l'admirer et augurer de sa combativité. Étourdis par la lumière et le brouhaha, les volatiles s'ébrouaient, agitaient leurs plumes, battaient des ailes, tandis que les pronostics allaient bon train. Les cotes s'envolaient et les paris s'enflammaient.

Pour faire monter les enchères, les *galleros* se livraient à un curieux manège de provocations en approchant d'un geste brusque leur volatile sous le bec de son concurrent. Les animaux, énervés, réagissaient en donnant de violents coups de tête agressifs. Almah regarda avec intérêt le pesage des animaux et la façon dont les *galleros* fixaient une lame d'acier sur les ergots de leurs oiseaux avec du sparadrap.

Un gong retentit et un silence tendu envahit l'arène. Le premier combat commença. Au moment où son coq s'élança, un des *galleros* se signa d'un geste rapide et effleura son pouce de ses lèvres. Lâchés sur la piste de terre, les coqs commencèrent à se tourner autour avant d'attaquer. Ce fut bref, violent et sanguinaire. Bien entraînés, les volatiles cherchaient où donner le coup mortel. Des coups de bec dans les yeux, des coups de patte dans le cou dans un sinistre bruissement d'ailes sous les encouragements scandés par les parieurs. D'un coup d'éperon acéré, le coq roux trancha la gorge du noir sur lequel avait misé Almah. Un flot de sang couvrit le sol sous les cris des parieurs victorieux. Le noir tomba dans la poussière en battant pitoyablement des ailes, avant de s'immobiliser, tandis que le roux s'acharnait sur lui à coups de bec. Almah faillit défaillir à la vue du coq agonisant sur le sable de l'arène. Elle détourna les yeux avec un haut-le-cœur, tandis que Wilhelm grimaçait devant le spectacle barbare. Le *gallero* dépité récupéra le cadavre de son volatile tandis que des poignées de pesos changeaient de mains.

— Ça me suffit amplement, décréta Almah en se frayant un chemin vers la sortie, suivie par Wilhelm.

— C'est toi qui as voulu venir, remarqua Wilhelm. Emil nous avait prévenus.

— Eh bien maintenant, on sait à quoi s'en tenir.

Sur leurs talons, Jacobo était manifestement déçu.

— Ça ne vous a pas plu ? demanda-t-il d'un air contrit.

— Franchement non, c'est trop violent pour moi, répondit Almah. Si nous allions plutôt prendre un verre sur le Malecón ?

Ils s'attablèrent à la terrasse d'un petit estaminet. Une brise fraîche montait de la mer.

— Ça sent la pluie, remarqua Jacobo. C'est bon pour les pâturages.

Almah avait déjà remarqué que le jeune homme connaissait les mots du vent, les couleurs du ciel et les humeurs de la mer, qu'il percevait les variations du temps avec une grande finesse, comme si un fil invisible le reliait aux éléments.

— Que fais-tu Jacobo en ce moment ? lui demanda-t-elle.

— Je m'occupe du *conuco* de *mamí*, répondit le jeune homme en se tortillant sur sa chaise. J'aimerais trouver un travail fixe mais ce n'est pas facile.

Almah décocha un petit coup de pied à son mari sous la table. C'était le moment.

— Nous avons une proposition à te faire, commença Wilhelm.

Les yeux de Jacobo se mirent à briller.

C'est ainsi que Jacobo entra au service de la famille Rosenheck. Il devint l'homme à tout faire puis le régisseur de la *finca*. Wilhelm lui fit construire une case non loin de l'étable et lui donna en jouissance un carré de terrain dont il fit un potager. Plus tard, Jacobo épousa Rosita, une jeune fille de Montellano. Il y eut une grande fête avec un cochon grillé et un trio de musiciens. Rosita prit en charge la maison, délestant Almah des tracas ménagers. Bien des années plus tard, Carmela, devenue aveugle, s'installerait avec eux. Jamais Wilhelm et Almah ne regrettèrent leur décision.

34

Sehnsucht, un mal de l'âme

Janvier 1943

Pendant une semaine, l'écho d'accords plaqués sur le piano droit approximativement accordé avait troublé la quiétude des fins de journée du Batey : Herman prenait les choses au sérieux et se préparait pour son concert. Fier d'avoir été un temps l'élève d'Alban Berg, exclu du conservatoire de Vienne après l'Anschluss, Herman était sorti d'Autriche en s'inscrivant à un concours de piano à Bruxelles. Il avait réussi à s'embarquer pour l'Amérique depuis la France avant d'arriver à Sosúa avec un groupe recruté à Ellis Island. À sa demande, on avait fait venir un piano de la capitale ; il aurait aimé au moins un demi-queue, ce fut un piano droit, et pas de la meilleure qualité. Malgré sa bonne volonté Herman était totalement inapte aux travaux physiques : il s'entaillait les doigts, se tordait les chevilles, chutait des échafaudages. Finalement, on l'avait affecté à la laiterie et chargé d'enseigner le piano, de donner des concerts et d'animer les soirées dansantes. À ses heures perdues, il composait de jolies ballades nostalgiques.

Ce soir-là, reconvertie en salle de concert à l'acoustique défaillante, la Casa Grande était pleine à craquer. Herman avait inscrit au programme des pièces de Schubert et une brillante *Fantaisie de la mer* de sa composition qu'il dédia à notre communauté. Quand les premières notes joyeuses de la sonate en la mineur s'élevèrent, la main d'Almah serra la mienne. Je fermai les yeux et me laissai porter par la musique. Je savais ce qu'elle voyait. Elle voyait les chevaux ailés, crinières de métal au vent, qui gardaient l'opéra de Vienne, les statues de bronze de la loggia du premier étage, le grand escalier qui montait vers la colonnade de la galerie, la salle ruisselante d'ors et de pourpres, les hommes en frac et les femmes en robe longue dont les bijoux scintillaient sous les feux des lustres de cristal. Elle voyait la grosse Hiltrud Feldsher qui s'éventait avec son programme, transpirant dans son étole en fourrure de lièvre de l'Antarctique qu'elle avait refusé de laisser au vestiaire, elle voyait Frau Goldschmit scruter l'assistance sans vergogne depuis le balcon, ses jumelles de spectacle en nacre vissées aux yeux, elle voyait Heinrich Heppner lui adresser un petit signe amical depuis sa loge…

Une petite fausseté nous ramena à la réalité. La main d'Almah se crispa sur la mienne, elle ouvrit les yeux et sortit de son voyage immobile en me souriant. Par les fenêtres à claire-voie, nous parvenaient les bruissements de la nuit tropicale et un souffle de brise tiède. Nous n'étions pas à Vienne.

Certains soirs, quand le ciel flamboyait, quand la lune montait dans l'air tiède et doux, une écharde se fichait dans nos cœurs. Parfois un simple mot, airelle, saucisson ou vin, une odeur de foin coupé, de cannelle ou d'amande faisait vibrer la corde sensible et nous ramenait dix ans en arrière, une boule de souvenirs d'Autriche dans la gorge. Il nous suffisait d'un regard échangé, d'une pression de la main, d'un sourire un peu forcé, et nous comprenions que le vague à l'âme s'était invité. Almah sortait le disque de Dajos Béla de sa pochette de carton et le posait sur le Victrola. Elle se mettait à osciller lentement au son des pleurs du violon de la *Zigeunerweisen*, les yeux fermés. Je l'enlaçais et nous nous bercions ensemble. Je savais quelles images, quels parfums la visitaient. Je murmurais à son oreille : « *Sei nicht traurig meine Liebe*[1]», savourant avec volupté la douceur des mots de la langue de mon enfance, la langue de mon cœur, celle des mots d'amour, qui coulait comme du miel dans ma bouche.

C'était une espèce de nostalgie intangible qui nous transperçait l'âme, un manque mêlé à un ardent désir, une nostalgie ambiguë du passé et de l'avenir. « Un paradoxe bien autrichien », avait souligné Markus à qui je m'en étais ouvert :

— Nous autres Autrichiens avons un mot pour ça, *Sehnsucht*, avait-il diagnostiqué. Mais ce n'est pas de mise ici, dans ce pays où la joie de vivre semble inscrite dans les gènes, avait-il ajouté en éclatant de rire. Rappelle-toi que les ancêtres des Dominicains, les Taïnos, en purs épicuriens, ont inventé le hamac, c'est assez éloquent, non ? Et les nôtres sont des Juifs déracinés génération après génération, n'ayant pu faire

1. Ne sois pas triste, mon amour.

souche dans aucun des pays qu'ils traversaient. Ceci explique cela !

Étions-nous sincères ou nous forcions-nous à aimer cette vie ? Le bonheur, suffisait-il d'y croire, comme le préconisait Markus avec son optimisme à tous crins ? Je craignais à tout moment que le nôtre ne se déchire comme un voile d'illusion tendu sur le gâchis de nos vies. Je me caparaçonnais contre le regret de tout ce que je n'avais pu accomplir. J'essayais d'ensevelir la nostalgie de notre exil américain raté, de ma carrière avortée, du roman familial que je portais en moi depuis toutes ces années sans parvenir à l'écrire, sous le dur travail de la ferme, l'excitation de minuscules projets et la joie de vivre de nos enfants. Devais-je considérer avec détachement les souvenirs aux contours flous de la vie d'avant et les enterrer pour ne plus souffrir ou au contraire les chérir ? Parfois, et ça me terrorisait, les mots d'allemand s'effaçaient devant l'espagnol. Le passé pesait violemment sur nos vies, mais je ne voulais pas le laisser nous voler notre avenir. Cette espèce de langueur douloureuse semblait désamorcer mes efforts, comme si ce bonheur était impossible à atteindre et le vide impossible à combler.

Malgré tout ce qu'elle avait dû supporter, malgré sa sensibilité à fleur de peau héritée d'Hannah, Almah avait toujours fait montre d'une vitalité de guerrière. Elle résistait mieux que moi aux vagues de *Sehnsucht* qui me submergeaient régulièrement. Elle voulait de toutes ses forces que notre exil aboutisse à une nouvelle forme d'enracinement, car « sans racines, nous ne sommes que des ombres », disait-elle. Elle désirait plus que tout remplir de bonheur et de promesses d'avenir l'abîme creusé par notre départ de Vienne. La naissance de Ruth n'y était pas étrangère. Était-ce utopique ? *Die Sehnsucht*, ce clou en fer logé dans nos cœurs, allait-il diffuser sa rouille dans mon âme pour le restant de mon existence ?

35

Une shiksa

Mars 1943

L'éloignement, le soleil, la mer agissaient comme une couche protectrice adoucissant les nouvelles qui nous parvenaient avec du retard. Pourtant le spectre de la guerre et des atrocités nazies planait sur la communauté.

On parlait de la volonté des nazis d'exterminer les Juifs, les homosexuels, les Tziganes et tous ceux qu'ils jugeaient indésirables, il y avait des rumeurs de déportations massives vers les camps de concentration ; on parlait de troupeaux d'hommes, de femmes et d'enfants entassés dans des trains de marchandises qui s'évaporaient dans la nuit. Nous avions commencé à comprendre l'ampleur de l'extermination. Pour endiguer notre mal-être, nous nous étourdissions dans les fêtes en pagaille, mariages, baptêmes, anniversaires, verres de l'amitié, pendaisons de crémaillère, réveillons, fêtes religieuses.

De toutes, la plus mémorable et aussi la plus gaie fut le double mariage de mes deux amis. Emil officialisait sa liaison avec Nelly, une Allemande de Dresde, jolie, discrète et effacée.

Quant à Markus, c'était une tout autre histoire. Il était le premier à braver l'interdit implicite – problème religieux, ethnique, politique ou financier ? – du Joint et de la Dorsa : il épousait une shiksa.

J'avais aimé Marisol immédiatement et sans réserve pour la simple raison qu'elle adorait Markus. Cela crevait les yeux. Et Markus méritait tant d'être sincèrement aimé ! Il n'avait jamais galvaudé ses sentiments dans des relations éphémères comme tant d'autres, à commencer par Emil. Il avait repoussé les avances de Svenja qui l'aurait volontiers mis dans son lit, au grand dam d'Almah qui aurait adoré que nos amis soient un couple. Il avait ignoré les œillades des Discher et des autres jouvencelles de la communauté pour jeter son dévolu sur cette jeune femme de la bonne société de Puerto Plata, rencontrée par hasard dans un café.

J'avais été le confident de ses manœuvres hasardeuses et de la cour assidue qu'il avait menée auprès de l'élue de son cœur, de ses découragements, de sa détermination et de sa patience. Quand il se plaignait de ne la voir que chaperonnée – « Je me ruine en places de cinéma, je dois payer six places, pour ses frères et sa mère qui la tiennent à l'œil. C'est tout juste si je peux lui prendre la main ! » – ou, trahissant son embarras par un toussotement, de ne pas pouvoir faire sa connaisance bibliquement parlant – « J'ignorais que les Dominicains étaient si prudes ! » –, je l'incitais à porter l'estocade. Mais Markus était trop respectueux pour ne pas mener sa cour dans les règles de l'art. Il faut dire que la tâche n'était pas aisée car il n'avait rien d'un bon parti aux yeux de la bourgeoisie dominicaine. Seules la couleur de sa peau et ses racines européennes plaidaient pour lui. Finalement, Markus décrocha la timbale et la main de Marisol.

Cette nuit-là, nous avions dansé la hora et le merengue jusqu'au petit matin. Notre petite bande s'étoffait.

36

L'hôtel Montana

Juin 1943

Je sentais que quelque chose se tramait. Depuis quelques semaines Almah avait pris des mines de conspiratrice et s'activait à une mystérieuse entreprise dont elle ne voulait manifestement pas m'entretenir. Comme elle passait beaucoup de temps avec Svenja, je supposais qu'il s'agissait d'un projet commun dont elle me parlerait une fois qu'il serait sur pied. À Sosúa, toutes les initiatives étaient bien accueillies et trouvaient la plupart du temps une issue favorable. Je me faisais donc discret, attendant les révélations qui n'allaient pas tarder. Je ne fus pas déçu.

— Monte Wil, ton carrosse est avancé !

J'étais médusé. Il était midi. Almah, un bandeau rouge vif dans les cheveux et ses lunettes de soleil sur le nez, s'était arrêtée devant le bureau du journal, au volant d'une Ford décapotable noire. Comme je ne réagissais pas, elle s'impatienta :

— Ma parole, tu t'es changé en statue de sel ! Si tu ne viens pas, j'embarque Svenja !

Incrédule, je m'approchai de la voiture et me penchai vers elle. Elle portait une nouvelle jupe de toile rouge, assortie à son bandeau, et un corsage blanc à manches courtes décolleté en rond sur sa poitrine. À la naissance de ses seins, je voyais les petites taches de son semées par le soleil. Ses cheveux dégageaient un léger parfum de mangue.

— Mais qu'est-ce que c'est que cette voiture ?

— Grimpe ! Je t'expliquerai en chemin.

Satisfaite de son effet, Almah affichait un sourire malicieux qui creusait une fossette dans sa joue gauche et me ramenait aux jours heureux de Vienne, quand elle était si fière de me faire une surprise. J'ouvris la portière et me glissai sur la banquette de cuir, non sans remarquer mon Leica et une petite valise posés sur le siège arrière. Manifestement nous partions. J'étais complètement désarçonné.

— Pourrais-tu m'expliquer…

— Quel jour sommes-nous ?

— Jeudi !

Almah soupira bruyamment en papillonnant des yeux.

— Quelle date, Wil ?

Ça me frappa comme une évidence, mais c'était trop tard. J'avais oublié notre anniversaire. Je regardai Almah d'un air penaud. Elle se mit à rire :

— Ne fais pas cette tête-là !

— Je suis désolé ma chérie, j'ai oublié.

— Rassure-toi, je ne t'en veux pas du tout. J'y ai pensé pour deux et comme ça, nos projets n'ont pas pu se télescoper, puisque tu n'en avais pas !

— Et donc ?

— Donc je t'enlève !

Après avoir fait le plein à la station Texaco sous le regard envieux de Lothar, qui avait ouvert une station d'essence et un atelier de mécanique, nous roulions à bonne allure sur la piste en direction de Puerto Plata.

— Almah, à qui est cette voiture ? Où allons-nous ? Et les enfants ?

— Je commence par quoi ? Les enfants sont avec Svenja qui contrôle parfaitement la situation. Elle est ravie de les garder. Où nous allons, c'est une surprise. Quant à la voiture, je me suis débrouillée. Ça n'a pas été facile, tu peux me croire. Enfin, je me suis arrangée avec le père de José…

Je ne pus retenir une moue. J'avais toujours soupçonné notre professeur d'espagnol d'avoir un faible pour Almah.

— … et ne t'inquiète pas, le grand chef est au courant. J'ai pensé que pour notre anniversaire, il fallait quelque chose de spécial. J'ai bien fait non ?

— Parfaitement. C'est juste que…

— Que quoi ?

— Je suis curieux de savoir…

— Tu sauras bien assez tôt. Et tu devrais mettre ça, si tu ne veux pas te brûler les yeux, ajouta-t-elle en me tendant mes lunettes de soleil.

Elle avait pensé à tout. Almah renouait ainsi avec notre ancienne habitude des voyages surprises. Nous avalions les kilomètres sous un ciel complètement dégagé en laissant un voile de poussière flotter derrière nous.

À Puerto Plata, elle obliqua vers le sud. Nous quittions la côte. Nous n'étions jamais allés plus loin que ce port où certains d'entre nous avaient débarqué. Nous y avions organisé une expédition, un dimanche, avec un groupe d'une vingtaine de curieux. C'était une petite ville pimpante aux trottoirs impeccables, des rues à angle droit, quelques édifices coloniaux en pierre et beaucoup de cases victoriennes de couleurs vives. Nous nous étions promenés sur le bord de mer, avions dévoré des poissons grillés et bu de la bière glacée, écouté l'orphéon municipal qui sévissait tous les dimanches sous la coquette gloriette de la place centrale. Tout autour, des plus vieux aux plus jeunes, ça se dandinait, roulant du bassin et des épaules au rythme des cuivres et de la grosse caisse. Pour finir, nous avions visité les ruines d'un fortin espagnol bâti sur un éperon rocheux, qui protégeait autrefois la baie du « port de l'argent ». Ça avait été une belle journée. Des adeptes de randonnée s'étaient promis de revenir pour faire l'ascension du mont Isabel-de-Torres qui dominait la baie.

Nous poursuivions notre route plein sud. J'étais perdu dans mes pensées, la main abandonnée sur la cuisse d'Almah, quand elle s'arrêta au bord de la route, face à un petit restaurant. Un gril taillé dans un bidon et quatre tables en bois bancales abritées sous un auvent de palmes. J'en profitai pour me changer. Je mourais de faim et j'engloutis avec voracité le poulet accompagné de riz aux haricots et de *tostones*[1]. Nous traversâmes une rivière sur un pont de bois branlant. Des enfants tendaient des crabes de terre embrochés

1. Rondelles de bananes plantains aplaties et frites.

sur des badines. Nous passâmes non loin des boyaux des mines d'ambre qui s'enfonçaient au cœur de la montagne où se perdaient des hommes. Je fis arrêter Almah dans un village de tailleurs d'ambre où je lui choisis une paire de boucles. Elle les suspendit à ses oreilles, arrangea une mèche échappée de son bandeau et prit une pose de star avant de se laisser photographier. Nous traversâmes Santiago, écrasée de chaleur et en plein travaux de modernisation. Je pris quelques photos du chantier d'une haute colonne de marbre blanc torsadée. Un panneau proclamait que ce « Monument à la Paix de Trujillo » était une « œuvre du Bienfaiteur de la nation ». Nous étions en plein délire mégalomaniaque.

C'était agréable de rouler le nez au vent, de laisser derrière nous Sosúa et nos compagnons. Dans le village, il n'était pas possible d'avoir une réelle intimité. Nous vivions en communauté, c'était formidable mais parfois nous étouffions. La pause que nous offrait Almah était une merveilleuse idée et je ne voulais pas savoir comment elle s'était débrouillée pour obtenir cela.

Une heure plus tard, après avoir dépassé La Vega, une bourgade agricole, Almah obliqua à l'ouest vers les montagnes. Un panneau indiquait Jarabacoa, une station de montagne dont nous connaissions juste l'existence. Depuis juin 1941, un couple d'Allemands de Leipzig, les Mosenthal, y tenait le Bandler, un petit hôtel financé par la Dorsa. C'était une sorte de maison de convalescence où un bus hebdomadaire amenait ceux qui avaient besoin de se retaper après une crise de dysenterie ou de malaria. J'imaginais que c'était la surprise d'Almah.

L'étroite route en lacet grimpait à l'assaut des montagnes. Partout, des paysans proposaient des fruits, du miel, du café, des sucreries sur des étals de bois rudimentaires. Des graines de café et de cacao séchaient, étalées sur des bâches au bord de la route. Nous dépassions des hommes sur des mulets et des femmes à la peau claire qui cheminaient lourdement chargées. La végétation changea et bientôt nous fûmes au cœur d'une forêt de sapins. Pour un peu, nous nous serions crus dans les Alpes autrichiennes en été. Au détour d'un virage, se dressa une atrocité de style mussolinien, monumentale et incongrue, qui détonnait avec le paysage. L'hôtel Montana[1]. Construit sur ordre de Trujillo, il était devenu le lieu de villégiature des nantis qui voulaient échapper à la touffeur de la capitale. Almah stoppa la voiture et me regarda, satisfaite. Nous fûmes bien accueillis, avec comme passeports notre belle décapotable et nos peaux blanches. Ici la clientèle était triée sur le volet. Notre chambre avait les dimensions de notre appartement, de lourds meubles de *caoba*, un bois précieux, une sorte d'acajou sombre et dur, une salle de bains princière et une grande baie vitrée. Elle dominait la piscine, avec une vue spectaculaire sur une vaste vallée en contrebas et les montagnes au loin. C'était magnifique. Je me réjouissais d'avoir échappé à la maison de convalescence des Mosenthal.

C'était notre premier dîner en amoureux depuis des lustres, avec la complicité de la pleine lune. La lueur tremblotante des bougies plantées dans des chandeliers d'argent dorait la peau d'Almah. Au dessert, en portant

1. L'hôtel Montana a en réalité été inauguré en août 1949 à l'initiative de Trujillo.

un toast à nos huit années de mariage, elle fit un signe discret au serveur. Il apporta un énorme paquet enrubanné qu'elle avait soigneusement caché dans le coffre de la voiture. Sous l'œil des autres couples, je l'ouvris avec une excitation enfantine. C'était un cadeau merveilleux, une lunette astronomique, qu'elle avait fait envoyer par Myriam. Ironie du sort, cette petite merveille était de technologie allemande. Plus tard, au bar, un couple nous aborda. Elle portait une robe de soie noire moirée et décolletée, de somptueux bijoux et dégageait un parfum subtil et probablement coûteux, lui était vêtu d'un costume de lin blanc au pli impeccable, le cou serré par un nœud papillon, et il tétait paresseusement un gros cigare. À côté d'eux, nous paraissions au pire des parents pauvres, au mieux un couple bohème. Ils venaient de Ciudad Trujillo et étaient en repérage pour le mariage de leur fille. Ils nous questionnèrent sur notre communauté dont ils avaient eu de vagues échos. Nous évitâmes tacitement les sujets sensibles, la guerre, le despote, et ce fut un moment d'échange d'autant plus précieux que nous avions peu d'occasions de faire des rencontres en dehors de notre enclave de Sosúa.

Le premier soir, Almah se prélassa avec béatitude dans la baignoire. « Mon premier bain depuis Vienne ! » Les trois jours suivants passèrent comme dans un rêve. Nous avions beaucoup marché, arpenté des plantations de café et de fleurs, dévalé des sentiers escarpés jusqu'au lit d'une cascade sauvage appelée le salto Baiguate. Au pied des chutes, dans un écrin de nature exubérante aux couleurs à faire tourner la tête, il y avait un petit lac où l'air scintillait d'une fine brume d'eau. Nous avions oublié nos maillots de bain et nous nous y étions immergés nus, bercés par le bruissement de l'eau et le chant des grillons. « Comme les Indiens avant que les Espagnols ne viennent leur pourrir la vie », me glissa Almah en m'enlaçant dans l'eau fraîche. Je n'avais pas résisté. Nous nous étions aussi baignés à la confluence de deux rivières de montagne qui formait un bouillonnant bain à remous. Le fond était doux et sablonneux sous nos pieds. Almah avait cueilli des orchidées sauvages, agrippées aux rochers moussus, d'un violet profond. Elle comptait les replanter dans une coquille évidée de noix de coco comme Carmela le lui avait appris.

Un soir, légèrement éméchés, nous nous étions maladroitement essayés au merengue dans une *terraza* du village au milieu des Cibaeños. C'étaient des paysans à la peau claire, des femmes sublimes, peaux couleur de miel, visages harmonieux, regards verts. Les hommes dansaient en ondulant du bassin, les mains plaquées sur les hanches ou les fesses des femmes. Certaines faisaient tournoyer un petit mouchoir blanc d'un mouvement ondoyant du poignet. C'était gai, lascif, sans pudeur, mais sans vulgarité. Nous avions bu du vin italien, de la bière glacée et du rhum vieilli et surtout nous avions fait l'amour dans notre lit immense. Nous rentrâmes repus d'amour, de bonne chère et de grand air. Nous rapportions des orchidées, un petit lapin noir pour Ruth et une perruche verte au ventre rouge pour Frederick, une compagne pour Chiquito. Les enfants furent fous de joie quand ils découvrirent leurs animaux. C'était notre plus bel anniversaire. J'étais redevable d'une surprise à Almah. Je savais qu'elle guetterait ma riposte. Je devrais me surpasser. En attendant, la vie reprit son cours tranquille.

37

Extraits des carnets de Wil

1944

Juin

Une vague d'euphorie envahit Sosúa à mesure que le mythe d'une Allemagne invincible s'effrite devant l'avance inexorable du front de l'Est. Avec le débarquement des Alliés en France, la défaite des Allemands, entrevue depuis la capitulation à Stalingrad l'année dernière, se précise.

Août

La libération de Paris est le premier acte de la défaite allemande. Mais la vieille Europe est en flammes.

Dans la tête de beaucoup de colons, pour qui Sosúa n'a jamais été qu'un refuge temporaire, une étape vers le rêve américain, les valises sont déjà prêtes. Il ne reste plus qu'à coller une étiquette dessus.

Quand nous en parlons avec Almah, nous sommes d'accord : rien ne presse. Nous ne prendrons aucune décision que nous pourrions regretter dans la précipitation.

Dans cette atmosphère électrique qui augure de grands changements, je me sens parfois nostalgique de nos premiers temps, quand nous formions une grande famille. Je me rappelle avec mélancolie nos soirées autour d'un feu de camp où nous entonnions des mélodies entraînantes au son de la mandoline de Raimund jusque tard dans la nuit.

Septembre

Nos revenus sont en croissance et si le lait et la viande tiennent leurs promesses, nous serons bientôt en mesure de rembourser la totalité de notre crédit.

19 septembre

Avec le goût du lucre, l'individualisme reprend le dessus. Certains ont commencé à transgresser discrètement les principes communautaires en vendant leurs produits directement, sans passer par la coopérative.

Nous sortons d'une séance durant laquelle Rosen nous a collectivement recadrés en nous rappelant l'éthique de base du projet. Il promet cependant d'étudier un assouplissement du règlement.

38

Chenapans

Octobre 1944

Quand la bouse de vache explosa, mouchetant tout le monde de merde fraîche, Almah et Svenja furent prises d'un fou rire, tandis que les autres, consternés, se récriaient d'indignation. J'avais immédiatement compris. Frizzie et Samy se tenaient à vingt mètres de nous, morts de rire. Toute rouge, Ruthie se dandinait d'un pied sur l'autre et pressait ses mains potelées l'une contre l'autre, très consciente de l'énormité de la bêtise. Soudain, les deux garçons détalèrent comme des dératés.

— Ça, ça va se payer cher ! rugit Emil en bondissant sur ses pieds.

Il fondit en riant sur les coupables. Je le rejoignis et nous revînmes avec chacun un gamin sous le bras. Almah me jeta un regard implorant. Elle passait tout à notre fils. Pourtant, avec son indéfectible complice, Samuel, ils faisaient dans la surenchère en termes de bêtises. Je clamai haut et fort :

— Ils méritent une bonne punition, ces deux chenapans !

— Encore heureux que nous ayons fini le pique-nique, bougonna Markus en nettoyant son pantalon.

Almah intervint :

— Frederick, je croyais t'avoir interdit de jouer avec des pétards !

J'interrogeai mon fils :

— Où l'avez-vous trouvé ce pétard ? Qui vous l'a donné ?

Frizzie baissa les yeux. Il ne desserra pas les dents et coula un regard sournois à son complice qui n'en menait pas large. Le père de Samy, Félix, le responsable de l'atelier de menuiserie, secoua son fils :

— Samuel, tu réponds quand on te pose une question !

Samy haussa les épaules jusqu'aux oreilles avec un air innocent. Ruthie se mit à pleurer à chaudes larmes et hoqueta :

— C'est Andres ! C'est lui qui l'a apporté. En échange des *machmalos* !

Andres était le fils d'un menuisier de Los Charamicos qui travaillait à l'atelier. Frederick regarda sa sœur avec un dédain mêlé de compassion :

— Espèce de moucharde ! T'es vraiment qu'un bébé !

Les sanglots de Ruthie redoublèrent. Elle était la plus petite et elle jouait à merveille les candides quand il s'agissait de faire bouclier pour protéger les autres. Mais ce jour-là, le rôle était trop lourd pour ses frêles épaules. Elle avait mouchardé. Svenja la prit dans ses bras pour la consoler. Almah n'avait pas du tout l'air en colère, je savais qu'elle savourait secrètement la délicieuse impertinence des enfants. Je jetai un coup d'œil à Félix qui m'encouragea de la tête. Puisque personne n'avait vraiment envie de les sanctionner, j'endossai le mauvais rôle.

— Vous allez débarrasser le pique-nique et tout rapporter à la cuisine, et en vitesse. Je veux qu'elle soit impeccable. Ce soir, corvée de fourrage pour tous les deux. Et si jamais je vous revois avec un pétard, c'est interdiction de plage pendant une semaine.

Pendant que les garçons s'exécutaient tête basse, Almah se leva en tapotant ses fesses pour enlever les brins d'herbe et la poussière qui collaient à son short. Les heures chaudes étaient passées.

— On ne va pas se laisser gâcher la journée pour un peu de bouse ! Si nous descendions à la plage !

— Nos garçons sont un réservoir de mauvaises idées, constata Félix avec un demi-sourire teinté de fierté.

Selma, la mère de Samuel, se désola en faisant voler d'une pichenette une moucheture de bouse de sa robe :

— Je me demande où va s'arrêter leur inventivité ! Je croyais qu'avec le vol des poussins dans le poulailler des Pinsker on avait atteint l'apogée, mais je vois qu'ils ont encore de la ressource ! Ils sont en train de se tailler une belle réputation et nous passons pour des parents incapables d'élever correctement leurs enfants.

— Ruthie m'a dit que la Pinsker les appelle *Yingatsh*, *Ganefs* et *Toig auf kapores*[1], rigola Almah.

— Quelle *Klipeh*[2] ! s'exclama Svenja.

---

1. Yiddish : Jeunes coquins, voleurs et bons à rien.
2. Mégère.

— C'est rien qu'une vieille bique, précisa Ruth qui, les poings sur les hanches, n'avait pas perdu une miette de l'échange.

— Mon Dieu Ruthie, qui t'a appris ça ? s'exclama Almah coincée entre la gêne et le rire.

— Frizzie, clama Ruth en rougissant.

Dans l'enthousiasme de son bon mot, ça lui avait échappé. Elle avait encore mouchardé.

— Frizzie, tu me feras une recherche linguistique sur l'expression « vieille bique », tonna Wilhelm.

Almah et Svenja échangèrent un regard qui en disait long sur ce qu'elles pensaient de cette punition.

— Comme méthode pédagogique, c'est discutable, rigola Markus.

— C'est tout ce qui m'est venu à l'esprit, bougonna Wilhelm.

— Je crois que nous devrions être heureux pour eux, reprit Svenja. Ils ont la plus belle enfance dont on puisse rêver, un endroit formidable pour grandir. Leur liberté, c'est un cadeau du ciel offert pour prix de notre exil. Et ce ne sont pas quelques éclaboussures de bouse qui me feront changer d'avis.

— Tu as raison, Svenja, approuva Markus. Sosúa est un royaume dont les enfants sont les petits princes.

— Je n'ai pas honte de l'avouer, avoua Almah, leurs pitreries me font rire. Le plus difficile, c'est de ne pas le leur montrer.

Nous ne le savions pas encore mais les choses allaient empirer quelques mois plus tard avec l'arrivée de Max et Anneliese Kestenbaum. Ils étaient arrivés d'Haïti avec un petit groupe hétéroclite composé de familles que les hasards de l'exil avaient laissées pour compte de l'autre côté de l'île. Du haut de ses six ans, leur fille Liselotte Kestenbaum, rebaptisée Lizzie, allait se révéler la plus redoutable. Elle deviendrait l'amie de Ruthie et le maillon manquant du quatuor qui se ferait appeler « Los Cuatros ». Il y aurait les queues des vaches des Kaplan trempées dans la peinture bleue, des bombes à eau dans la classe, un lâcher de crapauds en réunion plénière, un radeau de pirates en perdition au milieu de la baie, des cigarettes fumées en cachette, des pêches miraculeuses, des coupes de cheveux improbables, un menton ouvert sur l'arête des *pilotillos* et bien des genoux écorchés, des cabanes dans les arbres, des courses de gladiateurs en charrettes, un bras cassé, des ribambelles de punitions, puis, plus tard, des feux de camp sur la plage, des cavalcades dans le campo, une Jeep dans un fossé, des pique-niques nocturnes, des baisers volés et des pelotages en règle dans l'obscurité de la salle de cinéma. Ce serait une merveilleuse enfance que celle de « Los Cuatros », Frizzie, Samy, Lizzie et Ruthie.

39

Toby et Otto

Décembre 1944

Ce fut un choc terrible qui traumatisa profondément toute la communauté. À force de saine fatigue, de joyeuse camaraderie et d'efforts sur nous-mêmes, nous tenions en respect les spectres de la laideur et du désespoir. Nous pensions naïvement avoir pris le dessus sur les coups du sort, être à l'abri. Mais le *fatum* était loin d'avoir dit son dernier mot.

Dans la première année, nous avions perdu huit de nos compagnons qui n'avaient pas résisté aux assauts répétés de la malaria. Nous les avions enterrés avec tristesse dans un petit terrain ombragé de flamboyants au sommet d'une colline. C'était dans l'ordre des choses. Cette fièvre tropicale était meurtrière. Hans Krener détenait le record : il avait survécu à vingt-cinq crises de paludisme en 1942, l'année de son arrivée. Dans les premiers temps nous n'étions ni assez avertis ni assez vigilants : les moustiques infestaient la campagne dominicaine. Très vite, nous avions mené de grandes campagnes d'éradication, nous avions appris à assécher les flaques d'eau stagnante, à utiliser des insecticides, à nous protéger et à nous soigner.

Tobias Levi, dit Toby, était arrivé avec le deuxième groupe, ceux du Luxembourg, laissant derrière lui ses parents et ses trois frères et sœur. Originaire de Francfort, où il s'était fait confisquer son magasin de meubles, Toby était un colosse, une force de la nature, un joyeux drille, qui riait fort, jamais en retard d'une blague ou d'un bon mot, jamais avare d'un compliment pour une femme. Toby était le gardien de but de notre équipe de football, il flirtait, il aimait rendre service, il avait un appétit d'ogre, acceptait sans rechigner les heures supplémentaires, se portait volontaire pour les travaux ingrats. Il n'y avait jamais de labeur trop dur pour Toby. Il ne remettait jamais en cause la moindre décision venue d'en haut. Toby était la joie de vivre incarnée, l'exemple même du parfait colon à l'entrain tapageur, le copain de tous, le modèle à suivre. Tout le monde aimait Toby.

Lorsqu'un matin on retrouva le corps de Tobias pendu à la branche basse d'un flamboyant, nous basculâmes dans l'effroi. Il n'y avait eu aucun signe avant-coureur. La veille, Toby avait simplement cessé de rire. Il venait d'apprendre que toute sa famille avait été gazée dès son arrivée à Auschwitz-Birkenau. Il avait pourtant eu tout le temps de se préparer à cette mauvaise nouvelle. Toby n'était pas le seul à avoir perdu des proches, et, de nous tous, il n'était certes pas le plus fragile. En apparence du moins. Nous avions respecté son chagrin, sachant qu'aucune parole de consolation ne le soulagerait. Il n'avait pas travaillé ce jour-là et personne ne s'était inquiété de ne pas le voir le soir.

Avec le recul, et confronté au désastre de sa mort, je me rendais compte que nous avions manqué de vigilance et de discernement. Le souvenir des morts était un fardeau si lourd. Certains prétendaient que l'âme guérit de tout pourvu qu'on lui accorde du temps, que la vie se charge d'effacer les blessures. Ceux-là n'avaient pas vécu ce que nous avions vécu. Le temps se contentait de dresser des remparts toujours plus hauts contre les ravages de la conscience et du souvenir. Derrière, le chagrin et la culpabilité guettaient la moindre faille. Il fallait tenir les souvenirs à distance pour être heureux.

Nous avions tous été d'une légèreté coupable, nous attachant aux apparences. Par facilité. Par pudeur. Par égoïsme. C'était évident : Toby riait un peu trop fort, Toby s'accablait de travail, Toby en faisait trop. Nous avions refusé de comprendre qu'il cachait ses blessures derrière l'armure du brave type rigolo. Nous n'avions rien compris à Tobias.

Nous enterrâmes Toby dans un coin du cimetière, à l'ombre d'un manguier, à l'écart des autres puisque la loi juive lui interdisait de les côtoyer. Mourir de chagrin n'était pas admissible pour la religion, pas de cette façon. Pourtant Toby était l'un des nôtres et nous le pleurâmes plus que les autres parce que sa mort disait toutes nos pertes. Sa tombe solitaire noyée sous de petites pierres était comme un reproche.

Après le suicide de Tobias, nous étions aux aguets. Il ne fallait pas que cela se reproduise. Dans ma ligne de mire, il y avait Otto Gimbel. Otto était un jeune homme discret, long et dégingandé, presque transparent, au regard triste. Il ne faisait partie d'aucun groupe car il était arrivé seul, sans tambour ni trompette, un jour comme les autres, sans que personne y prête attention.

Otto ne se livrait pas, personne ne connaissait son histoire. Il n'avait pas fait d'efforts pour se fondre dans la communauté et n'avait pas d'ami. Il n'avait jamais pris la parole en public, jamais fait de vagues. Il n'assistait pas aux cours d'hébreu, ne participait aux festivités que lorsqu'elles étaient incontournables. La seule chose que je savais de lui, c'était qu'il était un habitué de notre bibliothèque. Je l'avais vu à plusieurs reprises se promener seul le long de la plage, un livre à la main. Je me rendis compte que je ne savais même pas d'où il venait. J'étais un colon du premier groupe, j'avais une famille, une ferme, un journal, des amis. Je me sentis investi d'une responsabilité envers Otto. Je l'abordai un jour ; j'avais vu qu'il lisait et j'utilisai le prétexte pour lui proposer de nous aider au journal. Surpris, Otto accepta. C'est ainsi que *La Voix de Sosúa* s'enrichit d'un nouveau chroniqueur. Je découvris en Otto un être fin et sensible, diplômé de lettres modernes, qui avait eu jadis l'ambition d'enseigner à l'université. Des années plus tard, il accomplirait son rêve et deviendrait professeur à l'université de New York.

40

Extraits des carnets de Wil

1945

Janvier

Depuis le débarquement en France en juin dernier, l'enfer déferle sur l'Europe. Nous avons une chance insolente de vivre dans une sorte de camp de vacances.

Février

La réalité est bien pire que ce que nous avons envisagé tout au long des années de silence. Nous étions loin du compte. Les images de la libération d'Auschwitz par l'Armée rouge nous ont plongés dans un état de choc.

Markus, si pudique, a eu ce mot définitif : « Nous ne pourrons jamais revenir, ils ne nous pardonneront jamais ce qu'ils nous ont fait. »

Mars

Vienne est ravagée par les bombardements américains. L'Opéra a été détruit, la grande roue a brûlé. Les Viennois en sont réduits à couper les branches des arbres pour se chauffer, les enfants mendient de la nourriture. J'ai mal à ma Vienne et j'ai pleuré sur le décor pulvérisé de mon enfance, de ma jeunesse, de ma rencontre avec Almah, de mes racines.

Sur le front russe, les Allemands battent en retraite.

La fin de la guerre n'est plus qu'une question de semaines.

Avril

Le spectacle d'horreur de la libération des camps continue.

Les premières arrivées de déportés ne sont pas des images apaisantes.

Privée d'eau, d'électricité, de gaz, Vienne agonise sous la violence des Soviétiques. Le monde dont j'avais la nostalgie n'existe plus.

Ici tout a pris un goût amer. Notre plage n'est plus aussi paradisiaque. Aux soirées du Garden City, la gaieté est forcée. Seuls les enfants sont protégés par leur innocence.

8 mai

La Nación titre : « Le monde entier célèbre la capitulation de l'Allemagne ». La nouvelle est suivie de près par « María Montez triomphe dans le film *La Sauvage blanche* ».

Ni le suicide d'Hitler fin avril, ni la capitulation sans conditions du Troisième Reich à Berlin, ni le triomphe de la star dominicaine ne nous soulagent de notre accablement.

Almah a tout le temps sommeil, je crois que c'est un refuge contre le chagrin.

Juin

Nous sommes tous suspendus à l'arrivée du courrier. Nous guettons les petites annonces de *Der Aufbau*. Pas un jour sans que l'un d'entre nous n'apprenne une funeste nouvelle qui pulvérise l'espoir. Chaque histoire est une tragédie, chaque survie un hasard qui tient du miracle. Si nous avions cru rompre les ponts entre notre vie d'hier et celle d'aujourd'hui, la réalité nous rattrape.

Au milieu de ce désastre, Almah vient de m'annoncer qu'elle est enceinte. La naissance est prévue pour décembre. Elle a choisi le prénom : Sofie ou Stefan. Je suis d'accord. Nous avons du mal à nous autoriser à être heureux.

Juillet

Même les éléments sont contre nous. Le ciel nous refuse la pluie et nos puits sont à sec. Nous vivons avec de sévères restrictions d'eau. Notre bétail est décimé, les vaches meurent, celles qui résistent n'ont plus que la peau sur les os, comme un écho aux images terrifiantes qui nous hantent.

Août

Les bombardements d'Hiroshima et de Nagasaki, s'ils sont de nature à mettre un terme définitif à la guerre, n'honorent pas le genre humain.

Septembre

Le Japon a capitulé. Cette fois, c'est vraiment terminé.

Une autre guerre commence : reconstruire et nous reconstruire.

Depuis un mois, des rescapés des camps nous arrivent, presque en catimini. Certains rejoignent leur famille. À la joie des retrouvailles se mêle l'angoisse de l'insoutenable vérité. D'autres sont isolés, comme Dina et Klaus Elowitz. Almah qui les a reçus en consultation m'a raconté que Dina est une cantatrice internationalement connue. Son fils Klaus l'a suivie dans le Ältersghetto de Theresienstadt réservé aux Juifs célèbres et âgés. Après leur libération par l'Armée rouge en mai, ils voulaient aller à Cuba mais ont échoué à Sosúa. Hier, Klaus est venu jouer au football. Il a quitté la chemise à manches longues qu'il porte en permanence malgré la chaleur. Quand mes yeux se sont posés sur le numéro tatoué au creux de son bras grêle, j'ai eu envie de vomir. Cette nuit, je n'ai pas pu dormir.

Face à ces malheureux qui considèrent qu'être vivant est un privilège, une vague de culpabilité s'est emparée de nous, visqueuse, malsaine. Nous avons du mal à les regarder dans les yeux et à nous comporter avec naturel. Nous avons vécu dans une insouciance honteuse.

Nos enfants restent le meilleur antidote contre le désespoir et nous tenons debout malgré tout.

Octobre

Almah est à fleur de peau et pleure à la moindre contrariété. Comme les médecins, elle est en première ligne pour recevoir les rescapés. Elle refuse de laisser tomber ses consultations. « Chacun doit faire ce qu'il peut pour les soulager. Ils souffrent de terribles problèmes dentaires. Je peux soigner leurs dents, alors je le fais. »

Même Svenja a perdu sa joie de vivre. Elle offre des séances de soutien psychologique qui manifestement l'affectent.

Je me demande quelle est ma part du fardeau, je n'ai pas de réponse.

5 novembre

La lettre de Myriam que je redoutais est arrivée. Nos parents sont morts à Auschwitz-Birkenau. Esther a été gazée à son arrivée au camp en septembre 1943 et Jacob est mort du typhus en janvier 1944. Je m'étais interdit tout espoir et je m'étais fait de moi-même à cette idée. Mettre enfin des mots et une date sur leur décès me procure une forme de soulagement. On prétend que l'âme des morts survit aussi longtemps que quelqu'un est capable de prononcer leur nom. Je prononcerai les leurs en silence chaque jour de ma vie.

10 novembre

Deux jeunes Polonais taiseux, Janusz et Karol, qui ont réchappé à la marche de la mort imposée par les SS aux survivants du camp de Majdanek devant l'avancée de l'Armée rouge, ont débarqué. Les nouveaux ont du mal à se faire une place dans notre communauté bien organisée. Ils se livrent peu, sans doute par peur de ne pas être crus, tant l'horreur dépasse l'imagination. L'ampleur du génocide est un gouffre sans fond qui nous aspire vers l'abîme.

20 novembre

Le procès de Nuremberg vient de s'ouvrir. J'ai pris des contacts avec *El Porvenir*, le quotidien de Puerto Plata, et une agence de presse de la capitale. Nous avons sorti une version de *La Voix* en espagnol pour rappeler à ces gens dont nous partageons la terre ce qui nous a conduits ici. Nous titrons : « Procès de Nuremberg, le jugement des crimes nazis », détaillant les caractéristiques du tribunal international, la liste des accusés et les quatre chefs d'accusation : complot, crimes contre la paix, crimes de guerre et crimes contre l'humanité. Les 900 exemplaires de *La Voix* ont été épuisés en une heure.

Je renoue avec l'excitation d'autrefois, le téléphone sonne, le télex crépite, et c'est enivrant. Je pense à Bernd dont j'ai perdu la trace. Il est peut-être correspondant à Nuremberg pour son quotidien anglais. J'aurais tant aimé être hébergé dans le Faber-Castell, réquisitionné pour les quelque 400 journalistes venus du monde entier, et assister à ce procès aux côtés d'Hemingway, de Steinbeck, de Dos Passos.

10 décembre

Almah a été hospitalisée après une hémorragie. Sofie est née avec un mois d'avance. L'accouchement s'est mal passé. Almah est très faible, notre bébé souffre, semble-t-il, d'une malformation cardiaque. Les médecins envisagent une intervention chirurgicale et ne sont pas optimistes. J'ai confié les enfants à Svenja pour passer tout mon temps à l'hôpital.

15 décembre

Notre bébé est décédé. Sofie n'aura vécu que cinq jours. Almah est devenue muette.

18 décembre

Nous avons enterré notre enfant sur cette terre qui aurait dû rester vierge de tout malheur.

Cette année, la pire depuis notre arrivée, nous rappelle que le malheur rôde toujours derrière le voile fragile et éphémère du bonheur. Le temps ne guérit que les plaies superficielles, les autres se rouvrent à la moindre alerte.

41

Un bloc minéral

1945

Par une ironie du sort, après avoir été les parents du premier bébé né à Sosúa, ils étaient ceux du premier bébé décédé. Almah avait résisté avec vaillance à tant de séismes que Wilhelm avait fini par la croire invincible. Le jour où Sofie mourut, elle sembla perdre la raison et jusqu'au goût de la vie. Elle n'était que souffrance, lui n'était que colère contre le sort, contre le Dieu qui les châtiait, mais pour quelle faute ? Sa colère finit par s'éteindre, mais pas la souffrance. La perte de Sofie ravivait le souvenir d'anciennes douleurs enfouies au plus profond de leurs cœurs, qui revenaient les submerger comme un raz de marée, dans un paroxysme de chagrin.

Ce fut une cérémonie d'une infinie tristesse. La foule débordait de la synagogue. Au moment de jeter une poignée de terre sur le petit cercueil, Almah s'était effondrée contre Wilhelm, le corps parcouru d'un spasme.

Il n'avait pu retenir ses larmes. De retour à la maison, Almah avait glissé sur le sol, dos contre la porte, genoux entre ses bras, en proie à une crise de larmes silencieuse que rien ne semblait pouvoir arrêter. Quelque chose s'était cassé en elle, comme si un bout de son cœur lui avait été arraché. Son élan vital semblait rompu. Dans les jours qui suivirent, elle se recroquevillait parfois en elle-même, opaque, impénétrable, un bloc minéral inaccessible. Wilhelm supportait mal sa douleur en plus de sa propre souffrance. Il avait du mal à admettre qu'après avoir vécu tant d'épreuves ensemble la perte de leur bébé les éloigne l'un de l'autre.

Svenja avait gardé les enfants chez elle les premiers jours. Ils ne comprenaient pas grand-chose au drame. Wilhelm se rendit vite compte qu'Almah avait besoin d'eux pour juguler sa douleur. Frederick se sentait honteux. Trop petit pour ressentir une véritable tristesse pour ce bébé qu'il n'avait pas connu et trop grand pour ne pas voir leur peine, il était surtout déçu d'une promesse non tenue. Il tenta de creuser une brèche dans leur chagrin à force de pitreries et, de guerre lasse, finit par s'isoler dans sa chambre. Sensible à leur humeur, Ruth se lovait contre sa mère qui la câlinait mécaniquement. Wilhelm tentait sans succès de sortir Almah de cet état végétatif qui s'installait et lui ressemblait si peu.

Pendant de longues semaines, elle parut absente d'elle-même. En fin de journée, elle récupérait les enfants chez Svenja et regagnait la ferme comme un automate. À la table du dîner, elle jouait avec sa fourchette sans rien manger. Ses yeux ne disaient que le vide. Des images d'Hannah, isolée dans un exil intérieur, picorant distraitement dans son assiette, hantaient Wilhelm. L'estomac noué, il essayait maladroitement de ramener un peu de joie de vivre dans la maison où les récits enfiévrés des aventures du jour des enfants tenaient lieu de conversation. Totalement désemparé par sa peine, il se sentait d'une maladresse incommensurable chaque fois qu'il tentait d'approcher Almah. Svenja déployait toute son énergie pour la sortir du trou noir où elle s'était perdue, parvenant parfois à lui arracher un regard moins vide, un sourire moins triste.

Engluée dans sa détresse, insensible aux encouragements des uns et aux regards apitoyés des autres, Almah passait des heures à la plage. Assise sur le sable à l'ombre d'un amandier, elle contemplait la mer d'un regard vide, sa main jouant inlassablement avec une poignée de sable qui s'écoulait entre ses doigts comme la joie qui la fuyait inexorablement. À plusieurs reprises, ne la trouvant pas à la maison, Wilhelm avait pris le chemin du cimetière où il l'avait retrouvée assise dans l'herbe, jouant avec les petites pierres posées sur la tombe de Sofie. Une question l'obsédait : une mère peut-elle jamais se remettre de la perte de son enfant ?

*

Il n'y eut pas d'électrochoc qui la fit renaître à la vie, simplement une nuit où Almah dormit d'un sommeil sans cauchemars. En se réveillant aux premières heures du jour, elle sentit qu'un poids l'avait abandonnée, la laissant sur la grève, asséchée de son chagrin. En se levant, elle ressentit la caresse fraîche du ciment poli sous la plante de ses pieds. Elle descendit les marches de la véranda et fit quelques pas dans l'herbe humide de rosée. Un colibri solitaire butinait la corolle écarlate d'un hibiscus. Sa souffrance était jugulée, elle pouvait vivre de nouveau. Elle eut faim et rentra mettre en route un café qu'elle se servit bien noir.

42

Le cirque

Juin 1946

Grâce à son potager miniature, ses concours de châteaux de sable, ses chasses au trésor épiques et ses trésors de patience, Svenja caracolait en tête dans le cœur des enfants, loin devant tous les autres professeurs qui, la tête sur le billot, n'auraient jamais reconnu qu'ils la jalousaient. Elle débarqua un soir à la ferme. Frederick et Ruth étaient couchés, Almah et Wilhelm lisaient sur la véranda.

— Tu as de la visite, observa Wilhelm en levant les yeux du recueil de poèmes de Salomé Ureña que José lui avait prêté en lui confiant : « Son mari, Francisco Henríquez y Carvajal, fut notre président pendant quatre mois en 1916 avant l'invasion des Yankees, et figure-toi qu'il était d'origine juive. Quant à elle, elle publiait des poèmes subversifs sous le pseudonyme d'Herminia. »

Almah replia le *Life* emprunté à la salle de lecture et descendit les marches de bois. Svenja coupa le contact et sauta de la Jeep. Wilhelm agita le bras de loin.

— Salut Svenja !

Almah remarqua les traits tirés et les yeux cernés de son amie. Elle était moins coquette ces derniers temps.

— Tu as l'air crevée, tu travailles trop, *Liebling* ! remarqua-t-elle en se laissant tomber sur la dernière marche où Svenja s'était assise.

— C'est vrai, je n'en peux plus ! Les médecins n'arrêtent pas de m'envoyer des patients. Ces séances m'épuisent. Physiquement et moralement. C'est difficile de garder la tête froide et le cœur sec face à toutes ces plaies béantes.

Une expression de souffrance se peignit sur le visage d'Almah.

— La vie continue, dit-elle d'une voix sourde. Il faut vivre avec ça, avec cette tragédie. Toutes nos tragédies.

Svenja posa une main sur son genou et enlaça ses épaules de l'autre.

— Oui, il faut apprendre à vivre avec ça, c'est notre lot. Mais parfois, je suis sur le point de craquer. J'aurais peut-être dû me contenter de m'occuper des enfants.

— Non, tu fais bien. Tu es un roc et on te fait confiance.

— Malgré ma vie débridée ?

Almah haussa les épaules avec un sourire.

— À cause de ta vie débridée ! Tu en connais un rayon question relations humaines !

Svenja fronça les sourcils, préoccupée.

— Ma fringale sexuelle, tu la trouves malsaine ?

— Malsaine ? Non. Envahissante, tout au plus.

— Je ne tombe pas amoureuse. Ce n'est pas une position morale ou philosophique, je n'y arrive pas, tout simplement. C'est depuis…

Svenja laissa échapper un soupir découragé.

— Je sais. Je comprends. Ça reviendra un jour, quand ce sera le bon moment, ne t'inquiète pas.

Almah caressait la main de Svenja. Un ange passa. Un fantôme plutôt. Svenja lui avait raconté l'arrestation de Bruno, son fiancé, un communiste convaincu, et sa mort à Dachau. Depuis, une terrible colère l'habitait, une fureur qui lui donnait une énergie obstinée et une vitalité qui attirait irrésistiblement les hommes et réveillait leurs instincts. Almah était la seule à qui Svenja montrait son visage intime. Comme elle l'aimait ! Elle n'avait jamais été aussi proche de personne, à part Wilhelm.

— J'ai eu une idée à propos des enfants, reprit Svenja. Ils ont besoin d'une respiration, l'atmosphère est tellement étouffante en ce moment. Je n'ai pas réussi à te voir aujourd'hui mais je voulais t'en parler. Je ne le ferai pas sans toi.

Almah se leva.

— Je vais chercher un *té* de gingembre et tu me racontes.

Elle avait dit « *té* » à la dominicaine au lieu d'infusion. Elle revint avec deux tasses et le pot de miel disposés sur un petit plateau qu'elle posa entre elles et se rassit sur les marches.

— Hum, c'est bon ! savoura Svenja en sirotant l'infusion.

— C'est une recette de Carmela : gingembre, citron, miel et une racine dont elle garde le secret. Souverain contre la fatigue. Alors cette idée ?

— Un cirque mexicain a débarqué à la capitale. Je l'ai lu dans *La Nación*. Ce serait formidable d'y emmener les enfants. Si tu m'aides, on organise ça.

Toute seule, je n'aurai pas le courage. Je suis sûre qu'on aura le feu vert de Rosen. Un car, des chambres dans les pensions allemandes, une soirée au cirque et deux jours en dehors de Sosúa. Tu en penses quoi ?

— C'est une grosse responsabilité !

— À nous deux, on est de taille ! Ça nous ferait du bien à toi comme à moi. Je suffoque dans cette ambiance !

— Je suis d'accord. J'ai bien besoin d'une parenthèse, s'enthousiasma Almah. Demain, on en parle à Joseph.

Tout le monde fut séduit par l'idée. Almah et Svenja se retrouvèrent à chaperonner quarante enfants pendant trois jours. Ils arrivèrent juste à temps en vue du chapiteau du cirque Amok pour la représentation de 18 heures. Ce fut un enchantement. Rosen leur avait consenti un petit pécule. Svenja acheta des sifflets et des crécelles pour encourager les artistes et des glaces. Pendant l'entracte, ils visitèrent la ménagerie. Les enfants voyaient pour la première fois des lions, des tigres et un éléphant, des animaux qu'ils n'avaient croisés que dans leurs livres. Il y eut des colombes sortant des chapeaux, des chimpanzés cyclistes, des sauts très périlleux, des funambules en équilibre sous le dôme étoilé du chapiteau, des augustes à grandes savates…

— Quelle merveilleuse soirée, c'était une très bonne idée. Je suis morte ! soupira Almah en s'écroulant dans le lit grinçant qu'elle partageait avec Svenja dans la pension des Kriegerman.

Almah avait retrouvé avec plaisir Irene Kriegerman et ses précieux conseils. Avant de s'endormir, Svenja lui glissa :

— J'ai un plan pour demain, rien que pour nous.
Almah dormait déjà.

*

Le lendemain, Svenja avait prévu une visite guidée de la vieille ville. Encore sous le charme du spectacle de la veille, les enfants n'étaient pas très attentifs, ils ne pensaient qu'à se poursuivre et à courir derrière les pigeons qui avaient élu domicile dans les ruines de la cité coloniale. Almah et Svenja s'évertuèrent avec un succès mitigé à leur raconter l'histoire de la première capitale du Nouveau Monde qu'ils avaient étudiée en classe.

Après le dîner, Svenja entraîna Almah au Rialto où elles frissonnèrent devant *La Maison du docteur Edwardes* puis dans un casino. C'était ça son plan. Ce n'était pas très politiquement correct et elles firent promettre à Irene de ne pas vendre la mèche. Celle-ci les regarda partir avec une lueur d'envie dans les yeux.

Le taxi longea le Malecón et les déposa au Jaragua, l'hôtel le plus luxueux de la ville, qui comptait un casino, des bars, une discothèque. Elles s'étaient soigneusement maquillées, mais Almah se fit la réflexion que leurs tenues étaient bien miteuses par rapport à l'élégance des femmes qu'elles croisaient. Tant pis, elles passeraient pour des gringas désargentées en vacances. Elles changèrent une poignée de dollars contre des jetons avec un délicieux sentiment d'interdit et se promenèrent nonchalamment autour de tables de jeu et des machines à sous. Il régnait une atmosphère électrique, des hommes les suivaient du regard. Almah ressentit un frisson d'excitation en s'approchant des tables de roulette. Elle misa sur le rouge et le cinq sortit. Un chiffre rouge. Très vite, elle se piqua au jeu et, contre toute attente, elle gagna bien plus qu'elle ne perdit.

— La chance du débutant, commenta Svenja dont le numéro venait de sortir.

Une heure plus tard, elles ressortirent de la salle de jeu hilares, avec en poche une cinquantaine de dollars. Elles se dirigèrent vers le dancing.

— On va arroser notre bonne fortune, décida Svenja.

L'atmosphère était feutrée, des couples enlacés se balançaient doucement au rythme des boléros interprétés par l'orchestre. Elles eurent à peine le temps de tremper les lèvres dans leurs daïquiris qu'un homme invitait Svenja à danser. Elle abandonna Almah sur la banquette de velours rouge.

— Quel lourdeau ! soupira-t-elle en s'effondrant auprès d'Almah à la fin du morceau. Il y en a un qui te mange des yeux !

— Qui ça ? demanda Almah en fronçant les sourcils.

Svenja pointa le menton en direction du bar. Le regard d'Almah croisa celui d'un bel homme en costume de lin blanc. Le feu de son regard farouche la transperça. Elle baissa les yeux en rougissant, reconnaissante à la pénombre de cacher son embarras.

— On dirait un mafieux cubain ! glousse-t-elle en aspirant une lampée de rhum.

— Un mafieux séduisant alors ! Le voilà qui arrive, tu vas pouvoir juger de plus près.

Le mafieux invita Almah à danser. Une fraction de seconde d'hésitation et elle accepta. Il posa sa main fermement entre ses épaules. Il dansait bien. C'était troublant d'être dans les bras d'un homme, de mouvoir son corps en rythme avec le sien. Elle n'avait connu d'autres bras que ceux de Wilhelm. Et ceux, ni sensuels ni équivoques, de Markus, Emil, Eli, Mirawek et consorts, lors des soirées dansantes du Garden City. L'homme rapprocha son visage contre le profil d'Almah. Leurs joues n'étaient qu'à quelques centimètres l'une de l'autre. Elle respirait son parfum boisé, un parfum viril et grisant. Il la raccompagna vers sa table, leur offrit de remplacer leurs verres vides, puis demanda poliment la permission de s'asseoir avec elles. Quand Svenja accepta une nouvelle danse, Almah se retrouva seule avec l'inconnu qui se mit à bavarder avec naturel, charmé de constater qu'Almah s'exprimait facilement en espagnol. Il s'appelait Daniel Soteras et dirigeait le service commercial de l'entreprise familiale, « la plus grosse manufacture de tabac de Santiago. Nous en avons hérité avec mon frère, mais c'est lui le chef, moi je ne suis que son bras armé ! » ajouta-t-il avec un sourire de gamin pris en faute. Quand il apprit qu'Almah était dentiste, il s'étonna : « Un métier d'homme ! » Les Dominicaines avaient rarement une formation aussi poussée. Almah expliqua qu'elle possédait avec son mari une ferme sur la côte nord du pays, une ferme dans laquelle tous les amis étaient bienvenus. À leur deuxième danse, Almah s'était détendue, à la troisième Daniel Soteras la serra de plus près et elle se laissa aller contre lui. C'était terriblement troublant.

Soteras les raccompagna à la pension en voiture. Almah était assise à l'avant, à côté de lui. À un feu rouge, il posa sa main sur son genou. Le feu de sa paume remonta le long de la cuisse d'Almah. Laissant Svenja rentrer chez les Kriegerman, Soteras retint Almah sur le pas de la porte. Puis il la prit dans ses bras et l'embrassa. Almah s'abandonna à la caresse de ses lèvres souples et chaudes. Elle se laissa embrasser puis, sans l'avoir décidé, répondit au baiser. Quand leurs lèvres se détachèrent, elle tituba légèrement.

— J'aimerais vous revoir, lui souffla Soteras en la retenant contre lui.

Un frisson de pur plaisir lui laboura l'échine à l'idée de se savoir désirée.

— Ce n'est pas une bonne idée, murmura Almah. Je ne sais pas ce qui m'a pris, je… Le rhum sans doute… je n'ai guère l'habitude d'en boire… Excusez-moi, je suis désolée.

Il l'embrassa de nouveau avec douceur. Un baiser qui avait le goût triste d'un adieu. Almah se dégagea des bras de Soteras, le regarda bien en face et lui sourit. Puis elle ouvrit la porte de la pension qu'elle referma derrière elle. Elle fut tentée de se retourner mais ne le fit pas. Si elle s'était retournée, si elle avait regardé Daniel Soteras, elle aurait vu la note de regret dans son regard.

43

Extraits des carnets de Wil

Octobre 1946

Le 2 octobre *La Voix* a titré : « Nuremberg : douze condamnations à mort, sept peines de prison et trois acquittements ».

Julius Streicher, condamné à mort pour incitation au génocide juif. C'est l'éditeur de *Der Stürmer*, le torchon antisémite sur lequel a pleuré Almah dans notre salon de la Majolika Haus, il y a des années, il y a un siècle.

Pendant un an, nous avons rendu compte régulièrement des avancées du procès. Dans les débats, je n'ai pas trouvé un embryon de réponse aux questions qui me hantent.

Le procès de Nuremberg a eu une conséquence inattendue : le directeur du *Porvenir* m'a proposé une collaboration régulière, un carnet d'humeur sous forme de pige. J'ai visité le journal. La salle de rédaction est minuscule mais quelque chose dans l'atmosphère, dans la vibration de l'air, me rappelle la salle du *Neue Freie Presse*. Je retrouve avec émotion le bruit des presses, les odeurs d'encre, de la tôle chaude qui montent de l'atelier de montage. J'ai accepté son offre avec la bénédiction de Rosen. C'est une nouvelle entorse aux règles déjà bien battues en brèche de la Dorsa, un premier emploi rémunéré en dehors de la communauté.

25 octobre

Étrange coïncidence, je viens de recevoir un paquet de New York qui m'a replongé dans les jours sombres. C'est un livre de photographies en noir et blanc publié par une maison d'édition américaine. Son titre : *Vienne 1933-1941*. Il est dédié aux équipes du *Neue Freie Presse* et aux journalistes autrichiens perdus dans la tourmente de la guerre. En première page, il y a un cliché de la salle de rédaction. Je suis là, en tout petit, entre Klemens et Bernd. Sous la photo, Krista Hauffman a simplement écrit : « Pour mon ami Wil. » C'est un livre magnifique et terrifiant, empreint d'urgence et d'angoisse. Dans sa lettre, Krista explique qu'elle a retrouvé ma trace par d'anciennes relations, que ce livre est un pont entre nous, qu'elle espère me revoir… Au fil des pages, une vague de nostalgie me submerge et je m'abandonne au pouvoir de la mémoire, sans défense, incapable d'opposer la moindre résistance. Je n'arrive pas à oublier la ville de ma jeunesse et à liquider mes souvenirs.

Ce soir, en feuilletant le livre, Almah a laissé remonter avec émotion le souvenir de cette nuit lointaine durant laquelle Krista l'avait aidée. Elle n'a pu s'empêcher de me questionner : « Wil, est-ce que tu as eu une aventure avec Krista ? » Je lui ai répondu en riant que Krista est certainement la lesbienne la plus talentueuse que je connaîtrais jamais.

44

Brooklyn

Décembre 1946

L'avion avait entamé sa descente. Le front contre le hublot, Almah tentait vainement de discerner le paysage à travers l'épaisse gangue de nuages. Elle se tourna vers Wilhelm qui s'escrimait à calmer l'excitation des enfants assis entre eux.

— Décidément, nous ne connaîtrons cette ville que sous le brouillard !

Wilhelm sentait monter son émotion à mesure que l'avion perdait de l'altitude. Neuf ans qu'il n'avait pas vu Myriam… Au moment où les roues touchèrent le tarmac, il broya la main d'Almah dans la sienne, par-dessus les jambes de Ruth et Frederick qui posèrent sagement leurs menottes sur les mains de leurs parents.

Wilhelm ne put cacher son exaspération face à l'officier impavide qui examinait avec attention les documents de voyage qu'il avait eu tant de difficulté à obtenir. Il se rappelait l'humiliation encaissée six ans auparavant. Aujourd'hui ils n'étaient plus des « immigrants involontaires » comme on les avait baptisés à l'époque. Seulement des touristes. C'était une espèce de petite victoire que d'annoncer qu'ils étaient en visite pour deux semaines et qu'ils ne comptaient pas rester.

Privilège des premières classes, ils n'eurent pas à attendre leurs bagages. Myriam n'avait pas lésiné sur les billets qu'elle avait envoyés. Wilhelm avait une boule au ventre en franchissant la baie vitrée coulissante. Myriam se jeta en pleurant dans ses bras. Il ne put retenir ses larmes en la serrant longuement contre lui avant d'étreindre Aaron. Myriam essuya ses joues d'un revers de la main et se pencha sur les enfants médusés par le spectacle de ces adultes en pleurs.

— Mon Dieu mes chéris, que vous êtes grands et beaux ! Je pleure parce que je suis si contente, si contente de vous voir enfin ! Oh Almah, ils sont magnifiques !

Ses larmes jaillirent de nouveau. Ruth recula d'un pas, intimidée par cette inconnue dont les pleurs avaient ruiné le maquillage. Sa tante sortit d'un sac deux gros paquets. Frederick découvrit un camion-benne parfait pour la plage et Ruth une poupée blonde qu'elle baptisa aussitôt Anita. Wilhelm considérait sa sœur, incrédule. Il avait laissé une jeune fille timide sur le quai d'une gare viennoise et il retrouvait une femme sûre d'elle dans le hall d'un aéroport new-yorkais. Il cherchait les boucles rebelles dans la mise en plis impeccable et il traquait sans les retrouver les fossettes de l'enfance dans ses joues d'albâtre qui avaient fondu. Myriam était bien plus belle que sur les photographies envoyées. On aurait dit une gravure de mode tout droit sortie des pages de *Vogue*. Vêtu d'un pardessus en poil de chameau et coiffé d'un borsalino qui cachait une calvitie naissante, Aaron respirait l'assurance d'un homme à qui tout a réussi. À côté, eux, les Rosenheck, faisaient figure de parents pauvres avec leurs manteaux démodés et leurs valises défraîchies.

Les premières effusions passées, ils s'entassèrent dans la Chevrolet des Ginsberg qui les impressionna avec son tableau de bord en acajou et son élégant intérieur de cuir beige.

— Brrr ! Nous ne savons plus ce que c'est que le froid ! s'exclama Almah en frissonnant, tandis qu'elle s'engouffrait sur le siège arrière où traînait un numéro de *Der Tog*.

— Tu lis le yiddish maintenant ? s'étonna Wilhelm en le feuilletant.

— Je prends l'édition du dimanche car il y a un supplément en anglais, expliqua Myriam tandis qu'Aaron mettait le chauffage en marche.

Les vitres se couvrirent rapidement de buée qu'Almah nettoya d'un revers de la main. Myriam était volubile, elle n'en finissait pas de s'extasier sur les enfants. Almah et Wilhelm restaient silencieux, assommés par leurs émotions, fascinés par le spectacle qui défilait derrière les vitres de la voiture.

— Nous habitons Brooklyn Heigths, juste en face de Manhattan, expliqua Aaron.

— J'ai refusé de nous laisser ghettoïser à Borough Park. Nous avons quitté l'Autriche, ce n'était pas pour nous retrouver au milieu des Allemands et des Juifs hassidiques, ajouta Myriam. Notre quartier est cosmopolite et très central, on rejoint Manhattan en quelques stations de métro aérien.

La nuit était tombée. Les vitrines étaient clinquantes, les façades surchargées d'immenses enseignes aux néons criards. Il sembla d'emblée à Almah qu'il y avait trop de lumières, trop de passants, trop de voitures, trop de mouvement, trop de bruit. C'était terriblement éloigné de leur réalité. Aaron se gara dans une rue bordée d'édifices de *brownstones*. Myriam leur ouvrit avec fierté la porte d'une maison de deux étages.

— Quand j'ai visité la maison, j'en suis tombée amoureuse. Elle date du XIXe siècle et Aaron l'a entièrement réaménagée. Vous verrez, vous allez être très bien.

Wilhelm et Almah connaissaient la maison par des photographies mais ils furent impressionnés par sa taille et sa décoration intérieure. Ils ne s'attendaient pas à un tel luxe. Manifestement, le cabinet d'architecture d'Aaron, Ginsberg & Associates, qui construisait des centres commerciaux dans tout le pays, était florissant. Myriam les installa au second étage, celui des invités. Elle avait aménagé une chambre pour les enfants et ils avaient leur salle de bains privée.

— Je vous laisse vous installer et vous reposer. Almah, je te prêterai des vêtements chauds et nous irons faire des achats pour les enfants dès demain. Wil, tu peux te servir à ta guise dans l'armoire d'Aaron.

— Ça fait bien longtemps que je n'ai pas vu une baignoire. Je vais me faire couler un bon bain, décréta Almah.

— Tu as des sels de bain parfumés, du bain moussant, du shampoing, des crèmes, lui précisa Myriam en s'éclipsant. Prends tout ton temps, je m'occupe des petits.

Almah trempa dans la baignoire jusqu'à ce que le bout de ses doigts soit tout fripé, un plaisir qu'elle n'avait pas connu depuis l'hôtel Montana.

Le repas fut joyeux. Aaron parlait des États-Unis et Wilhelm racontait Sosúa. Myriam était volubile, prise d'une frénésie effarante. Elle n'arrêtait pas, comme si le moindre silence pouvait les faire déraper vers les sujets qu'ils ne voulaient pas aborder. Les enfants étaient couchés quand l'abcès creva. Wilhelm n'en pouvait plus d'écouter babiller sa sœur car il savait parfaitement ce que cachait son incessant bavardage. À la fin, il n'y tint plus et la coupa brutalement.

— Arrête Myriam, ça suffit, je t'en prie !

Il n'y avait aucun ressentiment dans sa voix, simplement un grand accablement. Myriam blêmit et son masque de gaieté se fissura. Son sourire se figea, les coins de sa bouche retombèrent et des larmes perlèrent à ses yeux. Elle serrait ses mains l'une contre l'autre, ses doigts croisés à en faire blanchir les jointures des phalanges. Elle ouvrit la bouche mais aucun son ne franchit ses lèvres. Wilhelm se leva et prit sa sœur dans ses bras. Elle commença à pleurer en silence. Almah et Aaron échangèrent un regard et sortirent de la pièce discrètement.

— Parle-moi d'eux, dis-moi tout ce que tu sais !

— Tu sais tout ce qu'il y a à savoir. Je t'ai envoyé des copies de chacune de leurs lettres, jusqu'à la dernière. Il n'y a rien d'autre.

— Je les ai abandonnés ! C'est un miracle quand il y a un jour où je n'y pense pas.

— C'est ce qu'ils voulaient, que nous partions, que nous vivions. Tu n'es coupable de rien, Wil, pas plus que moi. Tu avais ton fils, Ruth qui attendait d'arriver. Ils voulaient que nous bâtissions notre vie, même loin d'eux, que nous réussissions. Regarde-nous, ils seraient fiers de nous et de tes enfants.

Wilhelm et Myriam restèrent cramponnés l'un à l'autre un bon moment dans leur douleur muette.

— Demain, nous irons dire le kaddish pour eux, décida Wilhelm.

*

Encore un peu étourdis de toutes les émotions accumulées, Almah et Wilhelm se préparaient à explorer New York.

— J'ai perdu l'habitude d'enfiler trois couches de vêtements depuis belle lurette ! sourit Almah en boutonnant un gilet de laine sur son chemisier. Je me sens engoncée.

— Et moi comme un pauvre avec ces vêtements qui ne sont pas à moi, ronchonna Wilhelm en fermant le manteau prêté par Aaron.

— Oh Wil, on ne va pas acheter des vêtements pour quinze jours, ça n'aurait pas de sens. Et puis ce pardessus te va très bien, ajouta Almah en redressant son col.

Elle ferma la veste matelassée à col montant empruntée à Myriam, enfonça son bonnet de laine au ras des yeux et noua les écharpes autour du cou de Ruth et Frederick. Ils traversèrent à pied le pont de Brooklyn. Le vent sifflait dans les haubans. En remontant vers Broadway, ils ne se sentaient pas si dépaysés que ça. Dans certaines rues du Lower East Side, les silhouettes noires et familières de Juifs en schtreimel, les enseignes des tailleurs et des épiceries, les restaurants, les vitrines des librairies, les journaux en yiddish leur donnaient l'impression de marcher dans le quartier de Leopoldstadt.

*

Le troisième soir, Aaron s'isola avec Wilhelm.

— Il faut que nous parlions de l'argent qui vous attend ici depuis des années.

— Ce n'est pas ce qui a motivé notre visite, crois-le bien. Nous avons tout ce qu'il nous faut en République dominicaine. Et je donnerais tout ça et tellement plus pour que nos parents soient encore de ce monde.

— Je sais, mon vieux. Ce n'est pas un sujet que j'aborde de gaieté de cœur compte tenu de ce qui est arrivé. Mais ton père a fait de moi le dépositaire de cet héritage. Quant aux dispositions de Julius, je te dirai tout ce que tu dois savoir. C'est leur volonté à tous les deux et il n'y a aucune honte à assumer leur héritage après tout ce que les nazis nous ont volé. En ce qui concerne l'argent de ton père, ce n'était pas grand-chose, mais je me suis chargé de le faire fructifier. J'ai fait de bons placements et vous êtes aujourd'hui à la tête d'une somme rondelette. Ce sera un sacré coup de pouce quand vous vous installerez ici.

— Pour l'instant, nous ne savons pas encore ce que nous allons faire.

Les sourcils froncés, Aaron dévisagea Wilhelm avec étonnement.

— Vous n'allez pas nous rejoindre ?

— Nous avons été sacrément douchés par l'accueil, il y a six ans. Et nous avons une vie très agréable dans notre île, nous ne manquons de rien, surtout pas d'amis. Tu comprendras quand vous viendrez nous voir !

— Si je m'attendais à ça ! Myriam…

— Rien n'est encore décidé. Nous ne voulons rien brusquer et surtout pas prendre une décision hâtive. Il faut aussi attendre de voir ce qui va se passer du côté de la Palestine. Et puis, il y a Sofie qui est enterrée à Sosúa… Pour en revenir à l'argent, je te remercie Aaron, sincèrement. Je sais que tu as fait au mieux. Il n'y a qu'à voir comment vit ma sœur. Comme un pacha, comme elle disait quand elle était petite !

— C'est vrai que nous avons une belle vie. Myriam a réalisé son rêve, son école s'est taillé une belle réputation. La seule ombre au tableau, c'est que nous n'aurons pas d'enfants. Myriam n'en parle pas, mais sa stérilité est une tragédie et elle refuse d'envisager l'adoption.

— Je ne savais pas…

— D'après son psychologue, ce seraient les séquelles de son agression à Vienne. C'est à partir de là que son organisme s'est bloqué. La pratique de la danse à outrance n'a sans doute rien arrangé. Mais ça reste entre nous, je ne t'ai rien dit.

Un muscle tressautait dans la joue de Wilhelm et il serra les poings. Aaron ne lui laissa pas le temps de réagir.

— Je prends rendez-vous demain à la banque, ça te va ?

*

Trop heureuse d'avoir les enfants pour elle, Myriam les encourageait à sortir. Ils étaient avides de théâtre, de cinéma, de musées et renouaient avec une vie qu'ils avaient oubliée. Ils découvrirent les comédies musicales de Broadway. À l'Imperial Theatre, ils virent *Annie Get Your Gun*, l'histoire d'une tireuse d'élite du spectacle de Buffalo Bill. Ils s'attendrirent du trio amoureux de *Blue Skies*. Ils firent une cure de cinéma en amoureux, épaule contre épaule, doigts enlacés dans la complicité des salles obscures. Almah adora Fred Astaire et Judy Garland dans *Ziegfeld Follies*, Wilhelm succomba au charme de Lauren Bacall dans *The Big Sleep*. Ils rirent comme des enfants aux pitreries des Marx Brothers dans *A Night in Casablanca*. Wilhelm, qui voulait à tout prix voir un Fritz Lang, entraîna Almah dans une cinémathèque de quartier où il lui infligea *Ministry of Fear*, un film d'espionnage antinazi. Un dimanche, sous un timide soleil d'hiver, ils arpentèrent en famille le *boardwalk* de Coney island, la promenade dominicale de milliers de Juifs de Brooklyn.

— Je vous regarde d'en bas, décréta Wilhelm penaud, tandis qu'Aaron prenait des billets pour la grande roue, une pâle copie de celle du Prater.

— Ma parole Wil, tu as toujours le vertige ! s'exclama Myriam en riant.

Les jours passaient et les Rosenheck ne s'habituaient pas au froid. Un froid glacial comme ils n'en avaient pas connu depuis la Suisse, un froid qui congelait les yeux, anesthésiait le visage, tétanisait les neurones et traversait les étoffes les plus épaisses pour se loger au plus profond du corps. Les rues étaient couvertes d'un épais manteau de neige balafré des traces de pas sales. Les effluves lourds et nauséabonds du macadam et des vapeurs d'essence les aggressaient. Et puis, ils manquaient d'espace, eux qui avaient appris à vivre dehors. Leurs regards habitués à porter jusqu'aux confins de l'horizon se heurtaient aux masses de béton et de verre, aux sommets pointus des gratte-ciel, et ils se sentaient à l'étroit entre les murs de la maison.

— Écoute ça ! s'exclama Wilhelm.

Blottie sous l'édredon de plume, Almah referma le *Harper's Bazaar* et se pelotonna contre lui.

— « Le caractère propre de l'Américain du Nord, c'est la vulgarité sous toutes les formes : morale, intellectuelle, esthétique et sociale ; et non pas seulement dans la vie privée, mais aussi dans la vie publique : elle n'abandonne pas le Yankee, qu'il s'y prenne comme il voudra. »

— C'est assez bien vu ! Qui a dit ça ?

— Schopenhauer !

— Ça ne date pas d'aujourd'hui alors ! Ils ne se sont pas améliorés. Je dois être « dominicanisée » car je n'apprécie pas tant que ça les gringos. Je ne suis pas du tout sûre que j'aimerais vivre ici. Ce bruit, ce stress, cette indifférence... Ils sont loin, le calme et l'indolence de notre île tropicale. Cette ville manque de couleurs, sent mauvais, bourdonne comme une ruche qui ne s'arrête jamais, tout n'est que mouvement, le rythme est effréné, tout est colossal, écrasant, tumulte et frivolité. Je suis déconcertée, vraiment, tout ça me donne le tournis, électrise mes nerfs... En plus, il y a ce froid ! La dernière fois que j'ai eu aussi froid, c'était à Diepoldsau et ce n'est pas un bon souvenir. Les enfants ont le nez qui coule sans arrêt. La pauvre Ruthie ne supporte pas les lainages, elle a des plaques rouges sur tout le corps. Je grelotte en permanence, j'ai les lèvres gercées, la peau rêche, les pieds gelés, je dors avec des chaussettes…

Wilhelm referma son livre.

— C'est fini les récriminations ? Je sais comment te réchauffer, moi…

*

Aidé d'Aaron, Wilhelm mettait de l'ordre dans leurs affaires, affrontant avec patience les tracasseries des banques. Pendant ce temps, Almah et Myriam se prélassaient dans les instituts de beauté – « Mes mains ont besoin d'être chouchoutées et mes ongles vernis » avait décrété Almah – et dévalisaient les magasins. Elles achetèrent des jouets pour le Noël des enfants. Almah écuma les rayons de Macy's pour faire le plein de cadeaux. De l'eau de Cologne Old Spice et une belle montre pour Markus. Des boucles d'oreilles, des produits de beauté et un flacon du nouveau parfum de Schiaparelli, Le Roy Soleil, pour Svenja dont elle trouva que le nom comme l'audacieux flacon dessiné par Dalí lui allaient bien. Des cravates de soie pour Emil, un agenda pour Mirawek. Pour Carmela, une statue de la Liberté enfermée dans une boule de cristal avec des flocons pailletés en suspension et un joli arbre à photographies où elle pourrait mettre tous ses petits-enfants. Elle s'offrit un grand flacon de Joy de Patou et choisit Pour un homme de Caron pour Wilhelm. Elle fit graver un briquet et un étui à cigarettes en argent à ses initiales. Dans une librairie, elle dénicha le cadeau parfait. Elle fit emballer dans un beau papier un exemplaire de *Die Welt von Gestern. Erinnerungen eines Europäers*[1], l'autobiographie posthume de Zweig publiée deux ans plus tôt, et sa biographie de Montaigne, le dernier ouvrage de l'écrivain. Et surtout, elle renouvela leur garde-robe. Et comme leurs bagages n'y suffiraient pas, elle acheta deux belles valises et une grande malle qu'elle remplit de chemises et de pantalons pour Wilhelm, de robes, de corsages et d'escarpins pour elle, sans compter les vêtements d'enfants. Par moments elle avait un peu honte de cette frénésie d'achats, puis elle décidait de se pardonner. Elle acheta aussi des disques de Glen Miller, de Billie Holiday, de Sinatra et de l'orchestre de Tommy Dorsey pour les soirées de l'Oasis. Myriam l'entraîna chez le coiffeur. Elle revint avec les cheveux coupés aux épaules et une petite frange effilée sur le front très à la mode. Un après-midi Wilhelm demanda à Almah de l'accompagner.

— Un rendez-vous surprise. Mais oublie ton affreux bonnet de laine et emporte ta trousse de maquillage.

Dans la rue, il héla un taxi et glissa l'adresse au chauffeur qui les déposa devant le studio Harcourt. La séance de photographie dura une heure et demie. Quand Almah sortit, elle était éreintée et radieuse. Le lendemain, en examinant les tirages, Myriam déclara sans ambages :

— Tu es sublime, tout simplement. Bien plus belle que toutes ces starlettes d'Hollywood !

---

1. *Le Monde d'hier. Souvenirs d'un Européen*, publié en 1944.

*

Wilhelm avait longuement hésité avant de l'appeler. Était-ce une bonne idée de renouer avec un fantôme du passé ? Pourtant sa curiosité l'emporta. Quand il composa le numéro de téléphone de Krista, son index tremblait légèrement. Il reconnut immédiatement la voix rauque de fumeuse de la photographe.

— Mon Dieu ! Wilhelm, comme c'est bon de t'entendre ! Où es-tu ? À New York, mais c'est merveilleux ! Tu vas bien ? Ta femme, ton fils ?... Bien sûr qu'on peut se voir, j'aurai toujours du temps pour toi, même si en ce moment, je suis débordée. Je suis en train de mettre la dernière main à mon exposition de photographies. Le vernissage a lieu dans deux jours. Viens, je t'en prie. Avec qui tu veux. Je serai si contente de te revoir !

Ses années de fermier l'avaient rendu étranger aux préoccupations mondaines, pourtant ce fut avec un plaisir au parfum d'autrefois que Wilhelm débarqua dans une galerie d'avant-garde du Lower East Side. Des gros tas de neige sale avaient été pelletés au pied des baies vitrées violemment illuminées derrière lesquelles on se pressait. Myriam et Aaron avaient fini par céder aux prières d'Almah. Ils avaient abandonné les enfants à une baby-sitter. Dans son manteau de fourrure, avec sa nouvelle coiffure, maquillée, des clips en diamants aux oreilles, Almah était resplendissante. Avec Myriam, elles avaient passé des heures à se pomponner en gloussant comme des collégiennes. Tenant Almah par la main, Wilhelm se faufila dans la foule, jusqu'à la vedette de la soirée qu'il avait reconnue de loin. Vêtue d'un costume d'homme, cigarette aux lèvres, les cheveux prématurément gris coupés court, le regard fiévreux et les lèvres rouge sang, Krista était en grande discussion avec un couple. Dès qu'elle l'aperçut, elle se fraya un chemin jusqu'à lui et tomba dans ses bras, puis elle se tourna vers Almah. Elle l'embrassa et lui laissa une trace rouge sur la joue qu'elle effaça du bout des doigts.

— Je suis contente de faire ta connaissance, ma chère, lui souffla-t-elle en allemand.

Almah ne lui avait parlé qu'une fois dans des circonstances qu'elle préférait oublier. Mais elle se rappela très distinctement le pincement de jalousie qu'elle avait ressenti quand Krista avait décroché le téléphone. Elle la détailla avec une pointe d'amusement. Non, décidément Krista n'était pas le genre de Wilhelm. Levant tout quiproquo, celle-ci leur présenta sa compagne, une peintre russe, une belle femme émaciée d'une quarantaine d'années avec laquelle elle vivait dans le quartier de Little Odessa, au sud de Brooklyn. Puis elle tourna les talons pour répondre aux sollicitations d'un journaliste.

— Elle a un œil, incontestablement, murmura Almah en étudiant attentivement les tirages en noir et blanc.

— C'est un regard très intimiste sur l'émigration juive à New York, apprécia Myriam. Tu comprends pourquoi j'ai voulu vivre à Brooklyn Heights, ajouta-t-elle.

— Féroce, je dirais plutôt féroce et sans concession, lui répondit Almah en réprimant un frisson.

Ce n'étaient pas des images très gaies, cela ressemblait à une étude sociologique au scalpel et on sentait la journaliste sous le vernis de l'artiste.

— Je ne suis pas mécontent d'avoir échappé à ça, murmura Wilhelm à l'oreille d'Almah en lui tendant une coupe de champagne.

Elle lui adressa un sourire de connivence qui creusa la fossette de sa joue gauche. Ses photographies de Sosúa étaient bien plus gaies et si pleines de vie. D'abord content d'avoir retrouvé l'ambiance chic des soirées viennoises, Wilhelm montra rapidement des signes d'impatience. Le nasillement de l'accent américain, le bourdonnement des conversations en allemand, la chaleur excessive, l'atmosphère enfumée, tout cela le fatiguait. En plus, il se sentait incongru dans cette assistance où il ne connaissait personne. Il observa de loin Myriam et Almah qui flirtaient avec un duo de bellâtres cravatés. Elles minaudaient et il sentit un éclair de jalousie lui lacérer l'estomac.

— Ils vont les embarquer si on n'y met pas le holà !

— Je ne crois pas, non ! répondit Aaron en fondant sur Myriam. Je vous rappelle, mesdames, que nous sommes attendus, dit-il en prenant d'autorité le bras de sa femme.

Myriam et Almah éclatèrent de rire et plantèrent là leurs soupirants. Ils s'éclipsèrent tous les quatre pour dîner dans une brasserie de Broadway.

— Alors, ça t'a plu ? demanda Myriam à son frère.

— J'étais heureux de retrouver une vieille amie, même si nous n'avons pas pu beaucoup parler ; mais nous allons nous revoir.

— Et l'exposition ?

— Ses photographies sont intéressantes. J'ai toujours su qu'elle avait du talent. C'était la meilleure au journal. Quant au reste, je crois bien que je suis devenu un ours réfractaire aux mondanités. Tu sais, nous vivons dans un tout autre monde, ajouta-t-il en faisant tourner pensivement son vin dans son verre.

— C'est vrai, renchérit Almah. Chez nous…

Elle s'interrompit une fraction de seconde, saisie par ces deux mots qui lui étaient venus naturellement. Ça n'avait échappé ni à Myriam ni à Wilhelm que la portée de ces simples mots troublait.

— … les relations sont plus vraies, plus simples, plus chaleureuses. On ne fait pas d'esbroufe, on ne cherche pas à épater la galerie, parce qu'on est comme une grande famille.

— J'ai tellement hâte d'aller vous voir. Il faut que nous fassions vite, avant que vous ne partiez !

Almah sentit une petite vague de chaleur lui oppresser la poitrine. Elle regarda Wilhelm un peu désemparée, les mots de Myriam résonnaient étrangement. Celle-ci sentit le flottement et son regard perplexe allait de son frère à sa belle-sœur.

— Ce n'est pas encore à l'ordre du jour, répondit Wilhelm en pressant la main d'Almah. Tu as tout le temps de nous rendre visite.

— Encore faudrait-il que tu évites de te casser une jambe, rigola Aaron, faisant allusion à la mauvaise chute de Myriam qui avait obligé les Ginsberg à annuler leur voyage prévu quelques mois plus tôt.

— Et que tes centres commerciaux te laissent un répit, Monsieur le businessman ! rétorqua-t-elle sans se démonter. C'est décidé, moi j'y vais bientôt, et tant pis pour toi si tu ne peux pas venir, ajouta-t-elle avec aplomb. Almah m'a dit qu'il y avait plein de beaux célibataires et de cœurs à prendre là-bas !

— Hum ! Figurez-vous qu'Almah file un mauvais coton. Elle s'est acoquinée avec une certaine Svenja, une croqueuse d'hommes à la cuisse plutôt légère.

— Wil, je t'interdis de parler d'elle comme ça. C'est ma meilleure amie, ajouta-t-elle à l'attention d'Aaron qui était un peu perplexe. Elle est belle et a beaucoup de succès masculins.

— C'est rien de le dire ! sourit Wilhelm avec un hochement de tête.

— Almah m'en a déjà parlé et je brûle de la connaître. Nous allons nous amuser comme des petites folles toutes les trois, je sens ça.

— Il est hors de question que tu partes toute seule chez ces sauvages à la cuisse légère, rigola Aaron.

Almah leva son verre :

— À votre prochain voyage alors !

— À notre prochain voyage ! répliqua Myriam en trinquant.

Ils terminèrent la soirée au Metropole où jouait Dizzy Gillespie et rentrèrent bien éméchés à Brooklyn.

*

Aaron et Wilhelm installèrent un immense sapin dans le salon. Perchée sur un escabeau dans les bras de Myriam, Ruth plaçait les boules dorées sous les directives attentives de Frederick. Les guirlandes multicolores ravivaient une fibre intime de la mémoire d'Almah, la ramenant aux immenses sapins de son enfance qui ornaient chaque Noël le grand salon de la maison de Hietzing. Attendrie, elle regardait ses enfants, rouges de plaisir, qui battaient des mains et trépignaient d'excitation. C'était leur premier sapin de Noël.

Ruth brandit une étoile dorée sous le nez de Myriam.

— Chez nous, il y a plein d'étoiles dans le ciel !

— Et même des étoiles filantes ! ajouta Frederick

— On voit toutes les étoiles du ciel dans la lunette à étoiles de Papa ! précisa Ruth en écartant largement ses bras pour signifier à quel point le ciel était vaste chez eux.

Le jour de Noël, ils allèrent patiner sur un des trois lacs gelés de Prospect Park, moins collet monté que le Prater, selon Myriam. Une neige fine et serrée se mit à tourbillonner. Assis sur le bord de la patinoire, Wilhelm se dit qu'il avait perdu le goût de la neige. Il les regardait avec attendrissement et une boule grossissait dans sa gorge. Myriam, gracieuse et aérienne, dessinait des huit sur la glace. Ruth piétinait et, le museau en l'air, tirait la langue pour sentir fondre les flocons sur sa langue. Almah, des cristaux de neige accrochés à ses cheveux, riait en battant des bras pour garder son équilibre. Frederick piaffait sur la glace comme un faon sur ses sabots pour tenter de distancer Aaron qui tanguait derrière lui. Le cœur de Wilhelm se dilata. « C'est ma famille, ils sont merveilleux ! »

Ils rattrapèrent en deux semaines toutes les fêtes, les Noëls et les anniversaires qu'ils n'avaient pu vivre ensemble. Puis ce fut le jour du départ. Les Rosenheck débarquèrent sur le tarmac de l'aéroport sous un soleil magnifique. Une brise tiède caressait leur peau.

— Je suis contente de rentrer à la maison ! soupira Almah en chaussant ses lunettes de soleil.

Dans leurs bagages, ils rapportaient des cadeaux pour tous les amis, une brassée de magazines de mode américains, un électrophone, une radio et le virus du be-bop.

Un mois après leur retour de New York, Wilhelm et Almah partirent passer quelques jours à Ciudad Trujillo. Ils revinrent avec une Buick bleue aux chromes rutilants et au tableau de bord en acajou, des bicyclettes pour les enfants et une machine à écrire Remington. Une semaine plus tard, on leur livrait un réfrigérateur Westinghouse dernier cri, un sofa, deux fauteuils, une grande armoire à glace, un agrandisseur photo.

Les principes socialistes de la communauté étaient suffisamment battus en brèche pour que ni Rosen ni les autres colons ne s'en formalisent. Seul Mirawek pesta : « C'est avec des gens comme vous qu'on recrée une société inégalitaire ! »

45

Extrait des carnets de Wil

Janvier 1947

Almah m'a fait un merveilleux cadeau à Noël. Elle ne pouvait me faire plus plaisir qu'avec les deux livres qu'elle a choisis pour moi. Elle me connaît si bien.

Je dévore *Le Monde d'hier* et me replonge avec délice dans la Vienne d'avant guerre, celle de mes aînés que je n'ai guère connue. Cependant certaines phrases de Zweig résonnent comme un écho et réveillent de vieilles blessures.

J'ai été élevé à Vienne, la métropole deux fois millénaire, capitale de plusieurs nations, et il m'a fallu la quitter comme un criminel avant qu'elle ne fût ravalée au rang d'une ville de province allemande... À l'instant où le train passait la frontière, je savais comme Loth, le patriarche de la Bible, que derrière moi tout était cendre et poussière, un passé pétrifié en sel amer.

Quant à la biographie de Montaigne, elle est pleine de magie et exalte le combat du philosophe pour la liberté. J'ai découvert avec stupeur ce poème de La Boétie adressé à Montaigne. Ébahi par l'improbable résonance de ses paroles vieilles de quatre siècles avec notre situation actuelle, j'ai recopié pour Markus ce passage où La Boétie semble parler de nous :

> *Sous mes yeux s'étend la ruine de mon pays, et je ne vois d'autre issue que de m'exiler, d'abandonner ma maison et d'aller là où le destin portera mes pas. Depuis longtemps déjà la colère des dieux m'exhorte à fuir et me montre les terres vastes et libres de l'autre côté de l'Océan. Lorsque au seuil de notre siècle est apparu un nouveau monde sorti des ondes, c'est que les dieux le destinaient à être le refuge où les hommes pourraient librement cultiver leurs champs, sous un ciel meilleur, tandis que l'épée cruelle et les indignes fléaux condamnent l'Europe au déclin*[1].

L'histoire n'est-elle donc qu'un éternel recommencement ? Apprendrons-nous jamais de nos erreurs ? Je sens que Markus va encore me taxer de philosophe de café du Ring.

---

1. Étienne de La Boétie, poème latin adressé à Montaigne, 1560.

46

Terra incognita

Février 1947

Almah avait besoin de prendre l'air. Nous avions besoin de nous retrouver. Depuis notre escapade à Jarabacoa, trois ans plus tôt, je lui étais redevable d'une surprise. Renseignements pris, j'avais trouvé de quoi lui clouer le bec. Je l'enlevai pour quelques jours pendant que Svenja s'installait à la ferme pour s'occuper des enfants. Nous avions roulé sur la piste de terre qui longeait la côte. Almah s'attendait à ce que nous nous arrêtions à chaque village. Nous avions déjeuné dans la bourgade agricole assoupie de Rio San Juan, puis nous avions pris un bain sur une immense plage déserte où nous avions sauté comme des enfants dans les rouleaux turquoise moussus d'écume. Nous étions déjà venus en expédition avec nos amis jusque-là et nous avions baptisé cette baie « Playa Grande ». Nous n'avions jamais poussé plus loin.

— À partir de maintenant, c'est *terra incognita* ! s'exclama Almah en ajustant son bandeau sur ses cheveux.

Nous roulions plein est. Derrière nous, le soleil, tel un projecteur, éclairait le paysage comme un décor de cinéma. À Nagua, une route asphaltée prenait le relais de la piste et s'enfonçait jusqu'à la pointe de la péninsule orientale. Au fil de kilomètres de cocoteraies, nous longeâmes une côte désolée, sauvage, battue par les vagues. Puis la route quitta le bord de mer pour s'enfoncer dans un paysage bucolique de collines dodelinantes et de rizières.

— C'est beau comme un décor de conte de fées, commenta Almah subjuguée.

De temps à autre nous croisions un paysan, machette à la hanche et chapeau de paille sur la tête, chevauchant un mulet chargé de régimes de plantains ou conduisant une charrette pleine de noix de coco. Nous arrivâmes à Santa Bárbara en fin de journée. C'était le bout de la route, le bout de l'île. Le petit port de pêcheurs était niché au fond d'une anse tranquille en arc de cercle, elle-même inscrite dans l'immense baie de Samaná, large comme une mer. J'avais réservé deux nuits dans une petite pension agrippée au flanc d'une colline dominant la mer.

— Ce n'est pas le grand luxe, m'excusai-je en ouvrant la porte de notre chambre, qui comptait un grand lit, deux chevets, une chaise et une tringle où pendouillaient quelques cintres.

Almah poussa la porte-fenêtre de l'étroit balcon.

— Le vrai luxe c'est ça !

Son bras embrassa l'espace en face de nous. Le spectacle sur la baie était grandiose : la mer étincelait de reflets d'or, le ciel flamboyait, mauve, orange, fuchsia. Après une longue flânerie en bord de mer, nous avions dîné dans un petit estaminet d'énormes crevettes au lait de coco arrosées de bière glacée. Un trio de musiciens, une güira et un accordéon, interprétait avec entrain du *perico ripiao*, un merengue traditionnel aux accents de crécelle, typique et entraînant, qui agaçait les nerfs. Almah battait la mesure contre son verre en se dandinant sur sa chaise. Le lendemain, je négociai les services d'un pêcheur.

— Je ne suis pas sûre que ce soit une bonne idée, Wil. Tu sais que j'ai le mal de mer.

— Au ras de l'eau, ce n'est pas pareil. Et puis ce qu'on va voir te fera tout oublier.

Quand le dos de la première baleine émergea à moins d'une dizaine de mètres de notre barque, ce fut un choc. Ma main se resserra sur celle d'Almah qui resta bouche bée, les yeux écarquillés. J'eus soudain peur. Le mammifère était trop gros, nous étions trop près, le bateau allait se retourner comme un fétu, nous allions nous noyer, nous faire dévorer…

— Je ne veux pas finir comme Pinocchio dans le ventre de la baleine, me souffla Almah pas très rassurée.

Mais le pêcheur, tout à son affaire, écarta doucement la barque sans manifester la moindre inquiétude. La baleine plongea et sa queue apparut, triomphalement fichée dans la mer. Puis ce fut une parade époustouflante de cabrioles, de nageoires volantes, de queues dressées, de gueules ouvertes, de jets d'eau. Nous étions hallucinés par le spectacle grandiose que la nature nous offrait. Je tentai de prendre quelques photos malgré le roulis de la barque. Notre marin nous observait amusé. Pour lui c'était monnaie courante. « Chaque année, nous expliqua-t-il, elles s'installent dans la baie pour trois mois avec leur petits, et puis elles s'en vont. Nous, on continue à pêcher, on ne les embête pas, elles ne nous embêtent pas. »

— C'était vraiment un sacré spectacle, déclara Almah le soir en sirotant un daïquiri. Notre couple de lamantins peut aller se rhabiller ! Promets-moi que nous reviendrons avec les enfants ! Ils vont adorer ça !

À notre retour, je décidai de faire découvrir les baleines de Samaná aux lecteurs de *La Voix de Sosúa.*

47

En effervescence

Mai 1947

Ils venaient tout juste d'accueillir les douze familles du groupe de Shangai, qui avaient fait route depuis la Chine après la liquidation de leur sordide ghetto, quand la visite du Jefe en personne fut annoncée. Sosúa entra en effervescence. Le « Bienfaiteur de la Patrie et Père de la nouvelle Patrie » venait parader et recevoir les marques d'allégeance des colons reconnaissants. Ce serait le prétexte de photographies flatteuses qui se retrouveraient à la une des journaux à la botte du Généralissime. Wilhelm détestait l'idée de servir de faire-valoir à ce dictateur qu'il abhorrait.

Il fallut aménager en urgence la piste d'atterrissage, face à la synagogue et aux locaux de la coopérative, qui ne servait qu'en de rares occasions. On dressa une tribune avec des sièges et un dais, on disposa des haies de fleurs en pots, on prépara des banderoles et un menu de gala. La fanfare se mit à répéter avec frénésie l'hymne national et des marches militaires, les enfants apprirent à la hâte des chants dominicains sous la férule de Raimund dans une mise en scène pastorale. On ne délibéra pas pour choisir la petite fille qui offrirait la gerbe de fleurs au dictateur : Ruth était naturellement désignée pour cet hommage. Au grand dam de sa fille, Wilhelm s'y opposa. Non seulement cela heurtait ses convictions politiques, mais il considérait que Ruth était beaucoup trop gâtée par la communauté, elle ne devait pas s'habituer aux honneurs non mérités. Totalement désespérée, Ruth pleura, trépigna et supplia beaucoup. Almah partageait les convictions de son mari, la cause était entendue.

*

Ce matin-là, Sosúa attendait de pied ferme le bimoteur du Généralissime. La piste était pavoisée, le comité d'accueil composé de Joseph Rosen, de membres de l'administration et du gratin de la colonie, sur son trente et un. Il y avait des photographes de plusieurs quotidiens de la capitale et de celui de Puerto Plata. Wilhelm ne faisait pas partie de cet aréopage. Il avait obstinément refusé de se compromettre. Prétextant du travail en retard pour justifier son absence à la réception, il avait laissé Markus représenter le journal. Rosen n'était pas dupe, aussi n'avait-il même pas tenté de le convaincre de participer à la fête.

— La lie vient avec le vin, avait-il coutume de dire quand le sujet de la dictature venait sur la table.

— Le vin a un goût amer et nous ne sommes pas obligés de boire la lie, rétorquait Wilhelm sans se démonter.

— Mon cher Wil, je te rappelle que nous ne sommes que des invités dans ce pays !

— Je sais parfaitement ce que nous devons à ce pays, mais des engagements ont été pris, des accords signés et la terre vendue, oui ou non ? fulminait Wilhelm. Donc, nous sommes un peu chez nous quand même !

— N'oublie pas que les murs ont des oreilles, tempérait Rosen prudent, une allusion aux espions infiltrés partout.

Sa position à la Dorsa l'obligeait à la circonspection malgré ses réserves sur le régime. Pour autant, il respectait Wilhelm, l'un des rares colons avec Mirawek à prendre ouvertement position contre la politique du dictateur.

— La politique de l'autruche, c'est ce qui nous a perdus, soupirait Wilhelm avec amertume.

La politique était la seule dissonance de la vie à Sosúa, mais elle était de taille.

*

Le drapeau dominicain flottait avec indolence. Dans sa jolie robe en coton jaune pâle impeccablement repassée, les cheveux maintenus plaqués sur son crâne par des barrettes, Ruth trépignait d'énervement. Elle tenait là un rôle bien meilleur que tous ceux qu'elle avait interprétés dans les pièces de théâtre de l'école, un rôle arraché de haute lutte à ses parents que toutes les autres petites filles lui enviaient. Le dictateur débarqua de l'avion en grand uniforme de général vert olive, le poitrail ceint d'une écharpe et bardé d'un chapelet de médailles rutilantes. Il était accompagné de sa garde rapprochée et de son fils Ramfis, qui à dix-sept ans avait déjà une longue carrière militaire derrière lui puisqu'il avait été nommé colonel à cinq ans. Suivaient un caméraman de la télévision et un photographe.

La fanfare exécuta *Quisqueyanos valientes* et les enfants chantèrent les deux premières strophes de l'hymne sans une seule fausse note, ce qui tenait de l'exploit. Terriblement impressionnée, Ruth s'avança en tremblant vers le Généralissime. Elle sentait tous les regards braqués sur elle quand elle exécuta la petite révérence qu'elle avait maintes fois répétée devant la glace sous les moqueries de Frederick et l'œil désapprobateur de son père. Puis elle tendit ses fleurs. Les flashs crépitèrent. Rafael Leónidas Trujillo, bienfaiteur et président de la République dominicaine, embrassa la fillette tandis qu'Almah réprimait un frisson de dégoût. Il la délesta de la gerbe qu'il remit à un officier et grimpa sur la tribune d'où il lut un discours accablant de sa petite voix flûtée.

— La sueur est en train de ruiner son maquillage ! On dirait une marionnette, il est ridicule, constata Svenja à l'oreille d'Almah en se dandinant d'un pied sur l'autre.

Il faisait vraiment chaud. Le dictateur n'était pas le seul à être en nage, tout le monde avait hâte d'en finir et de rejoindre la Casa Grande. Là aussi, on s'était mis en frais. À côté des drapeaux et d'un portrait géant du président, Rosen, qui n'était pas à une flagornerie près, avait fait suspendre un de ces ridicules panneaux de tôle émaillée avec l'acrostiche que le dictateur avait lui-même inventé pour son nom, Rafael Leónidas Trujillo Molina. Ça disait : « Symbole national : Rectitude, Liberté, Travail, Moralité. »

— Un comble pour un individu corrompu, qui censure la presse, esclavagise les Haïtiens et viole des femmes en toute impunité, grinça Almah.

Ce fut à la fin du cocktail que l'incident se produisit. Les haut-parleurs crachotaient un merengue entraînant, la musique de prédilection du dictateur qu'il avait popularisée lors de ses campagnes électorales. Un membre de sa garde aborda Svenja et la pria de le suivre. Le Jefe voulait faire sa connaissance. Gêné, Rosen la lui présenta. Ses intentions à l'égard de Svenja étaient on ne peut plus claires : il se proposait de la ramener avec lui à Ciudad Trujillo le jour même. Pourtant habituée à repousser les avances masculines, Svenja paniqua. Comme tout le monde, elle connaissait sa sale réputation. Il s'était attribué un droit de cuissage sur toutes les femmes du pays et malheur à celles qui osaient résister. Svenja esquiva, manœuvra et disparut de l'assemblée. Le Jefe était manifestement contrarié quand il quitta Sosúa. Quant à Rosen, il était dans ses petits souliers.

— Il s'était aspergé d'un parfum sucré entêtant. Il avait un sourire grivois, les lèvres humides, des petits yeux gris, fixes et vides, et une haleine de phoque. Il a quelque chose de proprement effrayant, confia plus tard Svenja à Almah.

— Ce n'est pas pour rien qu'on le surnomme le Bouc, répliqua Almah. Tout le monde sait que c'est un psychopathe.

Svenja était effrayée car il se murmurait que Trujillo ne capitulait jamais quand il avait jeté son dévolu sur une femme. Par chance, le Bouc se consola de sa rebuffade ailleurs.

48

Extrait des carnets de Wil

Octobre 1947

Quand il est en verve, et c'est souvent ces derniers mois, Mirawek nous farcit la tête de ses frustrations. Le mot de Joseph Roth : « Ne pas être un Juif conscient de sa judéité est pire que de la lâcheté, c'est de la bêtise » est devenu son leitmotiv. Sa réflexion identitaire nous soûle. Maintenant que les actions terroristes contre les Anglais se multiplient en Palestine où la situation devient explosive, il veut participer à la lutte pour la création de l'État juif. Il s'enflamme : il veut prendre contact avec l'Agence juive car le Mossad Le'aliyah Bet organise à grande échelle l'immigration illégale des Juifs vers la Palestine. Quand on lui demande d'où il tient toutes ces informations, Mirawek se contente de hausser les épaules avec un air légèrement dédaigneux.

— Je me tiens au courant, c'est tout !

— Monsieur a des sources que nous ignorons, raille Markus.

Mirawek affecte alors un air mystérieux et cela m'agace au plus haut point. Pourtant il faut reconnaître que, de nous tous, c'est lui le plus au fait des avancées de la situation en Palestine. Il lui est insupportable d'assister sans y prendre part à la marche vers la liberté de notre peuple. Il voudrait prendre les armes et combattre les Britanniques dans les rangs du Palmach. Yigal Allon est son nouveau héros. Il bouillonne et les mois passant devient de plus en plus insistant auprès de Svenja. Selon lui, ils doivent tout mettre en œuvre pour partir.

Almah ne voit pas d'un bon œil la pression permanente que Mirawek exerce sur sa sœur. Celle-ci le tempère : pour l'instant l'émigration concerne surtout les personnes déplacées, ceux qui sortent des camps. Nous sommes bien trop loin, comme des coqs en pâte et trop peu nombreux pour les intéresser. Et puis c'est trop dangereux et risqué d'immigrer illégalement, les bateaux sont arraisonnés par les Britanniques et les Juifs renvoyés dans des camps. L'odyssée de l'*Exodus* illustre bien les choses : l'affrontement politique peut tourner au drame.

— Il ne sera pas dit que j'assisterai à notre triomphe sans y prendre part, insiste Mirawek buté.

Aura-t-il gain de cause ? Svenja et Almah font de la résistance. Nous les soutenons tous. Ce n'est plus qu'une question de mois maintenant.

49

Trente-deux minutes pour un État

15 mai 1948

Nous attendions ce jour depuis six mois, depuis le vote à l'ONU fin novembre du partage de la Palestine entre Juifs et Arabes. J'avais composé la une très tôt ce matin-là, les mains tremblantes d'émotion, sous l'œil attentif d'Almah et de Markus. *La Voix de Sosúa* titrait : « *Medinat Yisrael*[1] ! » avec une photographie de David Ben Gourion lisant la déclaration d'indépendance sous le portrait de Theodor Herzl, encadré de deux drapeaux frappés de l'étoile de David. « Nous, membres du Conseil national, représentant la communauté juive de Palestine et le mouvement sioniste mondial, réunis en Assemblée solennelle aujourd'hui, jour de la fin du mandat britannique, (...) nous proclamons la création de l'État juif de Palestine qui portera le nom d'Israël... L'État d'Israël est né. La séance est levée. »

1. État d'Israël.

Trente-deux minutes pour entériner la naissance d'un État.

Nous étions le 5 Iyar de l'an 5708 du calendrier hébraïque, le 15 mai 1948, l'État d'Israël avait un jour. C'était shabbat et jour de fête. Je pensais avec une émotion indicible à tous les Juifs partout dans le monde qui célébraient cette victoire après tant de luttes et de souffrances et à tous ceux qui ne la connaîtraient jamais. C'était comme toujours le même mélange d'émotions indissociables, tristesse et joie, amertume et espoir.

Sosúa ne bruissait que de ça. La naissance d'Israël c'était pour beaucoup la fin de la précarité, la Palestine, la destination finale de leur errance. Leur place légitime.

*

Nous déjeunions à la maison avec Markus, Marisol, Mirawek, Svenja, Emil et Nelly. Nous célébrions ce moment historique.

— Nous avons enfin un pays à nous, ce n'est pas trop tôt, soupira Emil en tirant pensivement sur son cigare.

Je le regardai avec surprise. Il n'avait jamais revendiqué la Palestine comme sa terre d'élection, ni fait état de quelconques convictions sionistes. Pour ce que j'en savais.

— Il leur aura quand même fallu un demi-siècle pour se décider ! Herzl a théorisé l'État des Juifs au congrès de Bâle en 1897 !

Mirawek, le chantre du débat idéologique, ferait un merveilleux avocat, il connaissait la valeur d'un mot et savait qu'un demi-siècle était plus long que cinquante ans.

— Cinquante ans ce n'est pas très long, finalement, rétorqua Svenja qui tenait systématiquement tête à son frère.

— Et si l'Occident ne s'était pas senti coupable après les atrocités nazies, ça aurait pu prendre beaucoup plus de temps, ajouta Emil.

— C'est ce qui s'est passé pendant ces quinze dernières années qui a été très long, murmura Almah.

Le souvenir de tous nos disparus plana un bref instant.

— Ce n'est sans doute pas la fin de la haine entre les peuples, mais au moins la fusion des Juifs dans la communauté des nations. Enfin libérés de siècles d'humiliation et délivrés de la soumission à des autorités étrangères, nous devenons une nation semblable aux autres. Maintenant nous n'avons plus aucune raison de moisir ici, conclut Mirawek en se reculant avec satisfaction contre le dossier de sa chaise.

— Parle pour toi ! Moi je n'ai jamais moisi ici, rétorqua Almah. Ce n'est pas parce que nous avons un État juif qu'il faut cracher dans la soupe.

— Moi non plus, je n'ai jamais moisi ici, renchérit Svenja.

— Toi, tu ne risquais pas de moisir, au contraire ! ricana Mirawek.

— Tu peux préciser ta pensée ?

— Oh, je crois que tu m'as très bien compris ! répondit Mirawek, mi-figue, mi-raisin.

Sur sa chaise, Nelly se tortillait, mal à l'aise devant la passe d'armes. C'était une allusion pas très fine aux frasques amoureuses, ou plutôt sexuelles, de sa sœur que Mirawek réprouvait. Il s'était investi d'une mission, celle de veiller sur Svenja, alors que celle-ci n'en avait jamais fait qu'à sa tête. Ces deux-là étaient comme chien et chat et pourtant ils s'adoraient et n'auraient sans doute pas pu vivre loin l'un de l'autre.

— J'imagine que ça sonne le glas de notre communauté, intervint Markus. Ils sont déjà pas mal à être partis aux États-Unis, là ça va être une véritable hémorragie.

— C'est le sens de l'histoire, et c'est bien comme ça. Personne n'a jamais considéré Sosúa que comme une parenthèse, une escale, rien de plus. Rien de définitif en tout cas, pas vrai ?

En disant cela, je sentis une vague de tristesse inattendue me bouleverser, à la pensée de tous nos compagnons qui peu à peu se dispersaient, de toutes ces amitiés qui allaient se dissoudre, de toutes ces vies qui devraient se réinventer, encore une fois. C'était la fatalité de notre exil. Je me tournai vers Emil qui tirait nonchalamment sur son barreau de chaise :

— Et vous, que comptez-vous faire ?

— Oh, nous ne sommes pas pressés, tant que je suis utile ici… On se donne encore le temps de réfléchir, n'est-ce pas, Nelly ? De toute façon, nous n'avons qu'une alternative. Pas question de retourner en Autriche. C'est Israël ou les États-Unis. Je ne suis pas sioniste, outre la difficulté de fédérer un peuple aussi éclaté, les idées des sionistes me semblent bien trop idéalistes. D'un autre côté, le mode de vie des gringos ne me séduit pas plus que ça. J'imagine que dans les deux cas, nous devrons faire des concessions.

Je souris. Emil avait adopté le terme un peu méprisant de gringos, à la dominicaine, pour nommer les Américains. Nelly, soumise, approuva d'un hochement de tête. Cette jolie femme, qui manquait singulièrement de caractère, convenait parfaitement au tempérament machiste d'Emil.

— Eh bien nous, c'est tout réfléchi, on part ! En fait, on n'attendait que ça ! lança Mirawek avec une note de triomphe dans la voix. Je vais enfin terminer mes études de droit, devenir avocat et me mettre au service d'Israël.

— TU n'attendais que ça ! le corrigea Svenja. Moi je ne suis pas mal du tout ici, figure-toi. Mais oui, nous allons partir, dit-elle avec un soupçon d'amertume dans la voix. D'ici quelques mois, reprit-elle avec douceur en regardant Almah en biais, le temps de tout organiser. Nous allons de nouveau faire nos valises, les poser en terre inconnue et tâcher de renouer avec ce qui reste de notre famille.

Je jetai un coup d'œil en coin à Almah. Elle ne souriait plus. Elle avait pincé ses lèvres comme pour les empêcher de trembler. Nous ne l'avions jamais évoqué, mais je savais que le départ de Svenja allait lui briser le cœur. Markus s'étira en allongeant ses jambes sous la table et coula un long regard à Marisol.

— Nous, nous restons, bien sûr, dit-il en soufflant un nuage de fumée grise. Je n'ai plus l'âge de repartir de zéro et de tout reconstruire ! Je ne manquerai à personne de toute façon et ma nouvelle famille est ici. Et puis, la paix n'est qu'une hypothèse. Maintenant, les Arabes et les Juifs sont face à face et les pays voisins ont des armées puissantes. Il ne faut pas oublier que c'est les Britanniques qui maintenaient l'ordre en Palestine.

Insensible aux considérations politiques de Markus, je regardai Almah dans les yeux, par-dessus la table jonchée des reliefs de notre déjeuner de fête.

— Nous, c'est différent… commençai-je.

— Oui, nous c'est différent. Nous avons une petite fille enterrée ici. Nous ne pouvons pas l'abandonner.

La bouche d'Almah s'était tordue dans une grimace douloureuse et sa voix avait légèrement chevroté. Svenja se pencha et pressa sa main par-dessus la table. Des rires aigus d'enfants fusèrent depuis le jardin. Ruth fit irruption sur la terrasse, les cheveux en bataille, les joues rouges, les mains et les genoux pleins de terre. Elle se dandinait d'un pied sur l'autre, battant des mains comme d'un éventail, tout excitée, avec un sourire triomphant et plein de trous.

— Frizzie a attrapé un crabe. Il est é-nor-me !

Ravie de son annonce, elle fit volte-face et repartit en sautillant d'un pied sur l'autre, sans plus nous accorder d'attention. Je souris en pensant qu'une telle image ne pouvait pas être le fruit d'un mauvais choix :

— Les enfants sont si heureux ici. C'est un véritable paradis pour eux. Nulle part ailleurs nous ne pourrions leur offrir cette vie-là.

Plus tard dans l'après-midi, nous sortîmes. Les gens déambulaient en groupes bruyants dans la rue principale du Batey. À l'Oasis, il n'y avait plus une chaise libre ; dans le jardin comme dans la salle, les conversations allaient bon train. Partout l'air vibrait d'une fébrilité comme nous n'en avions plus ressenti depuis la fin de la guerre. La création d'Israël nous remplissait de joie et de fierté.

De retour à la ferme, notre jour de fête se transforma en une sorte de veillée funèbre. Almah était triste, à fleur de peau. Les événements, l'évocation de Sofie, de nos morts, l'allusion au départ de Svenja, l'éclatement inéluctable de notre communauté l'avaient bouleversée. Toute ma tendresse ne parvint pas à dompter sa morosité. Elle eut du mal à s'endormir et fit des cauchemars toute la nuit.

*

La Dorsa avait organisé dans la précipitation une grande fête à l'hôtel Garden City pour le dimanche. Tout le Batey était là. Le parking, la salle intérieure, la terrasse grouillaient de monde. Il régnait une atmosphère étrange faite de joie, d'appréhension et d'une sorte de tristesse diffuse aussi, de celle qu'on ressent quand on a touché au but et que la lutte n'est plus désormais que de l'histoire ancienne. L'orchestre interpréta *Hatikva*[1], on chanta, on dansa jusque tard dans la nuit. On se quitta groggy au petit matin. Au retour, ça rigolait, ça beuglait des chansons paillardes. Chez certains le niveau d'alerte de l'alcool était largement dépassé et on en retrouva plus d'un ivre mort couché au bord du chemin. Dès le lendemain, une autre page de notre vie allait s'écrire.

*

1. Hymne national israélien.

Comme l'avait prédit Markus, ce fut une véritable hémorragie. Le Joint facilitait l'immigration des Juifs dans le nouvel État, où qu'ils se trouvent dans le monde. Ce fut une période de bouleversements, d'adieux, de remise en cause. Sosúa se vidait de ses forces vives. Ceux du groupe de Shanghai arrivés un an auparavant n'avaient pas eu le temps de s'installer. Ils furent les premiers à repartir. Beaucoup de ceux des premiers groupes allaient retrouver des membres de leur famille. Cette fois, ce n'était pas un exil subi, ils ne repartiraient pas les mains vides. Ils soldaient leurs affaires, vendaient leurs maisons, organisaient leur déménagement… On aurait pu appeler cette période « liquidation avant immigration ». Ce fut aussi une période d'affairisme : il y avait de bonnes affaires à faire, des propriétés à racheter. Les opportunistes étaient à l'affût.

50

Luis Alberti y su orquesta

Décembre 1948

Des accords de musique entrecoupés de grands éclats de rire montaient de la maison de Mirawek et Svenja.

— *¡La cadera, Almah ! ¡Mueve la cadera ! ¡Así, así !*

Marisol se déhanchait de façon exagérément lascive pour montrer l'exemple. À l'annonce du concert, Svenja avait pris les choses en main. Elle avait réussi à se procurer un disque de Luis Alberti et tous les soirs, de 18 heures à 19 heures, c'était leçon de merengue. Marisol jouait l'homme et faisait virevolter tour à tour Almah et Svenja sous les encouragements nourris de Ruth qui agitait son derrière en rythme dans les bras de Frederick. Wilhelm avait décliné l'invitation, tout comme Markus et Mirawek. Ils en profitaient pour refaire le monde autour d'une bière.

*

L'Oasis affichait complet ce vendredi soir pour LE concert. On avait ouvert grand la salle sur le jardin où était dressée une estrade. Des petites guirlandes de couleur étaient enroulées tels des serpents lumineux autour des troncs des cocotiers. Il y avait foule, toutes les tables avaient été prises d'assaut. Colons et Dominicains au coude à coude tentaient d'attirer l'attention des serveurs dans une joyeuse pagaille. Alberti présentait une formation réduite de son orchestre *Lira del Yaque* rebaptisé *Presidente Trujillo* par la volonté du Jefe qui lui avait fait endosser le rôle de « musicien de la cour » quelques années auparavant. Quand Pipí Franco, le chanteur adulé dans tout le pays, entonna *El Desguañangue*, un merengue traditionnel du Cibao revu à la sauce Alberti, les couples se lancèrent sur la piste improvisée sous les cris de joie et les applaudissements enthousiastes. Marisol entraîna un Markus récalcitrant et passablement balourd. José, qui ne manquait aucune fête du Batey, invita Almah et un Dominicain jeta son dévolu sur Svenja. Wilhelm observait tout ce petit monde avec un sourire amusé. Almah avait un style réservé, coulé et élégant, Svenja déployait une grande liberté de mouvements. Ça tournait dans tous les sens au son des cuivres, les croupes ondulaient, les épaules tressautaient, les poitrines se frôlaient, les cous et les décolletés luisaient. On s'épongeait, on s'éventait, l'air sentait la sueur et le parfum bon marché de certains n'arrangeait pas les choses.

Un tonnerre d'applaudissements nourris salua la fin du morceau, certains sifflaient, tapaient des pieds. On était loin de la ferveur toute en retenue de l'Opéra !

Almah s'effondra en nage sur une chaise, tandis que José allait chercher des bières au bar.

— Vos leçons ont porté leurs fruits, tu te débrouilles comme un chef ! observa Wilhelm.

— Bah ce n'est pas si difficile, un deux, un deux ! Le prochain, on le danse ensemble.

Le percussionniste s'excita sur sa tambora, double tambour à peau de bouc d'un côté et de chèvre de l'autre, et les danseurs furent pris d'une véritable frénésie. On sortait les mouchoirs pour éponger la sueur qui perlait aux fronts et au-dessus des lèvres. Des auréoles commençaient à se dessiner au dos des robes et des chemises et sous les bras. Une odeur chaude et dense d'effluves des parfums mêlés de terre et de fleurs montait de la foule en liesse. Almah observait Markus, raide comme une trique, qui s'efforçait vainement d'accorder ses dandinements approximatifs à ceux, gracieux, de sa femme. Svenja, très consciente de ses atouts dans une tenue qui épousait ses formes, tortillait des hanches avec une grande conviction, exactement comme le lui avait enseigné Marisol. Son cavalier, un bel homme, grand, fin, taille étroite et épaules larges, très sombre de peau, la serrait de près sous le regard réprobateur des rombières du village. Le couple tournoyait gracieusement avec une grande souplesse.

— Regarde Svenja, elle danse comme une vraie Dominicaine ! apprécia Almah.

— Elle devrait modérer son zèle, j'en ai vu plus d'un loucher sur son derrière ! remarqua Wilhelm.

— Je crois que c'est justement ça le but de cette danse, aiguiser les sens !

— Ouais, ben elle les aiguise un peu trop à mon goût, déclara Mirawek qui ne quittait pas sa sœur des yeux. J'aimerais qu'elle ait un peu plus de retenue !

— Tu n'es pas son chaperon que je sache, lui rétorqua Almah en riant. Arrête de jouer les rabat-joie !

Mirawek ne trouvait pas ça drôle du tout. L'orchestre entonna un boléro romantique et sensuel. Le métis ne lâcha pas Svenja, au contraire il la plaqua contre son torse en chaloupant. Cédant à la prière silencieuse d'Almah, Wilhelm se leva et lui prit la main. Tandis qu'ils dansaient joue contre joue, Almah ferma un instant les yeux et se dit qu'elle était bien. Juste où il fallait, juste à sa place, dans les bras de Wilhelm. Quand elle les rouvrit, elle constata que Mirawek boudait. Il n'avait pas bougé de sa chaise. Elle lui décocha une grimace qui lui arracha un sourire. Au prochain merengue, elle le traînerait sur la piste.

— Je vous présente Felix, annonça Svenja avec un petit air crâne.

Ils venaient d'enchaîner une dizaine de danses et il y avait manifestement de l'électricité entre eux. Felix serra les mains, un sourire désarmant aux lèvres, puis il slaloma vers le bar, entraînant Svenja dans son sillage. Il avait l'air doux et gentil.

— Je suis sûre qu'il est haïtien, laissa tomber Marisol en tordant son petit nez mutin.

Sur le coup, Almah la détesta.

— Quelle importance ? Ne sommes-nous pas tous des étrangers autour de cette table, à part toi ?

Marisol eut un petit sourire gêné. Sa réflexion, typique de la classe bourgeoise blanche, témoignait si besoin en était, de l'ostracisme, pour ne pas dire du racisme, dont étaient victimes les Haïtiens ou tout Dominicain un peu trop sombre de peau pouvant être soupçonné d'ascendance haïtienne.

« On est toujours le Juif de quelqu'un », glissa Almah à mi-voix à Wilhelm. Il l'entraîna sur la piste pour éteindre l'étincelle de la dispute. Felix ne lâchait pas Svenja, il flirtait avec elle, c'était évident, et elle ne le décourageait pas, c'était tout aussi évident. Ils passèrent toute la soirée ensemble. Et pas que la soirée. Le concert terminé, ils s'esquivèrent discrètement.

Après le concert de Luis Alberti, Svenja entama une liaison discrète avec Felix. D'autant plus discrète qu'elle savait ce que les mauvaises langues pourraient colporter comme méchancetés. Mais il était difficile de vivre dans l'anonymat à Sosúa et bientôt les rumeurs allèrent bon train. Svenja avait une vraie tendresse pour son Apollon noir : « Un amant attentif et imaginatif qui n'a rien à envier à Rubirosa », avait-elle confié à Almah en gloussant, car il se murmurait que la nature avait été généreuse avec le play-boy dominicain. Les commères pétries de préjugés se déchaînèrent. Svenja en fut mortifiée. Plus, elle en conçut un réel chagrin. Une raison de plus de partir…

51

Un crève-cœur

Juillet 1949

Pour Svenja et Mirawek, il avait toujours été entendu que la République dominicaine n'était qu'une halte en attendant que la guerre s'achève et que se réalise leur rêve : la création d'un État juif. Et c'était enfin arrivé. La parenthèse se refermait. Israël serait un foyer collectif, qui remplacerait leur famille détruite. Ils n'eurent aucun mal à obtenir l'autorisation d'émigrer. Ils avaient suivi des cours intensifs d'hébreu, étaient jeunes, en bonne santé, aguerris aux travaux de la terre et à la vie en communauté, des candidats idéals pour œuvrer à la création du nouvel État.

Svenja envisagea, de façon toute théorique, de ne pas suivre son frère. Elle faisait le bilan des années passées à Sosúa. Ne lui restait que l'impression d'une grande bulle confortable et quelque peu inconsistante. Elle n'était pas dans une vie réelle et sentait qu'elle avait épuisé ce que ce pays pouvait lui apporter.

— De toute façon, à part toi, je crois que je ne vais manquer à personne, répétait-elle à Almah comme pour s'en convaincre.

— À tous, tu vas manquer à tout le monde. Les enfants t'adorent !

— Ils sont bien les seuls !

C'était vrai que Svenja laisserait un souvenir mitigé. En tant que psychologue et institutrice, elle s'en était fort bien tirée, elle était à l'origine de tant de belles initiatives, leur potager, les camps de vacances, le concours annuel de sculptures de sable, les jeux olympiques… Les enfants la vénéraient. Mais pour les adultes, c'était une autre paire de manches. L'attraction presque magnétique que Svenja exerçait sur les hommes ne l'avait pas servie. Les femmes avaient toujours peur qu'elle vienne rôder sur leur territoire. Quant aux hommes, rares étaient ceux qui ne la voyaient pas comme un objet sexuel. Aux conventions et aux opinions des uns et des autres, elle opposait une indifférence à toute épreuve. À se demander parfois si ce n'était pas de la provocation. Le tableau de chasse de Svenja était impressionnant, ses multiples amourettes avaient été éphémères et sa dernière liaison totalement scandaleuse. Malgré ses précautions, cela s'était ébruité. On l'aurait à la rigueur toléré d'un homme, mais qu'une femme ait un amant noir, c'était inadmissible pour les esprits petits-bourgeois de bien des colons. Svenja enrageait de voir ces gens qui avaient souffert de la ségrégation se comporter à leur tour en racistes. Et à son grand dam, son propre frère n'était pas le dernier à lui remonter les bretelles.

Car c'était bien de cela qu'il s'agissait, de racisme doublé de machisme.

— Il y a bien des hommes à femmes, et ça leur donne une certaine aura. Eh bien moi, je revendique d'être une femme à hommes, clamait-elle haut et fort. J'espère bien qu'Israël sera un pays de liberté et de tolérance !

Svenja avait soif de réaliser son rêve : devenir une vraie thérapeute. Elle savait qu'en Israël, elle serait utile. Avec tous les éclopés de l'âme qui émigraient, elle aurait un rôle à jouer, sa pierre à apporter à la construction d'un édifice autrement plus important qu'une minuscule communauté agricole des tropiques où la seule chose qu'elle avait solidement enracinée était son amitié avec Almah. Mais elle savait que celle-ci ne mourrait pas avec son départ. C'était un vrai crève-cœur, mais Svenja était exaltée par ce qui l'attendait de l'autre côté du monde.

Almah, dont la loyauté envers Svenja était sans faille, comprenait la décision de son amie, même si elle savait qu'elle allait atrocement lui manquer et qu'elle en souffrirait terriblement. Personne ne pourrait remplacer Svenja dans son cœur. C'était elle, plus que Wilhelm, qui l'avait patiemment aidée à sortir du trou et à faire le deuil de Sofie. Elle l'aimait comme une amie, une sœur, une mère, une amoureuse. Almah savait aussi que le temps pansait toutes les plaies. La peine s'adoucirait pour ne laisser place qu'à une douce nostalgie. Sa vie n'avait été faite que de séparations. Mais sa force était qu'elle savait tourner les pages. Et puis, il y aurait des retrouvailles. Svenja le promettait et Almah la croyait. Leur histoire n'était pas finie.

Wilhelm et Almah rachetèrent leur case du Batey à Mirawek et Svenja afin qu'ils partent avec un petit pécule. Après tout, c'était un peu leur maison, Almah avait tellement l'habitude d'y dormir, les enfants aussi. Elles firent la malle à deux, emballant avec précaution les souvenirs amassés au fil des années, les poteries taïnos rafistolées avec patience, le premier chapeau de palme de *yarey* que Svenja refusait d'abandonner, une poignée de graines de *zamo* et d'*ojos de buey*, la collection de *La Voix de Sosúa* dont il ne manquait pas un exemplaire, les albums de photographies, la güira que Svenja grattait avec entrain lors des fêtes, un gros coquillage de lambi rose poli par la mer dans lequel on entendait le bruit des vagues… Chaque objet leur arrachait des rires ou des larmes. Neuf ans de vie dans une malle.

La veille de leur départ, Almah et Svenja se retrouvèrent aux aurores à la ferme. Elles sellèrent deux chevaux, les enfourchèrent, les talonnèrent et disparurent. Elles ne rentrèrent qu'à la nuit tombée, pour assister au dîner d'adieu organisé à l'Oasis pour le petit groupe qui quittait Sosúa. Toute la soirée, elles échangèrent des regards et des sourires complices comme si elles partageaient un secret.

Le lendemain, au départ du bus qui partait pour la capitale, elles s'étreignirent longtemps. Svenja semblait comme anesthésiée. Ce fut Almah qui l'encouragea en lui chantonnant à l'oreille « *ha-shana ha-ba'a bi-yerushalayim* », « L'an prochain à Jérusalem », la chanson de Pessa'h. Quand le bus s'éloigna, Wilhelm remarqua que ses lèvres tremblaient légèrement, mais elle n'eut pas une larme.

52

De Palestine

1949-1950

Le 5 septembre 1949

Bien arrivés en Israël – stop – Voyage long et fatigant – stop – Ne connaissons pas encore affectation – stop – Nouvelles à suivre – stop – Tendresses – stop – Svenja – stop

*

Barkai, le 20 février 1950

Almah Liebling,

Nous voilà enfin installés dans notre nouvelle vie. Je suis devenue une kibboutznik vraie de vraie ! Barkai, c'est le nom de notre kibboutz, se trouve dans le nord du pays.

Ici tout est à faire, comme aux premiers jours de Sosúa. Ça a comme un petit goût de déjà-vu ! Autant te dire que notre expérience est précieuse et nous aide à nous adapter. C'est comme si Sosúa n'avait été qu'un brouillon, une répétition avant le lever de rideau. Pour nous, le pays à construire, c'est ici et maintenant. Après avoir vaincu la forêt tropicale, c'est contre le désert que nous devons livrer bataille. Mais c'est une bataille que nous gagnerons sans mal car nous avons avec nous la foi. Ici je vais pouvoir prendre racine et commencer une vraie vie, car à Sosúa ce n'était qu'une parenthèse.

À Barkai les règles sont rigides et les principes, à contre-courant de l'individualisme, strictement mis en application. Tout le monde a des convictions sionistes, beaucoup se prennent pour le maillon d'une chaîne vertueuse, fondée sur des valeurs comme l'honneur et la sagesse. Ici personne n'est vraiment religieux, même si nous avons une synagogue et respectons les fêtes.

Nous élevons des vaches laitières et des volailles et faisons pousser des avocats et des légumes. Il semblerait bien que le travail de la terre soit une composante fondamentale du sionisme ! Nous sommes un peu plus de 400, principalement des Autrichiens et des Hollandais, quelques Hongrois ; il y a parmi nous un peintre, un violoniste, un pianiste et un chanteur, de quoi occuper la scène culturelle.

Mirawek est dans son élément, comme un poisson dans l'eau. Il est convaincu qu'un monde juste et égalitaire va naître des cendres de notre vieux monde. Il s'est remis à la traite des vaches ! Nous vivons selon son idéal : « chacun selon ses capacités, pour chacun selon ses besoins ». Il a décidé d'attendre pour poursuivre ses études. D'ici un

an, il fera une demande de congé pour terminer son droit à l'université et c'est une commission qui décidera de son sort. Tu te souviens de nos séances plénières à Sosúa ? Ici on les appelle « siha », c'est la même chose en bien moins folklorique. L'expérience socialiste est poussée à l'extrême. Tout est vraiment communautaire, presque militaire, même l'éducation des enfants qui vivent et dorment ensemble dans la maison des enfants. Les parents ne les voient qu'une heure par jour. Tu n'aimerais pas ça du tout !
Je fais le bilan de mes années dominicaines et je me rends compte que je ne suis pas bien armée pour une vie indépendante. Le kibboutz c'est une sécurité, le sentiment d'appartenir à une grande famille. Nous sommes tous très solidaires et ce mode de vie me rassure. Je ne suis pas sûre que je pourrais assumer un autre genre de vie, sans les garde-fous de la communauté. Et puis je dois apporter ma pierre à la construction du pays, par devoir ou par culpabilité d'avoir échappé à la Shoah...
La Aliyat Hanoar nous envoie beaucoup d'orphelins de guerre, de pauvres enfants complètement traumatisés. Autant te dire que je ne chôme pas, mais ma mission est gratifiante. Je me sens tellement utile que j'en oublie la dureté des conditions de vie, qui sont celles des débuts de Sosúa.
Les commérages et les coucheries vont bon train. J'ai un bon ami, Shlomo, notre comptable. Mais pour dire la vérité, je n'en suis pas vraiment amoureuse. Cela dit, c'est un bon amant ! Tu vois, rien de changé ! Je me propose de publier un jour une étude sur l'influence de la vie communautaire sur

la vie sentimentale et sexuelle des individus ! Je me sens qualifiée pour ça, qu'en penses-tu ?
Donne-moi des nouvelles, raconte-moi tout dans les moindres détails. Comment va ma filleule ? Ruthie et Frizzie me manquent. Tu me manques, notre complicité, nos fous rires, nos chevauchées fantastiques. Mais je n'ai guère de temps pour la nostalgie. J'espère te voir bientôt parmi nous.

Je t'embrasse très fort comme je t'aime, S.

— On ne change pas les rayures d'un zèbre, songea Almah dans une bouffée de tendresse en repliant soigneusement la lettre.

53

Extraits des carnets de Wil

1950

Mars

La ferme est à nous, nous avons remboursé notre crédit sans utiliser un dollar de l'argent américain. C'est le résultat de notre travail et j'en suis fier. Nous avons fêté avec Almah notre statut de propriétaires terriens.

Avril

Nous avons eu droit à une projection du film *The Third Man.* Nous en sommes tous sortis groggy. Plus que l'intrigue sur un sordide trafic de pénicilline, c'est le spectacle de Vienne en ruine qui nous a assommés. Les images des décombres de ma ville natale, scabreuse et misérable, m'ont crucifié. Elles me hanteront longtemps.

Mai

La Dorsa a fait venir Howard Gordon, un Américain expert en fabrication de fromages, pour nous aider à produire du cheddar et du fromage hollandais. Nous avons l'ambition de développer notre production et de vendre nos produits laitiers dans tout le pays.

Juillet

« Tout Juif, où qu'il se trouve dans le monde, a le droit d'immigrer dans la patrie historique du peuple d'Israël. » La loi du Retour votée le 5 juillet 1950 par le parlement de Jérusalem va vider la communauté de ses forces vives.

Depuis 1948 il y a un ballet de départs-arrivées. Certains rejoignent leur famille à Sosúa tandis que d'autres partent retrouver la leur en Amérique ou ailleurs dans le vaste monde.

2 août

Je sors d'un échange musclé avec Rosen. Plus qu'un désaccord idéologique, c'est une philosophie de vie qui nous oppose. J'ai refusé tout net de me prêter à la mascarade grotesque qui se prépare. Une délégation doit aller parader sur le Malecón de Ciudad Trujillo pour célébrer les vingt ans de règne du dictateur. Comme s'il y avait lieu de se réjouir des assassinats politiques, de la censure, des enlèvements et de la torture. J'ai aussi refusé de photographier le défilé, c'est

Markus qui s'y collera. Almah craint que je ne finisse étiqueté comme opposant au régime.

— Il faut toujours que tu te singularises, m'a-t-elle houspillé. En arrivant ici, nous avons pris l'engagement de ne pas nous mêler de la politique.

Je fulmine.

— Ce n'est pas faire de la politique que de s'abstenir de défiler, que je sache !

— Tu n'arrêtes pas d'envoyer des signaux négatifs ! Mais je suis d'accord, nous n'irons pas, Rosen a bien assez de candidats comme ça.

— Des lèche-culs, oui !

— Plutôt des opportunistes qui veulent profiter d'un voyage gratuit à la capitale, m'a-t-elle corrigé en riant.

23 août

Markus prépare l'article sur la parade. Je suis consterné par les photographies qu'il compte publier. Mince satisfaction, ils ont défilé sous la pluie, derrière les jeunesses trujillistes, une organisation qui me donne la nausée et me rappelle d'autres jeunesses. Kurt et Herbert en porte-drapeaux ouvrent la marche avec une ridicule bannière proclamant : « Nous avons trouvé une nouvelle patrie. Toujours reconnaissants, nous partageons le triomphe du Bienfaiteur. » Juste derrière, Elsa et Lisl en tête du cortège des femmes, en robe et chaussures blanches, portent une gerbe de fleurs, suivies des hommes en costume blanc et cravate noire.

— Tu devrais titrer : « Flagrant délit de flagornerie ».

— Tu connais mes idées. Ce n'est qu'une concession, somme toute mineure, tempère Markus toujours mesuré.

Je sors prendre l'air. Le coût de notre liberté me paraît parfois très élevé.

Octobre

C'est décidé, Emil et Nelly s'en vont.

Ils vont passer les fêtes de fin d'année ici, le temps de tout liquider, puis ils partiront s'installer au Costa Rica. Un choix curieux mais Emil ne veut se laisser imposer aucune issue. « Ni Israël, ni les États-Unis de McCarthy » proclame-t-il haut et fort. Il est plein d'enthousiasme.

— C'est un pays neuf où tout est encore à construire. Nous parlons déja l'espagnol, c'est un bon point. Nous allons acheter une *finca* et j'ouvrirai une clinique.

Je suis heureux pour eux de ce nouveau départ, mais je suis triste car je vais perdre un ami très cher.

— Nous serons tout près les uns des autres et nous passerons nos vacances ensemble, me console Emil en tirant sur son éternel cigare.

54

De Palestine

1951

Barkai, le 12 janvier 1951

Almah Liebling,

Tout vient à point à qui sait attendre !
Te rappelles-tu ce soir pas si lointain où nous étions assises sur les marches de la ferme ? Tu m'avais assuré que je tomberais amoureuse quand le moment serait venu.
Liebling, ce jour est venu ! Je suis follement amoureuse ! Il s'appelle Eival Reisman, il est né à Graz, il est médecin et vient d'être affecté à l'hôpital de Barkai. Cela m'est tombé dessus sans prévenir et je suis sacrément mordue. Ça tombe bien, lui aussi !
Nous allons nous marier et demander une chambre de couple, c'est ainsi qu'on appelle ici les deux pièces.
Après toutes ces années, je me sens enfin pleinement à ma place ici, à côté de lui. Je comprends maintenant ce sentiment de plénitude que tu éprouvais

auprès de Wil et que je t'enviais. Désormais, ma vie va s'écrire autrement et j'en suis heureuse. C'est une nouvelle étape qui marque peut-être la fin de mes tourments.
Mirawek est devenu le secrétaire de Barkai, le bras droit du directeur. Il en est fier et assume ses énormes responsabilités avec l'opiniâtreté et le sérieux qui le caractérisent. Il a repoussé la poursuite de ses études à plus tard. Il a lui aussi une bonne amie, Sarah, une chic fille qui est allemande. Enfin israélienne maintenant !
La prochaine lettre que je t'enverrai sera accompagnée d'une photographie de mon mariage !
Donne-moi des nouvelles, je guette toujours tes lettres avec impatience.

Je t'embrasse Liebling, ainsi que toute ta famille.
Ton amie, S.

Avec la lettre, il y avait une petite photographie en noir et blanc d'un couple. Ils étaient en short, chemisette et sandales et se tenaient par la taille. Eival était grand et beau. Brun, bien bâti, il paraissait solide et énergique. Il dépassait d'une tête une Svenja rayonnante. Avec un sourire, Almah posa la photographie sur une étagère, adossée aux livres, à côté des portraits de Ruth et Frederick. Il faudrait qu'elle la fasse encadrer.

55

Pour ou contre

1952

— On peut aussi tirer à la courte paille.

Tranquillement allongée à côté de moi, Almah posa son roman et m'observa du coin de l'œil. Sa liste intitulée « Accepter la nationalité dominicaine » avait l'intimité d'un journal intime. Une ligne nette séparait la feuille en deux colonnes. D'une écriture appliquée, Almah avait dressé la liste de ses arguments pour ou contre la décision de rester, puis elle avait posé la feuille sur notre table de nuit, sous un coquillage de lambi, pour que je la voie. Je commençais à la lire, tandis qu'elle jouait avec les poils de mon torse. Les arguments pour ou contre la décision de rester n'étaient pas tous dérisoires.

Pour	*Contre*
La mer, la plage	*L'esprit de clocher de Sosúa*
La nature	*Les moustiques et les insectes*
Les Dominicains	*La saison des pluies*
Les fruits	*Le téléphone qui marche un jour sur deux*
Le paradis des enfants	*Le courrier erratique*
Nos animaux	*Myriam et Aaron*
Les étoiles	*Le théâtre, l'opéra, les concerts inexistants*
Notre ferme	*La mode*
Mes chevaux	
Le soleil	
La Voix	
S	

— C'est en vrac, précisa Almah. Pour que ça ait une quelconque valeur, il faudrait rajouter les coefficients.

Elle me sourit, visiblement très contente de son raisonnement. J'oubliais parfois que ma femme avait une formation scientifique devant ses élans fantasques.

— Ne fais pas ton Schlesinger !

Almah éclata de rire. C'était devenu une plaisanterie entre nous. L'ingénieur allemand nous avait marqué au-delà de ce qu'il aurait pu imaginer. Schlesinger avait plié bagages en 1948 pour « retrouver la civilisation » à Chicago. En fait, il avait rejoint ce qui lui restait de famille. Je ne l'aurais avoué pour rien au monde mais il me manquait parfois. Avec son petit air suffisant, ses remarques acerbes et ses blagues oiseuses qui ne faisaient rire que lui, il avait été un acteur à part entière de la farce que nous avions jouée ici.

Je contemplai la liste, le bilan, noir sur blanc, de nos années dominicaines. Tout en bas de la feuille, Almah avait noté en l'entourant d'un cercle « S ». Sofie, notre petite fille que nous ne pouvions pas abandonner ici. Je me surpris à me demander quel coefficient elle mettrait à ce point, tout en m'en voulant immédiatement de mon cynisme et je me tus. Je savais que sa plaie ne se refermerait jamais.

— Tu crois vraiment qu'on a besoin de ça pour prendre une décision ? La décision du cœur, c'est celle qui s'impose.

— C'est une décision bien trop importante pour qu'on n'y ajoute pas la raison, tu ne crois pas ?

— C'est juste, c'est une des décisions les plus importantes de notre vie.

— La plus importante de notre vie, depuis notre départ d'Autriche. Et on ne peut plus reculer le moment. Il va falloir se prononcer très vite.

Almah me prit la liste des mains, en fit une boule, la lança sur le sol et se pelotonna dans mes bras.

— Tu as raison, je ne suis pas sûre que ce soit une très bonne idée !

56

Choisir

Mai 1953

Figés dans l'idée d'un retour, de nombreux colons avaient vécu dans le provisoire. Beaucoup avaient fait des projets de départ dès les premiers signes de la défaite allemande et attendu avec excitation la fin de la guerre. Depuis, comme un accordéon qui relâche en soupirant l'air dont il s'est enflé, notre colonie s'était dégonflée. C'était une période d'adieux. Triste. Sosúa avait été le creuset d'amitiés intenses mais éphémères. Malgré quelques retrouvailles quand des familles s'étaient agrandies d'une sœur, d'un oncle ou d'une cousine, les départs s'étaient inexorablement enchaînés avec, à chaque fois, ce mélange indigeste de déchirement, de joie et d'espoir.

Les plus nombreux étaient partis aux États-Unis. En Floride pour ceux qui ne pouvaient plus envisager de vivre sans soleil, à New York et dans les États de la côte Est pour beaucoup, dans le Middle West ou la Californie pour les plus téméraires. Animés par l'esprit sioniste ou le secret espoir de revivre l'enthousiasme des premières années de la colonie, ils étaient nombreux à avoir fait le chemin à l'envers, retraversant l'océan et l'Europe pour rejoindre Israël devenu, par la force de l'histoire, leur pays. Quelques-uns s'étaient aventurés vers des destinations plus exotiques, Aruba, le Costa Rica, le Panama et l'Amérique du Sud. Quelques rares qui n'avaient pu faire le deuil de leur pays d'origine s'étaient entêtés à retourner en Allemagne et en Autriche. Et, comble de l'ironie, les derniers arrivés ici en 1950 furent deux familles israéliennes. Nous n'étions plus désormais qu'une poignée, une soixantaine de familles à vivre encore dans notre éden campagnard, noyés dans une population dominicaine qui ne partageait pas notre histoire et nous dépassait maintenant en nombre.

Sosúa allait-elle s'éteindre à petit feu ? Se souviendrait-on un jour de nous ? Notre épopée se solderait-elle par quelques lignes dans les archives du Joint ? La nostalgie me prenait aux tripes. Nous méritions mieux. Notre histoire était une histoire d'aventure, d'amitié, d'amour, de celles qui façonnent les hommes et les marquent à tout jamais. Entre nous et cette île, des liens s'étaient tissés, forts, irréversibles. Nous avions partagé tant de choses dont il ne restait que quelques photographies jaunies.

Pourtant le bilan n'était pas si insignifiant. De notre aventure restaient nos immenses *fincas* et nos troupeaux qui avaient prospéré ; la CILCA et la Ganadera, nos florissantes coopératives qui imposaient leurs productions dans toute la région nord et jusqu'à Santiago ; notre école, notre synagogue et notre petit cimetière qui arboraient fièrement l'étoile de David sur leur portail ; notre hôpital, quelques entreprises, des ateliers, deux hôtels, trois restaurants, quatre cafés, une boulangerie, un cinéma et, détail dérisoire et pourtant si rempli de symboles, une des bibliothèques les plus fournies du pays. On pouvait aussi porter à notre crédit le développement de Los Charamicos, devenu un village prospère. Quant à notre journal et à notre studio de photographie, ils n'avaient plus grande raison d'être et battaient de l'aile.

Tout cela avait le goût triste et amer d'une page d'histoire trop vite écrite, trop vite tournée. Avec notre colonie, nous avions le sentiment que c'était notre jeunesse qui s'était définitivement consumée. Car nous n'étions plus jeunes. J'avais quarante-sept ans et Almah quarante-deux. Mes rêves de jeunesse n'étaient plus qu'un lointain souvenir que je convoquais parfois, de moins en moins souvent, pour rêver à ce que je serais devenu si la vie n'en avait pas décidé autrement. Pour tout dire, j'avais le moral dans les bottes, malgré l'amour d'Almah, le bonheur de mes enfants, ma réussite et notre aisance financière, malgré l'amitié indéfectible de Markus.

Un soir de spleen, je m'en ouvris à Almah :

— Il est écrit que notre vie ne sera faite que de ça, de départs, d'adieux, de déchirements !

— Toute vie n'est faite que de ça, me corrigea-t-elle avec un petit sourire fataliste.

Puis elle me rappela à l'ordre : nous ne remercierions jamais assez notre bonne étoile d'avoir échappé à l'holocauste. Peu d'entre nous avaient eu la chance de vivre une aventure aussi intense et singulière. Nous avions été vraiment heureux pendant ces douze années et nous continuerions à l'être. Elle prononça ces derniers mots avec une telle conviction que sa voix en trembla. Je la regardais en admirant sa force d'âme. Elle était tellement plus solide que moi.

*

Une double question s'imposait qui appelait une réponse : celle de notre identité et celle de la terre où nous allions vieillir. Nous étions toujours des apatrides, sans nationalité, échoués par hasard sur cette île en invités temporaires. Il nous fallait maintenant, sur les souvenirs de ces douze années, réinventer notre vie une nouvelle fois. Il fallait choisir une terre, pour le reste de notre vie. Nous avions jusque-là évité d'affronter la question en face. La grande question : allions-nous rester ou partir comme les autres ?

La politique de l'autruche n'était plus de mise, nous ne pouvions plus reculer, le moment était venu de faire un choix. Malgré les appels du pied des uns et les exhortations des autres, nous étions restés figés dans un statut sans nom. Myriam et Aaron, épaulés de quelques cousins éloignés, nous pressaient de les rejoindre, arguant des magnifiques opportunités qui s'offraient à nous. Almah et moi étions d'accord : nous n'aimions pas les gringos ; nous ne nous voyions pas vivre à New York dans la grisaille, l'agitation, le tintamarre et le froid. Pourtant si Almah l'avait voulu, j'aurais accepté de repartir. Mais petit à petit, l'idée avait fait son chemin : cette terre, qui nous avait lentement apprivoisés, nous avait choisis, une terre malgré nous.

— Te souviens-tu de notre arrivée ? me questionnait Almah. L'accueil à notre descente du bateau. J'ai aimé ce pays et ces gens dès le premier jour. Sans que je m'en rende compte, ils m'ont ensorcelée. Il y a de la magie ici ! Ne dit-on pas qu'on est chez soi là où on est accepté ? Nous avons été si bien accueillis. Dieu que j'ai détesté New York ! Dire que nous avons fait des pieds et des mains pour nous y installer… Quitter cette île où ont éclos tant de belles choses, où ont fleuri tant de souvenirs, où ont grandi nos enfants, où est enterré notre petit ange ? Je crois que je ne pourrais pas. Je ne veux plus vivre ce paradoxe de l'exil : regarder devant soi en regardant toujours derrière soi. Il n'est pas trop tard, Wil. Nous sommes encore assez jeunes pour prendre vraiment racine dans ce pays. Car sans racines, on n'est qu'une ombre.

Almah avait raison, notre vie était ici dorénavant. Il y avait bien longtemps que j'avais renoncé aux rêves qui n'avaient pas été réalisés. Je devais me convaincre que notre enracinement n'était ni une trahison ni un échec.

*

Rosen avait rejoint le siège du Joint à New York. Il continuait à jouer l'intermédiaire avec le gouvernement dominicain. Au cours d'un de ses voyages éclair à Sosúa, il débarqua un beau matin dans le bureau que je partageais avec Markus.

— L'annonce va être faite officiellement, nous annonça-t-il. Demain soir, séance plénière, la dernière probablement. Faites passer l'information. Ce sera sans doute notre chant du cygne !

Nous étions près de 200 à nous entasser dans la grande salle de la Casa Grande. Il faisait une chaleur du diable, mais l'air vibrait d'excitation quand Rosen prit la parole.

— Voilà près de douze ans que les plus anciens d'entre vous se sont installés ici à Sosúa, dans des circonstances et des conditions difficiles. Tous ensemble, nous avons réussi à faire de cet endroit notre petite Jérusalem…

Je souris intérieurement. Rosen me rappelait Mirawek et sa « Jérusalem au rabais ». Son ton était un peu grandiloquent et larmoyant, une émotion évidente sous-tendait ses mots choisis avec soin. Il nous annonça ce que nous subodorions : Trujillo nous offrait la nationalité dominicaine. Cela concernait les réfugiés de Sosúa mais aussi ceux de la capitale et des autres villes du pays. Il suffisait de remplir quelques papiers et nous aurions un nouveau passeport, une nationalité, une identité qui nous permettraient d'être les égaux des autres hommes, ceux qui appartenaient à un pays.

Au moment d'établir les documents, je refusai de troquer mon prénom pour William et d'hispaniser notre nom aux sonorités rugueuses, comme on me le suggérait.

— Moi je leur ai déjà fait cadeau de mon H, il y a bien longtemps ! rigola Almah.

Nous fûmes 150 à accepter l'offre du dictateur. Pour ceux de Sosúa, l'officialisation eut lieu devant un officier de l'état civil à l'*ayuntamiento* de San Felipe de Puerto Plata. Jamais noms n'avaient contenu plus de nostalgie et d'aventure que ceux qu'il appela à haute voix ce jour-là. Quand vint le nôtre, il l'écorcha « RRRRosénéc » et je souris. Avec solennité, nous prêtâmes serment de fidélité à la République dominicaine. À la sortie, Almah brandissait en riant nos quatre *cedulas* flambant neuves. Nous arrosâmes sans retenue notre nouvelle nationalité avec Markus et Marisol autour d'un inoubliable gueuleton dans un restaurant du Malecón.

C'était le 14 juillet 1953, 110e année de l'indépendance, 90e année de la Restauration et 23e année de l'ère Trujillo.

57

Des cavernes laissées à l'abandon

1954

Dès qu'elle poussa la porte, je vis immédiatement que quelque chose n'allait pas. Almah avait le visage fermé et son regard la couleur acier de ses colères. Elle balança son sac d'un geste rageur sur la table, avant de se servir une bière, ce qui ne lui ressemblait pas. Almah ne buvait jamais de bière en dehors des repas. Elle prit une cigarette dans mon paquet et l'alluma avant d'en tirer une longue bouffée. Almah ne fumait qu'une cigarette par jour et c'était avec son café de midi. Je l'observai sans dire un mot, attendant l'explosion qui ne tarda pas.

— Les imbéciles, ce sont des imbéciles ! lâcha-t-elle hargneusement tandis que deux grosses larmes se formaient au coin de ses yeux et dévalaient lentement ses joues.

— Almah, explique-toi ! Que s'est-il passé ?

— Je ne peux plus exercer, je n'ai plus le droit de soigner mes patients, explosa-t-elle. Des abrutis du ministère de la Santé ont décidé ça. Ils me demandent de repasser un diplôme de leur acabit, comme si le mien ne suffisait pas.

J'étais abasourdi. Almah continua sur un ton rageur :

— Mon diplôme n'est pas reconnu, pas plus que mes compétences et tout le travail que j'ai fourni depuis toutes ces années. Tu te rends compte, il faudrait que je retourne à l'école, à mon âge ! C'est parce que je suis une femme. Ce sont des machistes doublés d'antisémites. Quelle hypocrisie ! J'ai l'impression que tout recommence comme en Autriche.

Elle mélangeait tout. Je l'attirai contre moi, elle ne résista pas. Je pris son visage entre mes mains, la forçant à relever la tête.

— Almah, calme-toi, ne dis pas n'importe quoi. C'est un malentendu. Tout le monde sait que tu es une excellente dentiste. Rosen va trouver une solution.

J'essayai de l'embrasser mais elle se détourna et mon baiser ripa à la commissure de ses lèvres.

Je m'étais trompé, on ne trouva aucune solution : Almah devait reprendre ses études quasiment à zéro pour obtenir un diplôme lui permettant d'exercer dans le pays. Elle refusa d'autant plus que l'école dentaire se trouvait à Ciudad Trujillo, et dut renoncer à son métier de dentiste. Un dentiste dominicain fut parachuté à Sosúa. Almah fut cependant autorisée à faire les inspections scolaires et elle continua aussi ses consultations gratuites à Los Charamicos en les limitant à des diagnostics.

Un soir, alors que nous paressions dans nos chaises berceuses, elle me confia d'une voix apaisée :

— Je n'ai jamais aimé tant que ça explorer les bouches. Ce sont des cavernes souvent laissées à l'abandon où l'on découvre toutes sortes de vilaines choses. Bien sûr, c'était gratifiant de soulager la douleur. Mais pour être tout à fait honnête, je crois que je n'ai choisi cette voie que par défi, pour prouver à mon père que je pouvais suivre des études scientifiques et exercer un métier d'homme. Franchement, ce n'est pas le métier le plus passionnant du monde !

Je hochai la tête en tirant sur mon cigare.

— Tu sais ce qui me ferait vraiment plaisir ?

Elle avait pris son air de gamine malicieuse. Je secouai la tête en rejetant un nuage bleu.

— Je voudrais une jument. Un pur-sang, arabe ou espagnol. J'aimerais bien monter une écurie.

Et comme les désirs d'Almah étaient des ordres, un mois plus tard une magnifique pouliche paso fino de deux ans, à la robe gris acier, que j'avais négociée à prix d'or chez un éleveur de Higuey au sud du pays, débarqua dans notre écurie. Almah la baptisa Polka et se promit de la débourrer au plus vite.

58

Un pas de côté

Avril 1955

Almah passait une à deux fois par semaine à la boîte postale pour relever le courrier. Elle triait les enveloppes avec fébrilité, guettant le liseré bleu et rouge des aérogrammes et les timbres étrangers.

Ce jour-là, la pêche était bonne : une lettre de New York et une d'Israël. Myriam et Svenja. Almah s'installa sur la varangue et but une gorgée de citronnade glacée, savourant un moment de solitude dans le calme de fin de journée, la chaleur moins forte et le plaisir de lire les deux personnes qui lui étaient les plus chères après sa famille. Elle hésita : Myriam ou Svenja, par qui allait-elle commencer ? Les lettres de Myriam étaient régulières et bavardes, leurs échanges téléphoniques joyeux, les nouvelles d'Israël plus erratiques. D'un coup d'ongle, Almah décacheta la lettre de Svenja.

Après une entrée en matière sur leur bonne santé à elle et Mirawek, c'était une peinture au vitriol de la vie au kibboutz, avec ses règles, son idéologie, ses commérages et ses coucheries. Almah se délecta de la prose alerte de Svenja qui n'avait rien perdu de son sens de l'observation et de son esprit de contradiction. C'était drôle et affûté comme une comédie de Nestroy, un peu effrayant aussi.

Svenja lui faisait part de ses doutes sur l'avenir : « Je me demande si le mouvement kibboutzique n'est pas un combat d'arrière-garde. La proportion des kibboutznikim baisse d'année en année par rapport à ceux des villes. Les idéaux sionistes et socialistes qui ont présidé à la création d'Israël se délitent et résistent mal au réalisme économique. »

Et lui annonçait une nouvelle de taille : elle quittait le kibboutz pour s'établir à Jérusalem avec son mari, qui avait accepté un poste à la commission nationale de la santé.

« Il est grand temps que je m'affranchisse des chaînes des liens fraternels et que j'affronte un autre mode de vie. C'est encore une page qui se tourne. Le choc va sans doute être rude mais c'est exaltant. Je vais chercher du travail dans une école ou dans un hôpital et j'aurai un vrai salaire pour la première fois de ma vie ! »

Dès qu'elle serait installée, Almah pourrait lui rendre visite. Celle-ci referma la lettre avec un soupir de plaisir. Elle était heureuse pour son amie qu'elle avait tellement envie de revoir.

Un bruit de moteur annonça le retour de Wilhelm et des enfants qui remontaient du Batey. Terminée la tranquillité. Almah remit la lecture de la lettre de Myriam à plus tard.

*

Wilhelm posa délicatement l'aiguille de l'électrophone sur le disque. Les notes claires d'un nocturne de Chopin s'élevèrent dans la nuit odorante.

— Lis-la d'abord, tu me la passeras après, dit-il en tendant la lettre de Myriam à Almah.

Elle ne se fit pas prier. Dès les premières lignes, elle haussa les sourcils, ses yeux s'agrandirent et sa bouche s'arrondit dans un O parfait de surprise.

— Mon Dieu, Wil ! C'est incroyable ! Myriam va avoir un bébé !

Wilhelm dévisagea Almah avec incrédulité. Ses yeux brillaient de bonheur. Elle lui tendit la lettre. Myriam était enceinte de quatre mois.

— C'est un cadeau du ciel !

— J'espère que ce n'est pas un cadeau empoisonné ! C'est une grossesse à risque à son âge ! répliqua Wilhelm soucieux.

Une ombre passa dans le regard d'Almah.

— Pfft, elle n'est pas vieille ! Et elle est en pleine forme. Ne t'inquiète pas, je suis sûre qu'elle est très bien surveillée. Tu verras, tout se passera bien. Aaron doit être fou de joie. C'est merveilleux, la famille va s'agrandir ! Nous irons à New York pour la naissance !

Almah battait des mains comme une enfant, excitée par la stupéfiante nouvelle. Pensif, Wilhelm rejeta lentement un nuage de fumée bleue. Si seulement ses parents étaient encore de ce monde, ils seraient si heureux… Almah qui l'observait comprit sa retenue.

— Quand on est heureux, il faut chasser les souvenirs ! lui souffla-t-elle à mi-voix avec un doux sourire. Et ce soir, nous avons vraiment de quoi nous réjouir !

Je vais lui répondre tout de suite, je vais lui suggérer des prénoms, décida-t-elle en rentrant dans la maison.

— Je ne crois pas qu'elle ait besoin de toi pour ça !

*

Nathan naquit cinq mois plus tard par césarienne, le 19 septembre 1955 un peu avant terme, à l'hôpital Mount Sinai. Un mois plus tard, Almah fit un court séjour à New York pour faire la connaissance de son neveu. Entre son travail au journal et la ferme, Wilhelm était trop occupé pour quitter l'île et il devait s'occuper des enfants.

Pendant l'absence d'Almah, Wilhelm eut une brève aventure avec une jeune femme de la capitale. C'était une représentante venue présenter des produits de développement. Ça avait été impulsif, animal, purement sexuel et vite consommé. Wilhelm goûta le plaisir d'un autre corps, plus jeune, d'une autre peau, plus souple, d'un autre parfum, plus poivré. Cela ne dura que deux nuits et ne devait pas prêter à conséquence. La femme était mariée, ils ne se reverraient pas.

Mais c'était assez pour que Wilhelm regrettât cet écart et le plaisir qu'il y avait pris. Les Dominicaines étaient belles, sensuelles et provocantes, et il avait souvent eu envie d'autres femmes. Jusque-là, il n'avait jamais franchi la ligne rouge. Mais voilà, il l'avait fait, cela s'était produit, il avait trompé sa femme et il ne pouvait pas revenir en arrière et effacer ce qui s'était joué. Il n'en était pas fier, il en garderait un arrière-goût de remords, mais il se pardonna, s'autorisant à n'être pas parfait. Il se dit que c'était sans doute un passage obligé dans la vie d'un homme, que la vie était aussi faite de ça, d'écarts et de pas de côté. L'important était qu'Almah n'en souffre pas. Et elle n'aurait pas à en souffrir puisqu'elle n'en saurait rien.

À son retour, il accueillit Almah à l'aéroport avec une gerbe de roses et lui offrit une nuit au Jaragua, le plus bel hôtel de la capitale.

*

La vie continuait. Chaque année à Noël, les Rosenheck s'emmitouflaient et partaient à New York. Il y avait le grand sapin, le patinage sur le lac glacé, une avalanche de cadeaux, des confettis, des serpentins et des cotillons, une dinde aux cranberries, des strudels et des Linzer Torte, du shopping, des comédies musicales, des séances de cinéma, des clubs de jazz, des nez bouchés et des toux rauques. Chaque année en février, au plus froid de l'hiver new-yorkais, les Ginsberg venaient passer deux semaines de vacances à Atravesada. À côté de la maison principale, Wilhelm avait fait bâtir un bungalow « tout confort » qu'il avait baptisé le « chalet des amis ». Il y avait des cabanes dans les arbres, des compétitions de châteaux de sable, des cavalcades dans la campagne, des pique-niques sur des plages désertes, des explorations côtières en bateau à la recherche des baleines. Il y eut aussi des voyages au Costa Rica chez Emil et Nelly avec Markus et Marisol. Wilhelm développait consciencieusement les kilomètres de pellicules photographiques et rangeait les tirages dans des dossiers soigneusement étiquetés. Les archives d'une vie.

59

Extraits des carnets de Wil

1957

Sommes-nous en train d'aborder la saison des abandons et des abdications ? J'ai le sentiment que notre passion s'effiloche lentement. Notre complicité charnelle a laissé la place à un confortable relâchement. La fougue de nos jeunes années a déserté Almah, qui se laisse aimer avec des gestes sans conviction. J'en ressens une grande tristesse doublée d'une sorte de lassitude. Cette femme, qui est bien plus que ma femme, un esprit qui comprend le mien, une amie auprès de laquelle je peux m'épancher sans réserve, cette femme que j'ai aimée plus que tout, que j'aime encore, pour laquelle j'aurais sacrifié ma vie, est en train de m'échapper. La distance qu'elle met entre nous semble augmenter tous les jours sans que je puisse rien y faire. Notre amour meurt du silence entre nous. Quand nous sommes-nous éloignés l'un de l'autre ? Je ne saurais dire. Je m'en veux, je n'ai rien vu venir. J'ai le sentiment de ne pas avoir tenu les promesses de cet homme jeune, brillant, gonflé d'optimisme qu'elle a rencontré un soir de printemps à Vienne, voilà presque un quart de siècle.

Almah me renvoie l'image ternie de mes renoncements et de mes échecs.

Sait-on jamais quel est le moment précis où un couple commence à se désagréger ? Quel événement infime, quelle parole anodine, quel geste insignifiant déclenche le processus inexorable ? Je pense que pour nous le délitement a commencé avec la perte de Sofie. Ce chagrin immense a miné les bases d'un nouveau bonheur encore fragile. Et le départ de Svenja a aussi fait sournoisement son travail de sape. En perdant son alliée inconditionnelle, Almah a perdu une autre partie d'elle-même.

Malgré tout, l'harmonie profonde qui nous unit transparaît dans chacun de nos gestes. Je veux croire que nous formons encore un tout. Notre amour sera-t-il assez fort pour ériger une digue contre la rouille des sentiments ? Mais parfois je ressens le besoin d'exister, de briller auprès d'une femme. Une femme vierge de mon histoire…

60

Imparable

Janvier 1959

Puis un jour, un jour comme les autres, l'improbable se produisit. Ce matin-là, Wilhelm était allé remettre une pige au directeur d'*El Porvenir*. Il s'attarda dans la salle de rédaction et échangea quelques mots avec Danilo Guerrero, son ami journaliste.

— Il y a un nouveau restaurant de poissons qui vient d'ouvrir sur le Malecón. Ça te dit ? proposa Danilo.

Wilhelm acquiesça d'un hochement de tête.

— Donne-moi juste le temps de faire un saut à la comptabilité pour récupérer mon chèque et je te rejoins.

Il emprunta le couloir pour gagner le réduit où officiait Dolores, la responsable administrative du journal. Il poussa la porte et son regard buta sur une jeune femme assise à la place de la comptable. Absorbée dans la lecture d'un document, elle ne l'avait pas entendu. Il se racla la gorge pour signaler sa présence.

— Bonjour, Dolores n'est pas là ?

— Bonjour. Je la remplace pendant son congé de maternité.

Wilhelm s'en voulut : il n'avait pas vraiment prêté attention à la grossesse de la comptable et cette femme allait le prendre pour un goujat.

— Je m'appelle Luz, je peux vous aider ?

Elle avait levé son regard sur lui. Il crut déchiffrer une lueur d'espièglerie dans ses yeux sombres. Ils étaient très grands, étirés en amande vers ses tempes et frangés de longs cils noirs qui dessinaient une petite ombre sur ses joues. Sa voix était chaude et douce comme du miel. L'espace d'une seconde, Wilhelm se sentit troublé.

— Hum… Je… Bonjour Luz, je… je viens… pour mon règlement. Wilhelm Rosenheck, ajouta-t-il en lui tendant maladroitement la main par-dessus le bureau.

La sienne était fine et menue. Il s'en saisit et ce fut comme une passerelle tendue entre eux.

— Ah, c'est vous. On m'a prévenue. Asseyez-vous, dit-elle en désignant du menton le siège face à elle, le temps que j'établisse votre chèque et que je le porte à la signature. Comment s'écrit votre nom exactement ? Je ne voudrais pas faire de faute.

— C'est vrai qu'il est un peu compliqué…

Elle laissa échapper un petit rire d'une gaieté juvénile qui creusa une fossette dans sa joue. L'espace d'une fraction de seconde, devant les yeux de Wilhelm, un autre visage avec une fossette se superposa à celui de Luz, puis cela passa. Wilhelm épela son nom et l'observa tandis qu'elle écrivait. Elle avait baissé la tête. Ses cheveux d'un noir de jais attachés en une queue de cheval soyeuse caressaient son épaule. Il émanait d'elle cette sensualité à fleur de peau courante chez les Latines. Quel âge avait-elle ? Pas plus de vingt-cinq ans. En regardant sa main, Wilhelm se surprit à ressentir une sorte de soulagement honteux. Elle ne portait pas d'alliance. Luz releva la tête et plongea ses yeux dans les siens.

— Voilà, c'est fait ! Je reviens.

Elle se leva. Ses lèvres charnues esquissèrent un nouveau sourire, dévoilant un éclat d'émail. Deux de ses dents se chevauchaient légèrement. À cet instant précis, quelque chose se produisit. Comme une déchirure dans l'estomac de Wilhelm. Sa respiration se bloqua dans sa gorge et un désir puissant, comme il n'en avait plus ressenti depuis des lustres, l'engloutit dans un gouffre ardent. Ce fut bref et intransigeant, imparable.

Le déjeuner lui parut ne jamais devoir finir. Wilhelm hochait du chef en écoutant d'une oreille distraite les péroraisons de Danilo sur les dérives de plus en plus ahurissantes de la dictature. Il avait la tête ailleurs.

Il venait de rencontrer Luz.

LUZ, les trois lettres qui allaient faire chavirer sa vie.

61

Extraits des carnets de Wil

Janvier 1959

Y a-t-il une fatalité des rencontres ? Je n'ai pas cessé de penser à elle depuis trois jours. « Tout état amoureux, si éthéré qu'il se présente, a son unique racine dans l'instinct sexuel. » Les mots de Schopenhauer tournent en boucle dans ma tête.

Le temps n'épargne aucune histoire d'amour. Le fossé qui s'agrandit entre Almah et moi est en train de devenir un gouffre. Nos élans de plus en plus tièdes, depuis longtemps désertés par la passion, n'ont plus l'ardeur qui les transportait autrefois. D'ailleurs, je ne me souviens plus de la dernière fois où nous avons fait l'amour. Nous n'avons pas cessé abruptement, ça a été une déshabitude des sens, un endormissement de notre désir mutuel, comme un coureur continue sur sa lancée avant de s'arrêter définitivement, comme une *mecedora* se balance doucement après que son occupant l'a quittée. Et puis je connais trop bien le corps d'Almah. C'est un corps de mère, lesté de souvenirs, je l'ai vu souffrir, se rebeller, se tordre de douleur…

Je l'aime toujours, c'est une certitude aussi immuable que celle que la terre est ronde ou que le soleil se lèvera demain matin. Quoi que… Wittgenstein ne disait-il pas que c'est une hypothèse ?

Je me rassure en me disant que l'amour est le ciment le plus fort entre deux êtres. La sexualité non. Il est plus difficile de séparer deux esprits que deux corps. Notre amour, jamais remis en question, est ce qui ancre ma vie, me relie au monde, tout le reste, y compris les enfants, n'en est que la manifestation. Rien n'est comparable à cet amour, mais malgré toutes nos années de passion, de complicité, de tendresse, je ne peux m'empêcher de désirer une autre femme.

Quant à Luz, la perspective de ne plus la voir m'est tout simplement insupportable. Cette rencontre me rappelle ce que j'ai ressenti la première fois que j'ai vu Almah, une sorte de fulgurance, une évidence mêlée de peur. Il a suffi d'un regard, d'un sourire, de sa main serrée quelques secondes dans la mienne, pour que Luz m'occupe tout entier. J'ai envie de la séduire, de la faire rire. Est-ce un coup de foudre ? Je suis bien placé pour savoir que l'amour peut vous tomber dessus sans prévenir. Tandis que j'écris ces lignes, à la pensée de Luz, une tension me crispe le ventre. J'ai envie, physiquement envie, de quelque chose pour la première fois depuis des éternités. Le désir est une chose imprévisible. L'angoisse me terrorise à la pensée de ce qui pourrait advenir. Mon instinct et toutes les fibres de mon âme me disent que ma vie se briserait si Almah en sortait. La vérité est que je ne suis qu'un homme comme les autres, faible et prévisible. Avec Almah à mes côtés, j'ai eu longtemps l'impression de devenir quelqu'un de meilleur, d'invincible. Ce que je ne suis pas.

Tout cela me plonge dans une profonde tristesse.

62

Transe

Février 1959

Wilhelm se débattait dans ses draps, en sueur, sans trouver le sommeil. À côté de lui Almah était profondément endormie, les lèvres entrouvertes. Sa poitrine se soulevait régulièrement sous le drap de lin blanc. Au plafond, le ventilateur tournait en silence. Wilhelm se redressa sur son séant. Il passa sa langue sur ses lèvres sèches. Il avait soif.

Comme un somnambule, il se leva, but un verre d'eau dans la cuisine et sortit sur la véranda. Il alluma une cigarette et resta longtemps debout dans l'obscurité chaude à fumer en contemplant la nuit. Ses doigts roulaient inlassablement son talisman, le A majuscule de plomb rescapé de l'imprimerie Rosenheck et fils, qu'Almah avait fait monter en porte-clés.

L'air chaud enveloppait son corps comme une caresse, les stridulations des insectes avaient un effet apaisant. Il avait espéré que cela passerait mais rien n'y faisait. Depuis quelques jours Wilhelm vivait dans un état de transe, la tête ailleurs, n'arrivant pas à fixer son attention. L'image des grands yeux sombres et des lèvres pleines et roses l'obsédait et le maintenait éveillé tard dans la nuit. Luz avait allumé un incendie dans son corps. Si Almah avait remarqué quelque chose, elle ne lui avait posé aucune question.

Il n'y avait pas d'autre issue. Il devait y mettre un terme avant que cela n'enfle au point de lui faire perdre pied. Il rendit les armes, prit sa décision et retourna se coucher. Maintenant, il allait peut-être pouvoir dormir.

*

— Je suis étrangère… comme vous…

Wilhelm ne l'écoutait pas, il la dévorait des yeux. Ils étaient attablés dans un coin de la salle d'un petit restaurant cubain de Puerto Plata. Wilhelm n'avait pas touché à son plat. Luz fronça les sourcils.

— Ça ne vous plaît pas ? demanda-t-elle en désignant du menton son assiette de ropa vieja.

— Quoi ? Ah ça, oui… oui, c'est très bon.

Il piocha distraitement une bouchée de viande de bœuf effilochée. Il devait lui dire quelque chose d'intelligent sinon elle allait le prendre pour un parfait abruti. Il ne trouva rien.

— Vous disiez que…

— … que j'étais une étrangère dans ce pays, tout comme vous.

Ses paroles comme une bouée de sauvetage. Elle devait savoir l'effet qu'elle faisait sur les hommes.

— Je suis cubaine. De Camagüey, dans le centre de l'île. Ma famille m'a envoyée ici le temps que les choses se stabilisent. Parce qu'on ne sait pas comment ça va tourner avec les communistes.

Son verre de vin resta suspendu à mi-chemin de ses lèvres.

— Vous ne m'écoutez pas Wilhelm ?

— Si si, bien sûr que je vous écoute. Vous êtes cubaine…

Tandis que Luz lui racontait la guérilla, la reddition de Camagüey, la chute de Batista et le défilé triomphal des chars de la Caravane de la Liberté sur le Malecón de La Havane en janvier dernier, il la buvait des yeux comme un assoiffé. Il était fasciné par ses lèvres sensuelles où le rose vif du rouge à lèvres s'était un peu effacé, ses mains expressives qui soulignaient chacune de ses paroles, sa façon de plisser ses yeux en amande frangés de cils lourds, d'entrouvrir la bouche, les boucles d'oreilles bleues qui dansaient dans ses cheveux noirs le long de son cou… Son visage dégageait quelque chose au-delà de la beauté, quelque chose d'indicible comme une invitation. Il avança la main pour effleurer la soie de sa joue et la retint comme s'il risquait de se brûler. Un désir impérieux le consumait. Tout son être était tendu vers cet unique but : la posséder.

— Je vous raccompagne au journal ?

— Passons par le Malecón, il fera plus frais.

Ils rejoignirent le front de mer en marchant lentement côte à côte. Un champ magnétique s'était tendu entre eux. Luz avait l'air de danser dans l'air. Chacun de ses mouvements était gracieux. Elle avait une façon bien à elle de se mouvoir avec fluidité et une élégance naturelle. En cela elle lui rappelait l'Almah d'autrefois. Un coup de vent souleva sa robe qui flotta un instant comme un ballon autour de ses jambes. Wilhelm crut défaillir en entrevoyant ses cuisses fuselées et un bout de culotte blanche. Une sensation de vertige, il perdait pied. Luz plaqua sa robe sur ses cuisses et lui décocha un sourire, sans aucune coquetterie, sans aucune fausse pudeur non plus, un sourire comme un avant-goût de tout le bonheur que leur réservait l'avenir.

63

Extraits des carnets de Wil

Mars 1959

J'ai une liaison avec une jeune femme de vingt-quatre ans. Je suis tombé amoureux de Luz sans l'avoir voulu ni recherché d'aucune façon. Je n'y peux rien, je suis irrésistiblement attiré par elle.

Quel est le moment précis où tout bascule entre un homme et une femme, où le désir l'emporte sur la raison, les convenances et le regard des autres ? Quand cela arrive, ça vous frappe avec une force inouïe. Mais c'est désastreux et potentiellement destructeur. Moi qui me croyais hors d'atteinte de ce genre d'égarement que je jugeais par trop médiocre, je suis devenu un de ces hommes infidèles qui mènent une double vie en tentant de surnager tant bien que mal sur la crête étroite qui sépare la vérité du mensonge, un de ces hommes pour lesquels je n'avais que mépris autrefois.

Pourtant les choses ne sont pas si simples. Luz fait battre mon cœur mais elle n'est en rien une rivale d'Almah. Car je n'ai pas cessé d'aimer Almah. Étrange paradoxe, il me semble que je l'aime encore plus depuis que je lui suis infidèle. À la cinquantaine, j'entrevois une nouvelle réalité de la masculinité : on peut aimer deux femmes de façon différente. Ce constat qui me hante tourne à l'obsession.

Aux yeux d'Almah je pèse des tonnes. Je suis Wil le Viennois, le journaliste raté, le Juif pestiféré, l'apatride de Diepoldsau, l'indésirable d'Ellis Island, l'exilé involontaire, le fermier incompétent. Avec Luz, je suis Wilhelm, un homme libéré du poids de son histoire. J'ai laissé mes encombrants bagages à la porte de notre liaison. C'est un vrai bain de jouvence, totalement réjouissant. Je me sens exalté et déloyal. Ce mélange complexe d'émotions me rend plus vivant que jamais.

Est-ce que j'aime Luz ? Le fait même que je me pose la question me trouble. Rien de cette évidence absolue qui m'avait foudroyé quand j'ai vu Almah pour la première fois. Une certitude cependant, j'attends nos rendez-vous avec une impatience fébrile. Mon rythme cardiaque s'accélère, un feu intérieur me tenaille, le corps électrisé je la désire follement dès que je la vois. Elle est rayonnante d'insolente jeunesse, d'énergie, de santé, de sensualité, une femme comme seules ces îles peuvent en produire. Avec elle, je me noie dans un fleuve de feu. C'est l'euphorie des sens retrouvée. J'ai d'abord espéré qu'elle ne serait qu'une passade, que je jetterais ma gourme et rentrerais dans le rang une fois mes sens apaisés. Si Luz n'avait été qu'un corps à se damner, les choses auraient été plus simples. Mais c'est une jeune femme intelligente et complexe au caractère indépendant et farouche.

Cependant la complicité sexuelle ne fait pas tout. Entre nous, la communication n'est pas un état naturel. Parfois je ressens la distance qui nous sépare, les filtres de nos cultures si différentes. Je réfléchis avant de répondre, je ris à contretemps et je finis par me taire. Les mots intimes, ceux qui permettent d'échanger avec une clarté prodigieuse, nous manquent. Nous sommes incapables de tout nous dire. Car l'essence de l'amour tient aussi à ça, une perception commune des gens et des événements, une vision identique de ce qui est drôle ou triste, honnête ou malhonnête, précieux, émouvant. Or, j'ai beau la posséder charnellement, elle m'échappe.

— Je ne pensais pas devenir un jour une « chichi », m'a-t-elle soufflé un soir avec un sourire lumineux et irrésistible, un sourire large, magnifique et franc, qui dévoile ses dents très blanches.

Depuis combien de temps Almah ne m'a-t-elle pas souri comme ça ? Je la regarde avec des yeux ronds, je n'ai pas compris.

— C'est ainsi qu'on appelle la jeune maîtresse d'un homme mûr à Cuba. Et en Haïti on dit « petit ménage » ! Tu vois, je ne déroge pas à la tradition des îles !

Elle rejette la tête en arrière. De sa gorge fuse le plus beau rire que j'ai jamais entendu.

— Ne fais pas ton Schlesinger !

C'est une boutade, ça m'a échappé. Luz me regarde avec des yeux ronds. Je me mords la joue. Elle ne peut pas comprendre. Bien sûr. Il y a entre nous ces mots que je ne prononcerai jamais : « *Ich liebe dich.* » Ceux qui ne possèdent pas la même langue sont-ils condamnés à rester étranger l'un pour l'autre ? Je suis submergé par une vague de tristesse, le sentiment d'un destin commun qui n'appartient qu'à Almah et moi et que je ne pourrai retrouver avec personne d'autre.

64

Le démon de midi

Avril 1959

Ça n'avait pas échappé à la sagacité de Markus : depuis quelques semaines, Wilhelm était comme absent de lui-même.

— Je suis ton ami, tu peux vider ton sac !

Le regard de Wilhelm se déroba. Un air coupable qui ne lui ressemblait pas se peignit comme un masque sur son visage.

— Accouche ! insista Markus.

Wilhelm déglutit, déconcerté par cette capacité de Markus à lire en lui à livre ouvert. En cela, il était bien son ami, attentif à la moindre de ses humeurs. Wilhelm hésitait à se confier. Il savait que sa confession ne le grandirait pas aux yeux de Markus qui adorait Almah. En même temps, à qui pouvait-il ouvrir son cœur si ce n'était à son ami ? Il prit une grande respiration et lâcha d'une voix sourde :

— J'ai une liaison.

Il y eut un blanc, Markus ne s'attendait pas à ça. Wilhelm et Almah étaient le couple parfait, symbole vivant de l'amour inoxydable.

Une seconde décontenancé, il prit le parti d'en rire.

— Ah ce n'est que ça ! C'est une passade, pas de quoi en faire un fromage !

— Ce n'est pas « que ça », Markus. Je suis amoureux.

Wilhelm crut lire de la compassion mêlée de reproche dans le regard de Markus. Il n'aima pas cela.

— Je n'y peux rien, c'est comme ça. Je ne l'ai pas cherché, cela m'est tombé dessus sans prévenir.

— Finalement, je ne veux rien savoir !

— Elle s'appelle Luz, elle a vingt-quatre ans et je l'ai rencontrée au *Porvenir*.

— Épargne-moi tes confidences, s'il te plaît. À ton âge, mon cher, ça s'appelle le démon de midi. C'est un égarement passager des sens. Il ne faut pas confondre désir et amour.

Le ton légèrement méprisant de Markus blessa Wilhelm autant que ses paroles.

— J'ai bien peur que ce soit plus que ça ! tenta-t-il.

Le regard de Markus devint sombre, presque hostile.

— Je présume qu'Almah n'en sait rien ?

— Elle s'intéresse plus au sort des lamantins du río Sosúa qu'à moi. J'ai l'impression que nous nous éloignons l'un de l'autre un peu plus chaque jour.

— Tu sais que je vous aime. Tous les deux ! Tu fais ce que tu veux mais ne me demande pas de te couvrir ni de prendre parti, je ne le ferai pas.

— Almah est la femme de ma vie. Toute mon existence s'est construite autour d'elle. Nous avons traversé tant d'épreuves, vécu tant de joies et de malheurs, que rien ne pourra jamais nous séparer.

— Tu ne peux pas prétendre avoir le beurre, l'argent du beurre et le cul de la crémière, jeta Markus en tournant les talons.

Wilhelm lut la tension dans les épaules de son ami qui s'éloignait en proie à une sourde colère. Markus ne s'emportait jamais, c'était la première fois qu'il sortait de ses gonds et lui parlait vulgairement. Wilhelm en ressentit une grande tristesse.

65

Un réveil brutal

Samedi 20 juin 1959

Ce matin-là, un matin ordinaire, notre paradis tropical se fissura comme un fragile décor de cinéma. Il n'y avait eu aucun signe avant-coureur et cela prit tout le monde par surprise. Jusque-là nous avions vécu en retrait du monde réel, dans un confortable cocon imperméable aux soucis matériels et aux laideurs concrètes de la politique. Ce fut un réveil brutal qui nous propulsa dans la réalité chahutée de notre pays qui vivait sous une dictature moribonde.

J'étais seul à la ferme. Almah et les enfants avaient dormi dans la maison du Batey. Ils devaient partir de bonne heure pour faire des courses à Santiago. Je prenais mon café sur la véranda quand je perçus un grondement ténu et lointain qui s'amplifia jusqu'à devenir assourdissant. Je n'avais jamais entendu un fracas pareil. Je sortis sur l'esplanade devant la maison. La main en visière sur le front, je regardai le ciel, face au sud d'où venait le bruit. Deux points noirs se rapprochaient rapidement, sombres comme les mauvaises nouvelles. Le nuage noir enfla. Deux avions massifs au profil de prédateurs, deux avions de combat dont les silhouettes se découpaient nettement dans le ciel pur. Ils passèrent au ras de la toiture en direction de la mer, leur rugissement fit vibrer le sol et trembler les persiennes de bois. Une fraction de seconde plus tard, l'inconcevable se produisit. Dans un paroxysme terrifiant de violence, les avions lâchèrent une pluie de bombes sur le Batey et la plage. Ils firent demi-tour dans la baie et, moteurs hurlants, pilonnèrent de nouveau le village. Un flot de projectiles sortait des carlingues, comme des flammes crachées par la gueule de dragons. Le bruit des explosions était assourdissant, le staccato des mitraillettes si incongru… J'étais en plein cauchemar, j'allais me réveiller. Une fois leur spectacle de terreur semé, les avions s'évanouirent dans le ciel aussi vite qu'ils étaient apparus et le tonnerre des déflagrations cessa. Au loin, d'épaisses colonnes de fumée noire montaient dans l'azur du ciel, brouillant l'horizon. Cela avait duré cinq minutes tout au plus. Un raid éclair. C'était la guerre.

Je restai médusé, dans un état de sidération proche de la catalepsie. Je n'avais même pas songé à me mettre à l'abri dans la maison. Je ne comprenais pas ce que je venais de voir, ni si cela avait bien eu lieu. Seules la fumée et l'odeur de brûlé qui venaient du Batey me confirmaient que je n'avais pas rêvé. Je sortis de mon hébétude. Almah, les enfants ! Je me précipitai sur le pick-up et fonçai vers le village. Jamais les six kilomètres ne m'avaient paru aussi longs.

Ils étaient tous les trois sur le pas de la porte en état de choc. Je sautai de la voiture et les serrai dans mes bras. Almah tremblait de tous ses membres. Ruth était pâle, terrifiée.

— Dieu merci, vous êtes indemnes !

— C'était quoi ? demanda Frederick d'une voix étranglée.

— Je n'en ai pas la moindre idée.

Il régnait un étrange silence sur le village. Des habitants étaient sur le seuil des maisons, hébétés, d'autres restaient terrés chez eux. Nous nous apostrophions d'une maison à l'autre. Personne n'avait de réponse, que des questions. Nous nous dirigeâmes machinalement vers la Casa Grande pour faire un bilan.

Il n'y avait pas de victime et ce fut un soulagement. Quelques personnes âgées qui avaient connu les bombardements de la guerre refusaient de sortir de leurs abris, prostrées, cachées sous des lits, l'esprit rudement secoué. Il y avait de nombreux cratères sur la plage et ses environs immédiats, et des trous d'obus un peu partout dans le village. Les maisons n'avaient que peu souffert, mais beaucoup de vitres étaient brisées et les murs criblés d'impacts de balles. L'hôtel Garden City était sérieusement endommagé, un obus avait atterri pile au milieu d'un massif d'oiseaux de paradis sans exploser. La bombe pouvait éclater à la moindre vibration. Il fallait faire intervenir des démineurs. Nous n'avions aucune réponse à notre unique question : pourquoi ?

Une réunion d'urgence fut organisée, on prit contact avec l'ambassade américaine et divers organismes officiels. Vers midi, on était en mesure de reconstituer le fil des événements. Je me mis au travail avec Markus pour un numéro spécial du journal.

Serons-nous jamais en paix ?

Depuis quelques mois, à Cuba, un groupe de dissidents dominicains, pensant le pays mûr pour une révolution populaire, fomentait un soulèvement pour faire tomber Trujillo. Selon le plan initial, deux raids aériens sur San Juan de la Maguana et Constanza devaient détourner l'attention de quatre débarquements, deux sur la côte nord et deux sur la côte sud du pays. Finalement, le plan a fixé un débarquement aérien sur Constanza et deux débarquements maritimes sur La Isabela et Sosúa dont la baie, large et profonde, à proximité de Puerto Plata, le principal port du pays, devait jouer un rôle stratégique. Deux navires partis de Cuba le 15 juin ont dû rebrousser chemin à cause d'une tempête et d'avaries. Une nouvelle tentative a eu lieu le 19 juin. Les bateaux ont été accompagnés par deux frégates cubaines jusqu'en lisière des eaux territoriales dominicaines.
Le SIM[1] était au courant du plan d'attaque et la flotte et l'aviation dominicaines en état d'alerte. Les assaillants ont débarqué à Estero Hondo et Maimón, à l'ouest de Sosúa, à l'aube du 20 juin.

1. Créé en 1957, le SIM (Servicio de inteligencia militar) était la police secrète qui contrôla le pays durant les dernières années de la dictature de Trujillo. Ses membres, connus sous le nom de « calies », patrouillaient dans des Volkswagen noires surnommées « cepillos ». Le SIM a été dissous en 1962 après la chute du régime de Trujillo.

Des avions militaires ont bombardé ces deux plages et, précaution supplémentaire, Sosúa. Le soulèvement a tourné court.
Trujillo ressert sa main de fer sur notre pays. Combien de temps tiendra-t-il encore ?

L'histoire était aussi simple que cela. Personne au village n'était au courant de cet affrontement imminent entre le régime et ses opposants. Et personne n'aurait imaginé que nous soyons pris en otage entre les révolutionnaires et l'armée régulière. Cet incident nous démontra, si besoin était, que notre petite communauté exemplaire ne pesait pas grand-chose dans la balance de l'histoire du pays.

Quelques jours plus tard un émissaire du gouvernement vint constater les dégâts, présenta des excuses officielles et promit des indemnisations qui, bien sûr, ne vinrent jamais. Cette attaque contre notre village marqua durablement les esprits et fut lourde de conséquences. Certains désertèrent leur maison et demandèrent refuge dans les fermes à l'extérieur du Batey, et des familles décidèrent de s'exiler vers les États-Unis. Notre colonie, déjà exsangue, s'étiolait encore.

66

Une plaie béante

15 juillet 1959

La catastrophe qui précipita leurs vies dans le chaos se produisit à 15 heures le 15 juillet 1959 dans une rue déserte de Puerto Plata. Wilhelm avait baissé la garde. Ses deux vies se télescopèrent. Il marchait dans la rue avec Luz. Ils sortaient de chez elle, repus de caresses. Ils n'avaient jamais le moindre geste d'intimité en public mais ce jour-là ils étaient les seuls passants sur le trottoir étroit bordant la rue. Luz laissa aller sa tête contre son épaule dans un mouvement d'abandon et Wilhelm l'enlaça. Un rayon de soleil se refléta dans les chromes rutilants d'un véhicule qui roulait face à eux et l'aveugla. Il leva le nez et un coup d'épée le transperça. Il se figea, comme statufié. C'était leur vieille Buick bleue, reconnaissable entre mille. Almah était au volant. Il croisa derrière la vitre du pare-brise son regard halluciné qui le dévisageait. La voiture les dépassa sans freiner.

*

Almah ouvrit la bouche à la recherche de son souffle. Elle porta la main à sa poitrine. Une douleur atroce. À l'intérieur d'elle quelque chose venait de se rompre. Son être était sur le point de se disloquer. Elle étouffait, une boule l'empêchait de respirer. Elle fit une tentative désespérée pour aspirer un souffle d'air. Son corps bascula contre le volant comme s'il avait perdu son centre de gravité. La voiture continua sa course en prenant de la vitesse. À un carrefour, elle manqua de renverser une femme qui échappa de justesse à ses roues. La Buick fit un écart, freina et buta contre le bord du trottoir. Almah coupa le contact, les mains si crispées sur le volant qu'elles en étaient blanches aux articulations. Elle jeta un coup d'œil dans le rétroviseur. La rue était vide, ils avaient disparu de son champ de vision. Avait-elle eu la berlue ? Non, elle avait distinctement vu Wilhelm enlacer étroitement une femme. Elle avait vu leur attitude, l'expression de son visage.

Des spasmes entrecoupés de gémissements nouèrent sa poitrine. Un haut-le-cœur la secoua. Puis le goût acide de la bile remonta dans sa gorge. Elle lutta pour ouvrir la portière et eut juste le temps de se pencher pour vomir. Un long jet lui brûla la gorge avant d'éclabousser le trottoir et ses chaussures. Quand elle se redressa, son front et sa poitrine étaient mouillés d'une sueur malsaine et elle tremblait de tous ses membres. Au bord de l'évanouissement, elle ferma les yeux pour chasser le vertige. Elle s'adossa à la carrosserie, peinant à tenir sur ses jambes. Un homme s'arrêta à côté d'elle, lui demanda si elle avait besoin d'assistance. Elle secoua la tête, muette, les yeux exorbités, puis se rassit dans le véhicule. Un voile de sueur acide couvrait son visage, un filet coula sur ses paupières, s'infiltra le long de son cou. Elle s'appuya au dossier du siège, tentant de discipliner ses émotions, mais son corps était secoué de sanglots. Les larmes coulaient sans qu'elle puisse les arrêter, semblant ne jamais devoir se tarir. Tous les barrages rompus, elle s'abandonna à son chagrin dévastateur. Almah pleura longtemps. Au bout d'un long moment, elle remit le contact. Les battements sourds de son cœur semblaient résonner dans la voiture, son pouls battait douloureusement dans ses poignets, elle avait un goût de cendre dans la bouche. Une plaie béante dans sa poitrine, elle reprit la route de Sosúa comme un automate.

67

Ni réquisitoire ni plaidoirie

15 juillet 1959

Wilhelm avait envisagé de passer la nuit à Puerto Plata, comme cela lui arrivait de temps en temps lorsqu'il travaillait tard, mais ajouter de la lâcheté à la trahison lui parut la dernière des hontes. Il se traînait à une allure de limace sur la route de Sosúa, retardant le moment de se retrouver face à Almah. Il arriva à la ferme à la nuit tombée. La maison baignait dans la clarté pâle de la lune. Aucune lumière ne brillait aux fenêtres. Un silence mortifère régnait. Il espéra un instant qu'Almah soit restée dormir au Batey avec les enfants. Mais il savait qu'elle choisirait de l'affronter sans délai. La Buick était là, rangée de travers sur le côté de la maison. Il franchit le seuil en tentant vainement de calmer les spasmes d'angoisse qui le secouaient. Il était prêt à affronter la tempête. Une masse sombre au coin de son œil. Almah était assise sur la véranda dans le noir.

Wilhelm alluma une lampe à pétrole. La flamme se mit à danser dans sa cage de verre, creusant sur le visage d'Almah une ombre dramatique qu'il ne lui avait jamais vue, même aux pires moments. Il la regarda longuement. Il attendait un visage d'orage, c'était celui de l'œil du cyclone, plat, vide de colère. Elle était figée en un masque de douleur et il se retint d'aller la prendre dans ses bras. Des cernes violets obscurcissaient son regard et curieusement la rendaient plus belle. Elle avait pleuré. Il remarqua qu'une veine battait violemment dans son cou. Il la connaissait, il n'y aurait pas de reproche, pas de pleurs, pas de supplication. Ni réquisitoire ni plaidoirie. Elle se leva et chercha la rambarde comme une béquille.

— Cela fait combien de temps ?

Sa voix résonna métallique aux oreilles de Wilhelm qui tendit la main en un geste de conciliation. Elle recula comme s'il la menaçait, attendant une réponse qui ne vint pas. La lumière de la lampe soulignait la tristesse de son regard. Le silence électrique vibrait de mauvaises ondes.

— Combien de temps, Wil ?

Pendant un instant, des cailloux plein la bouche, il envisagea la possibilité d'un déni pur et simple. La honte le submergea.

— Six mois.

Elle tituba sous le choc. Il vit la douleur se répandre sur son visage comme un incendie. Il chercha dans les yeux de cette femme qu'il avait adorée, qu'il aimait toujours, un éclair de colère ou de haine, et n'y trouva qu'une infinie tristesse.

— Mais ce n'est pas…

Une crispation de son visage comme s'il l'avait giflée. Elle leva la main pour couper court.

— L'aimes-tu ?

— Je ne sais pas !

C'était la pire des réponses. Les traits d'Almah se comprimèrent sous la douleur. Elle posa une main tremblante sur sa bouche comme pour contenir des paroles qu'elle pourrait regretter. Elle avait peur que sa voix la trahisse, qu'elle ne lui obéisse plus et monte dans les aigus. Ses yeux s'embuèrent. Elle refusait que les larmes massées derrière ses paupières ne coulent. Le halo de la lune dessinait des ombres sur son visage fatigué.

— Tu l'aimes, sinon tu répondrais non, tout simplement.

Elle le regarda intensément, il y avait dans sa voix les larmes qui étaient absentes de ses yeux. Il baissa les siens.

— L'infidélité physique n'est pas si grave. L'amour, c'est autre chose. Quand as-tu cessé de m'aimer, Wil ?

— Je n'ai pas cessé de t'aimer, Almah. Je…

— Inutile de t'apitoyer. Je voudrais savoir quand nous nous sommes perdus, quand nous avons pris le mauvais chemin.

Une main de fer serra le cœur de Wilhelm. Il n'y avait pas de colère, pas de reproche dans les yeux d'Almah, seulement un chagrin incommensurable, une immense souffrance qu'il avait lui-même infligée à la femme qu'il avait juré de protéger sa vie durant. Il avait trahi ses serments d'amour éternel. Le silence s'abattit entre eux, pesant. Il vit les larmes au bord de ses yeux, prêtes à dévaler ses joues.

— J'ai fait l'erreur de croire que nous étions indestructibles, dit-elle avec un filet de voix ténue, comme pour elle-même.

— Ce n'est pas toi, Almah…

Ses traits se durcirent.

— S'il te plaît épargne-moi le couplet sur le travail de sape du temps et l'usure du quotidien.

Dans sa voix, une sorte de colère mêlée de tristesse et de regret. Elle se mordit la lèvre et le regarda en face.

— Nous n'étions pas comme ça, ajouta-t-elle avec une douceur qui broya le cœur de Wilhelm. Qui est au courant ?

— Personne. Si, Markus !

La bouche d'Almah se plissa en un petit rictus de mépris. Elle eut un ricanement cynique qui ne lui ressemblait pas.

— La solidarité masculine, je présume !

Un relent d'amertume dans sa voix.

— Tu sais que Markus t'aime. Il n'approuve pas…

— Eh bien, désormais tu vas pouvoir étaler au grand jour ton honteux petit secret.

Dans un flash de lucidité, Wilhelm se dit qu'il était en train de perdre sa femme pour une illusion de bonheur. Tout à coup il la désira, une vague de désir comme cela ne lui était pas arrivé depuis longtemps. Il lui lança le regard désespéré d'un animal piégé qui sait qu'il va être mis à mort. Un élan lui broya le cœur. D'une voix blanche, il dit avec l'accent de la plus absolue sincérité :

— Almah, notre histoire n'est pas finie.

Sur le visage d'Almah, la tristesse disparut, remplacée par une effrayante détermination qui lui fit froid dans le dos et lui donna envie de hurler.

— C'est moi qui y mets fin !

Voilà, elle l'avait dit. Il fut effaré par la dureté de son ton. Ses paroles avait claqué comme un coup de fouet. Bien que préparé à l'impact, Wilhelm vacilla, assommé. Elle fit un pas en avant, glacée, sans le quitter des yeux. Une seconde avant, elle se tenait au bord d'un gouffre. Maintenant elle était en train de tomber. C'était vertigineux. Elle ne sentait plus ses jambes, sa vue commença à se brouiller, son estomac lui envoya des signaux de détresse, tout s'affolait en elle. Wilhelm avait pâli, sa peau était devenue grisâtre sous le hâle. C'était comme un poignard chauffé au rouge plongé dans son cœur. Sous le choc, il sembla tituber. Ses poumons se vidèrent d'un coup, l'asphyxiant. Il lui lança un regard qui contenait tout ce qu'il aurait voulu exprimer, son amour, ses regrets, sa peine.

« Demande-moi de rester, Wil, demande-le-moi s'il te plaît », suppliait-elle en silence.

Un silence tonitruant.

Il aurait voulu dire quelque chose, n'importe quoi, mais il était vide, l'esprit paralysé. Almah voyait sa pomme d'Adam monter et descendre dans un mouvement de va-et-vient sans qu'aucun son parvienne à franchir ses lèvres dont la commissure était agitée de petits tressaillements. Une larme solitaire coula le long de l'arête parfaite de son nez. Elle descendit les marches et fit quelques pas en direction de la Buick. Elle résista à la tentation de se retourner vers la maison, les yeux de Wilhelm brûlaient son dos. Il la regarda partir avec résignation.

Elle pensa : « Ainsi c'est fini. » Tout se mélangeait dans sa tête. Le flot désordonné des souvenirs qui remontaient à la surface depuis les tréfonds de sa mémoire, se bousculaient pour la ramener à cette promenade dans les allées du Prater un jour lointain de printemps. Des images, des sensations, des odeurs se télescopaient et l'assaillaient avec la violence d'une série de coups portés à son estomac. Une nacelle de la grande roue du Prater, une table d'un petit beisl, un wagon dans la neige, le pont d'un bateau sous les étoiles, une baignade en sous-vêtements, une cascade à Jarabacoa, une chevauchée dans les *lomas*, le poids de sa main au creux de ses reins, les accents pleureurs de la musique tzigane, un pique-nique à la plage avec les enfants, une partie de cache-cache dans la ferme, une nuit d'angoisse à attendre un veau, son menton bleu de barbe qui râpait sa joue, l'odeur de tabac et de soleil de son cou, ses lèvres en cul de poule qui envoyaient un baiser… Almah se secoua. C'étaient des vieux souvenirs de toute façon, cela faisait un bon moment qu'ils appartenaient au passé.

Elle se dit que sa vie n'était qu'une succession de pertes dont chacune était plus douloureuse que la précédente. Une fois encore, elle prenait un virage. Le plus raide de tous, le plus difficile à négocier. Mais elle se dit qu'elle y arriverait. Elle refusait envers et contre tout que le bonheur déserte sa vie. Elle devait prendre son courage à deux mains pour être heureuse malgré tout. Almah s'en était fait le serment. Rien, jamais, ne la ferait sombrer. Elle se l'était juré une première fois un matin d'août à Vienne face au visage dévasté de Teofila, une deuxième fois devant les images insoutenables de la libération des camps, puis un soir de décembre 1945, en serrant contre elle le petit corps tiède de Sofie. Son désespoir devait céder le pas à ce qu'elle devait sauvegarder à tout prix, son intégrité, son identité. Elle n'avait pas d'autre choix.

Elle conduisit sur la piste qui la ramenait au Batey dans un déluge de larmes qui brouillaient sa vue. En arrivant devant la maison, elle les essuya d'un revers de main et se força à respirer normalement. Elle ne pleurerait plus. Elle avait compris que seule sa détermination la sauverait du désastre.

68

Sosúa – Jérusalem

Août-octobre 1959

Sosúa, le 3 août 1959

Svenja chérie,

Tu es mon âme sœur, la seule personne à qui je puisse me confier sans réserve, auprès de qui je puisse trouver du réconfort. Aujourd'hui plus que jamais tu me manques.
Je t'écris le cœur en miettes pour t'annoncer la fin de ce long voyage que nous avons fait ensemble, Wil et moi. C'est une fin banale, triste, vulgaire. Depuis plusieurs mois, il a une liaison avec une femme qui a la moitié de mon âge. Je les ai croisés dans une rue de Puerto Plata et ma vie s'est effondrée.
Si c'était un film, on dirait quel manque d'imagination, quel mauvais scénario ! Mais c'est de ma vie qu'il s'agit. C'est un cyclone qui me dévaste. Je me sens trahie, tellement humiliée !
Il n'y a pas eu d'affrontement avec Wil, nous nous sommes simplement séparés. Je vis désormais à

plein temps dans ton ancienne maison au Batey. La première nuit, j'ai eu l'impression que mon corps était enterré sous une épaisse couche de boue tassée par un talon impitoyable, j'ai bien cru que je n'y survivrais pas. Les jours suivants, je suis restée recroquevillée sur ma peine, sans réaction. À force de considérer Wil comme la fondation de mon existence, je n'avais pas mesuré combien notre amour, rongé par le quotidien et les années, était devenu raisonnable. Il a trouvé la passion dans d'autres bras. Et mon univers s'est effondré, m'entraînant dans un gouffre insondable.

Je pense constamment à lui. C'est comme un bourdonnement en fond sonore dans mon esprit qui ne me laisse pas en paix. Des images des temps difficiles et des temps heureux me visitent sans cesse, comme des petits cailloux noirs et blancs semés le long de ma vie. Puis ces instantanés sont chassés par des images de lui avec l'autre. Mon imagination est une ennemie cruelle et chaque nuit la bataille recommence. Je les imagine et la jalousie m'empoisonne comme un venin, des pensées négatives m'assaillent, contre lesquelles je lutte pour l'amour de mes enfants.

J'enrage aussi. J'entretiens ma colère car je sens que mieux vaut être furieuse que folle de chagrin. En plus, je dois affronter les spéculations des commères de Sosúa, trop contentes d'avoir du grain à moudre et de déverser leur fiel. Je les ignore mais je sens leurs regards dans mon dos.

Je sais que l'on s'habitue à vivre avec ce qui paraît d'abord insoutenable, je ne suis faite que de ça.

Mais que le chemin est dur. Comme j'aimerais que tu sois là pour me tenir la main.

Ton Almah qui ne sait plus où elle en est.

*

Jérusalem, le 15 septembre 1959

Almah chérie,

Ta lettre m'a laissée dans un état proche de la sidération. Je n'aurais jamais, au grand jamais, imaginé qu'une telle chose puisse arriver. Je vous prenais en modèle et j'ai toujours cru que vous étiez un couple exceptionnel, invulnérable. Je suis très peinée de constater qu'aucun amour, même le vôtre, n'est jamais acquis.
Je ne m'étendrai pas sur ce que je pense de Wil compte tenu de ce que tu me dis. Le démon de midi est une faiblesse masculine détestable qui se passe de commentaires. Je lui en veux terriblement de t'avoir fait du mal, mais ce qui m'importe c'est toi, ma chérie.
Tu sais que les affaires de cœur ne sont pas ma spécialité et que je ne suis pas la mieux placée pour te conseiller dans ces circonstances. Mais laisse-moi te dire ce que je crois.
Tu me dis que tu oscilles entre le chagrin et la colère. La colère est saine, sans doute t'aidera-t-elle à dépasser ton chagrin, mais je doute que cela soit la solution. Tu dois canaliser la fureur qui bout en toi. Il faut que tu reviennes à une vision apaisée des choses.

Quant à la douleur, ne la laisse pas te submerger. Tu dois la dominer. Ne la laisse pas t'entraîner sur le terrain de la mesquinerie ou de la vengeance. Le chagrin ne doit pas prendre racine en toi et faire de toi une femme amère. Tu vaux mieux que ça. Je sais que c'est facile à dire pour moi qui ne vis pas une telle déchirure et que tu dois te sentir bien seule. Mais tu es forte, je le sais. Je sais que tu possèdes une énergie inextinguible, un don peu commun pour la vie. Tu peux recomposer un bonheur sur les ruines de ton couple, même si ce sera difficile. C'est un long chemin que tu dois parcourir et dans toute la mesure de mes possibilités, je t'aiderai.
Ma chérie, si tu as besoin de moi, je suis prête à venir pour te soutenir, il te suffit de me le dire, et si tu souhaites venir à Jérusalem, sache que je t'attends les bras grands ouverts.

Sois courageuse, mon Almah.
Mes pensées les plus affectueuses t'accompagnent, S.

*

Sosúa, le 30 octobre 1959

Svenja chérie,

Ta lettre m'a fait un bien fou.
C'est décidé, je viendrai te voir. Mais pas tout de suite. Car tu n'aimerais pas retrouver une épave. Il faut d'abord que je panse mes blessures et que je me reconstruise tant bien que mal, et crois-moi j'y travaille. Mais cela prendra sans doute un peu de temps. J'ai compris que ma seule issue est l'acceptation. Wil est une part de moi comme je suis un morceau de lui.

Nous nous sommes façonnés ensemble, nous sommes faits l'un de l'autre et rien ni personne ne pourra jamais aller contre ça. Je sais que je m'habituerai à vivre sans lui. Tout au long de ces années, j'ai résisté à de terribles épreuves, courbé le dos à chaque défaite et relevé le front après chaque petite victoire. J'ai traversé une guerre, un holocauste, perdu mes parents qui se sont sacrifiés pour moi, enterré un enfant, je surmonterai cette épreuve-là, sans doute la plus dure de toute mon existence. Je sais aussi que la fin de notre vie de couple n'est sûrement pas la fin de notre amour. Nous devons nous aimer d'une autre façon et le temps m'aidera à découvrir laquelle.

Parfois je suis saisie de vertige à la pensée de ce que sera ma vie désormais. Une chose est sûre, je ne veux pas sombrer dans la cinquantaine aigrie.

Je découvre le calme réparateur de la solitude. La douleur m'a refaçonnée d'une curieuse façon : je suis devenue non seulement méfiante mais aussi égoïste. Désormais je ne suis plus du tout naïve face aux autres. Je me suis endurcie le cœur et je veux être libre d'agir à ma guise. Wilhelm m'a suffisamment dit par le passé que j'étais invincible. Je ne le ferai pas mentir. Je suis en train de me reprendre en main. Finies les journées engluées dans le marécage de la tristesse. Lorsqu'une vague menace de me submerger, je monte à la ferme toutes affaires cessantes, je selle Polka et je pars chevaucher jusqu'à en avoir les jambes raides. Je me sens libre comme je ne l'ai jamais été. Au mépris des convenances, et je sais que cela te fera plaisir, je me suis mise à sortir seule, à m'octroyer des escapades à la capitale. Je vais voir un film au Rialto, je m'offre un

dîner à l'Ariete et je dors à l'hôtel Condé, tout cela comme une grande, et tant pis pour les cancans des vieilles rombières.
De toute façon, il est hors de question que je me laisse aller devant les enfants qui souffrent déjà assez de notre séparation. Frizzie, qui termine son école d'ingénieur à Santiago, n'a fait aucun commentaire. Mais il ne rentre plus un week-end sur deux à Sosúa comme avant et il se mure dans un silence désapprobateur. Ruthie semble inconsolable, elle a des crises de larmes, des colères incontrôlées, et elle refuse de monter à Atravesada de peur de croiser son père. Tu sais l'adoration qu'elle lui voue et son image en a pris un sacré coup. Elle a du mal à gérer ses émotions et ses résultats universitaires s'en ressentent. Heureusement, Francisco, son petit ami, lui sert de béquille.
Dès que je sentirai que les enfants ont dépassé le stade des réactions épidermiques, dès que notre situation sera stabilisée, dès que je me sentirai prête à abandonner définitivement derrière moi les ruines de mon couple, je déciderai si je veux divorcer et retrouver mon entière liberté et je sauterai dans un avion pour venir te voir. J'ai tant besoin d'oxygène. Ici l'air est lourd de souvenirs et j'ai besoin d'en respirer un autre. Je suis sûre qu'être auprès de toi serait un baume sur ma tristesse.

Je t'embrasse tendrement, A.

69

Le tour du monde

Novembre 1959

— Ton visage va faire le tour du monde, ma chérie !

Ruth était en train de presser des oranges. Elle laissa son geste en suspens et se retourna. Almah venait de franchir le seuil de la maison d'un pas militaire et refermait la porte moustiquaire derrière elle. Elle balança son sac sur la table et lança un regard triomphant à sa fille. Sur ses lèvres s'étirait un sourire mystérieux et plein de promesses. Ruth la regarda sans comprendre. Légèrement inquiète. Quelle nouvelle fantaisie sa mère lui réservait-elle ?

Almah répondit à la question muette de sa fille par un nouveau sourire provocant, encore plus énigmatique. Ruth fut émue par ce sourire facétieux qui plissait les yeux clairs de sa mère, dessinait un éventail de fines rides sur ses tempes et creusait une fossette dans sa joue gauche. Quand elle souriait ainsi, Almah retrouvait l'insolence de ses vingt ans. Elle attendait que Ruth l'interroge et celle-ci se plia avec complaisance à son petit jeu.

— Qu'est-ce que c'est que cette histoire de tour du monde, maman ?

— Ruthie chérie, je te le garantis, ton visage va faire le tour du monde ! répéta Almah, s'amusant de sa perplexité.

— Mon visage seulement ? Je préférerais que ce soit moi tout entière ! J'ai très envie de suivre mon visage tout autour du monde, figure-toi !

— Assieds-toi Ruthie, je vais tout te raconter.

Docile, Ruth abandonna ses oranges et se laissa tomber sur le sofa, les mains poisseuses, prête à tout entendre. Avec sa mère, on pouvait toujours s'attendre à une surprise. Almah se glissa dans une chaise à bascule et commença à se bercer doucement. Elle entendait bien faire durer le suspense et ménageait ses effets. Ruth s'exhorta à la patience.

— Ruthie, tu sais, ou tu ne sais pas, car tu n'y as sans doute pas prêté attention, enfin tu devrais le savoir car tu lis la presse…

— Maman, accouche s'il te plaît !

— Bon, comme je le disais, ça a été annoncé dans les journaux…

Ruth bouillonnait, sa mère le faisait exprès !

— L'ONU, l'Organisation des Nations U…

— Maman, je sais ce que c'est que l'ONU !

— L'ONU, reprit-elle impassible, a décidé d'instituer des années commémoratives internationales…

Almah laissa planer un silence et Ruth la dévisagea perplexe. Quel rapport avec son visage qui allait partir en voyage autour du monde ?

— … pour attirer l'attention du monde entier sur des questions d'intérêt général.

Ruth se rencogna dans le sofa, résignée. Almah ne lâcherait le morceau qu'après l'avoir fait bien mariner.

— Vaste dessein !

— 1960 sera la première année internationale et elle va être consacrée aux réfugiés. Ce sera l'An-née in-ter-na-tio-nale des ré-fu-giés ! martela Almah triomphante en détachant lentement chacune des syllabes.

Ruth hocha la tête, narquoise.

— C'est une initiative intéressante !

N'ayant toujours pas la moindre idée de la façon dont son visage allait voyager, elle ne put s'empêcher de lâcher un soupir agacé qui n'échappa pas à la sagacité de sa mère. Almah se décida enfin à lever le voile.

— La République dominicaine va éditer une série de timbres commémoratifs, Markus me l'a appris ce matin. Il le tient d'un fonctionnaire de l'administration du courrier.

Un petit signal d'alarme s'alluma quelque part dans le cerveau de Ruth et elle frémit d'une sourde suspicion.

— On prévoit de faire deux timbres de valeurs différentes avec deux images. À l'administration des postes, ils ont donc besoin de photos.

Almah formula tout haut ce que Ruth redoutait tout bas :

— Il y aura un paysage et des portraits d'enfants. De petites filles, pour être précise. Le comité va proposer des photographies réalisées par ton père.

Le comité était ce qui restait du conseil communautaire des premières années de la colonie. Ruth balbutia, abasourdie :

— Et vous allez… proposer un de mes portraits ?

— Après tout ma puce, tu es le premier bébé né à Sosúa, ce n'est pas rien !

— Non, ce n'est pas possible !

— Rassure-toi, il n'y aura pas que toi ma chérie, ce serait trop… égocentré ! Ça pourrait faire des jaloux ! J'ai retrouvé une série de photos que ton père avait faites à l'école quand tu avais cinq ans. Il y a plusieurs groupes de petites filles, mais le plus joli c'est celui où tu apparais.

— Et qui y a-t-il d'autre sur cette photo ?

— Vous êtes quatre : Talia, Ilona, toi… et bien sûr Lizzie !

Sûre d'avoir assené l'argument décisif, Almah eut un sourire de vainqueur. Ruth savoura l'idée : Lizzie était aussi de la partie ! Elle protesta pour la forme, bien consciente que la cause était déjà entendue. Quand Almah décidait quelque chose, il était inutile de revenir dessus. Elle se battrait pour qu'aboutisse son projet de faire voyager le visage de sa fille autour du monde. Et une fois le timbre édité, elle exploiterait la moindre adresse de son répertoire pour une campagne de courriers internationaux tous azimuts.

— Tu ne peux pas faire ça sans me demander mon avis !

— Mais c'est ce que je fais, ma chérie ! Tu dois considérer ça comme un honneur !

Quelle mauvaise foi, c'était Almah tout craché !

— Et celui de Lizzie ! Et des autres !

— Je vais téléphoner à New York. Je suis certaine que ça amusera beaucoup Lizzie. Et sa mère en pétera d'orgueil. Je la vois d'ici, cette bonne vieille Anneliese, se rengorger de fierté en gloussant. J'appellerai aussi les autres.

Almah avait raison, bien sûr. Ruth imaginait déjà la réaction de Lizzie. Elle allait adorer ça ! Ce serait le couronnement de toutes leurs frasques, l'apothéose de leur enfance héroïque et de leur adolescence délurée. Leur amitié indéfectible immortalisée à tout jamais, aux yeux du monde entier ! Quant à elle, elle n'était pas sûre d'apprécier cette publicité inattendue. Elle prévoyait les quolibets de Frederick, mais tout le monde serait enchanté, à commencer par ses parents. Avec ses camarades de l'époque, ils étaient devenus malgré eux des figures emblématiques. Elle était prête à parier qu'ils allaient organiser une fête à la publication des timbres. Ruth rendit les armes et demanda pour la forme :

— Et pour le paysage ?

— Markus a choisi une vue aérienne de la baie de Sosúa, extraite d'une série que ton père avait réalisée pour des cartes postales.

Almah avait bien sûr réponse à tout.

— Et papa est d'accord ?

— Quelle question, bien entendu !

L'affaire était jugée sans même avoir été plaidée.

Et c'est ainsi que, conformément aux prédictions d'Almah et grâce à son zèle assidu, le visage de Ruth fit le tour du monde.

70

Moins de quinze mois

Avril 1960

Luz était devenue distraite, lointaine. S'était-elle fatiguée de moi ? Ressentait-elle les ondes de tristesse qui m'envahissaient, mes doutes face à l'avenir ? J'interrogeais ses yeux noirs et je n'avais pas de réponse. Ce jour-là, malgré une lascivité de geisha, sa jouissance avait eu l'air d'un adieu. Elle somnolait à côté de moi. Bientôt j'allais la quitter pour rentrer chez moi avant que la nuit tombe. Un recueil de poésie de Salomé Ureña traînait sur sa table de chevet. Je me souvins que José vouait un véritable culte à la poétesse dominicaine. Le livre s'ouvrit à la page marquée par un signet. Le poème était intitulé *Luz*.

¿Adónde el alma incierta
pretende el vuelo remontar ahora ?
¿Qué rumor de otra vida la despierta ?

(Où le cœur indécis
prendra-t-il son envol ?
Quelles rumeurs d'une vie nouvelle le rappellent à la vie ?)

Je refermai le livre en tremblant comme s'il me brûlait les doigts. Était-ce un message ? Que voulait-elle me dire ? Luz était-elle en train de prendre le virage d'une nouvelle vie ? Allait-elle s'envoler loin de moi ? J'avais besoin d'une réponse. Je la secouai doucement.

— Luz, tu n'es plus avec moi. Que se passe-t-il ?

Luz contempla le plafond en silence. Je ne voyais que son profil qui se découpait dans la semi-pénombre de la chambre. Une larme perla au coin de son œil et se fraya un chemin le long de sa joue pour s'arrêter un instant sur l'arête de sa mâchoire. Je pris son menton d'une main et tournai son visage vers moi. Je repoussai une mèche de cheveux. Ses yeux étaient brillants de larmes. Je tendis la main pour essuyer du pouce une larme égarée sur sa lèvre inférieure, mais je préférai m'abstenir et mon bras retomba.

— Il y a quelqu'un d'autre ? C'est ça ?

Elle me lança un regard qui me transperça, un regard tendre et infiniment triste. Un sourire malheureux crispa sa bouche, ses lèvres s'entrouvrirent en tremblant et je pressentis que j'allais entendre le pire. Ses yeux prirent un éclat fiévreux.

— Il s'appelle Fidel, il est barbu et porte un uniforme kaki.

Je peinais à comprendre.

— Je dois retourner chez moi, Wilhelm. Il se passe des choses dans mon pays, des choses incroyables. Les Cubains sont en train de donner une grande leçon au monde. Une révolution est en marche. Je ne peux pas ne pas y prendre part. Ma place est à Cuba.

Derrière l'émotion de Luz, je lus sa détermination. Je savais que je ne pouvais pas lutter contre ça. Je n'avais rien d'aussi exaltant à lui proposer. Je n'essayai même pas d'argumenter. Envahi par un sentiment d'abandon, de chagrin et de solitude, je caressai sa joue en me noyant dans l'eau sombre de ses yeux.

— Toi aussi Wilhelm, tu dois retrouver ta véritable place, ajouta-t-elle avec un doux sourire. Auprès de ta femme et de ta famille.

J'étais bien loin de me douter ce soir-là que Luz porterait l'uniforme vert olive et participerait, les armes au poing, à la victoire de Playa Girón en avril 1961 aux côtés de Fidel. Qu'elle serait l'un des quelque 120 000 alphabétiseurs populaires à parcourir le *campo* cubain pour liquider l'analphabétisme. Qu'elle s'époumonerait sur la place de la Révolution au milieu de milliers de brigadistes à hurler : « Fidel, dis-nous ce que nous devons faire d'autre ! » Qu'elle baptiserait son premier fils Ernesto comme des milliers de Cubaines. Qu'elle finirait par devenir une apparatchik du parti et une proche conseillère de Castro.

Luz quitta l'île en mai 1960. Notre liaison avait duré moins de quinze mois. Elle avait bouleversé l'équilibre de ma vie. Je lui avais sacrifié Almah et ma vie de famille. J'avais cru à une promesse de bonheur et c'était un immense gâchis.

Un an après son départ, je reçus une lettre de Luz. Elle me l'avait adressée aux bons soins du journal. Elle écrivait : « Je suis heureuse, Wilhelm, je suis à ma place, dans mon pays. Nous avons vaincu les Yankees et nous allons maintenant éradiquer quatre siècles et demi d'ignorance. Bientôt Cuba se proclamera Territoire libre d'analphabétisme ! » Elle reprenait les paroles du Lider Maximo : « Cette capacité de créer, ce sacrifice, cette générosité des uns envers les autres, cette fraternité qui règne aujourd'hui dans notre peuple, c'est le socialisme ! » Elle ajoutait : « Sois heureux Wilhelm, comme je le suis. » Ce furent les derniers mots de Luz.

71

Extraits des carnets de Wil

1960

Juin

Je m'apitoie sur le désastre de ma vie de couple dévastée. C'est ce qui arrive à celui qui perd son grand amour.

Je me sens très seul mais je ne peux m'en prendre qu'à moi-même. Je ne veux pas mettre Markus à contribution. Ce serait mal récompenser son amitié que de le coincer entre le marteau et l'enclume.

Almah vient régulièrement à la ferme pour monter sa jument. Elle fait en sorte de ne pas me croiser et nous n'échangeons que sur des dispositions pratiques, rien de plus. Nous n'avons jamais reparlé de l'essentiel. Elle n'y tient pas manifestement.

C'est un paradoxe, mais je ressens de la jalousie de sa vie sans moi.

Quand je la rencontre dans le village, mon regard s'attarde sur les contours familiers de son corps. Elle me manque. Des souvenirs vifs me reviennent et me déchirent le cœur telles des lames de rasoir.

Août

Trujillo devient fou : il a tenté de faire assassiner Betancourt, le président du Venezuela, qui accueille des opposants politiques et milite pour la démocratisation du continent. En réponse à cet exploit, l'Organisation des États américains vient de condamner notre pays à des sanctions, un blocus qui va nous isoler. Les États-Unis ont fermé leur ambassade, ils lâchent leur dictateur. Une commission doit arriver pour établir un rapport sur la situation dans le pays.

Les prisons débordent d'opposants politiques, les assassinats, les morts subites et les enlèvements sont monnaie courante. La répression est tellement virulente que même l'Église catholique commence à ruer dans les brancards. Le pape parle d'excommunication après que le Bouc, ivre, s'est emparé d'un calice dans une église pour donner la communion aux membres de sa suite.

Le pays est au bord du chaos.

Novembre

Les dictateurs de l'Amérique latine tombent comme les quilles d'un jeu fragile, d'abord Rojas Pinilla, puis Pérez Jiménez, ensuite Batista… La chute du nôtre est pour bientôt. Le bombardement de Sosúa n'était qu'un des derniers soubresauts du régime moribond. Le peuple ne supporte plus les enlèvements, les disparitions et les tortures. Le vent de démocratie qui souffle sur Cuba a levé un immense espoir dans toute la jeunesse dominicaine.

30 novembre

L'affaire des trois sœurs Mirabal, Patria, Minerva et María Teresa, assassinées à la machette avec leur chauffeur, Rufino de la Cruz, puis jetées dans leur Jeep du haut d'un précipice qui borde la route de la Cumbre, pourrait bien précipiter la chute du Bouc. Les circonstances de leur mort, le 25 novembre, n'ont pas été clairement établies, mais cet assassinat politique avec sa macabre mise en scène d'accident de voiture est, sans le moindre doute, celui de trop. Les « Mariposas », comme les appellent les antitrujillistes, appartiennent à une riche famille de propriétaires terriens et incarnent la résistance de la bourgeoisie et des intellectuels. La situation est en train de déraper. La dictature a beau essayer de maintenir le pays sous un joug d'acier, elle vacille.

72

Durée indéterminée

Janvier 1961

Puis Almah ne fut plus là et tout changea.

Wilhelm prenait une bière avec Markus à l'Oasis quand elle entra d'un pas décidé dans le jardin.

— Tu peux nous laisser un instant, Markus ? Je n'en ai que pour deux minutes, dit-elle en s'asseyant sans autre forme d'entrée en matière.

Markus partit s'accouder au bar avec sa bière. Wilhelm considéra Almah d'un air interrogateur. Quelque chose dans l'inflexion de sa voix l'avait alerté. Ce préambule présageait une déclaration ébouriffante, il en aurait mis sa main au feu. Il était pourtant loin du compte.

— Je pars en Israël demain, annonça-t-elle d'un petit air crâne, comme si c'était la chose la plus banale du monde.

Une pointe d'acier se ficha dans le cœur de Wilhelm. Une émotion brute. Il la dévisagea avec des yeux ronds, sans comprendre.

— Je te confie nos enfants, ajouta-t-elle avec une feinte désinvolture. S'il y a quoi que ce soit, ils savent où me joindre.

Elle fit mine de se lever. Wilhelm lui attrapa le bras, le visage crispé par une grimace.

— Qu'est-ce que ça signifie ?

Almah lui décocha ce sourire ingénu qui le faisait fondre autrefois. Sa main voleta devant sa bouche comme si elle s'excusait. Wilhelm eut un pincement au cœur quand il remarqua la ligne de peau blanche sur son annulaire, là où elle aurait dû porter son alliance.

— Je ne déménage pas, pas encore ! Je prends des vacances. De longues vacances, bien méritées. Plus personne n'a besoin de moi ici. Il est temps que je songe un peu à moi. Les enfants sont au courant.

— Tu… tu aurais dû m'en parler… articula Wilhelm, le front plissé de contrariété.

Son regard bleu s'assombrit d'un ton. Il nota une nouvelle ride, un petit pli d'amertume au coin de sa lèvre et se dit que c'était sa faute. Almah le regarda bien en face et poussa un soupir.

— Récemment, on ne se parle plus beaucoup ! Et puis, je suis libre d'agir à ma guise, non ? Bon, je dois aller boucler ma valise. Je donnerai des nouvelles.

Il n'y avait pas d'amertume dans la voix d'Almah, juste un constat désabusé et un peu triste. Elle tourna les talons en agitant sa main à la manière d'un au revoir d'enfant. Wilhelm se tut. Qu'aurait-il pu dire ? Ni Frederick ni Ruth n'avaient jugé bon de l'avertir. Il regarda Almah s'éloigner et c'était comme si on lui arrachait un morceau de son cœur. Markus revint s'asseoir à côté de lui.

— Quand Almah dit deux minutes, c'est deux minutes !

— Elle me quitte ! annonça Wilhelm dans un filet de voix, le regard sombre.

— J'avais cru comprendre que c'était toi qui l'avais quittée.

— Elle s'en va, Markus ! Elle part en Israël.

Markus pâlit sous son hâle et lut sur le visage de son ami une expression qui hésitait entre résignation et tristesse.

— Elle émigre ? Elle abandonne les enfants ?

— Non, elle me les confie ! Elle part en vacances, durée indéterminée. Les bras m'en tombent.

— Je vois, répliqua Markus soulagé. Elle va rejoindre Svenja !

— Si tu crois que ça me rassure ! Je trouve même ça plutôt inquiétant.

— Elle a bien le droit de vivre sa vie après tout !

— C'est exactement ce qu'elle vient de me dire ! Parfois je me demande si la vie ne tient pas un compte précis de nos faiblesses et si elle ne choisit pas de nous présenter l'addition au moment où l'on s'y attend le moins, ajouta-t-il songeur.

*

Deux semaines s'étaient écoulées depuis son départ et ils n'avaient reçu en tout et pour tout qu'un télex exsangue et un bref coup de téléphone qu'Almah avait passé aux enfants pour les rassurer. Elle était bien arrivée. Et c'était tout.

Au fur et à mesure que passaient les jours, Wilhelm sentait un vide s'installer et grandir dans son univers. C'était la première fois qu'il ne respirait pas le même air qu'Almah et cet air lui devenait petit à petit suffocant. Almah lui manquait, tout simplement.

73

Look Marylin

Janvier 1961

Jérusalem, le 30 janvier 1961

Mes chéris,

Le voyage a été long et fatigant, mais Svenja m'attendait à l'aéroport de Lod. Nos retrouvailles ont été très… humides, nous étions tellement émues que nous nous sommes mises à pleurer l'une et l'autre comme des madeleines !

~~Je n'ai pas de mot pour cette émotion venue du plus profond de mon être, qui nouait ma gorge et paralysait ma voix. Au début c'était un peu étrange, nous nous sentions gauches et empruntées, mais au fil des heures, les mots et les rires sont revenus, et finalement…~~

Almah raya les dernières lignes. Tant pis, elle devrait recopier la lettre, mais elle préférait garder ses réflexions intimes pour elle et ne livrer à ses enfants qu'un récit léger. Elle reprit sa lettre, la première qu'elle leur écrivait depuis son départ. Elle avait été si occupée…

Il ne nous a pas fallu plus d'une poignée de minutes pour retrouver notre complicité intacte. Je l'ai trouvée un peu plus petite que dans mon souvenir, mais aussi plus belle et très en forme. Israël lui va bien ! Elle a pris un congé de trois semaines pour se consacrer entièrement à moi et nous avons plein de projets.
Eival est charmant, il nous a laissé sa voiture pour faire du tourisme. Il y a tant à voir. Nous avons visité la vieille ville de Saint-Jean-d'Acre, la forteresse perchée de Massada au cœur du désert de Judée et la mer Morte où on flotte comme un bouchon de liège ! Dans la vieille Jérusalem, j'ai suivi les étapes du chemin de croix avec émotion. J'aurais aimé glisser un petit papier avec un vœu dans le Mur des Lamentations mais ce n'est pas possible. Un jour peut-être…
Nous avons prévu de séjourner quelques jours à Barkai, le kibboutz où Svenja et Mirawek ont passé leurs premières années.
Svenja a à cœur de partager son pays et de me le faire connaître, ~~peut être a-t-elle le secret espoir que je vienne m'y installer.~~
Elle a beaucoup aimé toutes les photographies que je lui ai apportées. Elle a fait faire des tirages des vôtres pour les mettre dans des cadres. Je n'ai toujours pas vu Mirawek, mais nous avons prévu de lui rendre prochainement visite à Tel-Aviv. Il paraît que la vie culturelle et sociale de la capitale est merveilleuse.

Vous souvenez-vous d'Ewald Grodner ? Qui travaillait à l'atelier de menuiserie ? Figurez-vous que nous sommes tombées sur lui. Il a une petite entreprise de mobilier très florissante. ~~Nous avons pris un verre ensemble et il est toujours aussi~~

Almah releva la tête. Inutile de leur raconter que ce don juan de pacotille avait lourdement insisté pour l'inviter à dîner et qu'elle avait eu toutes les peines du monde à s'en dépatouiller. Sa rencontre avec Ewald n'intéresserait probablement pas les enfants, mais ils en parleraient sans doute à Wilhelm qui serait amusé. Svenja lui avait aussi donné des nouvelles des Loeb, Eric et Liese, toujours aussi bonnets de nuit, qui travaillaient maintenant dans une banque, et des Hirschel, un gentil couple effacé qui ne s'était jamais fait à la vie de fermiers. Ils avaient ouvert un laboratoire d'analyses médicales.

Israël bouillonne d'une énergie extraordinaire, perceptible à chaque coin de rue. Je me sens bien ici, ~~je me sens libre comme on ne peut l'être qu'à l'étranger, sans repères, sans histoire. Ici ma vie est une page vierge.~~ La maison de Svenja est grande et confortable, avec un jardin plein de fleurs, dans un quartier résidentiel très calme, et le ciel est toujours clément. Quand nous ne nous promenons pas, Svenja et moi nous parlons, nous avons tant de choses à nous raconter depuis toutes ces années.

Almah suspendit la course de son stylo. Entre elles, à la moindre occasion, les souvenirs refleurissaient, pleins de cette île tropicale où elles s'étaient connues et aimées. Elle se souvint de leur conversation de la veille au soir. Elles sirotaient un thé sur la terrasse.

— C'était vraiment bien, avait soupiré Almah.

— Tu as raison, il y a eu de très chouettes moments ! Et nous étions si jeunes… Tu te souviens de ce qu'on disait de nous, le bruit qui courait ?

— Que notre amitié était contre nature !

Almah n'avait pas hésité une seconde, elles avaient pouffé, c'était tellement énorme. Elles avaient ri de bon cœur au souvenir des ragots colportés par les harpies de Sosúa, mais à l'époque cela les avait d'abord blessées puis outrées.

— Certains étaient vraiment de toutes petites gens avec des mentalités bien étroites malgré la très haute idée qu'ils avaient d'eux-mêmes. Ils crevaient d'envie devant une amitié comme la nôtre.

— C'est tellement rare de trouver son âme sœur ! avait approuvé Almah avec un doux sourire.

— Enfin on ne peut pas vraiment leur donner tort : Dieu m'est témoin, si je n'avais pas farouchement aimé les hommes et ce qu'ils ont entre les jambes, c'est toi que j'aurais choisie !

Eival avait fait irruption sur la terrasse à ce moment-là et elles avaient rougi comme des collégiennes prises en faute, secouées par un fou rire irrépressible.

Je suis vraiment très heureuse d'avoir retrouvé mon amie et de connaître enfin Israël. Svenja vous embrasse très fort, elle vous invite à venir passer des vacances chez elle quand vous voulez, « Vous êtes ici chez vous, des invités permanents », dit-elle.

Mes chéris, je vous laisse car je dois aller dormir, une dure journée nous attend demain : nous allons nous promener au port de Haïfa.
Je vous embrasse très fort comme je vous aime,

Almah.

Une vague de nostalgie submergea Almah. Elle pensait à Wilhelm. Elle aurait aimé être ici avec lui. Il aurait adoré Israël, ce jeune pays de tous les possibles, cette utopie née de tant de sacrifices et devenue enfin réalité.

Elle plia soigneusement sa lettre et y joignit une photographie de Svenja et elle au dos de laquelle elle inscrivit « A et S, look Marilyn, mer Morte, – 425 m, le point le plus bas de la surface du globe, 25 janvier 1961 ». Elles portaient des pantalons moulants étroits et fendus aux chevilles, des chaussures plates, des corsages à manches courtes, un bandeau dans les cheveux et des lunettes de soleil ailes de papillon. Almah se trouvait jolie sur cette photo et espérait bien que les enfants la montreraient à leur père. Il verrait qu'elle n'avait pas besoin de lui pour être heureuse et qu'elle vivait intensément chaque seconde.

Et c'est ce qu'elle fit durant les semaines où Svenja et elle parcoururent Israël. Almah téléphonait régulièrement à ses enfants mais elle ne manifestait pas de velléité de retour. Puis l'histoire la rattrapa, on ne parlait plus que de l'ouverture du procès d'Eichmann.

74

De Jérusalem

Mars 1961

L'enveloppe en papier pelure bordée du liseré rouge et bleu « Air mail » portait un timbre d'Israël. Elle ne pesait pas plus de quelques grammes, pourtant elle brûlait les doigts de Wilhelm qui mourait d'envie de l'ouvrir. Mais la lettre était adressée à Ruth et Frederick. Il la tendit à sa fille qui la décacheta d'un coup d'ongle fébrile. L'écriture fine et élégante d'Almah couvrait plusieurs feuillets.

— Elle date d'il y a plus de trois semaines, constata Ruth en repliant la lettre. Dieu que le courrier est lent dans ce pays !

Frustré, Wilhelm se retenait à grand-peine de poser les questions qui lui brûlaient les lèvres. Il observait le visage encore plein d'enfance de sa fille d'un air interrogateur et baissa les yeux sous la flamme de son regard. Habitée par une ferme détermination, bien décidée à enfoncer le couteau dans la plaie, Ruth empocha la lettre avant de tourner les talons. Quelques minutes plus tard, installée à une table de l'Oasis devant une tasse de café noir, Ruth relisait la lettre de sa mère. Cette fois, elle prit tout son temps.

Jérusalem le 25 février 1961

Mes chéris,

Je vous écris d'une ville en pleine effervescence. Dans tout le pays, il n'est question que du procès d'Eichmann. Nous serons aux premières loges, car, par l'entremise de Mirawek qui est maintenant membre de la Knesset, Svenja nous a obtenu des autorisations pour assister aux audiences. Plus l'ouverture du procès, fixée au 11 avril, approche, plus l'électricité dans l'air est palpable. On ressent presque physiquement une énergie hors du commun et un véritable élan de solidarité dans ce pays qui ne manque pourtant ni de l'une ni de l'autre. Quelle exaltation de se sentir vibrer à l'unisson avec un tout jeune État en train de construire son histoire, car ici beaucoup considèrent que ce procès va devenir un élément fondateur d'Israël. Chaque regard que je croise me donne le sentiment d'appartenir à cette nation, ou du moins à ce peuple. C'est curieux, et cela pourrait sans doute sembler déplacé, mais je ressens des émotions oubliées depuis très longtemps, comme quand à Vienne, nous, les Juifs, nous nous reconnaissions d'un regard et nous comprenions sans un mot, hantés par les mêmes angoisses et la même incompréhension. Ici nous partageons tous une fébrilité enthousiaste mêlée de gravité. J'ai de nouveau l'impression d'appartenir par toutes les fibres de mon âme à une communauté. Malgré toute

la tendresse et la reconnaissance que j'ai pour la République dominicaine, je n'y ai jamais ressenti cela. Voilà, mes enfants chéris, ce que votre maman éprouve : la « confusion des sentiments » !
C'est incroyable, mais ce pays est un vrai révélateur : je me sens redevenue complètement Almah, une Almah moins jeune, certes, mais plus entière, plus épanouie, en voie de pacification. J'espère, comme beaucoup ici, que ce procès nous permettra de comprendre, et, si ce n'est d'évacuer définitivement toute l'amertume accumulée dans nos cœurs, de trouver une forme de paix avec nos souvenirs. J'aurais aimé partager cela avec votre père, mais ce n'est pas d'actualité.
Que dirais-tu, Ruthie, si j'étais ton envoyée spéciale ? Je suis sûre que le procès de l'homme qui, confortablement installé au palais Rothschild à Vienne, a organisé l'expulsion des Juifs autrichiens intéressera tous ceux d'entre nous qui vivent encore à Sosúa. Je pourrais t'envoyer par télex des comptes rendus des audiences, des observations personnelles, des interviews, et tu publierais tes articles dans La Voix de Sosúa. *Dis-moi ce que tu en penses ma chérie, et si l'idée te séduit, vends-la à ton père et à Markus et je suis ton homme !*
Mes amours, vous me manquez tant ! J'espère que cette lettre vous trouvera en parfaite santé. Rassurez-moi quant à la situation dans le pays. Ici, nous ne savons rien de ce qui se passe dans l'île. Je parierais que la plupart des Israéliens ne savent même pas placer correctement notre République dominicaine sur la carte du monde ! Tenez-vous éloignés de l'agitation politique et écrivez-moi de

longues lettres. Donnez-moi de vos nouvelles et racontez-moi les derniers potins de Sosúa. J'adore vous lire.

Je vous embrasse très tendrement, Almah.

Une soudaine bouffée de tristesse envahit Ruth qui sentit un nœud se former dans sa gorge. Sa mère lui manquait. Elle semblait avoir trouvé naturellement sa place dans ce pays qu'ils ne connaissaient pas et qui la retenait loin d'eux. Comme s'ils ne lui suffisaient pas. Elle était heureuse pour elle et triste en même temps. Elle se mordilla nerveusement les lèvres, prit une grande respiration et chassa ces idées grises. L'essentiel, c'était qu'Almah retrouve sa joie de vivre. Elle buvait la dernière gorgée de son café, bien sucré comme elle l'aimait, quand son père débarqua et s'assit à côté d'elle en silence. S'il était vexé par l'attitude de Ruth, Wilhelm ne pouvait lui en vouloir. Il savait que ses enfants faisaient peser sur lui la responsabilité de sa séparation avec Almah. En cela ils n'avaient pas tort. Ruth le gratifia d'un lapidaire « Elle va bien » et ce fut tout. Elle avait besoin de réfléchir à la proposition d'Almah.

Plus tard ce soir-là, Wilhelm fit une chose dont il ne se serait jamais cru capable. Il n'avait aucune excuse mais ce fut plus fort que lui. Il fouilla dans le sac de Ruth et lut la lettre d'Almah. Le chagrin le crucifia, elle n'avait pas un mot pour lui. Et elle avait l'air d'être si heureuse là-bas, si vibrante d'énergie.

Il y avait autre chose. Une bouffée acide lui grignota l'estomac. Inutile de se voiler la face, il était jaloux : il aurait tellement aimé être à sa place, vivre l'effervescence de ce procès. Comme pour Nuremberg, il n'était qu'un spectateur lointain d'un fait historique majeur, alors qu'Almah était en première ligne. Sans parler de son idée de collaboration avec Ruth. Il devait reconnaître qu'elle faisait mouche. Ça lui laissait un goût amer, d'autant plus qu'il ne pouvait rien lui reprocher. Absolument rien. Leur cadette était en plein désarroi, elle peinait à trouver sa voie et peut-être la proposition de sa mère allait-elle l'aider. Wilhelm était d'accord pour s'effacer, leur laisser l'initiative, et prendre le relais. D'ailleurs, ils n'étaient plus qu'une poignée de Juifs dans ce pays qui avaient bien d'autres chats à fouetter que les relents nauséabonds d'une guerre dont ils s'étaient tenus à l'écart. La vraie guerre, elle était ici et maintenant, la situation était explosive avec une opposition de plus en plus frontale aux soubresauts de la dictature moribonde. Autant dire que le procès d'Eichmann était un non-événement pour la plupart des Dominicains.

Pourtant plus Wilhelm y réfléchissait, plus l'idée d'Almah lui plaisait. Elle suivrait le procès et il aiderait Ruth à en rendre compte dans les colonnes de leur journal. Markus serait d'accord. Wilhelm s'emballa et se demanda si cela ne vaudrait pas le coup de proposer une collaboration au *Porvenir*. Il pourrait contacter son ami Danilo Guerrero et lui proposer le sujet en espérant qu'ils n'avaient pas déjà quelqu'un sur le coup. Il ouvrit son répertoire et chercha le numéro de Danilo. Puis il le referma, honteux, en se rendant compte qu'il était en train de s'approprier l'idée d'Almah et de voler la vedette à Ruth.

Le lendemain, Ruth eut une conversation avec Markus et son père. Ils lui donnèrent le feu vert.

75

Extraits des carnets de Wil

1961

11 avril

Le procès s'est ouvert et les Hiérosolymites (c'est ainsi qu'on appelle les habitants de Jérusalem selon Almah) sont suspendus aux déclarations distillées par les haut-parleurs fixés un peu partout dans la ville. J'imagine Almah dans cette ambiance fébrile et stimulante et je suis triste de ne pas vivre cela avec elle.

12 avril

On se gargarise de l'exploit de Gagarine qui vient de réaliser le premier vol dans l'espace. Cette victoire technologique éclipse les autres événements et jusqu'aux problèmes de politique intérieure. L'avenir mobilise plus que le passé et c'est plutôt réjouissant. Le démarrage du procès hier est passé inaperçu.

16 avril

L'aviation américaine a bombardé Cuba et les anticastristes ont débarqué dans la baie des Cochons. Sommes-nous au bord d'un nouveau conflit international ? À Sosúa, la vie poursuit son cours tranquille comme si de rien n'était.

19 avril

Les Cubains viennent d'infliger une humiliation internationale aux Yankees. La victoire des communistes aura-t-elle des conséquences sur notre île ? Les rouges sont devenus la bête noire du régime.

76

Théâtre politique

Avril-mai 1961

La lettre d'Almah et le procès d'Eichmann eurent un impact décisif sur la vie de Ruth. Danilo Guerrero avait soumis la proposition au directeur du *Porvenir* qui fut d'autant plus intéressé que le modeste quotidien régional avait prévu de recycler les informations d'une agence de presse américaine comme pour beaucoup d'événements étrangers qu'il ne pouvait couvrir directement. Ruth devint pigiste pour le quotidien de Puerto Plata dont elle adorait l'ambiance affairée et pour *La Voix de Sosúa*. Elle avait entamé avec Almah une correspondance rythmée par l'avancement du procès. Durant les trois semaines que dura le premier procès, le télex ne cessa de cracher des informations en provenance de Jérusalem. Wilhelm imaginait Almah se démenant comme un beau diable pour obtenir interviews et témoignages. Il admirait son travail minutieux, ses notes et ses observations, ses textes précis et bien écrits. Ruth les remaniait, les synthétisait, les traduisait et les soumettait à Danilo et à Wilhelm qui n'y changeaient pas un mot et les publiaient au fur et à mesure.

Elle raconta l'enlèvement rocambolesque d'Eichmann, alias Ricardo Klement, à Buenos Aires, par un commando du Mossad en mai 1960, l'ouverture du « Nuremberg du peuple juif » comme l'appelait Ben Gourion, la mise en accusation du grand organisateur de la déportation des Juifs d'Europe et de la Solution finale, ses quinze chefs d'accusation, dont crimes de guerre contre le peuple juif et contre l'humanité, les témoignages bouleversants de survivants des camps. Almah décrivait « l'architecte du génocide », un petit homme falot mais imperturbable, enfermé dans sa cage de verre à l'épreuve des balles. Elle obtint un témoignage particulièrement marquant de Zivia Lubetkin, l'une des meneuses de l'insurrection du ghetto de Varsovie. Le travail de Ruth et de sa mère connut son apothéose quand Almah envoya une interview de Hannah Arendt qui couvrait le procès pour le *New Yorker.* Mettant en évidence le gouffre entre l'atrocité des crimes et le caractère ordinaire de l'accusé, elle défendait le point de vue singulier de la « banalité du mal » qui lui valut de nombreuses attaques. Almah s'enthousiasma pour la philosophe qui avait fui l'Allemagne en 1933 pour finir par émigrer aux États-Unis en 1941. Hannah était à peine plus âgée qu'elle et leurs histoires avaient nombre de points communs : une longue errance qui passait par la France, l'Espagne, le Portugal et Ellis Island avant de trouver un pays d'accueil définitif. « Pour Hannah, ce furent les États-Unis, pour nous la République dominicaine. Avons-nous eu moins de chance ? se demandait

Almah. Tu te rends compte, Ruthie, à quelques mois près, nous aurions pu nous connaître à Ellis Island. »

Pourtant ce procès, que d'aucuns qualifiaient de théâtre politique, n'apporta pas de réponse à la seule question qui comptait : comment cela avait-il pu arriver ?

Ruth devait poursuivre avec obstination le « projet Eichmann » et suivre le procès jusqu'à son épilogue l'année suivante, avec le rejet de l'appel en mai 1962, la pendaison du nazi et la dispersion de ses cendres en Méditerranée, hors des eaux territoriales israéliennes.

*

À travers le prisme du procès, Wilhelm voyait pour la première fois sa fille comme une adulte. L'Oasis devint leur quartier général. Avec Markus, ils y discutaient passionnément, débattant pied à pied de la peine de mort, du face-à-face symbolique du nazi avec Israël, de la légitimité du pays à s'ériger en juge, des vertus d'un tribunal civil et non militaire comme à Nuremberg, de la nécessité de tourner la page du passé nazi… Et Ruth n'avait pas la langue dans sa poche.

Peu à peu, comme si l'événement avait permis d'ouvrir des vannes solidement scellées depuis leur arrivée dans l'île, Wilhelm commença à se livrer et à lui raconter des bribes du passé. Dépassant leurs différends familiaux, Wilhelm reconquit sa fille. Ils se retrouvaient. Elle le questionnait comme elle n'avait jamais osé le faire, le contraignant parfois à revivre des moments douloureux. Mal préparée par son enfance idyllique à entendre et à comprendre de telles souffrances, atterrée par l'ampleur des révélations, elle était avide de savoir. Wilhelm se prêtait au jeu de la vérité avec une sincérité sans pudeur et le sentiment gratifiant de transmettre son histoire. Il encourageait Ruth dans son travail, se révélant à la fois critique et constructif, et durant ces quelques semaines il la fit grandir. Quand Ruth lui avoua son intention de se consacrer au journalisme, il l'encouragea sans réserve : « À condition que tu suives une formation, Ruthie, car même si tu as des dispositions, on ne s'improvise pas journaliste ! »

Cela lui rappelait une certaine conversation du printemps 1931 dans un café enfumé de Vienne, le sourire bienveillant et les exigences de Jacob… Il y avait si longtemps, une éternité. Un soir, Wilhelm confia à Markus avec un petit sourire désabusé :

— Ruthie va peut-être réussir ce que j'ai raté.

— C'est-à-dire ? demanda Markus.

— Une brillante carrière dans le journalisme !

Plus il se rapprochait de sa fille, plus Wilhelm prenait conscience de ce que sa relation avec Luz avait mis en danger et qu'il ne voulait perdre à aucun prix : sa famille. Plus l'absence d'Almah s'étirait, plus elle était paradoxalement présente et plus Wilhelm sentait la morsure du manque se resserrer autour de son cœur.

Puis tout bascula et le procès Eichmann fut relégué aux oubliettes.

77

La Fête au Bouc

1er juin 1961

— Mon Dieu, Wil, est-ce que tout va bien ? Comment vont les enfants ?

Parasitée par les grésillements, la voix d'Almah était blanche, tendue comme la corde d'un arc. Il avait fallu pas moins que l'assassinat de Trujillo pour la faire sortir du bois et qu'elle daigne enfin parler à Wilhelm.

— Ne t'inquiète pas, Almah, tout va bien. Ici tout est calme, nous sommes loin des troubles de la capitale.

— Mais ils ne laisseront pas ce crime impuni, il va y avoir des représailles des trujillistes, de son fils… L'armée, le SIM, les Cubains…

Elle bredouillait.

— C'est vrai que tout le pays est en émoi mais, rassure-toi, l'armée n'a pas bougé. Balaguer a pris les choses en main. Il n'y aura pas d'insurrection populaire, pas de coup d'État non plus.

— Balaguer ! Depuis quand fais-tu confiance au pantin de Trujillo ?

Dans sa voix, Wilhelm entendait son anxiété. Il s'efforça d'adopter un ton apaisant, même s'il n'était guère convaincu de ce qu'il avançait. Inutile d'alarmer Almah.

— Tout ira bien, les Yankees veillent au grain.

— Tu cherches juste à me rassurer.

— Mais non, je t'assure, ici tout est calme.

— Ce n'est pas ce que disent les journaux ! De toute façon, je prends le premier avion pour Miami. Je veux être auprès des enfants au cas où les choses tourneraient mal.

— Les choses ne tourneront pas mal, Almah ! Je te le répète, la situation est sous contrôle !

— Oh Wil, nous sommes bien placés pour savoir que les choses peuvent très vite très mal tourner.

*

« Je ne quitterai mon poste que pour aller au cimetière », avait-il proclamé.

C'était désormais chose faite.

Wilhelm avait appris la nouvelle par *La Voz dominicana*, la radio du frère de Trujillo. Le « Bienfaiteur de la nation » avait été assassiné dans la nuit du 30 mai 1961 dans une embuscade sur la route de San Cristóbal alors qu'il était en route sans escorte pour visiter une de ses maîtresses. Dix-sept balles dont neuf tirées à bout portant. Au lendemain de l'assassinat du dictateur, il n'y eut pas un journal étranger pour se lamenter. Les obsèques du Jefe eurent lieu le 2 juin au palais national. Des milliers de personnes défilèrent dans la chapelle ardente, puis le cortège funèbre partit pour San Cristóbal, sa ville natale, où il fut transféré dans le caveau qu'il avait lui-même fait construire sous l'autel de l'église. Au passage du corbillard, des femmes en pleurs s'arrachaient les cheveux, d'autres s'évanouissaient.

Le panégyrique lu par le président Balaguer arracha un sourire amer à Wilhelm quand il le découvrit dans *La Hora politica*, le quotidien à la botte de la dictature. « … Nous jurons sur ces reliques que nous défendrons sa mémoire et que nous serons fidèles à ses consignes… un artiste de la politique et un connaisseur profond de la psychologie des masses… »

— Neuf jours de deuil national et la fermeture de tous les lieux de distraction, rien que ça ! ricana-t-il en tendant le journal à Markus.

On parlait d'une vaste conspiration, d'une cinquantaine de personnes impliquées dont des proches du Jefe. Des conjurés, Tejeda, Pimentel, Pastoriza, Espaillat, avaient été arrêtés. Cinq autres, Díaz, de la Maza, Amiama, Imbert, Estrella Sahdalá, étaient en fuite. Leurs têtes étaient mises à prix dans les colonnes des quotidiens avec des appels à la dénonciation.

— Tu vois, les dictateurs finissent par mourir, déclara Markus avec un sourire de satisfaction en refermant le journal. Le plus grand risque, c'est que les Yankees s'en mêlent ! En tout cas c'en est fini des délires du vieux bouc. Si on montait une entreprise de démolition ? Il va y avoir du travail avec ses 2 000 statues à abattre, à commencer par celle de notre petit parc !

Wilhelm n'était pas optimiste :

— Le pays va se réveiller avec la gueule de bois. La répression risque d'être terrible et la guerre pour la succession sanglante.

Il était loin du compte, la répression serait bien plus tragique que ce qu'il imaginait.

*

Le Bienfaiteur de la patrie est tombé, vilement assassiné...
Le Généralissime meurt avec courage...
Trujillo est tombé mais son œuvre ne périra pas...
Son nom appartient à l'histoire, son œuvre au peuple dominicain...
Le peuple ravagé de douleur...

Pendant près de trois semaines, Trujillo fit avec constance la une de toute la presse dominicaine. De ce côté-là, les choses ne changeaient pas. Les journaux, truffés de condoléances, du pape Jean XXIII aux partis politiques en passant par les syndicats et les grands patrons d'entreprise, sans compter celles des particuliers et des Dominicains résidant à l'étranger, n'en finissaient plus de louer son courage et son œuvre, d'exhiber la soi-disant détresse du peuple orphelin.

Personne n'osait dire le soulagement et l'immense espoir que sa disparition soulevait. Pourtant c'était palpable : fatigué du culte de la personnalité et des dérives du tyran, le peuple dominicain aspirait à une véritable démocratie. Il fallait tourner la page, mais ce n'était pas si facile.

Ramfis, le fils du dictateur, play-boy en lunettes noires, prit le commandement des forces armées. Balaguer, l'héritier, promettait une transition sereine vers la démocratie et des élections libres très prochainement.

Il invitait même les exilés politiques à rentrer sans crainte.

Dans les mois qui suivirent l'assassinat, la capitale retrouva son véritable nom. Le Pico Trujillo fut rebaptisé Pico Duarte. Le nouvel aéroport General Trujillo reprit son nom original de Punta Caucedo. On débaptisa aussi les places et les rues des villages ; on déboulonna des statues ; pour les plaques d'égout, c'était plus compliqué. Peu à peu, les portraits du dictateur disparurent des intérieurs et des bâtiments officiels.

Cependant l'arrière-garde veillait et commença une terrible chasse aux sorcières.

78

Des liens mystiques

5 juin 1961

Je la vis de loin, belle et sûre d'elle, au milieu des passagers qui franchissaient la porte d'arrivée. Je sentis aussitôt se tendre le fil invisible et inaltérable qui me reliait à elle. C'était avec cette femme que j'avais envie de vieillir, j'étais uni à elle par tant de choses, des liens mystiques, indicibles, bien au-delà de notre histoire commune. Je savais tout d'elle, les moindres recoins de son cœur et de son esprit, ses zones d'ombre et de lumière.

Puis elle fut devant nous et l'idéalisation céda la place à la réalité quand une Almah presque indifférente effleura ma joue d'un rapide baiser avant de serrer avec effusion Ruth et Frederick dans ses bras. Une étreinte longue et tendre quand je n'avais droit qu'à la portion congrue de son affection, celle qu'elle estimait me revenir après notre rupture. À quoi m'attendais-je ? J'avais sans doute perdu le droit de prétendre à plus. Je tentai de cacher ma déception derrière un sourire crâne. Mais ce fut là, dans le brouhaha d'un hall d'aéroport où elle me considérait comme quantité négligeable, que je décidai de reconquérir Almah.

Elle se réinstalla dans la maison du Batey avec Ruth qui, en roue libre après avoir laissé tomber ses études d'infirmière, attendait la prochaine rentrée universitaire pour s'inscrire en journalisme. Frederick, désormais ingénieur en agronomie, faisait un stage dans une plantation de tabac du Cibao. Je repris ma vie solitaire et monotone à Atravesada. Chaque jour, je descendais au Batey pour expédier les affaires courantes et travailler quelques heures au journal avec Markus, puis je remontais à la ferme et j'essayais d'écrire. Chaque jour ou presque, je croisais Almah qui m'adressait un petit salut, échangeait deux mots avec moi, mais n'avait jamais le temps de prendre un café. Elle s'était mise à conduire une moto, une vieille bécane américaine qu'elle avait dénichée Dieu sait où et qui pétaradait dans tout le village. Certains matins, elle montait à Atravesada, en culotte et bottes de cheval, précédée des déflagrations de son engin. Elle sellait Polka et partait en vadrouille avec sa jument.

Je polissais patiemment mes arguments en attendant de passer à la phase offensive de la reconquête. Un jour qu'elle rentrait d'une chevauchée, je la rejoignis à l'écurie. Dans ma poche je tournais et retournais entre mes doigts nerveux le A de plomb, mon talisman dont je ne doutais pas qu'il allait me porter chance.

— C'était bien ?

Elle était en train de desseller sa jument. La sueur tachait le dos de sa chemise de lin. Ses bottes étaient poussiéreuses, son pantalon moucheté de terre. Des petites mèches folles dansaient sur sa nuque. Elle se retourna vers moi. Sa chevelure ébouriffée auréolait son visage moite d'un halo doré qui faisait ressortir ses prunelles bleues. J'étais à contre-jour et j'espérais qu'elle ne pouvait pas lire la tension sur mon visage.

— Magnifique et fatigant. J'ai poussé au-delà des grottes du Choco. Il y avait plein d'aigrettes pique-bœuf et de hérons dans la mangrove. Puis je suis descendue sur la plage et nous avons galopé longtemps dans le sable. Je suis claquée et Polka aussi, ajouta-t-elle en flattant l'encolure de sa bête. À propos, il faudra renforcer les clôtures, il y a du bétail en liberté sur les chemins.

Je hochai la tête, les clôtures et les animaux étaient bien loin de mes préoccupations immédiates.

— Donne, dis-je en la délestant de la selle que je déposai sur son support à côté des mors.

Almah étrillait sa jument d'une main ferme en lui parlant doucement.

— Une tasse de café et un sandwich, ça te dirait ? Je voudrais te parler de Frizzie, ajoutai-je avant qu'elle ait le temps de refuser.

Utiliser notre fils comme prétexte pour mendier un peu de son temps, voilà à quoi j'en étais réduit. Une lueur d'espièglerie enfantine dans les yeux, Almah me décocha un de ses petits sourires narquois que je connaissais bien, qui disait quelque chose comme « un peu gros, l'appât, Wil ! ». Mais avec Frizzie, j'avais abattu une carte décisive.

— Je ne dis pas non, j'ai un petit creux. Mais pas longtemps, j'ai des tas de choses à faire.

Je me demandai ce qu'elle pouvait bien avoir à faire mais je ne posai pas de questions, trop heureux de ma petite victoire. Je la suivis sur la véranda. Elle s'écroula sur un fauteuil et cala ses bottes sans façon sur la table basse, une chose que je ne l'avais jamais vue faire avant, sans doute une mauvaise habitude récoltée chez Svenja. Je filai dans la cuisine. J'avais préparé des club sandwichs au poulet avec des rondelles de tomate et d'œuf dur dans du pain toasté, exactement comme elle aimait, une jatte de café et des mangues coupées. Quand elle vit mon plateau, Almah me décocha un regard amusé. Elle n'était pas dupe.

— Oh là là, tu me gâtes ! Alors pour Frizzie ? dit-elle en mordant avidement dans son sandwich.

— D'ici quelques mois, après son stage, il a l'intention de reprendre la ferme en main. Il fourmille d'idées, il veut l'agrandir, la moderniser, faire des investissements. Il a mon feu vert, l'élevage ne m'a jamais beaucoup intéressé. Il a besoin du tien.

— Bien chûr, acquiesça Almah la bouche pleine.

— Il y a autre chose. J'ai l'intention de lui céder une partie de mes parts de la CILCA. S'il devient actionnaire, il aura d'autant plus envie de s'investir. Qu'en penses-tu ?

Almah avala une gorgée de café. Elle avait toujours cette façon particulière de boire avec gourmandise et sensualité, puis de passer un bout de langue sur sa lèvre supérieure, qui me désarçonnait et m'émouvait à chaque fois.

— Je suis d'accord. Je lui cède toutes mes parts. Mais il faut que nous donnions l'équivalent à Ruthie, n'est-ce pas ? Elle, c'est le journal qui l'intéresse.

— Mon Dieu, sommes-nous vraiment en train de nous dépouiller pour nos enfants ? Nous ne sommes pas si vieux…

— Nous ne sommes pas si jeunes, Wil. De toute façon, ce qui t'intéresse, c'est ton roman, pas vrai ? Et moi, ce sont les lamantins et les baleines. Et ma fondation.

Une fondation ? Ruth ne m'en avait rien dit. Je constatai qu'Almah ne faisait aucune allusion à ma liaison, comme si elle n'avait jamais existé. Ruth s'était-elle chargée de l'informer de la fin de mon aventure ? J'avais consciencieusement semé des indices à chaque rencontre avec ma fille. Mes manœuvres semblaient avoir porté leurs fruits. Je me contentai de lever un sourcil étonné :

— Ta fondation ?

— Oui, ma fondation. Je suis en train de créer une structure qui va accueillir de jeunes médecins pour effectuer des tournées sanitaires dans les villages isolés. Il est temps de rendre à cette île un peu de ce qu'elle nous a donné. Pour en revenir aux enfants, je suis d'accord pour tout. Tu me diras s'il faut signer des papiers, ajouta-t-elle en se levant.

— Tu pars déjà ?

Almah ne releva pas. Ses yeux pétillaient, la commissure de ses lèvres frémit. Se moquait-elle de moi ?

— Merci pour la collation, c'était très bon !

Elle enfourcha sa bécane et disparut dans un vrombissement, ne laissant derrière elle qu'un nuage de poussière où flottait la vapeur bleutée des gaz d'échappement.

Je revis Almah quelques jours plus tard. Sous prétexte de lui remettre les papiers à signer, je l'avais invitée à déjeuner. Cette fois, elle débarqua dans notre vieille Buick avec son « look Marilyn, version robe », et bien sûr j'eus un pincement au cœur en la voyant. Il était écrit que, malgré les années, malgré nos différends, cette femme me ferait toujours de l'effet. La table était dressée, la bière au frais. Rosita avait préparé des schnitzel achetés au village et une salade de pommes de terre ; j'avais aussi choisi une Linzer Torte aux noix qu'Almah adorait. J'avais misé sur la cuisine autrichienne comme arme de séduction. Une fois qu'Almah eut baissé sa garde, nous retrouvâmes notre complicité d'autrefois. C'était la première vraie conversation que nous avions depuis deux ans. Ruth la préoccupait.

— J'ai toujours su que notre Ruthie n'était pas faite pour une carrière médicale. Elle a une curiosité universelle, un sens de l'observation et de la synthèse qui feront merveille dans le journalisme. À croire qu'elle a ça dans le sang ! ajouta-t-elle avec un sourire de connivence.

Oh, comme j'adorais ce sourire et la fossette qui allait avec !

— Elle s'est jetée à corps perdu dans le dossier Eichmann. Elle a montré un tel enthousiasme et une réelle efficacité… Franchement, elle m'a épaté.

— Hum, je savais ce que je faisais, murmura Almah en soulevant avec gourmandise le croisillon de pâte dorée qui surmontait sa part de tarte.

Évidemment !

— Tu sais comment est Ruthie, reprit-elle. Elle ne demande jamais rien. Elle n'ose pas t'en parler mais elle meurt d'envie de partir à New York. Il y a de très bonnes écoles de journalisme là-bas. Elle pourrait faire un stage dans un journal, je suis sûre qu'Aaron pourrait arranger cela, ou peut-être ton amie Krista. Ça lui ferait du bien de prendre le large, de se confronter à un monde plus vaste, plus stimulant. Qu'en dis-tu ?

— J'en dis que c'est une bonne idée. Si on m'avait proposé ça à son âge, j'aurais été fou de joie. J'en dis que nos enfants n'ont plus guère besoin de nous. J'en dis que nous allons rester tout seuls, comme deux vieux parents !

Almah renversa la tête en éclatant de rire. Un bruit d'eau vive que je n'avais pas oublié. Elle me lança un regard pénétrant.

— Tout seuls, peut-être, mais pas vieux !

Un fléchissement imperceptible de sa voix me donna de l'espoir. Tout n'était peut-être pas perdu. C'est à ce moment-là que je me jetai à l'eau et l'invitai à dîner. Et elle accepta sans faire de manière, comme si c'était la chose la plus naturelle du monde. Quand elle me quitta sur cette promesse, mon cœur débordait. J'en étais sûr, j'allais la reconquérir.

Voulant mettre toutes les chances de mon côté, je ne pus me retenir de mendier la complicité de Markus.

— Fais-lui comprendre que ma liaison avec Luz est terminée depuis bien longtemps. Que ce n'était qu'une passade.

— Pourquoi tu ne le lui dis pas toi-même ? Almah est bien trop fine pour ne pas se rendre compte de la manœuvre.

— Je te fais confiance, tu trouveras un biais.

Markus me sourit avec tendresse. Notre rupture l'avait consterné.

— Si tu n'étais pas mon ami, je t'enverrais te faire voir, toi et tes petites manigances.

— Mais je suis ton ami…

— … et j'aime Almah.

Plusieurs jours s'écoulèrent durant lesquels je fourbis mes armes. J'avais décidé de jouer mon va-tout au cours de ce dîner.

79

Un saphir

Juin 1961

Pendant tout le dîner ils conversèrent comme deux vieux amis. Jusque-là très chiche en confidences, Almah lui raconta les méandres du procès Eichmann dont elle attendait le dénouement avec impatience. Elle confia à Wilhelm à quel point Hannah Arendt l'avait impressionnée, elle l'abreuva d'anecdotes amusantes sur ses escapades avec Svenja. Son regard chaud et enveloppant comme une caresse réveillait les émotions enfouies du passé. Il la dévorait des yeux. Elle avait hérité de sa mère ce genre de beauté qui se magnifie avec l'âge. Les années l'avaient rendue plus sûre d'elle, plus impériale. Ses traits avaient définitivement perdu les contours de la jeunesse, son regard bleu avait gagné en puissance. Les fines rides au coin de ses yeux, l'éclat de son regard qui brillait à la lueur des lampes à huile, la fossette qui se creusait quand elle évoquait une frasque de Svenja, la ride qui se dessinait sur son front quand elle devenait sérieuse, l'auréole qui dorait son visage serein, les doigts fins qui voletaient dans l'air pour chasser les papillons de nuit importuns… Wilhelm retrouvait son Alma. Sans H. Son âme…

— Il y a un dessert ? demanda-t-elle avec une mine gourmande en repoussant son assiette.

— C'est une impasse que je n'aurais pas osé faire !

Quand elle voulut l'aider à changer les assiettes, Wilhelm l'arrêta d'un geste.

— Je m'en occupe.

Il se dirigea vers la cuisine. C'était le moment. Sur un plateau il disposa les coupes de cristal, la bouteille de champagne et les assiettes garnies de tranches de Dobosh Torte dont Almah raffolait. Sur l'une d'elles, il posa délicatement l'écrin et une orchidée.

— As-tu besoin d'aide ?

— Non, je me débrouille très bien tout seul. Reste assise, j'arrive.

Il enleva l'orchidée, ça faisait un peu mièvre, puis la remit, après tout c'était la fleur préférée d'Almah. Il revint à petits pas vers la véranda. Le clair de lune donnait à la scène un caractère irréel.

— Ferme les yeux et ne les rouvre que quand je te le dirai.

Docile, Almah s'exécuta, un petit sourire flottant sur ses lèvres. Un frisson délicieux la parcourut.

— Pas encore, dit Wilhelm en voyant frémir ses paupières.

Il disposa les assiettes sur la table. Quel scénario naïf ! Ça allait capoter, il en était sûr maintenant. Comment pouvait-il espérer que tout redevienne comme avant ? Mais il était trop tard pour faire machine arrière.

— Maintenant, dit-il en retenant son souffle.

Almah ne vit pas son assiette tout d'abord. Elle regardait Wilhelm. Elle aimait la façon dont il coiffait ses cheveux en arrière, dégageant son front. Le regard de ses yeux bruns avait gagné en profondeur. Elle le trouvait toujours beau, peut-être même plus qu'avant malgré son front dégarni et ses tempes grisonnantes. Il avait l'air anxieux du Wil de leurs premières semaines à Vienne, amoureux et pas si sûr de lui. « La première fois que j'ai vu cet homme, j'ai su qu'il perdrait ses cheveux un jour. » Elle pensa ça et cela l'émut profondément. Puis elle baissa les yeux et ne put s'empêcher de rougir comme une jeune fille. Elle ouvrit délicatement l'écrin. Le saphir était magnifique, énorme et serti de diamants. Elle déroula le petit billet roulé dans l'anneau. « Je ne sais pas où va mon chemin, mais je marche mieux quand ma main serre la tienne[1]. » Ses yeux s'emplirent d'une brume humide. Elle se dit que non, elle n'allait pas se mettre à pleurer, mais Wilhelm vit nettement sa lèvre inférieure trembloter.

— C'est la bague que j'aurais aimé pouvoir t'offrir à Vienne. Mais en ce temps-là, je n'en avais pas les moyens.

— Elle est absolument magnifique, mais elle ne remplacera jamais ma petite bague de fiançailles dans mon cœur.

Wilhelm ne sut pas comment interpréter sa remarque.

— Moi aussi, je marchais mieux quand ma main serrait la tienne, Wil. Mais ta main a lâché la mienne et depuis je marche toute seule.

---

1. Alfred de Musset.

— J'aimerais que nous marchions de nouveau main dans la main. Comme avant. Il n'y a rien que je désire plus au monde. Je t'aime Almah, je t'ai aimée à la seconde même où je t'ai vue et je sais maintenant que rien au monde ne pourra jamais changer cela.

Almah baissa les yeux. Elle mit la bague à son annulaire gauche, là où son alliance avait laissé une légère dépression et une ligne blanche dans sa peau hâlée. Elle tendit la main devant elle.

— Elle est très belle, Wil. Vraiment. Mais je ne…

— Almah, je t'en prie !

— Si nous faisions honneur à ce gâteau, il a l'air excellent ! Je parie que tu l'as acheté chez Sonja, reprit-elle en prenant sa coupe. Portons un toast à nos merveilleux enfants, à nous, à ce pays qui nous a accueillis.

Joignant le geste à la parole, elle leva sa coupe, la fit tinter contre celle de Wilhelm et but une lampée de champagne avec gourmandise. Ensuite ils passèrent un moment à se balancer en silence l'un en face de l'autre sur la varangue. Lovée dans son fauteuil, une moitié du visage plongée dans l'obscurité, Almah contemplait la nuit pleine de parfums et des stridulations des insectes. Des nuages voilaient par intermittence la lune et les étoiles. Quand Wilhelm brisa le silence, sa voix était tendue.

— Alors Almah, acceptes-tu de remettre ta main dans la mienne ? Pour toujours ?

Elle baissa les yeux et regarda ses mains brunies. Ce n'étaient plus les mains du jeune intellectuel viennois mais des mains qui avaient vécu, manié des outils, construit, souffert, écrit… Elle planta son regard dans celui de Wilhelm. Il y lut une infinie tendresse et que la flamme s'y était rallumée. Elle enroulait une mèche autour de son index, un geste coutumier qu'il connaissait bien, qui voulait dire qu'elle soupesait le pour et le contre.

— La nuit porte conseil, dit-elle en se levant. Demain je te répondrai. En attendant, je garde ma belle bague, ajouta-t-elle avec un sourire malicieux.

Wilhelm l'attira contre lui. Elle s'abandonna dans ses bras. Leurs corps s'ajustèrent instantanément. Il respira l'odeur de mangue de ses cheveux et son cœur s'emballa comme une machine folle. Appuyant sa tête sur son épaule, Almah glissa une main entre son cou et le col de la chemise. Un frisson des épaules de Wilhelm répondit à la pression de ses doigts. Du pouce, elle caressa l'arête de son menton qui râpait la pulpe de son doigt. Elle connaissait chaque parcelle de son corps, chaque centimètre carré de sa peau, il était une partie de son être et leurs longs mois de séparation ne changeaient rien à cette réalité. Mais elle n'allait pas lui concéder aussi facilement la victoire. Et elle avait besoin de mettre de l'ordre dans ses émotions. Wilhelm mourait d'envie de l'embrasser mais il ne voulait pas risquer de tout gâcher. Il se contenta de prendre son visage entre ses mains et d'effleurer ses lèvres d'un léger baiser, un baiser de papillon, comme elle disait.

— D'accord, j'attendrai demain, soupira-t-il en refermant la portière de la Buick sur elle. Fais attention sur la route.

La nuit dense comme du velours noir avala la voiture. Après le départ d'Almah, Wilhelm débarrassa les reliefs de leur dîner, puis il se mit à arpenter la terrasse en se demandant s'il avait remporté la bataille, sans doute la plus importante de sa vie. Elle devait déjà être rentrée. Il ne put s'en empêcher, il lui téléphona.

— Je ne peux pas attendre demain, lâcha-t-il quand elle décrocha.

— Ça tombe bien, je n'ai pas eu besoin de réfléchir toute la nuit !

— …

— Je t'aime, Wil. Je t'ai aimé à la minute où je t'ai vu et rien n'y changera quoi que ce soit. Je crois que nous sommes condamnés l'un à l'autre à jamais ! Mais tu le savais, n'est-ce pas ? ajouta-t-elle avec un sourire dans la voix avant de raccrocher.

Wilhelm poussa un soupir. Tout était à sa place, enfin. Il prit les clés qui traînaient sur un meuble bas et claqua la porte moustiquaire derrière lui. Il se dirigea d'un pas alerte vers le pick-up. En mettant le contact, il se dit qu'il ferait remplacer le phare gauche dès le lendemain.

80

Une masse sombre

30 juin 1961

Une brise tiède faisait frémir la cime des arbres. Des nuages épais cachaient la lune. Il allait pleuvoir. En avance sur la saison. Cette année, le temps s'était déréglé. C'était mauvais pour les pâturages. Demain matin, la piste serait un bourbier. Wilhelm appuya sur l'accélérateur. Cette nuit, il dormirait avec Almah. Il sentait déjà la chaleur de son corps contre le sien, le grain de sa peau sous ses doigts. Un instant distrait, il donna un brusque coup de volant à droite, évitant au dernier moment une grosse masse sombre dans laquelle il distingua une vache. Les freins pressés à mort couinèrent et les pneus glissèrent dans un chuintement funeste sur la terre humide. La voiture dérapa et cogna contre un arbre qui enfonça la portière côté passager. Wilhelm redressa le volant à gauche. Le petit grigri de graines de Carmela qu'Almah avait autrefois accroché au rétroviseur tournoyait sur lui-même. Il ne réussit pas à le protéger de la collision. Wilhelm prit de plein fouet la seconde vache qui n'avait pas bougé d'un poil au milieu du chemin. 700 kilos de chair et d'os. Une impression d'irréalité. Le bruit mat et terrifiant du choc avec l'animal. Un fracas de tôle froissée. L'onde terrible se propagea dans son corps. Une brûlure fulgurante dans la poitrine suivie d'un craquement sinistre. Une déchirure cuisante. Une douleur aiguë dans les tympans. Des milliers de points lumineux. L'image floue du visage d'Almah dansa un bref instant dans son esprit. Puis ce fut le trou noir.

L'accident s'était produit en bordure d'un champ, non loin d'une case. La vache agonisait dans un concert de mugissements lugubres. Tiré de son sommeil par les plaintes de l'animal, un ouvrier agricole donna l'alerte. Wilhelm fut transporté à l'hôpital de Sosúa. L'infirmière de garde réveilla le médecin. Prévenue par un coup de téléphone, l'angoisse lui déchirant les entrailles, Almah se précipita à l'hôpital avec Ruth. Wilhelm gisait inconscient sur un lit. Le médecin constata de multiples blessures, membres cassés, cage thoracique enfoncée, un œdème important et des lésions cérébrales traumatiques, des signes vitaux défaillants. Il le plaça sous respiration artificielle et posa un entrelacs de perfusions. Almah s'installa à son chevet et renvoya Ruth à la maison. Agrippée à la main de Wilhelm, elle réussit à grappiller quelques minutes de sommeil. Au petit matin, Wilhelm fut transféré à l'hôpital de Puerto Plata, mieux équipé que celui de Sosúa.

Au cours des quatre jours suivants, Almah ne quitta pas son chevet. Frederick rentra de Santiago. Ruth et son frère faisaient des allers et retours entre Puerto Plata et Sosúa. Pas question de relayer Almah, elle ne voulait rien entendre. Elle refusait de quitter Wilhelm ne fût-ce qu'une seconde. Quand elle était vaincue par la fatigue, elle s'assoupissait, sa main tenant la sienne. Markus passa de longues heures à l'hôpital. Il fit venir un neuro-chirurgien de la capitale. Celui-ci réserva son diagnostic, on ne pouvait pas opérer Wilhelm, il fallait attendre que l'œdème se résorbe.

La culpabilité rongeait Almah comme un acide. C'était sa faute. Elle se maudissait, elle et son fichu orgueil. Si elle n'avait pas joué les coquettes le soir de leurs retrouvailles, si elle était restée cette nuit-là avec Wilhelm, rien de tout cela ne serait arrivé. Épuisée, à bout de force et de chagrin, elle se confia à Markus. « J'en mourais d'envie et lui aussi, si seulement je n'avais pas péché par vanité… »

Elle s'accablait. Cela tournait à l'obsession. Markus, à qui il n'avait pas échappé qu'Almah avait remis son alliance et qu'elle portait un magnifique saphir par-dessus, mit le holà.

— Arrête de d'autoflageller, Almah, tu n'y es pour rien. La vie est faite de hasards qu'on ne peut contrôler et tous les si du monde n'y changeront rien. En revanche, vous vous êtes retrouvés et ça c'est important. Wilhelm y tient plus qu'à tout. Il m'avait même demandé d'intercéder pour lui.

Sa dernière phrase arracha un pauvre sourire à Almah.

— Mon pauvre Markus, tu n'es pas très habile en Hermès, c'était cousu de fil blanc.

— Wil va se remettre, tu dois être patiente et lui envoyer des énergies positives.

Encouragée par les paroles de Markus, Almah se mit à murmurer de longs discours à l'oreille de Wilhelm, à évoquer des souvenirs heureux, à lui faire des promesses d'avenir. Au grand désarroi de ses enfants, elle fit venir Carmela qui connaissait des rites vaudous susceptibles de ramener les esprits dans le monde des vivants. L'optimisme de Markus, les murmures et les caresses d'Almah, les incantations de Carmela et les soins attentifs des médecins n'y firent rien. Wilhelm s'éteignit sans avoir repris connaissance au bout du cinquième jour de coma. Almah n'avait pas lâché sa main.

Épilogue

Jours de deuil
1961

La décision d'Almah prit tout le monde de court : elle avait décrété qu'ils observeraient une shiv'ah pour Wilhelm. « Nous ne sommes pas pratiquants », avait objecté Ruth. « On pourrait écourter un peu ? » avait tenté Frederick qui redoutait le rituel contraignant de la semaine de deuil.

— La shiv'ah n'est pas négociable : trois jours pour pleurer votre père et quatre jours pour les souvenirs, avait répliqué Almah avec fermeté.

C'était sa façon de faire savoir haut et fort que Wilhelm et elle s'étaient quittés en paix. Et aussi de retarder le moment où elle se retrouverait seule face à elle-même. Seule dans une vie sans Wilhelm. Almah lut la consternation dans les yeux de Ruth.

— Wil n'était certes pas parfait, mais il a été un bon père et un merveilleux mari. Nous nous étions réconciliés.

Sans prévenir, une pluie embruma ses prunelles et sa voix s'enroua.

— Je l'aimais, tout simplement.

Ruth eut un hoquet et ses larmes jaillirent en un flot incontrôlable. Elle se jeta dans les bras de sa mère en sanglotant. Frederick les enlaça. Après une longue étreinte, Almah se reprit.

— Il faut nous ressaisir, mes chéris. Montrons-nous dignes de votre père qui a traversé tant d'épreuves. Vous pouvez bien lui sacrifier une semaine de votre temps. Il faut organiser le salon en attendant Moses, ajouta-t-elle pragmatique.

— Nous pourrions placer nos chaises face aux fenêtres, suggéra Myriam qui avait sauté dans le premier avion à l'annonce du décès de son frère.

Un geste d'agacement échappa à Ruth : sa mère et sa tante préparaient une réception tandis que son père reposait dans la grange voisine. Moses Arnoldi débarqua avec quatre chaises basses, coupant court à ses réflexions. Il avait remplacé Ernst, le premier rabbin de la communauté des années auparavant, lorsque celui-ci avait quitté Sosúa. C'était un petit homme frêle, coiffé d'une couronne de cheveux argentés, aux yeux d'un bleu très pâle derrière des lunettes à monture démodée. Il jeta la formule rituelle :

— Puisse l'Omniprésent vous consoler parmi les personnes en deuil de Sion et de Jérusalem !

En inclinant la tête, Ruth se fit la réflexion incongrue que Moses avait gardé un teint étrangement blafard pour quelqu'un qui vivait sous les tropiques depuis si longtemps. Il entreprit de leur rappeler les règles à suivre pendant les sept prochains jours :

— Aucun travail, il ne faut saluer personne, pas de bonjour ni d'au revoir, et surtout pas de shalom. Pas de chaussures en cuir et vous ne porterez pas d'habits propres.

Almah tordit le nez. N'étant pas à une contradiction près, elle suggéra :

— On pourrait peut-être assouplir la règle ? Avec ce climat, ne pas changer de vêtements pendant sept jours, c'est impossible !

— Ce sont les règles théoriques, mais tu peux les aménager si tu le juges nécessaire, ma chère Almah.

Moses poursuivit sa litanie, imperturbable :

— Vous ne devez pas vous raser, ça te concerne Frizzie…

Ruth décocha un coup de coude à son frère en se frottant le menton.

— … ni vous couper les cheveux ou les ongles pendant trente jours. Vous pouvez couvrir les miroirs de la maison, mais ce n'est pas obligatoire. Vous ne pourrez pas sortir, sauf pour aller à la synagogue pour le shabbat, et vous garderez un ruban noir épinglé sur votre vêtement pendant toute la shiv'ah. Enfin, pas de festivités pendant douze mois.

Un an sans fête ! Ruth regarda Frederick, consternée. Elle savait qu'il leur serait impossible de respecter cette règle-là. L'air légèrement contrarié, Almah essayait de faire bonne figure.

— J'ignorais qu'il y avait autant de règles à respecter, murmura-t-elle assommée.

— C'est normal, on ne peut pas dire que tu sois une pratiquante assidue ! sourit Moses.

— Mon Dieu, que c'est bas et inconfortable ! gémit Almah en s'écroulant sur une chaise de deuil dont elle faillit rater l'assise au ras du sol.

*

Après avoir lu des psaumes à la lueur tremblotante de la bougie, Moses leur recommanda de se reposer pour affronter la journée du lendemain. Demain, ils enterreraient Wilhelm. Almah essayait de se montrer forte mais elle était ravagée. Elle venait de perdre le seul homme qu'elle avait jamais aimé et elle l'aimerait toujours. Sa vie vacillait. Elle ne voulut pas le laisser seul cette dernière nuit. Abrutie de somnifères, recroquevillée en chien de fusil sur un vieux canapé râpé, elle somnola dans la grange à côté du cercueil dans lequel Wilhelm reposait, vêtu d'une *guyabera* de lin blanc et d'un pantalon noir.

Allongée sur son lit, Ruth avait du mal à faire le tri de ses émotions. Frizzie était-il dans le même état qu'elle ? Il était pragmatique et solide, rien ne le déstabilisait. Et rempli de certitudes. Comme, par exemple, qu'il se marierait et aurait des enfants ou qu'il deviendrait l'éleveur le plus prospère de la région. Ruth eut envie de le rejoindre dans sa chambre et de se glisser dans son lit pour qu'il la console, comme quand ils étaient petits, mais elle n'osa pas.

*

Tournant le dos à la mer, le corbillard montait lentement la piste du Camino Libre. Une longue colonne de véhicules suivait la vieille Buick conduite par

Frederick. Des volutes de poussière dorée scintillaient dans l'air chaud. C'était une journée magnifique, une brise légère montait de la mer. Ils allaient enterrer Wilhelm sous un ciel limpide, dans cette île où il avait choisi de poser définitivement ses valises.

Ils furent surpris par la foule qui les attendait devant la grille marquée d'une imposante étoile de David forgée par un des premiers colons. Almah, Ruth et Myriam avaient retiré montres et bijoux. Silencieuse, visage fermé et mâchoires serrées, Almah était vêtue d'une robe grise et chaussée d'espadrilles. Les yeux rouges, Myriam semblait plus émue qu'elle. Ruth peinait à retenir ses larmes. Frederick avait ressorti sa vieille kippa qui n'avait pas servi depuis des lustres. Le cortège s'ébranla lentement entre les pierres tombales surmontées de cailloux.

C'était un petit cimetière champêtre qui respirait la joie bien plus que la tristesse, à cause du soleil, des grands arbres, du pépiement des oiseaux et des herbes folles. Ils n'étaient pas très nombreux ceux qui étaient enterrés là. Ils étaient venus de loin et Almah pouvait mettre un visage sur chaque nom gravé dans la pierre, car tous faisaient partie de son histoire. Quand ils s'arrêtèrent à proximité de la fosse fraîchement creusée, Almah eut un mouvement de recul et trébucha dans la terre inégale. Un gémissement sourd sortit de sa gorge. Le chagrin incurable enfoui au fond de son cœur refit surface. À côté de la fosse prête à avaler le corps de Wilhelm, une pierre blanche toute simple était gravée. « Sofie Rosenheck, 10 décembre 1945-15 décembre 1945 ». Le souvenir du petit corps à la peau douce comme du satin, du fin duvet blond, du visage bleui du bébé frappa Almah de plein fouet.

Elle ne pouvait détacher son regard de la plaque de marbre piquetée de taches sombres. Wilhelm reposerait à côté de leur petite fille qui n'avait pas eu le temps de grandir. Frederick raffermit son bras autour de sa mère qui sanglotait silencieusement. Son chagrin mêlait le souvenir de son enfant défunte et la perte de son amour. Dans le silence ponctué de chants d'oiseaux, Moses récita le *Tsidouk Hadin* tandis que le cercueil descendait lentement dans la fosse. « Celui qui demeure à l'ombre du Très Haut... depuis les cieux... une paix abondante... la vie... pour tout Israël... » Almah et Ruth balbutiaient des *amen* à contretemps sans quitter des yeux le trou qui venait d'engloutir Wilhelm. Ils jetèrent chacun trois poignées de terre dans la fosse. Ça faisait un chapelet de petits bruits secs, comme quand on s'amuse à lancer des coquillages sur les rochers. Perdue dans ses pensées, Almah se laissa étreindre sans réagir tandis qu'on lui adressait les traditionnels mots de consolation. Puis tout fut fini. Wilhelm reposait dans la terre de l'île espagnole.

*

La bougie allumée la veille allait brûler pendant sept jours. Dans la maison silencieuse, les quatre chaises basses regardaient vers la véranda, face aux sièges des visiteurs, et la table croulait sous les victuailles. Almah prit ses enfants dans ses bras.

— Il ne faut pas être triste mes chéris. Votre père avait coutume de dire que nous avions eu suffisamment de chagrin pour plusieurs vies.

Moses les rejoignit et ils partagèrent la *seoudat havra'ah*[1]. Almah considérait d'un œil morne le pain, les œufs durs et les légumes cuits sans apprêt. Même la jarre de café ne lui faisait pas envie. Ruth et Myriam picoraient dans leurs assiettes. Seul Frederick faisait montre d'un solide appétit. Après une dernière tasse de café, le rabbin les abandonna. Almah arrêta d'un geste Myriam qui commençait à débarrasser la table.

— Laisse, Myriam ! Rosita s'en chargera. Nous ne devons rien faire d'autre que penser à Wil. Il ne nous reste plus qu'à attendre les visiteurs.

Les ventilateurs tournaient à plein régime. Malgré les persiennes et les portes grandes ouvertes, une touffeur abominable avait envahi la maison. Almah était tassée sur son siège entre Myriam et Ruth. Des cernes mauves soulignaient la fatigue de son regard. Ruth prit sa main et elle lui répondit par un pauvre petit sourire. Bien droite sur sa chaise basse, Myriam restait impassible malgré la sueur qui perlait à son front. Une vraie posture de danseuse. Frederick échangea un regard accablé avec Ruth tandis qu'un premier moteur se faisait entendre. La voiture se gara devant la maison. Le défilé allait commencer.

*

Gertraud, une matrone replète, franchit le seuil d'un pas martial, les bras chargés de volumineux saladiers, suivie par sa fidèle acolyte, la plantureuse Gundula. « Les deux G, grosses, godiches, gourdes, grincheuses, on a le choix », avait coutume de se moquer Svenja.

1. Premier repas rituel de la shiv'ah.

— *HaMaqom yena'hem etkhem betokh she'ar avelei Tzion vi'Yeroushlayim*, jeta Gertraud en s'asseyant face à Almah qu'elle dominait de toute sa taille.

Ruth se souvenait de ses cancans quand Almah avait déménagé dans la maison du Batey après sa séparation avec son père, et ça lui déplaisait de la voir surplomber ainsi sa mère. Un bruit de moteur la tira de ses réflexions. Markus, les traits marqués, fit son entrée avec Marisol. Il commença à évoquer son amitié avec Wil et des souvenirs du temps où Sosúa n'était guère plus qu'un terrain vague. Suspendue à ses lèvres, Myriam découvrait une histoire qu'elle ignorait. D'autres arrivaient et attendaient le moment de se poster face à Almah. Malgré ses quatre-vingt-cinq ans, Carmela était venue, cramponnée à la taille d'un *motoconcho*.

Quand le ciel commença à rougeoyer, le salon se vida d'un coup et ils se retrouvèrent tous les quatre, hébétés de lassitude sur leurs chaises basses. Almah remercia Rosita, elle n'avait plus besoin d'elle, les visiteurs avaient apporté assez de bagels, de salades, de légumes cuits à la vapeur, de poisson fumé, de fruits et de gâteaux pour nourrir un régiment pendant une semaine.

*

Ils avaient passé le cap des trois premiers jours. Ruth restait sceptique quant aux vertus de la shiv'ah. Elle trouvait indécent ce deuil partagé et l'étalage de leur chagrin. Chaque soir, elle se pelotonnait contre sa mère et se laissait bercer, donnant libre cours à sa peine. Après le dîner, Myriam s'éclipsa et revint avec un livre épais.

— Puisque nous avons officiellement entamé la phase souvenir, ceci est d'actualité, dit-elle en s'écroulant sur le sofa.

Elle avait eu la bonne idée de glisser dans sa valise un album de vieilles photographies datant de l'Autriche. C'était bien plus qu'ils n'en possédaient à Sosúa. Étroitement serrés les uns contre les autres, ils écoutèrent Myriam commenter les images dentelées jaunies par le temps. C'était à la fois amusant et triste de suivre Wilhelm bébé potelé en barboteuse, petit garçon en pantalon court et à la raie impeccable, adolescent effronté au visage encore plein d'enfance, étudiant poseur et bohème. Myriam pointa le portrait en pied d'un couple : Jacob, bel homme imposant, et Esther, petite chose souriant avec timidité.

— Notre père piquait parfois de grosses colères, plus sonores que méchantes. Wil et moi, nous filions droit. Mine de rien, notre mère savait très bien y faire pour arriver à ses fins. Ils sont restés très unis tout au long de leur vie…

Sa voix se brisa. De la pulpe de son index, Myriam caressa le vieux cliché.

— Il était beau, reprit-elle en secouant la tête pour chasser les démons. Maman racontait qu'elle était tombée amoureuse de lui à l'instant où elle avait croisé son regard. On ne le voit pas bien sur ces photos, mais il avait un œil vert et un œil marron. C'est mon héritage, ajouta-t-elle en écarquillant ses yeux vairons. Un jour, une fillette a dit que j'avais des yeux de sorcière. Wil m'a consolée en me disant que c'étaient des yeux magiques et qu'un jour je rencontrerais un prince charmant. Il avait raison, mon prince, c'est Aaron. Wil me défendait et me protégeait. Nous étions très complices.

— Comme Frizzie et moi ! s'exclama Ruth en jetant un coup d'œil à son frère qui buvait les paroles de Myriam.

— C'était formidable d'avoir un grand frère. Nous étions inséparables jusqu'à ce qu'il te rencontre, Almah. Tiens, voilà toute la famille au Prater ! C'était la promenade dominicale du Tout-Vienne. Il y avait le Prater chic où se croisaient les grandes familles et le Wurstelprater. C'était celui que je préférais avec ses guinguettes populaires, ses balançoires et son théâtre de marionnettes.

Arrêt sur image : une famille bourgeoise en habits du dimanche dans l'allée d'un parc, de grands arbres, des promeneurs en arrière-plan.

— Qu'est-ce que tu tiens à la main ? demanda Frederick, attentif au moindre détail.

Myriam eut un sourire nostalgique.

— C'était un petit moulin à vent, un jouet de rien du tout que vendaient des marchands ambulants, un bâtonnet de bois avec des ailes en papier de couleur fixées dessus. Il fallait courir en tenant le moulin devant soi pour le faire tourner et les couleurs se mélangeaient comme un arc-en-ciel.

— C'est au Prater que nous avons eu notre premier rendez-vous, Wil et moi, intervint Almah d'un ton étrangement gai. C'était le printemps. J'avais mis deux heures pour choisir mes vêtements !

Ruth en eut le souffle coupé. À part les quelques confidences récentes de son père, jamais ses parents n'avaient évoqué leur vie d'avant. Comme si c'était un terrain miné, un jardin secret à jamais condamné. Ce soir, Almah semblait décidée à livrer des lambeaux de leur histoire. Peut-être Ruth allait-elle en récupérer des fragments qu'elle pourrait tourner et retourner dans sa tête jusqu'à les polir parfaitement, comme ces morceaux d'ambre qui enferment des témoignages du passé. Il y avait tant de choses qu'elle ignorait. Apprendre comment ses parents s'étaient connus, c'était poser les premiers mots de sa propre histoire.

— Je m'en souviens comme si c'était hier ! Il y avait cet orgue de Barbarie…

Almah se mit à fredonner quelques notes dans lesquelles Ruth reconnut la mélodie sirupeuse qui passait parfois le soir au temps du Victrola.

— J'ai voulu faire un tour sur la Riesenrad. Wil ne m'avait pas dit qu'il souffrait du vertige et quand nous sommes redescendus, il était prêt à s'évanouir ! Pour me faire pardonner, je l'ai invité au Schwarzenberg…

Almah souriait à l'évocation de cette lointaine journée qui avait décidé du reste de sa vie.

— C'est quoi le Schwarzenberg ? demanda Ruth.

— C'était un café très en vogue où se réunissaient les artistes et les intellectuels. J'adorais leur chocolat chaud et leur gâteau aux pommes.

— Wil devait être fou de toi, s'exclama Myriam amusée. Rien d'autre au monde n'aurait pu le convaincre de grimper dans la grande roue ! Toute la famille à Marienbad, reprit-elle en pointant une autre photographie.

— C'est où Marienbad ? demanda Ruth.

— C'était une station thermale très chic en Tchécoslovaquie, répondit Almah. Je me demande ce qu'elle est devenue aujourd'hui…

— Là, nous sommes en vacances dans le Tyrol, à Seefeld, où nous avons appris à skier Wil et moi…

— Skier…

Ruth prononça le mot, rêveuse.

— … je ne sais pas ce que c'est que skier !

Ils continuèrent à feuilleter l'album jusque tard dans la nuit.

Ruth se tortillait en sueur sur son lit. Les images d'une romance défilaient derrière ses paupières closes. Un grand parc à Vienne, le décor parfait pour les héros d'une histoire d'amour passionnée. Almah et Wilhelm étaient jeunes, beaux, ils allaient tomber amoureux, se marier, avoir un fils. Ruth imaginait les odeurs du printemps, une saison qu'elle ne connaissait pas, elle voyait les grands marronniers en fleur, des arbres qui n'existaient pas dans son île. Quand sa mère avait évoqué ses souvenirs, elle s'était retenue de lui poser mille questions de peur qu'elle n'interrompe son histoire, celle de la rencontre, dans une Autriche disparue, de ces deux jeunes gens qui allaient devenir ses parents. C'étaient ses premières images d'un couple qui avait surmonté la tourmente de l'histoire. La vie d'avant, elle n'en savait rien. Avant Sosúa, l'histoire avait été gommée, les souvenirs encombrants rabotés. À leur arrivée dans l'île, ses parents avaient écrit une nouvelle histoire sur une ardoise vierge, pour ne pas faire de Frederick et elle des héritiers aux semelles de plomb. Certains soirs de pluie, Ruth était envahie par une nostalgie étrange, le legs d'une histoire douloureuse inscrite dans son être intime. Ce soir, le voile jeté sur le passé s'était effiloché.

*

La shiv'ah avait été suspendue pour le shabbat. Un jour sans visiteurs et sans observance des rituels. Enfin presque. Car ils devaient se rendre à la synagogue. Dans la modeste construction de bois, le soleil se réfléchissait sur les plaques scellées aux murs gravées aux noms des défunts de Sosúa. Almah, Ruth et Myriam en tenues sombres et Frederick, sa kippa fixée à ses boucles brunes par des barrettes, un talit à franges jauni par le temps sur les épaules, aimantaient tous les regards. Sous la lampe perpétuelle, Moses, debout au lutrin, se racla la gorge.

— Accueillons la famille Rosenheck qui pleure Wilhelm. Nous partageons leur peine. Tous ceux qui l'ont connu l'aimaient et le respectaient. Il a beaucoup œuvré pour notre communauté. Puisse Dieu les réconforter parmi les endeuillés de Sion.

Moses leur avait mâché la tâche en écrivant une traduction phonétique sous les paroles du kaddish en hébreu. Serrés sur la bimah[1], face à leurs amis, ils prononcèrent les incantations avec lenteur, marquant une pause à chaque saut de ligne pour laisser l'assistance répondre. Ils faisaient de leur mieux et s'en sortaient bien. À la fin de la cérémonie, Moses les embrassa et souhaita un bon shabbat à toute l'assemblée.

*

Ils entamaient la dernière journée. Demain, c'en serait fini des chaises qui meurtrissaient les dos et talaient les fesses. Almah avait repris des couleurs et de l'appétit. Depuis que Myriam avait sorti son album, la chape de chagrin s'était allégée. Ils avaient reçu des témoignages d'amitié des quatre coins du monde.

---

1. Estrade où est posée la table avec la Torah.

En l'espace de ces quelques jours, la ferme était devenue le point chaud du village, un lieu de rassemblement très couru. Le noyau des fidèles était là quotidiennement. Leur présence créait une atmosphère d'affection singulièrement apaisante. Chacun y allait de ses histoires et de ses photographies. C'était un grand déballage de souvenirs, un mélange déroutant de rires et de pleurs, de joie et de tristesse, tout à la fois émouvant et rassérénant.

Le premier éclat de rire qui avait échappé à Almah lui parut incongru. Personne n'avait été choqué. Au contraire, elle avait donné le signal. Ensuite, on avait beaucoup ri. Quand elle se sentait trop bouleversée ou quand son dos criait pitié, elle s'isolait dans sa chambre. Mais elle rejoignait vite le salon de peur de rater une anecdote cocasse. Comme tant d'autres, Wilhelm faisait partie de la légende de Sosúa. Ruth s'était réconciliée avec la shiv'ah. En quelques jours elle avait glané plus de bribes de leur histoire qu'en vingt ans de vie. Ils avaient épinglé sur un grand tableau de bois un joyeux pêle-mêle de photographies. Elle puisait réconfort et apaisement dans ces photographies qui racontait une histoire familière.

Wil, Almah et Frederick sur les *pilotillos* : « Emil a pris cette photo le surlendemain de notre arrivée, nous n'avions pas encore de maillots de bain ! »

Wil, Almah et leurs compagnons sur le pont de l'*Algonquin* : « On était bien loin de se douter de ce qui nous attendait. »

Le premier cours d'espagnol avec José, « où j'ai appris qu'en perdant mon H, j'avais gagné une âme ».

Wil grimaçant un sourire contraint derrière la tribune lors d'une visite officielle « tellement écœuré de devoir faire bonne figure ».

Retour de chevauchée avec Markus et Emil, « les trois mousquetaires ».

Wil assis sur un trépied en train de traire une vache.

Wil brandissant fièrement le premier numéro de *La Voix de Sosúa.*

Almah volant au-dessus d'une toile tendue en guise de trampoline.

Toute la petite bande à la pendaison de crémaillère de la ferme.

*

La nuit avait plongé l'île dans l'obscurité. Les derniers visiteurs avaient quitté la ferme. Las mais soulagés, Almah, Myriam, Frederick et Ruth se sentaient comme des naufragés tout près d'atteindre le rivage après une longue dérive. Moses débarqua pour mettre un terme officiel à la shiv'ah. Il se recueillit un instant puis déclara solennellement :

— Votre maison a porté le deuil durant une semaine au cours de laquelle vous vous êtes consolés ensemble. Vous avez reçu le soutien de notre communauté. La shiv'ah est terminée. Pour autant elle ne met pas fin à votre chagrin. Vous devez maintenant apprendre à vivre avec le souvenir de Wilhelm.

Puis il se redressa et, les regardant chacun tour à tour au fond des yeux, il déclama un passage du livre d'Isaïe :

— « Ton soleil n'aura jamais de coucher, ta lune jamais d'éclipse ; car l'Éternel sera pour toi une lumière inextinguible, et c'en sera fini de tes jours de deuil[1]. »

Il souffla avec componction la bougie qui avait brûlé sans discontinuer pendant sept jours et les considéra gravement. Une onde de tendresse passa dans son regard délavé puis il ordonna :

— Levez-vous ! Vous pouvez dès maintenant reprendre le cours de vos vies. Tout en observant les préceptes du deuil ! se hâta-t-il d'ajouter, comme s'ils risquaient d'oublier ses consignes.

Ils se levèrent, contents d'étirer leurs muscles endoloris et se regardèrent hébétés, comme au sortir d'un rêve. La shiv'ah avait été une trêve, une parenthèse. Maintenant ils allaient émerger dans une existence de laquelle Wilhelm serait définitivement absent. Moses ajouta :

— Pour respecter la tradition, quittez ensemble la maison pour renouer avec le monde des vivants.

Ils descendirent les marches de la véranda. Frederick et Ruth avaient enlacé les épaules d'Almah qui les tenait par la taille. Ruth serrait la main de Myriam. Ils firent quelques pas hésitants sur la pelouse où les pétales du flamboyant formaient un tapis écarlate sur le sol. Ils respiraient à pleins poumons l'air nocturne chargé du parfum entêtant des belles de nuit. La nuit tropicale sentait bon, le concert des insectes allait démarrer. Dans l'herbe, Ruth voyait ici et là les petites traînées phosphorescentes des lucioles. Elle leva la tête. Un croissant de lune horizontal souriait dans le ciel pailleté de myriades d'étoiles. Elle chercha du regard la ceinture d'Orion. Quand elle repéra les

1. Isaïe 60, 20.

trois petits points lumineux, elle sentit des larmes brûlantes ruisseler sur ses joues.

Elle a cinq ans, la lunette à étoiles est dressée dans l'herbe. Son père est accroupi près d'elle dans la nuit chaude bruissant du chant des grillons. Il a coincé derrière son oreille une fleur de frangipanier, une jolie fleur blanche à cœur jaune dont le parfum délicat est comme une gourmandise. D'une main, il la tient serrée tout contre lui. La barbe de son menton picote sa tempe. Elle frotte son nez contre son cou. Son papa sent le tabac, le sel, la terre. Il pointe son index vers le ciel qui scintille.

— Tu les vois, Ruthie ? Les trois étoiles bien alignées ? Les plus brillantes. C'est la ceinture d'Orion. Et là, cette petite étoile, tu la vois ? Celle-là c'est ton étoile, c'est l'étoile de Ruthie, elle est apparue le jour où tu es née. Le ciel ne serait pas aussi beau sans cette étoile-là.

— Et ton étoile à toi, Papa ?

Wilhelm inspecte le ciel.

— Il y a deux étoiles, là, juste au bout de mon doigt. Deux étoiles jumelles, tu les vois Ruthie ? C'est l'étoile de maman, et juste à côté, sa jumelle, c'est mon étoile. Ces deux étoiles-là brillent toujours ensemble.

Désormais l'étoile d'Almah brillerait sans sa jumelle. Elle allait devoir affronter seule le défi des années à venir.

*

Extrait du journal de Ruth – juin 1961

J'ai vingt et un ans.

Mon père est mort.

Il nous laisse à la tête d'un patrimoine confortable construit en à peine vingt ans à force de labeur et d'obstination, de renoncements, de compromissions et d'une infinité de petites victoires sur lui-même.

Si on avait raconté au fringant critique d'art viennois des années 30 qu'il traverserait un continent et un océan pour devenir un riche propriétaire terrien, il ne l'aurait jamais cru.

Mais le destin est une chose étrange qui se moque des hommes et s'invente après coup.

Wilhelm laisse Almah, ma mère, poursuivre seule son chemin.

Mon père qui a tant aimé cette terre où je suis née, qui a tant espéré pour elle, ne connaîtra jamais la suite.

La suite, c'est une autre histoire, une histoire qui s'écrira sans lui.

Notes de l'auteur

Quelques dates clés

6-16 juillet 1938 : conférence d'Évian à l'initiative du président américain Roosevelt, pour trouver des pays d'accueil hors des États-Unis à 650 000 Juifs que l'Allemagne veut expulser. Seuls trente-deux États sont représentés.

Octobre 1939 : Roosevelt entérine le plan Sosúa.

9 décembre 1939 : création de la Dorsa (Dominican Republic Settlement Association), extension du Joint.

30 janvier 1940 : signature de l'accord entre le gouvernement dominicain (ministres de l'Intérieur et de l'Agriculture) et James Rosenberg et Joseph Rosen pour la Dorsa.

Mars 1940 : Les pionniers.

10 mai 1940 : premier grand groupe de colons « The Luxembourg group » (trente-sept personnes).

Juin 1940 : groupe de Suisse.

Septembre 1940 : « Le petit noyau d'Haïti ».

Décembre 1940 : 2e groupe suisse « The Trainees ».

Juin 1941 : 2e groupe du Luxembourg.

7 décembre 1941 : arrivée du dernier groupe avant l'entrée en guerre des États-Unis, « groupe du *Serpa Pinto* ».

1942 : groupe de 1942.

1941 : création de la CILCA (Cooperativa Industrial Lechera C. por A.).

1947 : groupe de Shanghai.

1950 : dernière arrivée de deux familles israéliennes.

1967-1968 : construction de la route qui relie Sosúa à Puerto Plata et Nagua.

1970 : dissolution de la Dorsa.

1990 : le musée juif de Sosúa célèbre le 50e anniversaire de la communauté.

2003 : réouverture du musée après rénovation.

2010 : décès de Kurt Luis Hess, le doyen des pionniers, à l'âge de cent un ans.

Si les héros et les péripéties de ce roman sont imaginaires, ils s'inspirent de personnes, d'événements, de faits et d'un contexte historique bien réels.

Mon écriture s'est nourrie de témoignages recueillis en direct et d'archives, au fil d'un long travail de recherche et d'investigation.

Ci-après une liste des principales sources exploitées :

Sosúa Virtual Museum : www.sosuamuseum.org

Archives du Joint : www.archives.jdc.org

Archivo nacional de la nación (Archives nationales de la République dominicaine) :

Archives des quotidiens nationaux dominicains : *La Hora Politica*, *La Nación*, *El Voto*, *El Pueblo*, *Hora del Progreso*, *Predica y Acción*, *Vanguardia Trujillista*, *Listin Diario*, *El Caribe* et de Puerto Plata : *La Evolución* et *El Porvenir*.

Remerciements

À Sylvie Murelli pour ses lectures attentives, sa patience et son soutien indéfectible.

À Arlette Bigard pour m'avoir accompagnée dans mes pérégrinations à Sosúa.

À Bruno Garel à plus d'un titre.

À Sylvie Ascoët, Pierre Duchesne, Marie Martin et Bernard Petit pour leurs lectures bienveillantes et leurs encouragements.

À Martine Dunois et Olivier Amiel pour leurs précieux conseils.

À Marsella pour m'avoir raconté ses souvenirs de jeunesse, à Juana Almonte pour m'avoir ouvert les portes du musée de Sosúa à maintes reprises, à Alicia et Benny Katz.

À Caroline Laurent pour avoir cru à ce roman à la simple lecture d'un synopsis et pour m'avoir guidée avec patience et bienveillance dans cette merveilleuse aventure éditoriale.

À Florence Maletrez et à Valérie Guiter pour leur contribution à l'éclosion du roman.

Merci à tous, sans vous ce roman n'aurait pas été écrit.

Pour me contacter :
lesderacines@yahoo.com

Ouvrage composé par
PCA 44400 Rezé

Imprimé en Espagne par:
CPI Black Print
en juin 2021

POCKET 92, Avenue de France, 75013 Paris

S28730/15